MIXEN & MÖGEN
GETRÄNKE DER WELT

MIXEN & MÖGEN

GETRÄNKE DER WELT

DAS ABC DER SCHÖNSTEN

MIX-GETRÄNKE

MIXEN & MÖGEN
GETRÄNKE DER WELT

Sonderausgabe der Honos Verlags AG, Zug
Gesamtherstellung: Schweinfurter Tagblattdruckerei, Schweinfurt
Printed in West Germany
Alle Rechte vorbehalten

Essen ist ein Bedürfnis des Magens, trinken aber ist ein Bedürfnis der Seele.

ABC Drink

4–5 Eiswürfel,
2 cl Armagnac,
2 cl Bénédictine,
1 dash Angostura,
Champagner.
1 Zitronenscheibe,
2 Orangen- oder
Mandarinenachtel.
2 Cocktailkirschen.

A wie Armagnac, B wie Bénédictine und C wie Champagner bürgen für einen spritzigen Drink.
2 Eiswürfel zerkleinern und in den Shaker geben. Armagnac, Bénédictine und Angostura drübergießen und schütteln. Den Rest Eis sehr fein zerkleinern. Glas halbvoll damit füllen. Die geschüttelten Alkoholika drüberseihen. Mit Champagner auffüllen. Zitronenscheibe darauflegen und mit Orangenachteln und Cocktailkirschen hübsch garnieren.

Abfüllung

Gütebegriff für Wein, der im Keller des Erzeugers ausgebaut und abgefüllt wurde (bis 1970: Originalabfüllung) oder in dem betreffenden Anbaugebiet auf Flaschen gezogen worden ist. Französisch: Mis(e) en Bouteille; italienisch: Imbottigliato all' Origine.

Absinth

Die »Grüne Muse« beflügelte und ruinierte in den Jahrzehnten vor der Jahrhundertwende Frankreichs Dichter, Maler und Chansonetten. Der smaragdgrüne, 68prozentige, aus einem Extrakt der Wermut-Pflanze gewonnene Absinth schlug Generationen von Intellektuellen und Bettlern, von Dirnen und Genies in seinen Bann. Die Folgen: Rapider Geburtenrückgang und ungezählte Absinth-Opfer mit Gehirnschäden und schweren Lähmungen (Absinthismus). Die Absinth-Ära ging nach dem I. Weltkrieg in Frankreich zu Ende. Begonnen hatte sie schon 1797, als der Arzt Dr. Ordinaire das Original-Rezept für Absinth an den Fabrikanten Henri-Louis Pernod verkaufte. Heute ist der Absinth in vielen Ländern durch Gesetze verboten. In Deutschland bereits seit 1923. Keine Bedenken bestehen dagegen bei der beschränkten Verwendung von Wermutpflanzenextrakten zur Herstellung von verschiedenen Likören und Wermutwein.

Edgar Degas (1834–1917) malte »Die Absinth-Trinker«

A wie Armagnac, B wie Bénédictine, C wie Champagner.

1

Der Longdrink Acapulco sorgt immer für die beste Stimmung.

Schnell gemixt und als Erfrischung beliebt: Admiral Highball.

Abteilikör

Unter den *Kräuterlikören* nehmen die der klösterlichen Tradition entstammenden eine besondere Stellung ein. Sie werden Abtei- oder Klosterliköre genannt. Für viele von ihnen gilt der *Bénédictine* und der *Chartreuse* als Vorbild. Andere sind durchaus eigenständige Schöpfungen. Im Gegensatz zu den *Gewürzlikören* mit ihrem manchmal einseitig hervorstechenden Aroma sind die Abtei- oder Klosterliköre fast immer ausgeglichene, harmonische, sehr sorgfältig abgestimmte Kompositionen aus vielerlei Kräutern, Gewürzen, Wurzeln und Bitterstoffen. Ein Abteilikör kann zum Beispiel Aromastoffe von folgenden Kräutern und Gewürzen in unterschiedlichen Dosen enthalten: Abelmoschuskörner, Angelikawurzel und -samen, Anis, Arnika, Galgantwurzel, Kalmuswurzel, Kamillen, Kardamom, Koriander, Krauseminze, Macis, Melissenkraut, Nelken, Pfefferminze, Pomeranzenschalen, Rosmarin, Tausendgüldenkraut, Thymian, Tonkabohnen, Veilchenwurzel, Wermut, Ysopkraut und Zitronenschalen.

In Oberbayern liegt die berühmte Benediktinerabtei Ettal.

Acapulco

4 Eiswürfel,
1 BL Zuckersirup,
5 cl Tequila,
2,5 cl Johannisbeerlikör,
1 Zitronenscheibe, Soda.

Der Name des mondänen mexikanischen Seebades verspricht einen Longdrink, der für Stimmung sorgt. Eiswürfel ganz fein zerkleinern und in ein Ballonglas füllen. Darauf den Zuckersirup geben. Tequila und Johannisbeerlikör drübergießen. Alles gut umrühren, bis das Glas beschlägt. Dann die Zitronenscheibe auf das Getränk legen und mit Soda nach Geschmack auffüllen.

Adam und Eve

2 Eiswürfel,
2 cl Orangenlikör,
2 cl Weinbrand, 2 cl Gin.

Es gibt ausgesprochene Damen- und spezielle Herren-cocktails. Das richtet sich nach den Zutaten. Adam und Eve ist eine gelungene, süß-herbe Mischung aus beiden. Ein echter Partner-Cocktail.
Eiswürfel zerkleinern und mit den anderen Zutaten in den Shaker geben. Gut schütteln und in ein Cocktailglas abseihen.

Admiral Highball

3 Eiswürfel,
4 cl Tokajer, 2 cl Whisky,
1 BL Ananassirup,
1 BL abgeseihter Zitronensaft, Soda.

Admiral Highball gehört zu den beliebten Longdrinks, die im Handumdrehen zubereitet sind und herrlich erfrischen.
Eiswürfel mit den übrigen Zutaten in einem großen Becherglas vermischen. Mit dem Barlöffel umrühren, in ein anderes Glas abseihen und mit Soda auffüllen.

Nach einem guten Essen ist ein guter After-Dinner-Drink der richtige Abschluß. Hier sind fünf attraktive Beispiele.

Svenska Fan

Afterwards

Whity

C + S

Peter's Kiss

Advokat

Weil der Begriff Advokat nicht geschützt ist, heißen viele Eierliköre Advokat oder Advocaat. In Holland wurde er erfunden, und seine Geschichte ist sehr hübsch. Sie beginnt in Südamerika, wo die Eingeborenen aus dem gelben Fleisch der Avocado-Frucht mit Hilfe von *Branntwein* und Gewürzen ein wohlschmeckendes Getränk herstellten, das holländische Reisende gern zu Hause nachgeahmt hätten. Mangels Avocados ging das nicht. Eier hingegen und damit Gelbes hatte man genug. Ein kluger

Kopf kam auf das Mixrezept und der Eierlikör war geboren.
Der Avocado-Likör-Ersatz bekam dann den Namen Advokat. Und viele übernahmen ihn wegen der Qualität des Urprodukts nur zu gerne. Übrigens: Eierweinbrand und Eiercognac dürfen, im Gegensatz zum schlichten Eierlikör, nur Weindestillat beziehungsweise Cognac enthalten. Advokat trinkt man ungekühlt aus flachen Likörschalen. Die Flasche schützt man vor Sonnenlicht. Denn Sonnenstrahlen würden der Mischung aus Ei und Alkohol nicht gut bekommen.

After-Dinner-Drinks

Drinks, in denen meist Liköre die Rolle des Geschmackswandlers – von harten Getränken wie Rum, Weinbrand oder Gin – spielen, sind süß und regen nicht den Appetit an. Sie sollen vielmehr ein Essen abrunden. Siehe American Drinks.

Afterwards

4 Eiswürfel,
1,5 cl Kirschwasser,
1,5 cl Weinbrand,
1,5 cl Pfefferminzlikör,
2 BL Grenadine.

Eiswürfel zerkleinern und einen Sektkelch etwa zur Hälfte damit füllen. Die übrigen Zutaten dazugeben und alles mit einem Barlöffel gut verrühren.
Drink mit einem Trinkhalm servieren.

C und S

2 Eiswürfel,
2,5 cl Chartreuse grün,
2,5 cl Scotch Whisky.

Alle Zutaten in ein hohes Glas füllen und miteinander verrühren. In ein Glas abseihen und servieren.

Peter's Kiss

3 cl Campari,
2 BL Himbeersirup,
1 BL flüssige Sahne,
1 dash Kirschwasser.

Die Zutaten nacheinander in ein Cocktailglas gießen und mit einem Trinkhalm servieren.

Svenska Fan

3 Eiswürfel, 1,5 cl Gin,
1,5 cl Weinbrand,
1,5 cl Cherry Brandy,
1 dash Orange Bitter,
1 Stück Orangenschale.

Eiswürfel mit Gin, Weinbrand, Cherry Brandy und Orange Bitter in einem hohen Glas gut verrühren. Drink in ein Cocktailglas abseihen und mit Orangenschale abspritzen.

Whity

3 Eiswürfel,
1,5 cl Orangenlikör,
1,5 cl Anisette,
1,5 cl Curaçao weiß.

Eiswürfel zerkleinern und in den Shaker geben. Die übrigen Zutaten darübergießen und kräftig schütteln. In ein Ballonglas abseihen.

Agadir

3 Eiswürfel,
2,5 cl Mokkalikör,
Saft einer halben Orange,
1/8 l Cola oder Sekt,
1 Orangenscheibe.

Dieser prickelnde Longdrink enthält nur sehr wenig Alkohol. Besonders die Damen am Steuer werden sich daran erfreuen. Eiswürfel in ein hohes Becherglas geben. Mokkalikör und Orangensaft drüberschütten und mit Cola oder Sekt auffüllen. Die Orangenscheibe drauflegen oder an den Glasrand stecken. Mit Trinkhalm servieren.

Alaska ist ein kühler Cocktail aus Gin und Chartreuse.

Agaven-Getränke

Jedem Mittelmeerurlauber ist die Agave bekannt, jene großblättrige kaktusartige Pflanze, die wild auf kargen Böden wächst. Ihr üppiges Blattfleisch enthält einen milchigen, süß schmeckenden Saft, der zu Wein vergoren werden kann. In Mexico heißt der Agavenwein Pulque. Pulque ist stark alkoholhaltig und wirkt sehr berauschend. Außerdem werden einige Arten der Agave in Mittelamerika zu dem Agavenschnaps *Tequila* verarbeitet.

Aglianico del Vulture

Der Aglianico del Vulture aus dem Gebiet von Potenza gehört zu den typischen Rotweinen Süditaliens. Er wird aus der gleichnamigen Traube gekeltert, die auf dem vulkanischen Boden rund um den Monte Vulture besonders gut gedeiht.

Ein würziger Wein, der sich gut zum Schafskäse trinken läßt. Leider gehört der Aglianico aber auch zu jenen *italienischen Weinen*, die häufig verfälscht in den Handel kommen.

Aguardiente

Einfach Feuerwasser, nämlich agua ardiente, nennen die Spanischsprechenden diesseits und jenseits des Atlantiks die klaren, noch nicht abgelagerten und gereiften Weinbrände, die in dieser Form aber auch bereits in den Handel kommen: Klare aus Wein, von manchmal sehr ausgeprägtem Geschmack, mit dem Charakter eines »Harten«, der ruhig mal im Hals kratzen darf. Die Portugiesischsprechenden machten es den Spaniern nach, nur sagen sie aguardente (ohne i) und verkonsumieren unter diesem Begriff in Brasilien als aguardente de cana pitu einen Zuckerrohrschnaps, der aus den frisch geernteten und grünen Stengeln gewonnen wird.

Ahornsirup-Cocktail

2 Eiswürfel, 2,5 cl Whisky,
1,5 cl Zitronensaft,
1,5 cl Ahornsirup,
1 Scheibe Zitrone.

Eiswürfel zerkleinern und in den Shaker füllen. Whisky, Zitronensaft und Ahornsirup zugeben. Alles gut schütteln und in ein Cocktailglas abseihen. Die Zitronenscheibe auf den Glasrand stecken.

Ahr-Weine

Deutschlands kleinstes Weinbaugebiet Ahr liegt zwischen den Städten Remagen und Altenahr. Zwar wachsen an den Hängen des nur etwa 40 Kilometer langen Flüßchens Ahr auch Weißweine, doch sind die Rotweine häufiger und bekannter. Mit Recht: Die besten Lagen brauchen in guten Jahren und vor allem als *Auslesen* den Vergleich mit den besten französi-

Weinanbaugebiet AHR

Die Ahr ist das nördlichste von 11 deutschen Weinanbaugebieten. Hier gedeihen besonders gut die Burgundertrauben.

Weinlese im Schloßgarten des Klosters Marienthal an der Ahr.

schen Burgunderweinen nicht zu scheuen.

Daß in diesem nördlichsten Weinanbaugebiet Europas ein so vorzüglicher Wein wächst, ist einer geologischen Besonderheit zu verdanken: Das vulkanische Gestein dieser Gegend speichert die Sonne und sorgt damit für Wärme. Auch die Ahr trägt mit der notwendigen Feuchtigkeit zum Wachstum der hier bevorzugten *Spätburgundertraube* bei.

Die wichtigsten Weinorte sind Ahrweiler (beste Lagen Rosenthal, Daubhaus, Klosterberg), Marienthal (Klostergarten), Mayschoß (Mönchsberg) und Walporzheim (Pfaffenberg, Himmelchen, Alte Lay). Eine Weinprobe, etwa in der Staatlichen Weinbaudomäne Kloster Marienthal (nach Anmeldung zu besichtigen), ist sehr zu empfehlen. Rotweinliebhaber kommen in dem ehema-

ligen Augustiner-Nonnenkloster voll auf ihre Kosten. Ahr-Rotweine guter Lagen zeichnen sich durch Feuer, Rasse und feines Aroma aus. Sie werden mit einer Temperatur von 16–18 Grad C ausgeschenkt. Die Weißweine des Gebiets trinkt man wie den Weißherbst dieser Gegend, den »Bleichert« oder »Bleichart«, etwa 4–6 Grad kühler.

Alaska

2 Eiswürfel,
1,5 cl Chartreuse gelb,
3,5 cl Gin.

Eiswürfel zerkleinern und in den Shaker geben. Chartreuse gelb und Gin ebenfalls hineinfüllen und alles gut mixen. In ein Cocktailglas abseihen.
Wer den Cocktail etwas süßer mag, nimmt 3 cl Gin und 2 cl Chartreuse.

5

Ale
Hokus Pokus

Für 4 Personen

3 Eigelb,
3 BL Zucker,
½ l Ale, 2,5 cl Whisky,
1 Prise geriebene
Muskatnuß.

Dieser Punsch ist ideal für gemütliche Abendstunden mit netten Leuten.
Eigelb mit Zucker schaumig schlagen. Die übrigen Zutaten in einen kleinen Topf geben und bei schwacher Hitze erwärmen, aber nicht kochen lassen. Eischaum langsam dazugeben. Dabei ständig mit dem Schneebesen schlagen. In feuerfeste Henkelgläser füllen und sofort servieren.
Statt Ale kann man auch ein anderes helles Bier verwenden.

Bierpunsch mit Ale und Whisky von der britischen Insel: Ale Hokus Pokus.

Durst wird durch Ale Sangaree erst schön. Das macht die Frische dieses Drinks.

Ale Sangaree

2–3 Eiswürfel, 1 BL Zucker,
1 BL Ingwersirup,
5 cl Wodka, helles Bier,
1 Prise Muskat.

Diese Sangaree wird mit Bier aufgefüllt und gehört zu den Longdrinks.
Die Eiswürfel zerkleinern und in den Shaker geben. Zucker, Ingwersirup und Wodka hinzufügen und tüchtig schütteln. In ein hohes Becherglas seihen, mit dem Bier auffüllen und mit Muskat bestreuen.

Ale

Ale ist das klassische englische *Bier* obergäriger Brauart. Hell, schwach gehopft und kohlensäurearm heißt es Mild Ale und wird in den Pubs als draft meist in randvollen Henkelgläsern serviert. Kontinentaleuropäer können sich nicht so leicht an den Geschmack von Ale gewöhnen. Böse Zungen behaupten, es hätte gar keinen. Ist man dem Ale jedoch erst auf den Geschmack gekommen, bleibt man dabei. So jedenfalls wollen es Eingeweihte wissen. Das Pale Ale oder Light Ale, ein stark gehopftes und an Kohlensäure reiches Bier, kommt unserem Gusto schon eher entgegen. Auch wenn man es, wie der Kenner, bei Zimmertemperatur trinkt. Porter oder Stout heißen die starken Varianten. Beide werden mit einer Stammwürze von über 16 Prozent eingebraut. Porter ist das Stout, das die Porters, die Lastenträger aus dem Londoner East End, mit Vorliebe getrunken haben. Es ist dunkel, extraktreich und kräftig im Geschmack. Burton ist das stärkste Stout, eine Art englisches Bockbier, das man mit Vorliebe zu Weihnachten trinkt. Es ist nach der englischen Bierstadt Burton-on-Trent benannt, wo Englands bestes Brauwasser sprudelt.

Aleatico

Der Aleatico, ein ziemlich süßer italienischer Dessertwein, gehört in die Kategorie des *Vino passito* oder Vino Santo. Unter diesen Bezeichnungen werden Weine aus angetrockneten Trauben, die fast schon Rosinen sind, hergestellt. Der Aleatico wird nach diesem Verfahren aus einer roten Muskatellertraube gewonnen.

6

Alexander

2 cl brauner
Crème de Cacao,
4 cl Dosenmilch.

Alexander ist ein ausgesprochen lieblicher Shortdrink.
Crème de Cacao und Milch gut verrühren und in ein Cocktailglas füllen und gut gekühlt servieren.

Alexandra

2 cl Gin,
2 cl weißer
Crème de Cacao,
4 cl Dosenmilch.

Alexandra ist ein etwas härterer Milch-Mix-Drink. Alle Zutaten gut miteinander mischen. Sehr kühl im Becherglas mit einem Trinkhalm reichen.

Algerische Weine

Der algerische Weinbau wurde einst vorwiegend von französischen Siedlern betrieben. Da die durchweg mohammedanische Bevölkerung aus religiösen Gründen keinen Wein trinken darf, ging die Weinerzeugung seit 1962, als die Franzosen das Land verließen, stetig zurück.
Zuvor gehörte Algerien zu den bedeutendsten Weinländern der Erde. Sehr bekannt waren vor allem die Weine, die in der Umgebung der Städte Algier und Oran wachsen. Die qualitativ besten hießen und heißen noch heute Haut-Dahra, Medea, Zaccar. Da eine Qualitätskontrolle nicht möglich ist, dürfen algerische Weine seit 1962 nicht mehr die Bezeichnung *V.D.Q.S.* führen. In Frankreich und anderen Ländern werden noch kleinere Mengen algerischen Weins eingeführt und zum *Verschnitt* verwendet, da der algerische Wein süßer und alkoholreicher als der französische Midi ist.

Der sahnigsüße Shortdrink Alexander hat viele Freunde.

Französische Siedler führten in Algerien den Weinanbau ein.

Alicante ist Ausfuhrhafen für die Weine der Provinz Alicante.

Alicante

Touristen schätzen an der Provinz Alicante Spaniens angenehmstes Klima. Es ist ausgeglichen das ganze Jahr über. Die süßen Rotweine, die dort wachsen, eignen sich meist nur als Verschnittweine. Allenfalls geben sie brauchbare Tischweine ab. Die Weißweine werden überwiegend zu *Sherry* verarbeitet.
Leider sind Bodegas, in denen man ausführlich probieren kann, an der Costa Blanca mit ihren endlosen Touristenzentren selten geworden. In der weißen Stadt Altea aber gibt es eine, an der man nicht vorbeifahren sollte, ohne Alicanteweine versucht zu haben. Sie heißt Bodegón de Pepe. Hemingway war auch da in dieser Bodega.

Alkohol

»Und nimm Geld, um zu kaufen, alles, was deine Seele gelüstet, es sei Wein oder starkes Getränk, und sei fröhlich.« So steht es im 5. Buch Moses und das dürfte auch der anerkannt früheste massive Hinweis darauf sein, daß Wein oder starkes Getränk fröhlich macht. Der Alkohol trat mit ausdrücklicher Erlaubnis der Kirchen in die Geschichte der Menschheit ein. Aber noch lange nicht hatte der Stoff seinen Namen. Erst der Philosoph und Arzt Theophrastus Bombastus von Hohenheim, genannt Paracelsus, führte die Bezeichnung Alkohol ein. Sie hat eine abenteuerliche Geschichte, die unglaubwürdig klingen müßte, wäre sie nicht belegt. Alkohol hieß ursprünglich arabisch al khol und war die Bezeichnung für Bleiglanz, ein überaus feines Pulver, das die Damen des nahen und mittleren Orients für ihre Kosmetik verwendeten. Al khol war aber gleichbedeutend mit »feinstes Pulver, das sich herstellen läßt«. Davon ausgehend übernahmen es die Alchimisten und übertrugen diesen Inbegriff des Feinen auf das Feinste aus Wein, auf den Weingeist, damals noch aqua vitae oder aqua arde, also Lebens- oder Feuerwasser genannt.

Mit Paracelsus und der neuen Bezeichnung Alkohol war endlich die Verbindung mit dem Wort Wasser dahin. Der Alkohol trat als selbständiger, unverkennbarer und unverwechselbarer Begriff auf. Groteskerweise lieferte die Sprache des Alkoholverächters Mohammed die Bezeichnung für das Produkt.

Chemiker bezeichnen Alkohol mit der Formel C_2H_5OH und meinen damit Äthylalkohol, der allein für den Genuß geeignet ist. Er ist ein Derivat des Gases Äthanol und steht mit seiner dem mäßigen Genießer wohltuenden Wirkung im überaus positiven Gegensatz zu einem Dutzend anderer Alkoholarten. Unter ihnen erlangt der mit dem Vornamen Methyl gelegentlich traurige Berühmtheit, wenn beim dilettantischen Brennen etwas danebengeht und Vergiftungen die Folge sind. Den einzig wahren, den Äthylalkohol, muß man nämlich aus seiner ziemlich üblen Familie durch aller-

Zum Thema Alkoholgewinnung: Die Zeichnung zeigt, wie aus Kartoffeln Alkohol gewonnen wird.

▼

lei Tricks herausholen. Den Vorgang nennt man Destillieren.

Alkoholgewinnung

Grundsätzlich entsteht Alkohol durch das Vergären zuckerhaltiger Stoffe, wobei man noch unterscheiden kann, ob er daraus auf direktem Wege gewonnen wird oder erst auf dem Umweg der Umwandlung von Stärke in Zucker. Und sogar aus Holz, genauer gesagt aus Zellulose, wird Alkohol gewonnen, der sich trinken läßt.

Durch das Destillieren trennt man den erwünschten Alkohol nicht nur von den ungenießbaren Alkoholen, sondern man »reinigt« ihn auch von anderen Beimengungen, die insgesamt den wenig erbaulichen Namen Fuselöle führen. Aber

auch Bukettstoffe enthält das Gemisch aus allerlei Alkohol. Und diese wiederum sind zumindest teilweise erwünscht. So wird das Destillieren zwar nicht gerade ein Roulett, aber doch ein Geschäft mit vielen Haken und Ösen, das auch im Zeitalter industrieller Methoden von der Erfahrung lebt. Ein Glück, daß Alkohol in Wein und Bier dagegen auf relativ harmlose Art und Weise zustandekommt. Was der Brau- und Kellermeister bei diesen Alkoholika tun muß, ist mehr dazu bestimmt, ihnen die bestmögliche Zeit der Reife zu gewähren und sie ein wenig zu »erziehen«.

Beim Brennen, wie das Destillieren ein wenig falsch aber unausrottbar heißt, geht man von einer Maische genannten Mischung des Grundstoffs (Korn, Kartoffeln, Obst) und Hefe aus, die in rund 72 Stunden zum Gären gebracht wird. Dann folgt das Abbrennen oder Entgeisten im Destillationsapparat. Dabei wird die Maische erhitzt und der entstehende Alkoholdampf wird durch Kühlung niedergeschlagen. Um einen trinkbaren Branntwein zu erzeugen, muß man mindestens zweimal brennen – wegen der üblen Verwandtschaft des Äthylalkohols.

Beim Brennen tröpfelt zuerst ein alkoholarmes, nicht sehr angenehm schmeckendes Produkt aus dem Kühler, der sogenannte Kopf oder Vorlauf. Wie den am

Schluß der Destillation anfallenden Schwanz oder Nachlauf trennt man ihn vom Herzstück oder Mittellauf sorgfältig ab.

Bei der zweiten Destillation wird aus dem ersten Rauhbrand ein Feinbrand mit 70 bis maximal 96 Prozent Alkoholgehalt. Durch Verdünnen mit Wasser wird er auf Trinkstärke herabgesetzt. Bei verschiedenen Rohbranntweinarten, auch Sprit genannt, hat sich der Staat die zweite Destillation vorbehalten. Das tun für ihn die von der Monopolverwaltung beauftragten Reinigungsbetriebe. Dieser Sprit heißt dann Primasprit. Er dient vor allem zur Likörherstellung. Wichtig für unbeschwerten Alkoholgenuß: In allen zivilisierten Ländern dieser Erde kann man sich auf teilweise recht umfangreiche Gesetze verlassen, welche die Herstellung und Verarbeitung von Alkoholika aller Art regeln.

Alkoholfreie Erfrischungsgetränke

»Süße alkoholfreie Erfrischungsgetränke sind Erzeugnisse, die aus Trink- oder Tafelwasser mit oder ohne Kohlensäure mit geschmackgebenden Stoffen und Zucker nach Maßgabe der Begriffsbestimmungen für die einzelnen Sorten

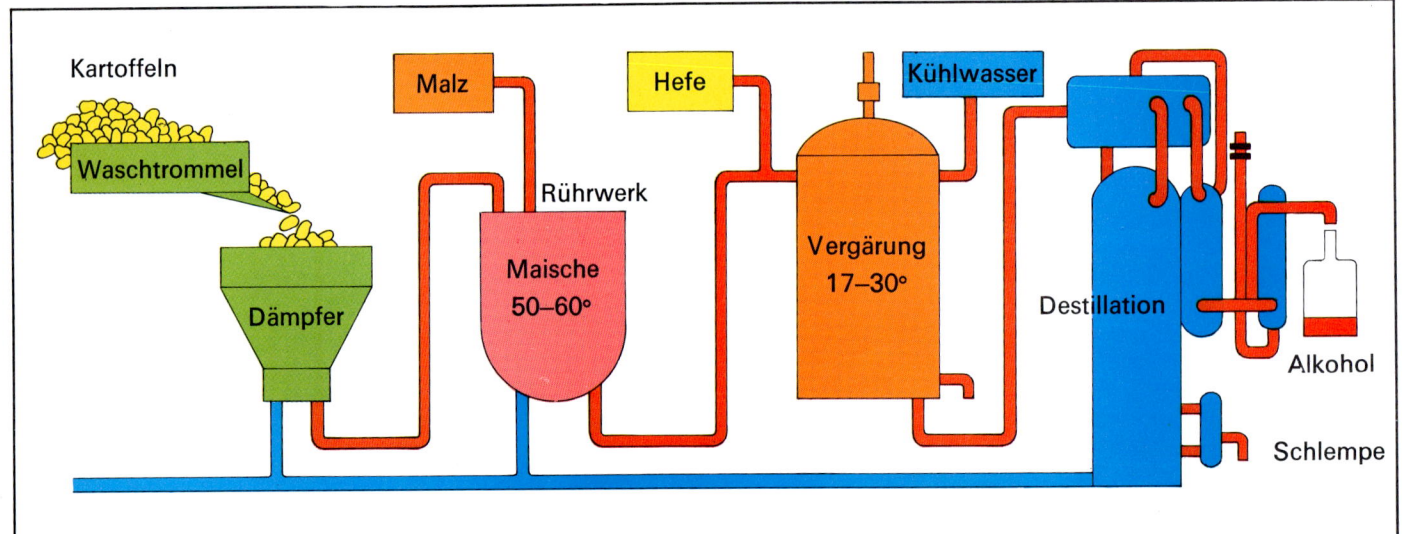

Kartoffeln · Waschtrommel · Malz · Hefe · Kühlwasser · Rührwerk · Dämpfer · Maische 50–60° · Vergärung 17–30° · Destillation · Alkohol · Schlempe

hergestellt werden und nicht mehr als 0,5 Gewichtshundertteile Alkohol enthalten.« So definieren es die gesetzlichen Bestimmungen. Man unterscheidet zwischen Fruchtsaftgetränken, Limonaden, Kalt- und Heißgetränken, Kunstbrausen und künstlichen Kalt- und Heißgetränken. Sie müssen, sofern sie nach der Gewinnung nicht unmittelbar zum Verbrauch gelangen, in »geschlossenen Behältnissen«, sprich Flaschen oder Dosen, vertrieben werden. Fruchtsaftgetränke müssen unter Verwendung von Fruchtsaft, Fruchtsaftgemischen oder Dicksäften mit oder ohne Zusatz von »technisch reinem Zucker« hergestellt werden.

Limonaden, Kalt- oder Heißgetränke dagegen unter Verwendung von Essenzen natürlicher Herkunft und reinem Zucker.

Nachgemachte Fruchtsäfte oder Limonaden, bei denen Zucker oder natürliche Essenzen durch künstliche ersetzt werden, dürfen sich nur Brausen nennen.

Alkoholfreier Wein

So seltsam das klingt: Es gibt ein alkoholfreies Getränk aus Trauben, das genau wie Wein aussieht, riecht und schmeckt, jedoch nicht berauscht. Denn diesem Wein, der laut verschiedener Gerichtsurteile überhaupt nicht »Wein« im Sinne des Weingesetzes ist, wird mit einer komplizierten Entalkoholisierung die berauschende Substanz entzogen, ohne daß das natürliche Frucht- und Gärungsaroma verlorengeht.

Alkoholfreies Bier

Seit der Gesetzgeber die Blutalkoholgrenze auf 0,8 Promille festgelegt hat und Streifenbeamte mit Pustetütchen lauern, muß der biertrinkende Autofahrer im wahrsten Sinne des

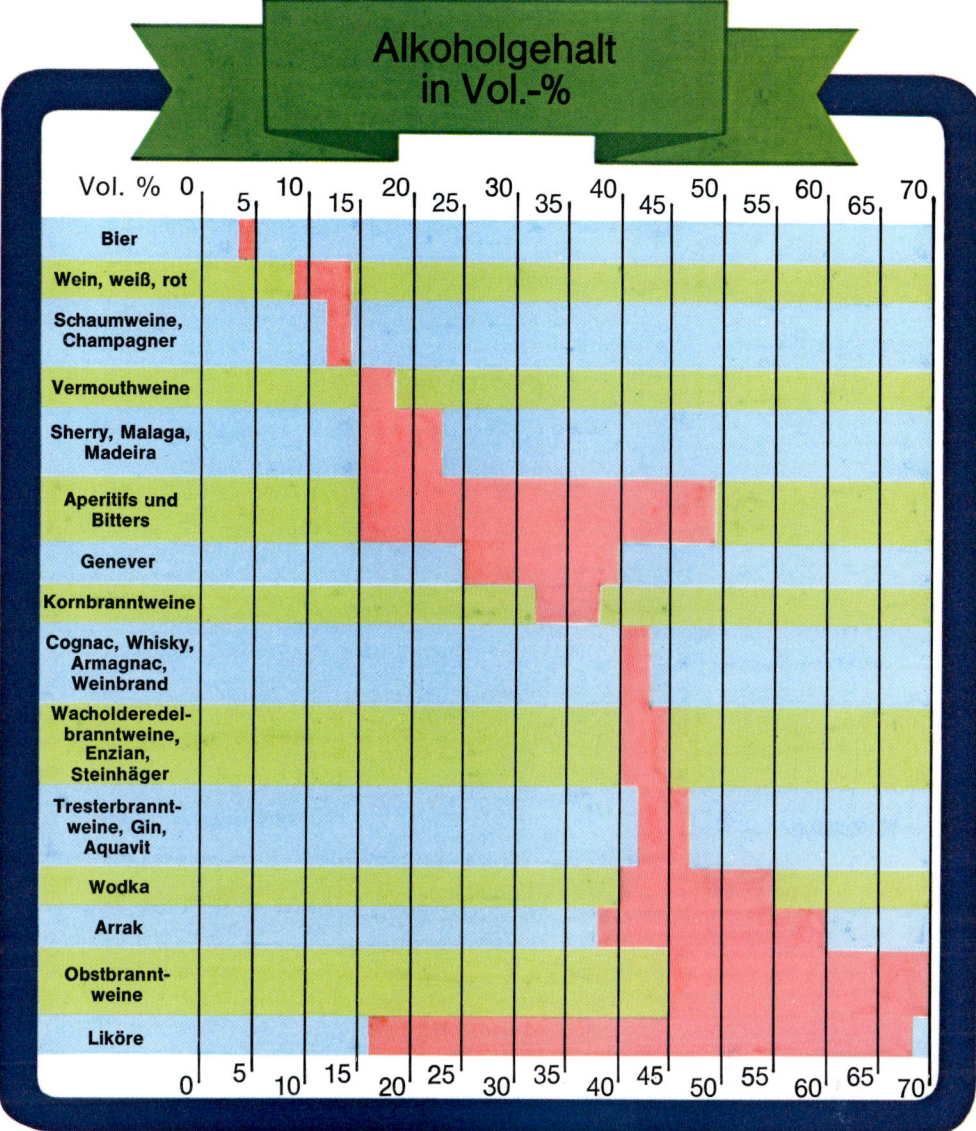

Wortes Maß halten. Für Leberleidende ist der Gerstensaft, der Männerdurst löscht, ohnehin tabu. Diese betrübliche Tatsache hat einige Brauereien veranlaßt, sich in alkoholfreien oder alkoholarmen Bieren zu versuchen.

In Deutschland hat erstmalig die Spezialitätenbrauerei Hümmer im fränkischen Dingolshausen alkoholfreies oder besser alkoholarmes Bier gebraut, dessen Alkoholgehalt unter 0,5 Prozent liegt. Das Bier ist stark gehopft und hat einen herben, pilsbitteren Geschmack.

Ansonsten ist auf dem deutschen Markt noch Birell bekannt geworden, ein alkoholfreies Bier aus der Schweiz.

Der Bayerische Brauereibund e. V. distanziert sich übrigens von der Bezeich-

nung alkoholfrei mit der einleuchtenden Begründung, daß Bier ein durch Gärung entstandenes Getränk sei, das immer Alkohol enthält. Was vorausblickende Autofahrer an Autobahnraststätten kaum hindern dürfte, zum Glas alkoholfreien oder alkoholarmen Bieres zu greifen.

Alkoholgehalte

Von absolut bis schwach reicht die Skala der Bezeichnungen für Alkoholgehalte. Absoluter Alkohol, 100prozentiger, wird nur im Labor erzeugt und dort auch verwendet. Reiner Alkohol hat 96 Volumenprozent, der Rest ist Wasser. Gesetzliche Bestimmungen

legen den Alkoholgehalt von Getränken hierzulande auf höchstens 55 Prozent fest. Nur Obstbranntweine, Original-Rum, Original-Arrak, Kräuter- und Bitterliköre dürfen ausnahmsweise mehr haben. Branntweine müssen mindestens 32 Volumenprozent Alkohol enthalten. Die meisten haben etwas mehr, nämlich 38 und 40 Prozent. Auch Liköre müssen generell auf mindestens 32 Prozent Alkohol kommen, wenn sie einen Extraktgehalt von weniger als 22 Gramm auf 100 ccm Flüssigkeit haben, oder auf 30 Prozent Alkohol, wenn der Extraktgehalt höher liegt. Doch gibt es Ausnahmen.

Deutsche Weine haben einen Alkoholgehalt zwischen 5 und etwa 16 Prozent. Dabei kommt es immer auf

Alkoholwirkung: In Tizians Bacchanal wird sie deutlich.

den Jahrgang, genauer gesagt, auf den Zuckergehalt des Mostes an.

Biere kommen auf 3,6 bis rund 5,5 Prozent Alkoholgehalt. Ihre Stärkeskala reicht vom leichten Lagerbier über Pils, Export und Bock zum Doppelbock und englischen Starkbieren.

Alkoholwirkung

Sorgenbrecher oder Sorgenbringer? Der Alkohol kann beides sein. Seine Wirkungen sind positiv und negativ zugleich: Davon abgesehen, daß er in den meisten Fällen gut schmeckt, löst er Gefühle des Wohlbefindens aus, weil er entspannt und krampflösend wirkt. In geringen Mengen regt er an, erhöht die Leistungsfähigkeit und baut Hemmungen ab. Im ersten Wirkungsstadium, dem des Angeheitertseins, kann man dem Alkohol kaum Schlechtes nachsagen. Da seine Wirkung einerseits als so angenehm empfunden wird, da er andererseits enthemmt, bleibt es häufig nicht bei diesem Stadium. Der nächste Schritt ist der Rausch, der schon eine akute Alkoholvergiftung unterschiedlichen Grades bedeutet: Der Alkohol wirkt in diesem Stadium stärker

auf das Großhirn und schließlich, wenn er in noch größeren Mengen genossen wird, auch auf das Kleinhirn, das für die Wahrung des Gleichgewichts und der Muskelspannung verantwortlich ist. Im Stadium der Volltrunkenheit (1,5 Promille und mehr) kommt es zu Sprach- und Gleichgewichtsstörungen, zum Nachlassen der Muskelspannung, zum Doppelsehen und zu starker Schlafneigung.

Während eines solchen Rauschs werden Zigtausende von Gehirnzellen ver-

nichtet. Bei einer noch stärkeren akuten Alkoholvergiftung wird auch die Funktion des Rückenmarks beeinträchtigt. Dann besteht die Gefahr, daß nicht nur die körperlichen Empfindungen und Reflexe aussetzen, sondern daß es sogar zu einer Lähmung der im verlängerten Rückenmark (im Gehirn) gelegenen Steuerungszentren für den Herzschlag und die Atmung kommt. In solchen Fällen kann in Sekunden der Tod eintreten.

Menschen sind unterschiedlich widerstandsfähig und unterschiedlich gesund. Was manche anregt, wirft andere um. Das gilt auch für den Dauerkonsum von Alkohol in jeder Form: Dauerhafter und zugleich unmäßiger Alkoholgenuß führt früher oder später zu Lebererkrankungen, Arterienverkalkung, Nierenschäden und bei starken Gewohnheitstrinkern zu Charakterveränderungen und Geisteskrankheit.

Neuere Forschungen haben ergeben, daß Art oder Qualität des Alkohols keine Rolle spielen: Fusel oder bester Wein, lange Zeit regelmäßig und unmäßig getrunken, laufen aufs gleiche hinaus. Wessen Organismus Alkohol nicht gut verträgt, ist durch Dauerkonsum stark gefährdet. Bei

manchen Menschen ist die Toleranzgrenze freilich erstaunlich hoch: Johann Wolfgang von Goethe trank täglich eine Flasche Rheingauer Wein, bisweilen auch zwei oder drei. Und er wurde bei bester Gesundheit 82 Jahre alt.

Alkotropics

Die Bezeichnung ist eine einfache Zusammenziehung der Namen der wichtigsten Bestandteile: Alkohol und tropische Fruchtauszüge. Sie kamen und siegten sich ziemlich rasch einen beträchtlichen Marktanteil zusammen. Denn mancher Tourist oder jemand, der gern für weitgereist gehalten werden wollte, mochte auf die Aromen von Mangos, von Maracujas und selbst von frischen Bananen nicht mehr verzichten. Mit Alkohol veredelt, wie die Hersteller sagen, bieten diese Getränke Erinnerung an Palmenstrand und Sonnenbrand, den man durch Longdrinks mildern kann. Alkotropics enthalten im allgemeinen 25 Volumenprozent Alkohol. Longdrinks macht man daraus durch Hinzugabe von Mineralwasser, Eiswasser oder Sekt nach Geschmack.

Allahabad
Für 2–4 Personen

1 Scheibe geröstetes Weißbrot,
1 Prise geriebene Muskatnuß,
1 Sträußchen Pfefferminze,
1 Flasche Rheinwein,
2 Flaschen Ale.

Allahabad kann man als Partygetränk servieren oder auf einem orientalischen Fest als Spezialität anbieten.

Weißbrot, geriebene Muskatnuß und die gewaschene, abgetupfte Pfefferminze in einen Topf geben, mit Wein auffüllen und dreißig Minuten ziehen lassen. Die Flüssigkeit in einen Krug abseihen und mit Bier auffüllen.

Frische Pfefferminze gibt Allahabad die orientalische Note.

Auf der Alm beim Wintersport oder zu Hause am Kamin wird's mit Almkaffee, Alpen-Glögg oder Alpenglühen bestimmt gemütlich.

Almkaffee

Für 2 Personen

1 Eigelb,
2,5 cl Rum,
2 BL Zucker,
⅛ l heißer Kaffee,
flüssige Sahne.

Eigelb mit Rum und Zucker verrühren. Heißen Kaffee dazugeben und alles mit einem kleinen Schneebesen verquirlen. In Tassen füllen und sofort servieren. Dazu flüssige Sahne reichen.

Alpen-Glögg

Für 4–6 Personen

½ l Rotwein,
½ l Muskateller,
⅛ l roter Vermouth,
1 Spritzer Angostura Bitter, 60 g Rosinen,
Schale je einer halben Orange und Zitrone,
1 EL gehackter kandierter Ingwer,
60 g Zucker, ⅛ l Aquavit
60 g geschälte Mandeln.

Rotwein, Muskateller, Vermouth und Angostura zu-

sammen mit Rosinen, Orangen- und Zitronenschale und Ingwer in ein feuerfestes Gefäß füllen. Alles einige Stunden gut durchziehen lassen. Anschließend Zucker, Aquavit und Mandeln dazugeben. Bei schwacher Hitze heiß werden lassen. In Henkelgläser füllen und mit Löffel servieren.

Alpenglühen

Für 2 Personen

⅛ l Milch,
5 cl Kirschsirup,

2 gehäufte EL Vanilleeiscreme, 10 cl Cola.

Milch, Kirschsirup und Vanilleeis mit dem elektrischen Mixer mischen, in ein hohes, schmales Glas geben und mit Cola auffüllen. Mit einem Trinkhalm servieren.

Altbier

Um Gerüchten vorzubeugen: Düsseldorfs Altstadt ist nicht nach diesem Bier benannt, obwohl auf der

Hier schmeckt Alt am besten: Düsseldorfer Altstadt-Lokal.

Goldenen Quadratmeile rund um das Jan-Wellem-Denkmal gerade das Alt in Strömen fließt. Im Gegensatz zu manchem anderen Gerstensaft soll dieses *obergärige Bier*, nach althergebrachter Brauart gebraut, sehr lebendig und diskussionsfreudig machen. Das dunkel-bernsteinfarbene Altbier regt mit seinem hopfenbitteren Geschmack aber auch den Appetit an und paßt gut zu einem deftigen Essen. Alt erobert sich in letzter Zeit immer mehr Regionen.

Alter des Weins

Der weitverbreiteten Vorstellung, daß alte Weine immer besonders gute Weine seien, wird vom Fachmann widersprochen: Ein alter Wein kann von allerhöchster, erlesener Qualität sein, aber er muß es nicht sein. Mittelmäßige Weine reifen zumeist auch während jahrelanger Lagerung nicht weiter aus, hervorragende Weine können schon nach anderthalb bis zwei Jahren weitgehend ausgebaut sein. Das beste Alter eines Weines ist immer vom Jahrgang und von der Lage abhängig. Die großen Jahrgänge, die besonders gut ausbauen und sich sehr lange halten, sind nicht für alle Weinanbaugebiete die gleichen. Während zum Beispiel die 59er Weine an der Ahr, an der Mosel, am Rhein und anderswo zum »Jahrhundertwein« erklärt wurden, waren sie in Würt-

temberg nur ein »guter Jahrgang«.
Im allgemeinen gilt für die deutschen Weine: In Flaschen gelagerte Qualitätsweine sind nach drei bis vier Jahren voll ausgebaut und halten sich teilweise bis zu 20 Jahre lang. Danach bauen sie stark ab. Von den großen Jahrgängen der letzten beiden Jahrzehnte sind die 1953er schon am Ende, während die 1961er, 1964er und 1969er noch vorzüglich sind.
Für gute Bordeaux- und Burgunderweine gilt die Regel, daß sie drei bis fünf Jahre lang reifen müssen. Alle Roséweine, alle kleinen Beaujolais, die meisten italienischen und spanischen Weine sollten höchstens fünf Jahre alt werden und mehr nicht.

Amabile

Siehe Italienische Weine.

Amaren-kirschen

Die Amerikaner kamen auf die Idee, Wildkirschen in Rum-Zucker-Sirup einzulegen und zum Mixen zu verwenden. In einer gut bestückten Bar dürfen die säuerlichen, leicht bitteren Kirschen nicht fehlen.

Amazonen-punsch

Für 4–6 Personen

3 Eigelb, ½ Päckchen Vanillinzucker,
250 g Zucker,
abgeriebene Schale von ½ Zitrone,
⅛ l Sahne, ½ l Milch,
¼ l Weinbrand,
½ Flasche Rheinwein.

Eigelb, Vanillinzucker, Zucker, Zitronenschale und Sahne im Topf verquirlen und bei schwacher Hitze unter ständigem Schlagen heiß werden lassen, aber nicht kochen. Dann nacheinander unter weiterem Schlagen Milch, Weinbrand und Rheinwein dazugießen. Den heißen Punsch in feuerfeste Henkelgläser füllen.

Verführerisch, aber nicht ganz ungefährlich: Amazonenpunsch.

American Beauty

2 cl Grenadine,
5 cl Orangensaft,
2,5 cl Weinbrand,
5 cl Vermouth,
3 Eiswürfel,
1–2 Zitronenscheiben,
1 Orangenscheibe,
1 Cocktailkirsche,
1 BL Portwein.

Grenadine, Orangensaft, Weinbrand und Vermouth in einem hohen Glas gut verrühren. Eiswürfel zerkleinern und in ein mittelgroßes Becherglas füllen. Die bereits verrührten Zutaten darübergießen und mit den Früchten garnieren. Portwein darüberträufeln. Mit Trinkhalm und langem Löffel servieren.

American Cooler

3 Eiswürfel,
2,5 cl Rum, 10 cl Rotwein,
1 BL Zitronensaft,
1 BL Orangensaft,
1 EL Zuckersirup,
Soda, 1 Zitronenscheibe.

Eiswürfel in ein hohes Becherglas geben. Alle Zutaten – außer Soda – dazufüllen und mit den Eiswürfeln gut verrühren. Nach Belieben mit Soda auffüllen. Die Zitronenscheibe als Garnitur auf den Glasrand stecken.

American Drinks

Als American Drinks kann man alle Mixgetränke bezeichnen, die in einer Bar serviert werden. Mehr als 30 verschiedenartige Kategorien fallen unter diesen Oberbegriff wie Cocktails, Fizzes, Cobblers, Sours, Flips, Aperitifs, Coolers, Bowlen (Cups), Grogs oder Milk-Shakes. Alle Drinks werden in Longdrinks (»Lange« Getränke) und Shortdrinks (»Kurze« Ge-

American Cooler

American Beauty

Amour Crusta
Rezept Seite 16

*Es gibt viele Gelegenheiten,
Gäste mit interessanten
Mixgetränken zu verwöhnen.*

tränke) unterteilt. Und schließlich gibt es noch für jede dieser beiden Gruppen Before-Dinner-Drinks, also solche, die vor dem Essen, und After-Dinner-Drinks, die nach dem Essen serviert werden. Mixgetränke für keine dieser beiden Gelegenheiten heißen Medium Drinks. Allerdings sagen selbst Experten, daß man es mit diesen klassischen Empfehlungen nicht so genau nehmen sollte.

American Glory

3 Eiswürfel,
2 cl abgeseihter Orangensaft,
2 BL Grenadine,
Sekt,
½ Orangenscheibe.

Sektcocktails wie American Glory sind besonders einfach zuzubereiten, weil sie gleich im Glas umgerührt werden. Sie eignen sich also gut, wenn Platz und Zeit zum Mixen nicht allzu reichlich bemessen sind.
Eiswürfel zerkleinern und einen Sektkelch etwa zu einem Drittel damit füllen. Orangensaft und Grenadine hineingeben und mit Sekt auffüllen. Die halbe Orangenscheibe auf den Drink legen. Mit Löffel und Trinkhalm servieren.

Americano

3 Eiswürfel,
2,5 cl roter Wermut,
2,5 cl Campari,
abgeriebene Schale einer viertel Zitrone,
Soda.

Der Americano wird als appetitanregender Drink vor dem Essen serviert.
Eiswürfel in ein Becherglas geben. Vermouth, Campari und Zitronenschale hinzufügen, etwas umrühren. Nach Geschmack mit Soda auffüllen. Mit einem Trinkhalm servieren. Käsegebäck oder Salzmandeln schmecken besonders gut dazu.

American Glory: Sektcocktail für Eilige. *Americano: Appetitanreger vor dem Essen.*

Amerikanischer Tee-Grog

⅛ l starker heißer Tee,
1–2 BL Zucker,
1 dash Curaçao,
4 cl Rum,
1 Zitronenscheibe,
1 Gewürznelke.

Teegrogs sind weltweit verbreitet und werden überall anders zubereitet. Hier ein Rezept aus Amerika.
Zutaten in einem Grogglas gut verrühren. Anschließend Zitronenscheibe und Nelke dazugeben.

Amerikanische Weine

Was kaum bekannt ist: Die USA liegen mit rund 8,5 Millionen Hektoliter jährlich erzeugtem Wein an siebenter Stelle der Weltrangliste, vor Portugal (8,2 Millionen), Jugoslawien (7) und der Bundesrepublik (5,9).
Spanische Missionare waren es, die die Rebe im 17. Jahrhundert in die neue Welt brachten. Aus winzigen Anfängen entstanden im Laufe der Zeit große Anbaugebiete, vor allem in Kalifornien, aber auch an der Ostküste und sogar im Landesinnern.
Es sind vor allem die burgundischen Traubensorten *Pinot noir* und *Gamay*, aus denen der US-Rotwein entsteht. Die Weißweine werden aus *Pinot blanc* und *Chardonnay-Trauben* gekeltert, aber auch aus *Rieslingen*, *Silvanern* und *Traminern*. Der größte Teil des amerikanischen Weins, der in seinen Spitzenlagen recht gute Qualitäten erreicht, kommt aus Kalifornien. Weine in der Qualität unserer guten Tafelweine kommen aus Gegenden nördlich und südlich von San Francisco: Im Norden wachsen

TIP

Wie bei anderen Tee-Grogs sollte auch beim amerikanischen Tee-Grog der schwarze Tee sehr stark zubereitet sein, damit sein Aroma trotz der anderen Zutaten noch gut zur Geltung kommt.

im Napa-Tal und am Sonoma-Fluß vorwiegend Rot-, aber auch teilweise Weißweine. Im Süden und in der Central-Coastal-Region rund um die Städte Santa Clara und Salinas liegen ebenfalls große Rot- und Weißweingebiete. Im Sacramento- und im Great-Central-Tal werden vor allem Wermut, Madeira, Sherry und Port erzeugt.

Amerikanischer Tee-Grog ist zu Recht beliebt. Unter Grog-Freunden gilt er als »Seelenwärmer« für viele Gelegenheiten.

Weinernte amerikanisch: Eine Maschine pflückt die Trauben.

Der Weinanbau im Osten der USA verteilt sich auf Gebiete im Nordteil des Bundesstaates New York und Ohio. Aber auch in den Staaten Oregon und Arizona gibt es große Rebflächen. Die Weine, vor allem die in der Gegend der Finger-Seen, sind qualitativ denen Kaliforniens weit unterlegen. Die klimatischen Bedingungen sind wesentlich schlechter: Die Sommer sind kurz und heiß, die Winter lang und kalt. Deshalb müssen die amerikanischen Winzer besonders widerstandsfähige Rebsorten anbauen – was natürlich auf Kosten der Qualität geht. Weine aus diesem Gebiet entstehen aus in der Welt völlig unbekannten Rebarten und lassen den europäischen Weinfreund und Weinkenner allenfalls erblassen.

Eine nicht zu unterschätzende Spezialität ist der in Amerika hergestellte Champagner. Sogar im Landesinneren, in St. Louis, gibt es eine sehr große Champagner-Kellerei. Bemerkenswert ist, daß der California- und der Ostküsten-Champagner in solcher Menge hergestellt und konsumiert werden, daß die französische Champagner-Erzeugung nur ein Zwanzigstel der amerikanischen erreicht.

Amerikas Weine werden in alle nur denkbaren Flaschenformen abgefüllt. Typisch ist, daß auf dem Etikett immer sehr groß der Hersteller, und erst dann ein wenig kleiner die Traubensorte steht.

Rationalisierung wird im amerikanischen Weinbau groß geschrieben. In Kalifornien fahren zur Zeit der Lese riesige Traubenpflückmaschinen durch die Weinberge.

Amerikanischer Whiskey

Um allen Mißverständnissen vorzubeugen: Die Amerikaner schreiben Whisky durchweg wie die Iren, nämlich Whiskey. Der Name ist abgeleitet vom irischen uisge beatha und bedeutet Lebenswasser.

Nach Amerika kam der Whiskey mit den ersten Einwanderern aus Großbritannien. Ohne ihn wäre die Kolonisation des Landes, zumal des wilden Westens, wahrscheinlich anders verlaufen.

Bei amerikanischem Whiskey handelt es sich in erster Linie um den vorwiegend aus Mais gebrannten *Bourbon*, der in Fässern aus innen angekohltem Eichenholz mindestens zwei Jahre lagern muß.

Zu den Amerikanern zählt man auch den *Rye Whiskey*, bei dem der Roggen der aus-

Ananaspunsch mit starkem Tee und Rotwein.   *Kühler Ananas-Sorbet erfrischt und regt an.*

Ein köstlicher Drink, der durchaus ein Dessert ersetzen kann. Honigsüßer Ananas-Traum mit dicker Sahnehaube.

schlaggebende Bestandteil ist. Sowohl Bourbon als auch Rye Whiskey kommen als Blended Bourbon oder Blended Rye Whiskey auf den Markt, wenn sie mit anderen Whiskey-Sorten vermischt worden sind. Amerikanischer Whiskey wird sehr viel zum Mixen verwendet.

Amour Crusta
Bild Seite 13

Saft von ½ Zitrone,
2 EL Zucker, 2 Eiswürfel,
2 dashes Peachbitter,
1 BL Curaçao,
1 BL Maraschino,
2 dashes Limejuice,
5 cl dunkler, nicht zu
süßer Portwein,
1 Zitronenschalenspirale.

Diesen Longdrink sollten Sie sich besonders nach einem guten Essen mixen. Zuerst den Crustarand vorbereiten: In je eine flache Untertasse den Zitronensaft und den Zucker füllen. Ein Cocktailglas mit dem Rand zunächst in den Zitronensaft tauchen, kurz abtropfen lassen, dann den Glasrand in den Zucker stellen. Glas umdrehen und den Crustarand trocknen lassen.
Eiswürfel zerkleinern und in den Shaker geben. Alle Zutaten in der angegebenen Reihenfolge über das Eis gießen. Gut schütteln. Den Inhalt des Shakers in das Crusta-Glas seihen. Die Zitronenspirale in das Glas legen. Mit Trinkhalm servieren.

Amselfeld

Wo der Staat Jugoslawien im Süden an Albanien grenzt, liegt in der Provinz Kosovo das Amselfeld. Große Genossenschaften bauen hier Burgunder-, Cabernet- und Gamay-Reben an und keltern daraus einen guten Trinkwein, den Amselfelder.
Das Amselfeld wurde durch eine Schlacht bekannt: Hier schlugen im Jahr 1389

die Türken ein christliches Heer unter König Sigmund und König Lasar vernichtend. Viele deutsche, französische und steiermärkische Ordensritter kamen dabei ums Leben oder wurden nachher als Gefangene von den Siegern niedergemetzelt.

Der rote Amselfelder, in Jugoslawien Burgundac genannt, wird in großen Mengen nach Deutschland exportiert.

Ananaspunsch

Für 6–8 Personen

250 g Ananasscheiben aus der Dose,
10 cl Ananassaft,
10 cl Madeira,
½ l starker Tee,
250 g Zucker,
3 Flaschen Rotwein,
durchgeseihter Saft von 3 Zitronen,
¼ l Arrak.

Ananasscheiben in eine Punschterrine legen, Ananassaft und Madeira drübergießen. Zugedeckt zwei Stunden kalt stellen. In einem Topf Tee und Zucker verrühren, Rotwein hineingeben, Saft der Zitronen und Arrak zufügen. Die Mischung erhitzen, aber nicht kochen lassen. Den heißen Punsch über die Ananasscheiben gießen, umrühren. Sofort servieren. Dazu schmecken Makronen und Mürbeteigplätzchen.

Ananas-Sorbet

2 gehäufte EL Vanilleeiscreme,
1½ EL Ananaswürfel,
2 cl Curaçao oder Maraschino,
Sekt.

Dieser Sorbet schmeckt als Erfrischung am Nachmit-

Drei Drinks, die so sanft sind wie die Engel im Himmel. ▶

tag oder als After-Dinner-Drink.

Vanilleeiscreme in einen Sorbetbecher oder ein Ballonglas geben. Mit Ananaswürfeln garnieren. Curaçao oder Maraschino dazugeben und mit Sekt auffüllen. Mit Löffel und Trinkhalm servieren.

Ananas-Traum

Für 4 Personen

4 Scheiben Dosenananas,
2 EL Honig,

ausgeschabtes Mark von ½ Vanillestange,
½ l Milch, ⅛ l Sahne,
1 EL Zucker,
2 BL Maraschino,
2 EL gehackter Krokant zum Bestreuen.

Die Ananasscheiben im Mixgerät zerkleinern, dann den Honig, das Vanillemark und die Milch zugeben und kurz verrühren. In 4 Gläser verteilen. Die Sahne mit dem Zucker steif schlagen und den Maraschino drunterrühren. Die Schlagsahne in einen Spritzbeutel mit Sterntülle füllen. Jedes

Glas damit garnieren und die Sahnetupfer mit dem gehackten Krokant bestreuen.

Angel's Face Cocktail

2 Eiswürfel, 2 cl Gin,
2 cl Apricot Brandy,
1 cl Calvados.

Eiswürfel zerkleinern und mit den anderen Zutaten in den Shaker geben und gut schütteln. In ein Cocktailglas abseihen.

Angel's Wing Kiss

Angel's Lips

Angel's Face

Angel's Lips

5 cl Bénédictine,
2 cl flüssige Sahne.

Angel's Lips gehört zu den Pousse-Cafés. Das sind ganz besonders attraktive Mix-Erfindungen. Genießen Sie das tolle Farbenspiel, das die verschiedenen Zutaten geben.
Bénédictine und Sahne gut kühlen. In ein hohes schmales Glas zuerst den Bénédictine geben. Dann die Sahne vorsichtig über den Rücken des Barlöffels in das Glas laufen lassen. Mit leicht angeschlagener Sahne geht es etwas leichter.

Angel's Wing Kiss

2,5 cl Crème de Cacao,
2,5 cl Prunellenlikör
2,5 cl flüssige Sahne.

Wie alle Pousse-Cafés muß auch dieser Drink besonders sorgfältig zubereitet werden, damit die beiden Zutaten als Schichten übereinander im Glas stehen bleiben.
Crème de Cacao in ein hohes schmales Glas geben. Prunellenlikör über den Rücken eines Barlöffels als zweite Schicht in das Glas laufen lassen und als dritte Schicht auf die gleiche Art die flüssige oder leicht angeschlagene Sahne dazugeben.

Angostura

Der Angostura ist der klassische Bitter mit interessanter Vergangenheit: Nach der Schlacht von Waterloo zog der Heidelberger Militärarzt Dr. Siegert den bunten Rock aus, reiste nach Südamerika und verdingte sich als Chirurg und Leiter eines Lazaretts bei den Befreiungstruppen Simon Bolivars. Dort begann Siegert bald ein Mittel gegen tropische Fieberkrankheiten zusammenzubrauen. Der Hei-

delberger Medicus extrahierte Säfte aus allerlei Rinden exotischer Nadelhölzer, vor allem aus der des Angosturabaumes. In das Mixtum Compositum gab er Extrakte aus der fieberlindernden Chinarinde, aus Ingwer, Zimt, Kardamom, Nelken, Bitterpomeranzenschale, Angelikawurzeln und Macis. Vom Sandelholz bekam das Elixier die rote Farbe, von Angostura, der neuen Heimatstadt Siegerts, den klangvollen Namen. Der Name der Stadt änderte sich später; der Name des Bitters blieb.
Angostura gibt vielen alkoholischen Mixgetränken das gewisse Etwas.

Anisgetränke

Das Aroma des Anissamen hat seit alters her die Destillateure in aller Welt inspiriert. Die Palette reicht vom *Absinth* dem unheilvollsten aller Schnäpse, bis zum Anisette, einem feinen Anislikör. In Frankreich trat an die Stelle des verbotenen Absinth der Pernod, der ohne die schädlichen Wermutauszüge hergestellt wird und alkoholärmer ist. Eine Abart des Absinth ist das korsische Nationalgetränk *Pastis*. Dem Pastis verwandt ist der Ricard, ein Anisbranntwein aus Marseille. Dem Absinth am nächsten

kommt der spanische Anisado. Er hat aber nicht den hohen Alkoholgehalt, den der Absinth einst hatte. Andere spanische Anisgetränke sind der Ojen und der Anis del Mono. Die portugiesische Variante ist der Anis Escarchado, ein Likör. Neben Frankreich, Spanien und Portugal ist auch Italien für feine Anisliköre bekannt. Anisetta Stellata aus Pescara ist ein solcher. Auch den Sambuca kann man dazuzählen.
Zu der Familie der Anisbrände gehört der griechische *Ouzo*, den man mit Wasser verdünnt als Aperitif trinkt. Würziger und heißer noch als der Ouzo

ist der Matsika, ebenfalls ein Anis aus Griechenland. Ein bekannter ist auch der türkische Raki, jener starke Trank, mit dem fromme Muselmanen das Alkoholverbot Mohammeds umgehen.

Anis-Tee
Für 4 Personen

¼ l Wasser,
1 BL Anissamen,
¼ l heißer Tee,
1 BL gehackte Walnüsse.

Dieses Teegetränk ist noch viel zu wenig bekannt, aber sehr wohlschmeckend. Wasser und Anis-Samen aufkochen, 5 Minuten ziehen lassen und mit dem heißen Tee mischen. In großen Porzellantassen servieren und mit gehackten Walnüssen bestreuen.

Anjou

Anjou ist ein Landstrich im Westen Frankreichs zwischen der Touraine und der Bretagne. Von dort kommen Roséweine (besonders berühmt: Rosé d'Anjou de Cabernet) und Weißweine wie der Saumur, der oft auch als moussierender Wein in den Handel kommt und in Frankreich sehr beliebt ist.
Die besten Anjou-Weine, die es manchmal nach jahrelanger Lagerung mit deutschen Spät- und Auslesen aufnehmen können, liefert die Coteaux de la Loire, das nördliche Loire-Ufer mit der Appelation Savennières und den Spitzenlagen Coulée-de-Serrant und La Roche-aux-Moines.
Es gibt allerdings auch einfache und billige Roséd'Anjou-Weine im Handel.

Anonen

In tropischen Ländern wachsen die wohlschmeckenden Anonen. Und eben dort wandert das feine Fruchtfleisch zum Teil in Mixgetränke und Milch-Shakes. Anonen haben viele Namen: Sweetsop, Soursop, Custardapple, Cherimoja, Süßsack, Sauersack, Zimt- oder Rahmapfel. Diese lassen den Geschmack aber nur ungefähr ahnen. Man stelle sich reife Himbeeren mit Sahne vor, dazu ein wenig Tropensonne und feuchte Urwaldluft und man kommt der Sache schon näher. Manche Sorten schmecken nach Birnen mit Zimt, weswegen sie auch Zimtapfel genannt werden. Die Anona chirimula – Cherimoja genannt – liegt geschmacklich ein wenig zwischen Erdbeere und Ananas. Beim Sauersack kommt noch ein Quentchen Zimt dazu.
Ganz leicht an schwarze Johannisbeeren erinnert dagegen die Anona reticulata. Was Wunder, daß man bei so subtilen Geschmacksnuancen die edlen Früchte auch in flüssiger Form zu sich nimmt.

Anzapfen

Es gilt noch heute als Eignungsprüfung für den Münchner Oberbürgermeister, beim Oktoberfest mit drei gezielten Schlägen des Bierschlegels den »Wechsel« genannten Zapfhahn so ins Loch zu treiben, daß er sitzt und dennoch kein Spritzer danebengeht. »Ozapft is!« jubelt das Volk und der OB atmet auf, denn es ist gar nicht so einfach, ein freistehendes Faß richtig aufzumachen. Es soll vorher einen Tag ruhig gestanden haben. Das Faß wird auf einen standfesten Bock gestellt und der Hahn wird in die Öffnung unten getrieben. Der Spund oben ist gewöhnlich verkorkt und wird nicht durchstoßen oder geöffnet, solange der Kohlensäuredruck im Faß ausreicht, Bier aus dem Hahn zu treiben. Erst wenn der Zufluß nachläßt, wird auch der Spund geöffnet. Den Hahn niemals schnell aufdrehen! Krüge schräg drunterhalten und langsam einschenken.

A. O. C.
Appellation d'Origine Contrôllée

Bei französischen Weinen mit der Bezeichnung A.O.C. auf dem Etikett handelt es sich um ganz besondere Qualitäten. A.O.C. bedeutet »Apellation d'Origine Contrôllée«. Diese Weine mit der Bezeichnug A.O.C. oder A.C. (Appelation Contrôllée) stammen von Weingütern, die sich einer genauen staatlichen Qualitäts- und Quantitätskontrolle unterziehen.
Das Prädikat A.O.C. wird nach dem französischen Weingesetz nur an Weine in bestimmten Bezirken verliehen, wobei auch genaue Auflagen in Bezug auf die veredelten Traubensorten, ja sogar die Böden der Rebflächen zu erfüllen sind. Etwa 250 Weinsorten dürfen in Frankreich die Bezeichnung A.O.C. führen.
Ebenfalls einen Qualitätswein, wenn auch einen etwas geringerer Güte, garantieren die auf dem Etikett gedruckten Buchstaben V.D.Q.S. Das ist die Abkürzung für »Vins Delimités de Qualité Supérieure« und heißt soviel wie »Ausgesuchte Weine von besserer Qualität«. Beide Bezeichnungen sind allerdings keine Garantie für Naturreinheit.

Aperitif

Die einen halten den Aperitif nur für eine Ausrede, um schon vor dem Essen trinken zu können, die anderen mögen ohne ihn nicht leben. Einige Länder sind ohne die Stunde des Aperitifs am späten Vormittag oder frühen Abend nicht einmal denkbar.
Aperitifs sind das Vorspiel erlesener Mahlzeiten. Dieses Vorspiel soll den Appetit anregen, die Lebensgeister wecken, dem Gaumen wohltun, das Auge erfreuen, nach Alkohol schmecken, aber auf keinen Fall betrunken machen. Die flüssige Vorspeise muß obendrein auf das folgende Essen abgestimmt sein. Es ist verpönt, zu einer deftigen Bauernschlemmerei den gleichen Aperitif zu reichen wie zu einem Kalten Büfett mit feinen Delikatessen. Vier Aperitif-Grundarten stehen zur Wahl: *Bitter-Getränke*, *Weine* oder *Schaumweine*, *Cocktails* und mit Wasser verdünnte harte Drinks. Am einfachsten sind die Bitters zu verwenden. Mit ihnen kann man eigentlich nichts falsch machen. Die darin enthaltenen Kräuterextrakte und das meist mitverwendete Chinin regen die Geschmacksnerven der Zunge und des Gaumens an. Aus den klassischen Aperitif-Ländern rund um das Mittelmeer kommt die Sitte, Hochprozentige mit Wasser zu verdünnen. Das gilt vor allem für die *Anisgetränke*. Als Aperitif eignet sich auch ein mexikanischer *Tequila*, den man mit Salz und Zitrone genießt. Seinen einzigartigen Geschmack vergißt man nicht. Barbarei wäre es aber, wollte man ein Essen mit edlen Weinen durch einen Schluck feurigen Tequilas einleiten. Dafür empfehlen sich trockener *Sherry* oder *Champagner*. Problematisch sind Cocktails als Aperitifs. Es sei denn, man hält sich an so klassische Rezepte wie *Manhattan* oder *Martini*. Was man vor allem Aperitif-Trinken lernen sollte, ist, Zeit zu haben. Den Aperi-

tif nimmt man in Ruhe, denn das ist eine wesentliche Voraussetzung für seine Wirkung. Die Stunde des Aperitifs ist mit Recht nicht eine Viertelstunde oder gar nur ein paar Minuten lang.

Apfelbrannt-wein

Genau genommen ist der Apfelbranntwein ein Apfelbrand. Denn was destilliert wird, ist reiner, zu Apfelwein oder *Cidre* vergorener Apfelsaft. Bekanntester Apfelbranntwein, der mindestens 40 Prozent Alkohol enthalten muß, ist der normannische *Calvados*, das Lieblingsgetränk Kommissar Maigrets. Zu den Apfelbränden zählt auch noch der angelsächsische Apple Brandy oder Apple Jack, ein hellgelber, kräftiger Hochprozentiger. Ganz hervorragende Apfelbrände liefern auch Süddeutschland, die Steiermark und das Südtiroler Land an der Etsch. In diesen südlichen Regionen wird der Apfelschnaps auch unter dem Sammelbegriff *Obstler* angeboten.

Apfelglühwein
Für 3–4 Personen

1 Flasche Apfelwein,
¼ l Apfelsaft,
abgeriebene Schale einer halben Zitrone,
60 g Zucker,
1 Stück Zimtstange,
4 Nelken.

Apfelsaft gibt dem Glühwein ein besonders fruchtiges, doch nicht zu süßes Aroma.
Alle Zutaten in einen Topf füllen und erhitzen. Der Glühwein darf jedoch nicht kochen, damit der Alkohol erhalten bleibt. Nach Belieben nachsüßen. Ganz heiß in feuerfeste Groggläser abseihen und sofort servieren.

Experten empfehlen noch ein ganz besonderes Apfelglühwein-Rezept gegen leichte Erkältungen: Zu den oben angegebenen Zutaten kommen noch etwas Honig und Calvados. Dann ist der Anti-Erkältungs-Trunk fertig.

Apfelpunsch
Für 4–6 Personen

1 l Apfelsaft,
½ l starker Tee,
2 BL Zucker,
1 Zitrone und
1 Orange,
1 Stückchen Zimtstange,
2 Nelken,
5 cl Calvados.

Dieser Punsch wärmt die ganze Familie auf, beispielsweise nach einer Rodel- oder Skipartie. Falls der Nachwuchs Calvados noch nicht verkraftet, kann Apfelpunsch auch ohne den hochprozentigen Schuß zubereitet werden. Der kommt dann später nur bei den Erwachsenen ins Glas. Gut schmeckt Apfelpunsch immer.
Apfelsaft und Tee in einen Topf geben. Zitrone und Orange abschälen und auspressen. Schalen und Saft, Zucker und die Gewürze mit in den Topf geben. Punsch langsam erhitzen, aber nicht zum Kochen bringen. Zum Schluß Calvados dazugeben. Abschmecken und nach Belieben nachsüßen. Den Punsch durchseihen und in eine vorgewärmte Terrine gießen und sofort in feuerfesten Henkelgläsern servieren.
Ganz besonders lecker schmeckt der Punsch, wenn man noch 1–2 in lauwarmem Wasser verquirlte Eigelb zufügt.

Zum Apfelglühwein gehören Apfelsaft, Apfelwein, Zitronenschale, Nelken, Zimt und Zucker.

Apfelsaft

Ein Liter aus frischen Äpfeln gepreßter Apfelsaft, Apfelmost oder Apfelsüßmost enthält etwa 90 g Zucker. Außerdem Eiweiß, Fruchtsäuren und Kohlenhydrate. Apfelsaft wird kurz erhitzt, um zu verhindern, daß er zu stark bräunt und zu viel Vitamin C verliert.

Apfel-Sauermilch

Für 2–3 Personen

¼ l Sauermilch,
1 mittelgroßer geriebener Apfel,
abgeriebene Schale von einer halben Zitrone,
1 BL Zucker.

Ein alkoholfreies Mixgetränk, das im Sommer herrlich erfrischt.
Alle Zutaten im Mixgerät verarbeiten und in hohen Bechergläsern sehr kalt servieren.

Apfelsinen-Bowle

Für 4–6 Personen

5 Orangen,
10 Stück Würfelzucker,
100 g Zucker,
6 cl Pomeranzenlikör,
2 Flaschen Weißwein,
1 Flasche Sekt.

Zuckerstücke an der gewaschenen Orangenschale reiben. Orangen schälen (auch die weiße Haut abziehen) und in dünne Scheiben schneiden. Entkernen. Würfelzucker zerstoßen. In ein Bowlengefäß geben. Dazu Orangenscheiben, Zucker und Pomeranzenlikör. Zugedeckt 60 Minuten ziehen lassen. 1 Flasche gekühlten Weißwein drübergießen. 30 Minuten zugedeckt im Kühlschrank ziehen lassen. Die zweite Flasche Wein zugießen. Unmittelbar vorm Servieren mit eisgekühltem Sekt auffüllen.

Apple Jack Rabbit: Orange und Zitrone heben sein Aroma.

Äppelwoi nennen die Frankfurter den herben Apfelwein. Im Bembel bleibt er schön kühl.

Apfelwein

Nach Paragraph 10 des Weingesetzes ist Apfelwein nur ein »weinähnliches« Getränk. Sein Mostgewicht liegt durchschnittlich um 45–55 Öchsle, der Säuregehalt beträgt 4,5–11 g pro Liter.
Für die Herstellung von Apfelwein bevorzugt man säurereiche Apfelsorten wie Borsdorfer, geflammter Kardinal, Wintergoldparmäne und andere. Die Aromastoffe der einzelnen Apfelsorten und die verwendeten Gärungshefen bestimmen den Geschmack. Typische Apfelweingebiete sind Hessen, Württemberg, die französische Bretagne und Normandie *(Cidre)* und die südenglische Grafschaft Devon *(Cider)*.
Apfelwein, besser »Äppelwoi«, ist das »Nationalgetränk« der Hessen. Fachleute unterscheiden zwischen dem »Süßen«, der noch keinen Alkohol enthält, dem »Rauscher«, vor dem Unkundige gewarnt seien, und dem »Alten«, der mindestens ein halbes Jahr der Reife hinter sich haben muß. Aus dem Faß wandert der Äppelwoi in den Bembel, einen bauchigen, irdenen Krug, und von dort in das typische, gerippte Rautenglas. Alte Äppelwoitrinker bringen, wenn sie ihr Stammlokal aufsuchen, ein kleines Holzdeckelchen mit, das während der Trinkpausen aufs Glas gelegt wird, damit das Bukett erhalten bleibt. Je länger der Abend wird, um so weniger bleibt das Deckelchen liegen.

Apple Jack Rabbit

2 Eiswürfel,
2 cl Apple Jack oder Calvados,
2 cl Orangensaft,
1 cl Zitronensaft,
1 BL Zuckersirup,
1 dash Orangenbitter.

Apple Jack nennen die Amerikaner ihren Apfelbranntwein. Anstelle von Apple Jack können Sie Calvados nehmen.
Eiswürfel zerkleinern und zusammen mit allen anderen Zutaten in den Shaker geben und nach kräftigem Schütteln in ein Cocktailglas abseihen.

Apricot Blossom

Bild Seite 22

2 Eiswürfel,
1 cl Apricot Brandy,
2 cl Orangensaft,
2 cl Zwetschenwasser.

Der Apricot Blossom gehört zu den Before-Dinner-Cocktails.
Eiswürfel zerkleinern und mit den anderen Zutaten im Shaker gut schütteln. In ein Cocktailglas abseihen.

Apricot Brandy

Dieser beliebte Fruchtaromalikör (35 Prozent Alkohol) wird vor allem dort getrunken, wo viele Aprikosen wachsen, also in Mitteleuropa, vor allem in Österreich, Ungarn und Holland. Apricot Brandy wird unter Verwendung von Aprikosensaft, Aprikosenbrand, Aprikosengeist oder anderen Kernobstbranntweinen hergestellt. Wird an Stelle der besonders aromatischen Obstbranntweine nur ein Primasprit verwendet, darf das Ergebnis nur als Aprikosenlikör bezeichnet werden. Apricot Brandy wird

Der fruchtige Apricot Brandy hat Barkeeper in aller Welt inspiriert: Herrliche Mixgetränke sind das Ergebnis. Im Bild von links nach rechts drei berühmte Beispiele: Apricot Cooler, Apricot Brandy Daisy und Apricot Blossom.

gern in Cocktails verwendet, da er sich mit den meisten Spirituosen und Säften gut verträgt. Besonders harmonisch verbindet er sich mit Whisky. In England, wo Brandy Weinbrand bedeutet, ist Apricot Brandy ein Aprikosenbranntwein.

Apricot Brandy Daisy

3 Eiswürfel,
2,5 cl Apricot Brandy,
2,5 cl Zitronensaft,
1 BL Weinbrand,
Sekt.

Dieser Sektcocktail läßt sich gut als Begrüßungstrunk verwenden, beispielsweise bei einer Geburtstags- oder Verlobungsfeier.
Eiswürfel zerkleinern und in den Shaker füllen. Apricot Brandy, Zitronensaft und Weinbrand drübergeben und alles gut mischen. Flüssigkeit in ein Sektglas seihen und nach Geschmack mit gut gekühltem Sekt auffüllen.

Apricot Cooler

3 Eiswürfel,
2,5 cl Apricot Brandy,
2,5 cl abgeseihter Zitronensaft,
2,5 cl abgeseihter Orangensaft,
5 dashes Grenadine,
Soda.

Dieser Longdrink ist eine äußerst fruchtige Angelegenheit, die junge Leute sich einmal als Partygetränk vormerken sollten.
Eiswürfel in ein hohes Becherglas geben. Apricot Brandy und Fruchtsaft drübergießen. Mit einem Barlöffel alles gut verrühren und zum Schluß nach Geschmack mit Soda auffüllen.

Aprikosen-Bowle wird durch etwas Curaçao aromatisiert.

Apricot Fizz

3 Eiswürfel,
Saft von ½ Zitrone,
Saft von ½ Orange,
2,5 cl Apricot Brandy,
Soda.

Der Apricot Fizz schmeckt fruchtig-erfrischend und enthält nur wenig Alkohol. Eiswürfel zerkleinern und in den Shaker geben. Zitronen- und Orangensaft durch ein Sieb drüberseihen. Zum Schluß Apricot Brandy dazugeben. Alles im Shaker gut durchschütteln, in ein mittelgroßes Becherglas gießen und je nach Geschmack mit Soda auffüllen.

Aprikosen-Brände

Eine der spendabelsten Früchte bei der Herstellung edler Brände ist zweifellos die Aprikose oder Marille, wie sie in Österreich heißt. Nach alten Verfahren ergibt die Maische aus dem goldgelben Fruchtfleisch und einem fein abgestimmten Quantum zermahlener Kerne ein besonders bukettreiches Getränk, das zu den edelsten unter den Edelbränden zählt.
Bei der Herstellung guter Aprikosenbrände wird das gekoppelte Verfahren mit reiner Fruchtmaische und den alkoholischen Auszügen der frischen Fruchtmasse vorgezogen, weil bei der Gärung und Destillation die feinen Duftstoffe der Aprikose leiden. Dem

TIP

Je besser der Wein, desto bekömmlicher die Bowle. Das gilt auch für Aprikosen-Bowle. Nehmen Sie am besten einen Qualitätswein. Und lassen Sie sich auch nicht durch gut gemeinten Rat dazu verleiten, die Bowle zu stark mit Alkohol zu »verbessern«. Sie, und was schlimmer ist, Ihre Gäste, müßten am nächsten Tag mit einem Kater dafür büßen.

wird bisweilen auch durch das Brennen überreifer Früchte entgegengewirkt. Hervorragende Aprikosenbrände kommen aus dem Schwarzwald, dem Tessin, aus Südtirol und der Wachau.
Am bekanntesten dürfte wohl der feurige *Barack Palinka* aus den weiten Aprikosenhainen des ungarischen Kecskemet sein.

Aprikosen-Bowle

Für 4–6 Personen

250 g frische Aprikosen,
4 BL Zucker,
2 Flaschen Weißwein,
4 cl Curaçao,
1 Flasche Sekt.

Aprikosen schälen, halbieren und die Kerne entfernen. Mit Zucker bestreuen und 30 Minuten ziehen lassen. ½ Flasche Weißwein und Curaçao über die Früchte gießen und nochmals eine Stunde ziehen lassen. Kurz vor dem Servieren mit dem restlichen Wein und Sekt auffüllen. Wenn keine frischen Aprikosen auf dem Markt sind, lassen sich auch konservierte Früchte verwenden.

April Shower

2 Eiswürfel,
2,5 cl Bénédictine,
2,5 cl Cognac oder Weinbrand,
durchgeseihter Saft einer Orange, Soda.

April Shower haben wir nach einem Rezept gemixt, das bereits um die Jahrhundertwende bekannt war. Bis heute hat es nichts von seiner Attraktivität verloren.
Eiswürfel in ein hohes Becherglas geben. Bénédictine und Cognac über das Eis gießen, alles gut umrühren. Den Orangensaft hineingießen und nach Geschmack mit Soda füllen. Mit einem Trinkhalm servieren.

23

April Shower: Eis und Soda geben ihm kühle Spritzigkeit.

Aquavit

In allen nordischen Ländern bis hinauf nach Island werden die klaren, harten Schnäpse eindeutig bevorzugt. Im Vordergrund steht der Aquavit, der zuerst in Dänemark gebrannte Korn mit leichtem Kümmelaroma und einem Hauch von Koriander, Fenchel, Dillsamen, Zimt, Nelken und Zitronenschalen. Meistens pflegt man ihn über Kümmelsamen und die anderen Geschmacksstoffe zu destillieren, weil man sich dadurch ein reineres Aroma erhofft. Viele Aquavite, die heute auf dem Markt sind – die Bezeichnung ist nur in der Kombination Dänischer Aquavit geschützt – entstehen jedoch aus Kornfeinsprit oder Primasprit, mit Kümmeldestillat aromatisiert. Unter »Tafelaquavit« ist ein alkoholstärkeres, mindestens 38-prozentiges Erzeugnis zu verstehen. Der Aquavit kommt meist farblos in den Handel, es gibt aber auch Fabrikate von gelblicher Farbe. Der Name wird von »aqua vitae« (Lebenswasser) abgeleitet. Aquavit wird immer eiskalt serviert. In seiner Heimat ist er der obligatorische Schnaps zum Smörgasbröd.

Araka

Angeblich ist der Araka der älteste Schnaps der Welt. Dabei handelt es sich um ein Destillat aus gegorener Stutenmilch, das an Steppensturm und Reiterhorden erinnert. Die Kirgisen brennen ihn heute noch nach einem geheimen Rezept.

Arbois

An der großen Heerstraße von Belfort nach Lyon liegt im tiefen Taleinschnitt des Jura das Städtchen Arbois mit seinem markanten Kirchturm und den ungezählten Reklametafeln, die auf den größten Weinhändler und -produzenten des Ortes, Henri Maire, hinweisen. In den Probierstuben der Händler kann man sich durch alle Schattierungen von Weiß über Rosé, der hier »gris«, grau genannt wird, zu den ausgesprochenen Jura-Spezialitäten hindurchschmecken: Zu den »vins jaunes« (gelben Weinen) und dem stark alkoholhaltigen »vin de paille« (Strohwein), der es mit seinen 15–16 Prozent in sich hat. Arbois, sagen Frankreichs Wein-Feinschmecker, ist einen Umweg wert.

Argentinischer Wein

In der argentinischen Provinz Mendoza liegt am östlichen Fuß der Andenkette eine gigantische Weinlandschaft. Auf riesigen, zum Teil künstlich bewässerten Weinbergen wachsen dort siebzig Prozent des argentinischen Weins. Aber was diese Zahl bedeutet, versteht man erst richtig, wenn man hört, daß Argentinien in der Rangliste der weinproduzierenden Länder mit annähernd 20 Millionen Hektoliter immerhin an fünfter Stelle rangiert.

Der argentinische Wein wird fast ausnahmslos im Land selbst getrunken. Der Verbrauch liegt bei rund 100 Liter pro Kopf und

Arrak-Punsch

Jahr und wird damit nur in Frankreich (115 Liter) und Italien (114,5 Liter) übertroffen. Die Weiß-, Rot- und Rosé-Weine aus der Mendoza-Region und aus Gebieten an der chilenischen Grenze werden von Fachleuten als »mittelmäßig bis achtbar« beurteilt. Man kann sie mit den besseren spanischen Tischweinen vergleichen. In jüngster Zeit unternehmen die Argentinier verstärkt Anstrengungen, ihre Weinqualitäten zu verbessern.

Armagnac

Dem *Cognac* ähnlich, dem er in punkto Klasse und Rasse in keiner Weise nachsteht, ist der Armagnac (40–43 Vol.-%). Er ist ein feiner französischer Weinbrand von großer Milde. Obwohl der Armagnac auf eine mehr als fünfhundertjährige Geschichte zurückblicken kann und schon früher als Cognac gebrannt wurde, steht er doch immer im Schatten seines weltberühmten Bruders. Sein ganz

Argentinische Weinfelder bei Mendoza in der Nähe der Anden.

Arrak-Eierpunsch

Arrak-Grog

Drei heiße Getränke, die zwei Dinge gemeinsam haben: Sie werden alle mit Arrak zubereitet, und sie wärmen alle mächtig auf.

spezifisches Aroma erinnert ein wenig an die Haselnüsse und Pflaumen, die beim Brennen als Aromaspender mit verwendet werden.

Das Herkunftsgebiet des Armagnac ist klar abgegrenzt: Nur die weißen Trauben der Regionen Haut-Armagnac, Ténarèze, und Bas-Armagnac dürfen destilliert werden und eine strenge behördliche Bestimmung schreibt vor, daß der Armagnac nach der jeweiligen Traubenernte von Oktober bis April gebrannt werden darf.

Im Gegensatz zum Cognac genügt beim Armagnac ein einfacher Brennvorgang. Dann muß er in Fässern aus der Limousin-Eiche mindestens ein Jahr lagern, wenn er drei Sterne bekommen, vier Jahre aber, wenn er das Etikett *V.S.O.P.* führen soll. Nach zehn Jahren Faßreife darf er sich »Hors d'age« nennen. Kenner trinken ihn dann nicht nur zimmerwarm, sondern aus einer eben geleerten, noch warmen Kaffeetasse.

Aroma

Das besondere Aroma von Getränken wird durch verschiedene Geschmacks- und Geruchsstoffe gebildet. Man unterscheidet zwischen flüchtigen Stoffen (ätherischen Ölen), Essenzen und Tinkturen.

Ätherische Öle werden durch Destillation mit Wasser zum Beispiel aus den Schalen der Apfelsine, Pomeranze und Zitrone, aus Anis, Kalmus, Ingwer, Kardamom, Lavendel, Gewürznelken oder Angosturarinde gewonnen.

Tinkturen und Essenzen dagegen sind durch alkoholische Auszüge gewonnene Aromastoffe aus Pflanzen, Früchten, Wurzeln und Schalen.

Hervorragende Aromaspender sind Früchte wie Himbeeren, Kirschen, Heidelbeeren und Aprikosen, die zu Fruchtsaft- und Fruchtaromalikören oder – in ihrer edelsten Form – auch zu »Geistern« verarbeitet werden.

Arrak

Man nennt diesen starken Branntwein mit seinen etwa 60 Vol.-% Alkohol auch den »Rum der Asiaten«, was nicht ganz, aber beinahe stimmt. Denn Arrak oder Raki, den man hierzulande zum Aromatisieren von Backwaren oder als Grogbasis schätzt, wird zum Teil aus Zuckerrohrmelasse, aus der auch der *Rum* entsteht, gebrannt. Da seine zartgelbe Farbe und sein blumiges bis hartes Aroma dem Zuckerrohrschnaps sehr ähneln, betrachten die Amerikaner den Arrak als Rum-Sorte.

Im Gegensatz zum Rum freilich wird beim Arrak zusätzlich Reis verarbeitet. Das Herstellungsverfahren ist recht kompliziert. Neben dem Batavia-Arrak, oder Djakarta-Arrak, der exportiert wird, gibt es auch einen sogenannten Küsten-Arrak, vor dessen Genuß Ostasien-Reisende gewarnt seien. Der in Ceylon, Siam, Indien und Goa

produzierte Arrak entsteht aus Reis, Zuckerrohrmelasse und dem Saft der Zukkerpalme. Als edelste Sorte gilt der Mandarinen-Arrak. Am anderen Ende der Güteskala steht unter anderem der Tungusische Arrak, den die Tataren von alters her aus Pferdemilch destillieren.

Unter Deutschem Arrak versteht man einen Branntwein, der aus zuckerhaltigen Stoffen hergestellt wird. Arrak-Verschnitt braucht nur 10 Prozent Original-Arrak zu enthalten. Original-Arrak muß im Importzustand verkauft werden. Echter Arrak ist Original-Arrak, der in Deutschland auf Trinkstärke (40 bis 42 Vol.-%) herabgesetzt wurde. Die skandinavischen Länder sind die Hauptabnehmer von Arrak, der ja die Basis für den bekannten Schwedenpunsch ist. In Deutschland steht der Arrak im Schatten seines nahen Verwandten Rum, der es auf den zwanzigfachen Konsum bringt.

Arrak-Eierpunsch

Für 4–6 Personen

1 l heißer, starker Tee,
300 g Zucker,
6 Eigelb, ½ l Arrak.

Dieser aromatische Eierpunsch wärmt nach einem Spaziergang an kühlen Tagen schnell wieder auf.
Mit dem Tee 150 g Zucker in einem Topf auflösen. Eigelb mit dem Arrak und dem restlichen Zucker in einer Schüssel verrühren und unter ständigem Rühren zum heißen Tee gießen. Den Punsch unter Rühren bei schwacher Hitze heiß werden lassen. Er darf aber nicht kochen. Sofort in feuerfesten Henkelgläsern servieren.

Arrak-Grog

2 BL Kandiszucker,
1 cl durchgeseihter Zitronensaft, 5 cl Arrak,
10 cl kochendes Wasser.

Falls Sie mal durchgefroren oder abgespannt heimkommen: Dieser Grog hebt sofort die Lebensgeister.
Ein Henkelglas anwärmen und einen Löffel hineinstellen, damit das Glas nicht springt. Kandiszucker und Zitronensaft in das Glas geben, darauf den Arrak und das kochende Wasser. Gut umrühren und ganz heiß servieren.

Arrak-Punsch

Für 4–6 Peronen

15 Stück Würfelzucker,
1 l heißer, starker Tee,
4 Zitronen, 300 g Zucker,
½ l Arrak.

Mit dem Würfelzucker die Schale der Zitronen abreiben. Zitronen auspressen. Abgeseihten Zitronensaft mit Zucker und Würfelzucker in den Tee geben und den Zucker unter Rühren auflösen.
Arrak dazugeben und den Punsch erhitzen, aber nicht kochen lassen.

Ascorbinsäure

Hinter dieser Bezeichnung verbirgt sich etwas sehr Gesundes, nämlich reines Vitamin C. Ascorbinsäure ist vor allem in Citrusfrüchten enthalten, sie wird vielen Süßmosten und Erfrischungsgetränken zugesetzt. Und zwar nicht nur, weil sie so gesund ist, sondern auch, weil man damit Geschmacks- und Farbbeständigkeit erzielen kann.
Ascorbinsäure sollte man unbedingt im Haus haben, sei es in Form von Brausetabletten, die Kindern so gut schmecken, sei es als wesentlich billigere, feine weiße Kristalle, die sich sprudelnd im Wasser lösen und wie Zitronensäure schmecken.
Der menschliche Organismus braucht ständig Vitamin C für den Zellstoffwechsel. Obwohl das Vitamin in frischem Obst und Gemüsen enthalten ist, wird der tägliche Bedarf bei sehr vielen Menschen aus dem einfachen Grund ungenügend gedeckt, weil der Körper davon zwischen 25- bis 40mal mehr braucht als von anderen Vitaminen.
Ascorbinsäure in reiner Form bekommt man sehr preiswert in Apotheken. Eine bis zwei gute Messerspitzen davon in Wasser gelöst machen müde Menschen munter.

Assam-Tee

Das Hochland von Assam im Nordosten Indiens ist das größte zusammenhängende Teeanbaugebiet der Welt. Und Assam ist wahrscheinlich auch die Heimat des *Tees*. Hier wurde der wildwachsende Teebaum entdeckt, aus dessen Blättern die Urbevölkerung von Assam bereits ein teeähnliches Getränk bereitete. Der Teebaum wird 20 und mehr Meter hoch, sein kultivierter Nachfolger, der Teestrauch, ist nur etwa einen Meter hoch. Der schwere, würzige und kräftige Assam-Tee eignet sich besonders bei sehr weichem Wasser. In der Tasse hat er eine dunkelgoldene Farbe. Was heute meist angeboten wird, ist allerdings selten reiner Assam-Tee, sondern eine Mischung verschiedener Teesorten

Aßmannshausen

Die berühmten Weine aus Aßmannshausen im Rheingau gegenüber von Bingen sind eine Ausnahme in diesem Weinbaugebiet von hervorragenden Weißweinen: Es sind helle, leuchtende Rotweine von edlem *Bukett*, die aus der Spätburgundertraube *Pinot noir* gewonnen werden. Die be-

sten Lagen sind Höllenberg, Hinterkirch und Eckartstein.

Asti Spumante

Wer in der Urlaubszeit über die Schweiz und Mailand ans Mittelmeer fährt, sollte unbedingt in der Stadt Asti in der Provinz Piemont eine Stippvisite machen. Die Stadt im Herzen einer großen italienischen Weinlandschaft duftet aus allen Winkeln und Ecken nach Wein. Nach gutem Wein. Denn in Piemont gibt es die besten Barberas, Barbarescos, Barolos, Cantavennas, Grignolinos, Moscatos Naturali, Malvasias di Casorzo. Dazu kommt an vorderster Stelle der berühmte Asti Spumante. Er besitzt das unverkennbare Aroma der Muskatellertraube.
Für Liebhaber eines süßen Schaumweines kann Asti Spumante ein Hochgenuß sein, wenn man auf drei wichtige Dinge achtet: Erstens muß er kälter als jeder andere Schaumwein kredenzt werden, zweitens darf man allenfalls zwei Gläser davon trinken.
Weinkauf in Italien ist oft ein Glücksspiel. Verlangen Sie darum drittens stets nachdrücklich nur »il vero Moscato d'Asti Spumante«, also den wahren, unverfälschten.

Indische Teepflückerinnen bei der Arbeit.

Berühmt für seine roten Weine: Aßmannshausen.

Ausschanktemperaturen

Wie bei den meisten Geschmacksfragen gibt es auch für die Ausschanktemperatur nicht immer ein eindeutiges »richtig« oder »falsch«. Dem persönlichen Geschmacksempfinden ist – zum Glück – auch beim Trinken genug Spielraum belassen. Nur gibt es Erfahrungswerte, die man kennen sollte: Temperaturen, bei denen die einzelnen Getränke ihre Geschmacksstoffe auf das Wirkungsvollste entfalten. Was nicht ausschließt, daß Sie einen Rotwein, wenn er Ihnen so besser schmeckt, auch ruhig 22 Grad warm trinken – statt der üblichen 16–18 Grad. Oder, was viele Kenner tun, einen guten Weißen etwas temperierter als »vorgeschrieben«.

Kein Getränk schmeckt, wenn es nicht mit der richtigen Temperatur serviert wird. Wenige Grad Unterschied erschließen die Geschmacksstoffe oder lassen sie verschwinden. Da moderne Kühlschränke Temperaturzonen haben, die ziemlich exakt eingehalten werden (Bedienungsanweisung gibt Auskunft), ist es einfach, Getränke passend zu kühlen. Dabei sollte man sich davor hüten, z. B. Weine per Schock auf Temperaturen zu »quälen«, die zwar im Buche stehen, dem Wein aber nur dann bekommen, wenn sie über eine längere Lagerzeit hinweg erreicht und eingehalten werden. Deshalb: Nicht eine Stunde vor dem Trinken Wein in den Kühlschrank stellen.

Für die Weinlagerung, für die eine stets konstante Temperatur entscheidend ist, fehlt es heute an Kellern mit ausgewogenen Temperaturen. Die Kühlschrankindustrie bietet deshalb spezielle Weinkühlschränke oder komplette Kühlzellen an. Bis zu 150 Flaschen finden darin liegend Platz.

Alkoholfrei und deshalb ideal für Sportler, Autofahrer und Jugendliche: Longdrink Athletic.

Athletic

4 Eiswürfel,
6 cl flüssige Sahne,
6 cl Traubensaft,
2 cl abgeseihter
Zitronensaft, 1 Eigelb,
1 BL Zucker, Soda.

Kein Tropfen Alkohol kommt in den Athletic. Sein Name kündigt überdies schon an, daß er ein ideales Getränk für konditionsbewußte Sportler ist. Alle Zutaten – mit Ausnahme von Soda – in ein hohes Becherglas geben und gut verquirlen. Zum Schluß nach Geschmack mit Soda auffüllen.

Aufgesetzter

Besonders in Westfalen wird der Aufgesetzte gern im Haushalt zubereitet: Schwarze Johannisbeeren werden mit Korn, Branntwein oder Sprit versetzt und manchmal gesüßt.

Das Endprodukt ist nach mehreren Wochen ein aromatischer Hochprozentiger, den man zwischen Schnaps und Likör einreihen kann. Neben schwarzen Johannisbeeren werden auch andere aromatische Früchte aufgesetzt.

Aufgesetzter ist so beliebt, daß ihn inzwischen auch einige Spirituosenhersteller in ihrem Programm haben.

Australischer Wein

Auch in Australien wird Wein angebaut. Zwar wird um mehr als die Hälfte weniger als in Deutschland erzeugt, immerhin aber mehr als in Österreich. Die 2,7 Millionen Hektoliter, die jährlich produziert werden, werden freilich fast ausschließlich im Lande selbst getrunken. Die Exporte, die vornehmlich nach Kanada und ins Mutterland England gehen, sind kaum nennenswert.

Die Anbaugebiete des fünften Kontinents liegen vorwiegend im Süden und Südosten. Die bekanntesten Regionen sind Barossa Valley, wo sehr viele deutsche Einwanderer Weinbau betreiben, Hunter Valley, Magill und McLaren Vale. Der Rotwein überwiegt, seine Spitzenlagen werden wegen ihres kräftigen Ge-

Wegweiser aus dem Barossa Valley in Südaustralien.

schmacks gerühmt. In Australien gibt es keine strengen Weingesetze. Angaben auf der Flasche sind deshalb meist keine Garantie für den Inhalt, wie wir es gewöhnt sind.

Ayers Rock: Der Welt größter Monolith stand Pate.

Ayers Rock

2 Eiswürfel,
2 cl Weinbrand,
2 cl Curaçao weiß,
2 cl Känguruh,
2 cl Orangensaft,
1 dash Angostura Bitter,
Sekt,
1 Orangenscheibe,
1 Cocktailkirsche.

Eiswürfel zerkleinern und in den Shaker geben. Weinbrand, Curaçao, Känguruh, Orangensaft und Angostura drübergießen, schütteln und in ein hohes Becherglas seihen. Mit Sekt auffüllen und mit der Orangenscheibe und der Cocktailkirsche farbenfroh garnieren.

Ayl

Ayl, ein Weindorf an der Saar, bringt in guten Jahren große Weine hervor. Die Lagen Herrenberger und Kupp sind mit ihrer feinen Säure und ihrer angenehmen Fülle typische Saarweine.

AUSSCHANK-TEMPERATUREN

°C

Sehr alte, herbe Rotweine	Cognac
Bordeauxweine, Burgunderrotweine	Edelbrand-Verschnitte, Südweine
Kräuter- u. Bitterliköre, Magenbitter	Burgunderweißweine
Deutsche Rotweine	Leichte ausländische Rotweine
Dessertweine, Edelbrände, Weinbrand	Liköre, Sekt
Bier	Rheinwein
Branntweine, Bowlen, Säfte	Deutsche Weißweine
Champagner	
Kümmel, Korn, Zitrusliköre	Aquavit, Wodka

Ayran

Überall im Orient wird das aus der Türkei stammende Erfrischungsgetränk Ayran gern getrunken, das in Indien und Pakistan unter dem Namen Lassie bekannt ist. Es wird so zubereitet: Ein halbes Liter Joghurt oder Dickmilch und eine Tasse Mineral- oder Eiswasser wird mit etwas Salz verrührt. Gelegentlich wird Ayran auch gesüßt getrunken.

Bacardi Highball

2 Eiswürfel,
2 cl Curaçao weiß,
2 cl weißer Rum,
1 BL Zitronensaft,
1 Eiswürfel,
Soda.

Wenn sich irgendwo alte Seebären treffen, werden sie den Bacardi Highball genießen. Aber nicht nur Seeleute lieben Drinks mit weißem Rum.
2 Eiswürfel zerkleinern und in den Shaker geben. Curaçao, weißen Rum und Zitronensaft darübergießen. Kräftig schütteln und in ein Becherglas seihen. Mit einem Eiswürfel und einem Schuß Soda servieren.

Bacchus

Für die Römer der Antike war Bacchus der Gott des Weines, dem zu Ehren ausschweifende kultische Feste, die Bacchanalien, gefeiert wurden. Bacchanten und Bacchantinnen waren die Anhänger des Gottes Bacchus. Bei den alten Grie-

Weißer Rum, Curaçao und Zitrone geben dem bekannten Bacardi Highball seine Frische.

Weingott Bacchus wird in der Kunst meist als rebenbekränzter Knabe mit dem erhobenen Weinglas gezeigt.

chen hieß derselbe Gott, ein Sohn von Göttervater Zeus und seiner Geliebten Semele, Dionysos oder Bakchos. Er wurde von der griechischen Religion in die römische übernommen. Im alten Rom arteten die Bacchanalien so sehr in Orgien aus, daß sie schon 186 v. Chr. durch ein Gesetz verboten wurden.

Bad Dürkheim

Das Städtchen Bad Dürkheim an der *Deutschen Weinstraße* kann sich rühmen, eine von Deutschlands größten Weinbaugemeinden zu sein:
Auf 800 Hektar Rebfläche wachsen gute bis sehr gute Weiß- und Rotweine. Die besten Lagen sind Michelsberg und Spielberg. Auch der Rotwein Dürkheimer Feuerberg ist sehr bekannt. Bad Dürkheim ist ein Arsen-Solbad, das aber auch wegen seiner *Traubenkuren* besucht wird.
Der Dürkheimer Wurstmarkt, der in jedem Jahr während der Weinlese im September rund um ein riesiges, als Weinlokal eingerichtetes Faß veranstaltet wird, ist das größte Weinfest in der Bundesrepublik.

Baden

Vor hundert Jahren noch wurde in Baden-Württemberg sehr viel mehr Wein angebaut als an Rhein und Mosel. Erst in diesem Jahrhundert haben die nördlicheren Anbaugebiete die südlicheren überflügelt. Baden, das Weinbaugebiet an Rhein, Neckar und Schwarzwald, bringt eine Fülle von sehr verschiedenen Weinen hervor, deren Art durch unterschiedliche Böden und klimatische Verhältnisse bedingt ist.

Als die Römer vor mehr als 2000 Jahren auf Anordnung von Cäsar in Germanien den Weinbau förderten, entstanden im heutigen Baden bereits große Rebflächen; Lage und Klima konnten kaum günstiger sein: Die badischen Weinberge bieten sich nach Westen und Süden der Sonne dar, während sie durch die

Von Tauberbischofsheim bis Meersburg wächst badischer Wein.

Das Büttenmännlein von Konstanz ist eines der wertvollsten Trinkgefäße Badens.

Weinanbaugebiet
BADEN

MAIN

Tauberbischofsheim

NECKAR

Heidelberg

Karlsruhe

Baden-Baden

RHEIN

Offenburg

Breisach

Freiburg

Müllheim

Meersburg

BODENSEE

Spitzenweine wachsen in den Weinbergen am Kaiserstuhl.

Anhöhen und Berge des Schwarzwaldes gegen kalte östliche Winde geschützt sind. Auch Qualität und Beschaffenheit der Böden gestatten den Anbau von erstklassigen Weinen. Der bekannteste badische Wein kommt aus dem Bereich Kaiserstuhl–Tuniberg. Er wächst an den Hängen des kleinen Gebirgsstockes Kaiserstuhl zwischen Freiburg im Breisgau und Breisach. Lößboden und warmes Klima lassen Reben verschiedenster Art gedeihen: *Riesling, Ruländer, Silvaner, Blau- und Weißburgunder, Chardonnay, Gewürztraminer* und *Müller-Thurgau.* Kaiserstühler Spitzenlagen sind in Ihringen der Winklerberg, in Bickensohl der Steinfelsen, in Bischoffingen der Enselberg.

Nördlich des Kaiserstuhls bis hin nach Baden-Baden schließt sich die badische Weinlandschaft Ortenau an, in der vor allem der Ruländer gedeiht. In Baden-Baden trinkt man zum Beispiel den sehr guten »Mauerwein«, ein Riesling, der aus Karaffen ausgeschenkt wird. Südlich und südwestlich des Kaiserstuhls liegt das Markgräfler Land, ein Bereich, in dem die *Gutedeltraube* bevorzugt wird. Aus dieser Gegend kommt zum Beispiel der bekannte Auggener Letten. Zum Anbaugebiet Baden gehört auch die uralte Weinbaulandschaft des Bodensees, auf dessen Inseln und nördlichen Ufern Ruländer, Traminer und Silvaner gut gedeihen. Die sogenannten Seeweine sind von mitt-

lerer bis guter Qualität. Hauptort des Bodenseeweins ist das alte Städtchen Meersburg, wo einst die Dichterin Annette von Droste-Hülshoff lebte.

In der Gegend zwischen Heidelberg und Karlsruhe liegt die zu Baden gehörige Region Bergstraße-Kraichgau mit ihren süffigen, kleinen Weinen aus der Umgebung der Städte Heidelberg, Wiesloch, Durlach, Bruchsal, Ettlingen. Zum Weinland Baden gehört schließlich auch noch der Bereich Badisches Frankenland. Die *Großlage Tauberklinge* umfaßt die Bereiche Tauberbischofsheim, Marbach, Bad Mergentheim, Königsheim, Wertheim.

Badische Weinstraße

Neben der *Deutschen Weinstraße,* die in der Pfalz von Schweigen mit seinem Weintal bis Bockenheim bei Grünstadt führt, und der Schwäbischen Weinstraße im Taubertal ist auch die Badische Weinstraße eine Reise wert. Sie beginnt in Bühl und führt am Schwarzwald entlang durch die Ortenau bis ins Markgräfler Land, wo sie in Müllheim, der »Stadt in den Reben«, endet. Wer sich Zeit nimmt und außer der Landschaft auch die Weine genießen will, lernt die ganze Palette der gefälligen, buketttreichen, aber auch schweren und feurigen Weine Badens kennen.

Bagaceira

Der Bagaceira ist ein sehr deftiger portugiesischer Tresterbranntwein mit 50 Vol.-Prozent Alkohol. Er wird aus den Rückständen der ausgepreßten Sherry- und Portweintrauben gebrannt und ist dem Schweizer Dôle und dem italienischen Grappa verwandt.

Balaclava-Bowle

Für 6–8 Personen

10 cl Bordeaux,
dünngeschälte Schale von
½ Zitrone,
1 Zweig Zitronenmelisse,
Saft von 2 Zitronen,
2 EL Zuckersirup,
dünne Scheiben
von einer halben
ungeschälten Salatgurke,
2 Flaschen Bordeaux,
10–15 Eiswürfel
oder 1 Eisblock,
2 Flaschen Soda,
1 Flasche Sekt.

Diese Bowle ist das richtige Getränk für eine beschwingte Sommerparty. 10 cl Bordeaux, Zitronenschale, Zitronenmelisse, Zitronensaft und Zuckersirup und die Gurkenscheiben in ein gut gekühltes Bowlengefäß geben. Diesen Bowlenansatz etwa 30 Minuten zugedeckt ziehen lassen. Dabei ab und zu umrühren. Zitronenschale und Melisse entfernen. Bordeaux zum Ansatz geben, dann 10 Minuten im Kühlschrank vorkühlen. Eis in den Kühleinsatz des Bowlengefäßes geben, Bowle mit Soda und Sekt auffüllen und sofort in Bowlengläsern servieren.

Wenn das Bowlengefäß keinen Kühleinsatz hat, kann man die Bowle auch mit einem sehr großen Eisblock kühlen.

Baldriantee

Schon im Mittelalter ist die heilsame Wirkung des Baldrians, auch Katzen-

Ein Getränk für heiße Sommertage, die Balaclava-Bowle.

Kalorienreich und stark ist der Baltimore Egg-Nogg.

Ein Bamboo-Cocktail vor dem Essen regt den Appetit an.

oder Hexenkraut genannt, entdeckt worden.

Seine Wurzel enthält ein ätherisches Öl, Alkaloide (stickstoffhaltige, kompliziert gebaute Stoffe) und einen erst kürzlich isolierten Wirkstoff, der dafür verantwortlich ist, daß Baldrian ein verbreitetes Beruhigungsmittel ist. Baldrian wirkt auch krampflösend und stärkt den Magen. Als Tee, der wirksamer ist als die Tinktur, hilft er bei nervösen Störungen, Migräne und Verdauungsbeschwerden. Ein Teelöffel Baldrian für eine Tasse wird mit siedendem Wasser übergossen und muß 15 Minuten zugedeckt ziehen.

Balthasar

Flaschen mit einem Inhalt von 12,5 Liter nennt man Balthasar.

Baltimore Egg-Nogg

1 Eigelb,
2 cl Weinbrand,
2 cl Rum,
2 cl Madeirawein,
1/8 l Milch,
1 Prise geriebene Muskatnuß.

Dieser nahrhafte Flip ersetzt fast eine kleine Zwi-

schenmahlzeit. Er spendet Kraft und macht unternehmungslustig.

Eigelb, Weinbrand, Rum und Madeirawein im Shaker gut schütteln und in ein Ballon- oder Becherglas gießen. Mit Milch auffüllen und mit geriebener Muskatnuß bestreuen. Dazu einen Trinkhalm servieren.

Wer es schärfer mag, nimmt anstelle der Muskatnuß Cayennepfeffer.

Bamboo

2 Eiswürfel,
2,5 cl Vermouth dry,
2,5 cl Sherry,
2 dashes
Angostura Bitter,
1 dash Orange Bitter,
1 Cocktailkirsche,
1 Stück Zitrone.

Dieser Cocktail wird vor dem Essen serviert. Er regt den Appetit an und sorgt für gute Laune.

Eiswürfel mit Vermouth, Sherry, Angostura und Orange Bitter in einem großen Becherglas gut vermischen. Drink in ein Cocktailglas abseihen und mit der Kirsche garnieren. Zum Schluß den Cocktail mit Zitrone abspritzen und mit einem Trinkhalm servieren.

Wer den Sherrygeschmack mehr hervorheben möchte, gibt nur etwa 1/3 Vermouth, dafür aber etwa 2/3 Sherry ins Glas und verzichtet auf den Orangen Bitter.

Bananenbowle

Für 6–8 Personen

3–4 reife Bananen,
1 EL Limejuice,
2 BL Arrak,
1/2 Flasche Weinbrand,
1 Flasche Traubensaft,
2 Flaschen Sekt.

Dieses Rezept sollten Sie für die nächste Sommerparty vormerken, denn Bananenbowle schmeckt bestimmt fast allen Sommergästen.

Bananen in sehr dünne Scheiben schneiden. Zusammen mit Limejuice, Arrak, Weinbrand und Traubensaft zugedeckt zwei bis drei Stunden ziehen lassen. Vor dem Servieren mit Sekt auffüllen und gut gekühlt anbieten.

Bananenflip

2 Eiswürfel, 1/8 l Milch,
2 cl flüssige Sahne,
1 Eigelb,

Die Bananenbowle schmeckt gut und macht wenig Arbeit.

1 Banane,
abgeriebene Schale einer
halben Zitrone,
2–4 BL Zucker.

Bananenflip ist ein Milch-Mix-Getränk, das man Kranken als Stärkungstrunk und Müden als Erfrischungstrunk servieren kann.

Ein Bananenflip macht müde Menschen wieder munter.

Eiswürfel zerkleinern und in den Shaker geben. Alle Zutaten, mit zunächst nur wenig Zucker, über das Eis schütten, gut durchschütteln und in ein hohes Becherglas seihen.
Den Bananenflip kann man jederzeit nach Belieben nachsüßen.

Bananenlikör

Der unter den Namen Crème de Bananes bekannte Bananenlikör findet vielfach Verwendung beim Mixen. Im Gegensatz zu den Fruchtaroma-Likören wird er ohne künstliche Essenzen hergestllt.

Bananen-Mix

⅛ l Milch, 2 Eigelb,
2 BL Sahne, ½ Banane,
abgeriebene Schale einer
halben Zitrone,
1 BL Zucker, 2 Eiswürfel.

Ein erfrischendes und zugleich nährendes Getränk für Gesunde, Kranke und Genesende. Auch für Kinder mit wenig Appetit.
Alle Zutaten im Mixer gut mischen, in ein Becherglas das etwas zerkleinerte Eis geben und die gemixte Milch darüberseihen. Mit einem Trinkhalm servieren.

Bananen-Mix ist ein Getränk, das besonders die Kinder lieben.

Bananensaft

Als Grundlage für zahlreiche Erfrischungsgetränke dient neuerdings der Bananensaft. Er wird aus der Pulpe, einem Brei aus zerquetschten Bananen, gewonnen, in welche hefeartige Eiweißstoffe eingerührt werden. Auch Kohlensäure darf dem Bananensaft zugesetzt werden.

Bananen-schnaps

Dieser Schnaps ist in Südamerika vor allem unter den Indianern sehr beliebt.

Europäer finden daran jedoch kaum Geschmack, denn die vergorene alkoholhaltige breiige Masse aus Bananen schmeckt stark ranzig.

Bananenwein

Europäer, die auf den Tubuai-Inseln Polynesiens Bananenwein trinken, sind meistens sehr enttäuscht: Erstens schmeckt er kaum nach Bananen und zweitens verursacht er leicht Kopfschmerzen. Gewonnen wird das bei den Eingeborenen beliebte Getränk durch Gärung von Bananenbrei, der später abgepreßt wird.

33

Bar

Die international übliche Bezeichnung Bar leitet sich ab von dem englischen Wort »barriere«, das heißt Schranke. Als die ersten Siedler sich in Nordamerika niederließen, wurde in den Kneipen der Verkaufsstand für Spirituosen gegen den übrigen Raum mit einer brusthohen, stabilen Barriere abgetrennt. Bar heißt inzwischen sowohl die Theke, an der ausgeschänkt und getrunken wird, als auch der Raum, in dem sie steht.

Barack Palinka

Als der Herzog von Windsor, der abgedankte König Edward VIII. von England, als Kronprinz auf einer Ungarnreise Barack (sprich: Barazk) serviert bekam, war er so begeistert, daß er beschloß, ihn anstelle von Rum in seinen Tee zu mischen. Außerdem erfand er Barack-Soda.

Barack ist für die Ungarn, was Aquavit für die Dänen oder Genever für die Holländer ist. Der Nationalschnaps der Ungarn wird aus Marillen – das sind Aprikosen (Fruchtfleisch und auch die Kerne) – gebrannt. Da die besten Sorten Ungarns rings um Kecskemét wachsen, kommt der beste Barack aus dieser Gegend: Die auf dem Kecskeméter Großmarkt nicht verkauften, meist überreifen Marillen wandern in die Brennereien. Leider teilt sich das wunderbare Aprikosen-Aroma dem Destillat nicht sehr stark mit, so daß der typische Marillenbrand aus Ungarn außerdem auch ein wenig nach Gärung schmeckt. Barack Palinka (Palinka heißt im ungarischen Schnaps, Geist) steht hell- bis goldgelb im Glas. Seine Farbe entsteht durch lange Lagerung in Eichenfässern. Die bei uns importierten Sorten haben meist 43 Vol.-% Alkohol. Barack Palinka wird kühl getrunken.

Bar-ausstattung

Die Grundausstattung der Hausbar braucht anfangs nicht groß zu sein. Sie kann allmählich anwachsen. Für die ersten Mix-Experimente genügen Gin, Wermuth, (süß oder herb, je nach Geschmack), Rum, Whisky, Cognac und Cointreau.

Bei steigenden Ansprüchen sollte die Bar schließlich alle Getränke enthalten, die für die klassischen Cocktails notwendig sind. Dazu

TIP

Angebrochene, verschlossene Spirituosen kann man fast unbegrenzt aufbewahren. Sollten sich Preßrückstände bei Fruchtlikören absetzen, schüttelt man die Flasche. Der Geschmack bleibt erhalten.

gehören neben der Grundausstattung *Liköre* wie Apricot Brandy, Cherry Brandy, außerdem mehrere Flaschen (herber) Sekt, je eine Flasche Wodka, Calvados, Portwein, Sherry, zwei bis drei Obstbrände (Kirschwasser usw.) und je eine Spritzflasche Orange- und Angostura Bitter.

Die anderen Zutaten liefert die Küche: Eiswürfel, Zitronen, Mandarinen, Orangen, Grapefruit, Oliven, Milch, Sahne, frische Eier, Kristall- und Puderzucker, Gewürze wie Vanille, Mus-

Mit einer kompletten Barausstattung macht das Mixen natürlich ganz besonderen Spaß.

34

Der Barbados-Milchflip ist ein Drink, der auch als Nachtisch viele Freunde gefunden hat.

katnuß, Zimt und Pfeffer. Das Handwerkszeug des Barmixers bildet neben der Barausstattung das Barbesteck:

Mixbecher mit Deckel,
Sieb mit Spiralrand,
Rührglas mit Fassungsvermögen von mindestens einem Liter,
langstieliger Barlöffel aus Metall,
Eisbehälter mit Zange und Pickel,
Meßglas mit Skala bis zu 50 oder 100 Kubikzentimeter.

Außerdem: Flaschen- und Dosenöffner, Korkenzieher, Zitronenpresse, scharfe Messer, verschieden große Löffel Glasreiber, Holzbrettchen, zum Schneiden von Früchten, Trinkhalme und Cocktailspießchen.

Gläser in der Bar

Die klassische Gläserausstattung setzt hinreichende Gläsermengen in verschiedenen Größen und Formen voraus:

Likörgläser mit 25 ccm Inhalt für Liköre und ungemixte Schnäpse.
Südweingläser mit 50 ccm Inhalt für Südweine, Aperitifs, Shortdrinks und dergleichen.
Cocktailgläser mit 50 ccm Inhalt für alle Shortdrinks.
Ballongläser und Schwenkgläser beliebiger Größe für Cognac und andere Edelspirituosen und bestimmte Mixereien.
Pousse-Café-Gläser für alle Schichtgetränke, schmal und hoch.
Sektkelche und -schalen mit 100 bis 150 ccm Inhalt für Longdrinks.
Weißweingläser mit 125 ccm Inhalt für Crustas.
Bechergläser verschiedener Größen für Whisky, Highballs, Fizzes usw. bis hin zu Milchmischgetränken.
Punschgläser für heiße Punsche und Glühweine.
Bowlengläser mit oder ohne Griff für Bowlen aller Art.
Wichtiger als das richtige Glas für ein Mixgetränk sind natürlich Auswahl und Menge der Zutaten.

Barbadosflip

Für 4 Personen

2 Bananen, 4 Eigelb,
5 EL Sanddornsaft,
2 EL Farinzucker,
¼ l Milch,
1 Messerspitze Zimt.

Ein Milchmixgetränk, das sich gut als Nachtisch eignet. Alle Zutaten im elektrischen Mixgerät verquirlen und in Bechergläsern servieren.

Barbarenspur

2 cl Scotch Whisky,
1 cl Gin, 1 cl Rum,
1 cl Crème de Cacao braun,
1 cl Sahne, Zitronenschale.

Ein Cocktail, der zwar nicht barbarisch, aber ein wenig mehr Männergeschmack sein könnte.
Alle Zutaten im Shaker tüchtig schütteln, in ein Cocktailglas seihen und mit Zitrone abspritzen.

Barbera

Der Rotwein Barbera aus Piemont gehört mit zum Besten, was diese Provinz zu bieten hat. Auf den Hügeln des Monferrato und in der Umgebung der Städte Asti und Cuneo reifen die Trauben, aus denen dieser rubinrote, trockene Wein gekeltert wird.

Bardolino

Der bekannte, rubinrote Bardolino aus der Umgebung des gleichnamigen Ortes am Südostufer des Gardasees ist als Tischwein zu vielen italienischen Nudel- und Fleischgerichten ideal. Er ist schwerer als er schmeckt (10 bis 11 Prozent Alkohol), süffig und bekömmlich. Wer Bardolino aus dem Urlaub mit nach Hause nimmt, sollte ihn erst von der Reise ausruhen lassen.

Bärenfang

Siehe Honiglikör

Barfly's Dream Cocktail

2 Eiswürfel,
1,5 cl Ananassaft,
1,5 cl Gin,
1,5 cl Rum,
1 EL Ananasstückchen
aus der Dose.

Eiswürfel zerkleinern und in den Shaker geben. Alle anderen Zutaten, mit Ausnahme der Ananasstückchen, ebenfalls in den Shaker füllen. Kräftig durchschütteln und in ein Cocktailglas abseihen. Obenauf die Ananasstückchen als Garnierung legen. Ein Spießchen für die Früchte einstecken und servieren.

Barletta

Der Barletta ist das Blut unserer Gemeinde, sagen die Einwohner der gleichnamigen Ortschaft in Apulien von ihrem Rotwein. Auf den Tag genau beginnt die Traubenernte. Etwas zu spät geerntet, würden die Trauben bereits an Süße und Fülle verlieren. Der Barletta ist ein ins Schwärzliche gehender Tropfen. Damit er seine Vollblumigkeit bekommt, wird er mindestens ein Jahr lang gelagert. Sein Mindestalkoholgehalt beträgt 12 Prozent. Er besitzt reichlich Körper und in der Flasche lagert er etwas *Dépôt* ab. Alles in allem ist der Barletta etwas für Freunde eines wuchtigen, vollmundigen Rotweins.

Barmaße

Das Geheimnis aller Mixrezepte ist die genaue Einhaltung der angegebenen Maße. Die Barmixer in aller Welt haben sich deshalb auf gewisse Einheiten geeinigt. Das Standardmaß ist das Südweinglas, das 50 Gramm Flüssigkeit aufnimmt. Es gilt als Meßglas.

Vor allem Damen lieben den besonders fruchtigen Geschmack von Barfly's Dream Cocktail.

Somit sind:
½ Meßglas = 25 Gramm,
⅓ Meßglas = 17 Gramm,
¼ Meßglas = 12 Gramm.
Weitere Maße und Abkürzungen, wie sie auch in MENÜ-Rezepten verwendet werden:
BL = Barlöffeln (Teelöffel),
EL = Eßlöffel, cl = Zentiliter (1 cl = 10 ccm = 10 Gramm), dash = Spritzer (= 1 Gramm) Flüssigkeit.
Ein Schuß (1 cl) ist das, was bei einem kurzen Kippen der Flasche herauslaufen kann.

Barolo

Der rote Barolo gehört zu den besten Weinen des italienischen Anbaugebietes Piemont. Der nach einem Weindorf im Süden der Provinz Piemont benannte Rotwein kann bei guter Pflege und Lagerung die Klasse des *Châteauneuf-du-Pape* erreichen. Sein Geschmack macht ihn zum bemerkenswertesten Wein ganz Italiens. Nebbiolo, die klassische und edelste italienische Rotweinrebe, verleiht ihm den würzigen Anflug von Trüffeln, einen lieblichen Hauch von Veilchen und den für ihn charakteristischen Duft von reifen Himbeeren. Im Glas leuchtet er rubinrot mit orangefarbenen Reflexen,

sein Mindestalkoholgehalt beträgt 13 Prozent. Der Barolo muß mindestens drei Jahre im Faß und danach ein Jahr in der Flasche lagern. Nach vierjähriger Lagerung im Faß erhält er die zusätzliche Bezeichnung »Riserva«, nach fünf Jahren die Auszeichnung »Riserva speciale«.
Die Flasche, in die der Barolo abgefüllt wird, ist braun, die Form ähnelt der Burgunderflasche. Der Barolo soll aufrechtstehend gelagert werden, damit sich sein *Dépôt* absetzen kann.

Der Bazooka Cocktail ist eine Geheimwaffe für Casanovas.

Bayerisches Bier

Genau genommen gibt es den fachlichen Begriff Bayerisches Bier nicht. Wohl aber ist Bier aus Bayern ein Begriff für die Biertrinker. Dagegen kann man von Münchener Bier sprechen, von Weiß- oder Weizenbier, das typisch für Bayern ist. Wenn sich diese Biere von nichtbayerischem Bier unterscheiden, so in der Herstellung. Südlich der Donau hält man sich nämlich noch strikt an das 1516 erlassene Reinheitsgebot. Trinkgewohnheiten tun ein Übriges. Und die sind in München nun mal anders als in Hamburg oder Düsseldorf. Eine Tulpe würde sich an den derben Tischen eines Münchener Biergartens recht komisch ausmachen. Bayerischer Durst könnte damit kaum gelöscht werden. Da muß schon ein Maßkrug her. Nördlich der Mainlinie wird oft angenommen, daß es sich bei einem bayerischen Hellen um eine Art »Dünnbier« oder zumindest alkoholschwaches Bier handelt. Das ist völlig unbegründet.

Bazooka Cocktail

1 Eiswürfel,
2 cl Chartreuse grün,
1 cl Weinbrand,
1 cl Cherry Brandy,
1 cl Gin,
1 EL Ananasstückchen aus der Dose.

Nach dem Essen wird gern ein etwas süßer Cocktail getrunken. Dieser ist einer. Eiswürfel zerkleinern und in den Shaker geben. Chartreuse, Weinbrand, Cherry Brandy und Gin auf das Eis gießen, gut durchschütteln und ins Cocktailglas abseihen. Ananasstückchen als Garnierung ins Glas geben und ein Spießchen für die Früchte einstecken. Dazu schmecken Makronen ganz ausgezeichnet.

Beaujolais

Ein Parlamentsbeschluß sollte einst die Ausfuhr des Beaujolais verbieten. Denn der Beaujolais ist der Lieblingswein der Pariser, die nicht genug von ihm bekommen können. Obwohl ihn die Fachwissenschaft nicht zu den Spitzenweinen Europas zählen mag, gehört er auch in Deutschland zu den begehrten Rotweinen. Das Weingebiet Beaujolais umfaßt eine Bergkette von über 70 Kilometer Länge im südlichen Burgund. Das Gebirge wird von vier Weinstraßen durchzogen, die alljährlich Schauplatz wahrer Pilgerfahrten zu den Beaujolais-Quellen sind.

Die Rebsorte des Beaujolais ist die robuste, fleischige Gamay-Traube. Während sie im übrigen Burgund nur als minderwertige Rebe gilt, liefert sie auf den Hängen des Beau-

Der Beaujolais ist einer der bekanntesten Rotweine Frankreichs.

jolais mit seinen Granitsteinen einen erstklassigen, frischen Wein. Die Rebstöcke bedecken eine Bodenfläche von 15000 Hektar. Das ergibt im Jahresdurchschnitt 680000 Hektoliter Wein. Im Gegensatz zu den aristokratischen Burgunderweinen ist der Beaujolais ein ehrlicher, unkomplizierter Tropfen ohne Raffinesse. Es gibt aber auch einige wenige Lagen, von denen der Dichter Viktor Hugo rühmte, man könne diese Weine nur kniend trinken. Der Beaujolais ist vor allem ein Rotwein. Daneben gibt es einige Rosé-Beaujolais und weiße Sorten, die von Kennern als Kuriosität betrachtet werden. Das französische Weingesetz nennt keine einzige Lage in Weiß. Es gibt zwölf typische Beaujolais-Klassen. Sie weisen ebenso viele Unterschiede auf, wie es Lagen und Hersteller gibt. Drei

Hauptklassen sollte auch der Laie unterscheiden: Der einfache Beaujolais ist ein Konsumwein. Er wird in großen Mengen gekeltert, ist anspruchslos-ehrlich, ein typischer Landwein. Der allergrößte Teil dieser Sorte ist längst getrunken, bevor der nächste Jahrgang gekeltert ist. Der Beaujolais Supérieur mit 10% Alkoholgehalt ist die nächstbessere Qualität. Anders ist es mit dem Beaujolais-Villages, dem besten Wein seiner Art, der in 27 Gemeinden erzeugt wird. Meist folgt der Bezeichnung Beaujolais der Name des Dorfes, zum Beispiel Beaujolais-Lancié. Der Villages übertrifft die beiden anderen Sorten vor allem deshalb, weil er auf besseren Böden wächst. Für passionierte Weintrinker bedeutet der Beaujolais ein fröhliches Studium mit vielen angenehmen Überraschungen. Ein neuer

Jahrgang kann schon im nächsten Frühjahr mit Genuß getrunken werden. Länger als fünf Jahre halten sich die normalen Qualitäten allerdings nicht. Paris wäre ohne Beaujolais nicht Paris, sagen die Pariser. Sie genießen ihn zu jedem Anlaß, und zwar bei der für Rotwein sehr niedrigen Temperatur von zehn bis zwölf Grad. Neun von fünfunddreißig Beaujolais-Dörfern sind weltbekannt durch die ganz besondere Qualität ihrer Weine. Diese sind auf dem Etikett als Grands Crus gekennzeichnet. Im einzelnen handelt es sich um die folgenden Lagen: Brouilly: Sehr dunkel, sehr kräftig, nach frischen Trauben schmeckend. Chénas: Fruchtig, besonderes Bukett. Chiroubles: Kräftig mit auffallendem Veilchenaroma. Côte-de-Brouilly:Besonders frisch, sehr berauschend.

An Strand und Urlaub erinnert der Beau Rivage Cocktail.

TIP

Meistens verwendet man zum Mixen weißen Rum, weil er im Gegensatz zu braunem Rum milder im Geschmack ist.

Juliénas: Viel Körper, lange haltbar (5 bis 6 Jahre!). Morgon: Er wächst auf einem ganz besonderen Boden, der »terre pourrie«, auf »verfaulter Erde«. Moulin-à-Vent: Der beste Beaujolais, der den Weinen der Côte d'Or am nächsten kommt. Saint-Amour: Mild, altert ohne Einbuße. Wer ein Weinfest im Beaujolais erleben will, wendet sich an die »Union Interprofessionelle des Vins du Beaujolais«, 24 Boulevard Vermorel, Villefrance. Vom letzten Sonntag im Oktober bis Mitte Dezember wird an jedem Wochenende ein größeres Fest gefeiert.

Beau Rivage

2 Eiswürfel,
1,5 cl weißer Rum,
1,5 cl Gin,
1 BL Vermouth dry,
1 BL Vermouth rot,
1 BL Grenadine,
1 BL durchgeseihter Orangensaft.

Die Eiswürfel zerkleinern und in den Shaker geben. Alle Zutaten über das Eis gießen, kräftig schütteln. In ein Cocktailglas oder Ballonglas seihen und servieren.

Beautiful

2 Eiswürfel,
1,5 cl Vermouth dry,
1 cl weißer Rum,
1 cl Gin, 2 BL Grenadine,
1 cl Orangensaft,
1 Orangenscheibe.

Eiswürfel zerkleinern und in den Shaker geben. Alle anderen Zutaten – mit Ausnahme der Orangenscheibe – über das Eis gießen, gut durchschütteln und in ein Cocktailglas seihen. Die Orangenscheibe einschneiden und als Garnierung auf den Glasrand stecken.

Beerenauslese
Siehe Qualitätsweine mit Prädikat.

Beerenweine

»Wein ist das durch alkoholische Gärung aus dem Saft der frischen Weintraube hergestellte Getränk« heißt es im Deutschen Weingesetz. So betrachtet sind Beerenweine also keine Weine, obwohl sie nach Wein riechen und schmecken und auch wie Wein berauschen. Beerenwein wird zumeist von Obstbauern, Gärtnern und Schrebergärtnern hergestellt. Oder von Hobby-Weinerzeugern aus Beeren, die in freier Natur gesammelt wurden. Für Beerenweine eignen sich vor allem schwarze, rote oder weiße

Johannisbeeren, Himbeeren, Stachelbeeren, Heidelbeeren, Brombeeren und Erdbeeren. Die Ausbeute bei Beeren ist mindestens so gut wie bei Trauben, zum Teil sogar viel besser: Hundert Kilogramm Trauben ergeben 65–82 Liter Saft, hundert Kilogramm Johannisbeeren aber 78–87 Liter, Heidelbeeren 80–95 Liter, Brombeeren 75–92 Liter. Beerenweine sind durchaus aromatisch und oft von erstaunlicher Qualität. Wegen des oft oft hohen Anteils von Restzucker sind Beerenweine meist sehr süß.

Before-Dinner-Drinks

Getränke vor dem Essen sollen den Appetit anregen. Sie dürfen daher nicht zu groß sein. Der Inhalt eines Südweinglases (50 Gramm) gilt als Maßstab für Before-Dinner-Drinks, zu denen alle *Aperitifs* gehören. Auch *Bitters* jeder Art sind bevorzugte Before-Dinner-Drinks.
Siehe auch American Drinks.

Bel ami

2 cl Weinbrand,
2 cl Apricot Brandy,
2 cl flüssige Sahne,
1 gehäufter EL Vanilleeis.

Auch Männer sind Süßschnäbel und die Mischung Eis und Alkohol sagt ihnen bestimmt zu. Und nicht nur ihnen.
Alle Zutaten in einem Mixgerät durchmischen und in einem Becherglas servieren. Als Beilage gibt es Eiswaffeln.

Belgischer Kaffee
Café de Belgique
Für 4 Personen

1 Eiweiß, ⅛ l Sahne,
¼ BL Vanillinzucker,
100 ccm heißer Kaffee.

Belgischen Kaffee sollten Sie als herrlichen Abschluß eines gut gelungenen Essens servieren.
Eiweiß zu steifem Schnee schlagen. Sahne mit Vanillinzucker steif schlagen. Eiweiß und Sahne mischen. Vier Kaffeetassen zu einem Drittel damit füllen, dann mit heißem Kaffee auffüllen und sofort servieren.
Wer den Kaffee süßer mag, kann natürlich noch Zucker nach Geschmack zugeben.

Bénédictine

Benediktinermönche aus dem Kloster Fécamp an der französischen Kanalküste gaben dem Bénédictine den Namen, den Bruder Bernardo Vincelli 1519 erfunden hat. Er wird wie der *Chartreuse* aus angeblich 27 Kräutern und Gewürzen hergestellt. Nachdem er in Spezialflaschen längere Zeit gelagert hat, wird er mit 43% Alkohol in den Handel gebracht. Deutsche Liköre dieser Geschmacksrichtung dürfen, da der Name Bénédictine geschützt ist, nur als *Abtei-* oder *Klosterliköre* verkauft werden. Bénédictine trinkt man vor allem nach dem Essen.

Zwei Brüder: Bénédictine Frappé und Bénédictine Pick me up.

Bénédictine Frappé

3 Eiswürfel,
2,5 cl Bénédictine.

Ein aromatischer After-Dinner-Drink, sozusagen das Tüpfelchen auf dem i nach einer guten Mahlzeit.
Die Eiswürfel ganz fein zu Eisschnee schaben und das Cocktailglas damit füllen. Bénédictine auffüllen.

Bénédictine Pick me up

2 Eiswürfel,
2 dashes Angostura,
3 cl Bénédictine, Sekt.

Sektcocktails schmecken gut und regen an.
Die Eiswürfel zerkleinern, Angostura und Bénédictine darübergießen, schütteln und in eine Sektschale seihen. Mit Sekt auffüllen.

Der Belgische Kaffee ist die Krone eines festlichen Mahles.

Bergstraße

Siehe Hessische Bergstraße

Berici

In der italienischen Provinz Vicenza liegen die Berici-Hügel, ein unter Kennern geschätztes Weinanbaugebiet, das trockene, frische Weißweine mit feinem Bukett hervorbringt. Eine Besonderheit sind die weißen Tokajer von Berici, mit harmonischem, samtigem Charakter. Aromatisch und leicht süß dagegen sind die roten und roséfarbenen Tokajer dieser Gegend.

Berliner Weiße

Berliner Weiße ist ein obergäriges Bier, das zu zwei Dritteln aus Weizenmalz und zu einem Drittel aus Gerstenmalz gebraut wird. Man kann es in Flaschen kaufen, findet es allerdings nicht überall in den Geschäften.

Das Bier sieht leicht trüb aus (das gehört zur Brauart) und schmeckt herrlich frisch. Durch den hohen Kohlensäuregehalt schäumt es beim Einschenken hoch auf.

Berliner Weiße wird mit einem Trinkhalm aus großen Pokalgläsern getrunken, meistens »mit Schuß«. Dazu gibt man – auf klassische Art – vor dem Bier einen kräftigen Schuß Himbeersirup ins Glas. Dadurch bekommt Berliner Weiße eine leicht rötliche Färbung. Außerdem gibt es noch zwei andere Versionen: Berliner Weiße mit einem Schuß Waldmeister-Sirup oder »mit Strippe«, sprich: mit einem Schuß Korn.

Bernkastel

Romantisch und malerisch: Diese beiden Attribute darf man Bernkastel ohne Zögern zuerkennen. Der reizvolle Ort ist quasi die Weinhauptstadt der Mosel und Zentrum des Weinbereichs Bernkastel. Die Lagen

Die Berliner Weiße mit Schuß wird im Pokalglas serviert.

Bernkasteler Doctor und Graben liefern Spitzenweine mit ausgeprägtem Charakter, die zu den berühmtesten und teuersten deutschen Weinen überhaupt zählen.

Bettzipfel

Für 2 Personen

1 Eigelb,
1 EL Zucker,
¼ l dunkles Bier,
¼ l heiße Milch.

Ein Schlaftrunk für ihn und für sie, der nicht nur bekömmlich, sondern auch sehr nahrhaft ist.

Eigelb und Zucker in einem Topf verquirlen und zuerst das Bier und dann die Milch unterrühren. In feuerfeste Henkelgläser füllen und sofort servieren.

Bianco

Bianco ist das italienische Wort für weiß; Vino blanco ist Weißwein.

Steile Weinberge umgeben die Burgruine von Bernkastel.

Besser als jede Schlaftablette ist der nahrhafte Bettzipfel.

Bickensohler Steinfelsen

Das kleine Dorf Bickensohl am Kaiserstuhl in *Baden* hat eine der Spitzenlagen Südwestdeutschlands, den berühmten Steinfelsen, der aus Ruländer Trauben gekeltert wird.

Bier

Seit mindestens 9000 Jahren trinken Menschen Bier. Die alten Babylonier im Land zwischen Euphrat und Tigris verehrten den Gerstensaft und Nidaba, die Göttin des Bieres, offenbar so sehr, daß in Babylon auf einer öffentlich ausgestellten Gesetzessäule in Keilschrift staatliche Verordnungen über Wirtshausbesuch und Biergenuß verkündet werden mußten.

Nicht *Hopfen* und *Malz*, sondern Gerstenbrot war der Rohstoff für das Bier der Babylonier. Gerstenmehl wurde gekocht, zu Fladen gebacken und dann zur Gärung in Wasser gelegt. Die alten Ägypter, die von den Babyloniern das Bierbrauen gelernt haben, verfeinerten das Getränk durch Bitterstoffe, wahrscheinlich Safran. Griechen, Römer, Kelten und Germanen übernahmen das Bierbrauen aus Gerste und veredelten das Getränk durch Zusätze von *Konyze*, einem Würzkraut.

Hopfen als Bierwürze wurde von Mönchen in Gallien

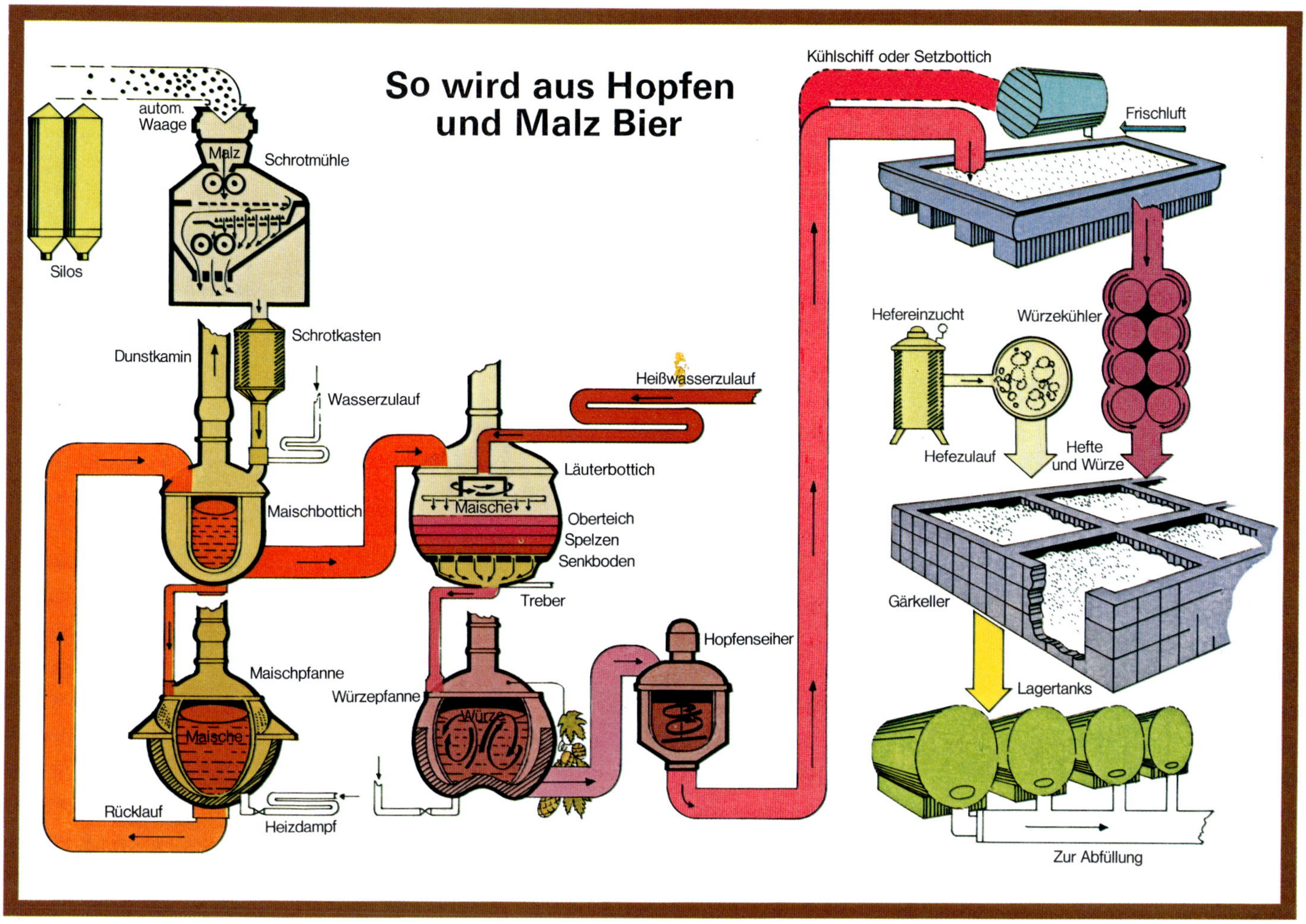

So wird aus Hopfen und Malz Bier

Kühlschiff oder Setzbottich

Frischluft

autom. Waage

Malz

Schrotmühle

Silos

Dunstkamin

Schrotkasten

Wasserzulauf

Heißwasserzulauf

Hefereinzucht

Würzekühler

Maischbottich

Läuterbottich

Maische

Oberteich
Spelzen
Senkboden

Hefezulauf

Hefte und Würze

Treber

Gärkeller

Hopfenseiher

Maischpfanne

Würzepfanne

Maische

Würze

Lagertanks

Rücklauf

Heizdampf

Zur Abfüllung

In Ballen gepreßt kommt der Hopfen in die Brauerei und wird untersucht.

In Wasser gelegt, beginnen die Gerstenkörner in der Weiche zu keimen.

In den riesigen Maischpfannen werden Stärke und Zucker aus dem Malz gelöst.

Berge von Schaum entstehen in den Gärkellern, wenn die Hefe zugesetzt ist.

Mehrere Wochen lang muß das Jungbier in den riesigen Vorratstanks reifen.

Absolute Sauberkeit heißt das oberste Gebot in allen guten Brauereien.

41

entdeckt und ist urkundlich erstmals 768 erwähnt. Er tauchte um die Jahrtausendwende in Deutschland auf. Damals wurden in Deutschland fast alle Getreidesorten zum Bierbrauen verwendet. Bis ins 12. Jahrhundert war Hafer der vorherrschende Bierrohstoff.

Der Bayerische Herzog Albrecht IV. machte der Vielzahl der Brauverfahren in seinem Land der Biertrinker ein Ende und erließ im Jahre 1487 das Reinheitsgebot für das Bier in Bayern, das 1516 Landesgesetz wurde. Dieses älteste Lebensmittelgesetz der Welt, das 1919 auch für das ganze Deutsche Reich Geltung bekam, gilt noch heute.

Das Reinheitsgebot schreibt vor, daß Bier grundsätzlich nur aus Malz, Hopfen, Hefe und Wasser zubereitet werden darf.

Durch das Reinheitsgebot ist das Bierbrauen, im Gegensatz zur Schnaps- oder Likörgewinnung, ein Verfahren ohne Geheimnisse. Die von Spelzen gesäuberten Gerstenkörner werden durch Zusatz von Wasser in der Mälzerei zum Keimen gebracht. Aus Gerste wird in etwa 7 Tagen Grünmalz. Die keimende Gerste wird auf der Darre durch die Zufuhr heißer Luft getrocknet und das Wachstum des Keimlings dadurch unterbrochen. Aus Grünmalz entsteht so Braumalz.

Das Braumalz wird durch eine Schrotmühle zerkleinert und mit Wasser zusammen in der Braupfanne gekocht. Bei Temperaturen zwischen 60 und 70 Grad lösen sich Stärke und Zukker des Malzes im Wasser. Es entsteht die Bierwürze. Die von allen unlöslichen Malzbestandteilen gereinigte Bierwürze wird in der Braupfanne zusammen mit Hopfen bis zu 2 Stunden gekocht. Die Hopfenreste werden abgefiltert. Im Gärkeller wird die abgekühlte Bierwürze bei Temperaturen von 4 bis 10 Grad mit Hefe angesetzt. Nach 8 Gärtagen, in denen sich der Malzzucker in Alkohol und Kohlensäure verwandelt, scheidet sich die Hefe selbst aus. Entweder sie schwimmt auf dem Jungbier (obergäriges Bier) oder sie sinkt ab (untergäriges Bier). In jedem Fall wird sie vom Jungbier abgehoben, das 8 bis 12 Wochen in großen Tanks bei Temperaturen um den Gefrierpunkt zum trinkfertigen Bier nachgegoren wird.

Der Hopfen gibt dem Bier nicht nur den bitteren Geschmack, sondern reichert es auch mit Vitaminen (B 1, B 2 und C) und Spurenelementen an. Biertrinker schwören deshalb auf die gesundheitsfördernde Wirkung des Gerstengetränkes, von dem ein Liter je nach Alkoholstärke zwischen 440 und 700 Kalorien hat. Wird statt Gerstenmalz das Malz von Weizen verwendet, entsteht Weizenbier.

Die Farbe des Bieres – hell oder dunkel – hängt ab vom Darregrad des Malzes. Stark gedarrtes Malz ergibt Dunkelbier. Die Stärke des Bieres ergibt sich aus dem Grad der Stammwürze. Einfachbier hat bis 2,5 Prozent Stammwürze, Schankbier 7 bis 8 Prozent, Vollbier (dazu gehören Lagerbier, Export, Märzen, Pils, Kölsch, Düssel, Alt) 11 bis 14 Prozent und Starkbier über 16 Prozent. Dazu zählen Bockbier und der Doppelbock mit mindestens 18 Prozent Stammwürze.

Herrliche alte Bierkrüge sind der Stolz jedes Sammlers und eine gute Kapitalanlage.

Bier einmal ganz anders: Mit Weißwein und Erdbeeren entsteht eine köstliche Bierbowle.

Bierbowle

Für 4–6 Personen

250 g Erdbeeren,
2–3 EL Zucker,
2 Flaschen Weißwein,
2 Flaschen Pils.

Vielleicht erscheint Ihnen diese Mischung, Früchte, Wein und Bier, etwas ungewöhnlich. Doch die Bierbowle ist ein erfrischender Hochgenuß.
Erdbeeren waschen, abtropfen lassen. Stengel abzupfen, Früchte halbieren, in das Bowlegefäß geben und mit Zucker bestreuen. ½ Flasche Weißwein aufgießen und den Bowlenansatz 1 Stunde ziehen lassen. Vor dem Anrichten den restlichen gut gekühlten Wein und das ebenfalls gekühlte Pils dazugeben.

Biergläser und Bierkrüge

Ob aus Tulpen, Stangen oder Keferlohern – Bier will stilgerecht getrunken sein, denn so schmeckt es auch am besten.
Klassische Bier-Trinkgefäße sind neben dem Steingutmaßkrug, dem Keferloher für »die Maß« aus Bayern, die Alt-Stange, das tulpenförmige Pilsner-Glas und der Pokal für die Berliner Weiße. Andere Formen, vor allem die mit kleinem Volumen, sind den »Klassikern« nachempfunden, so auch das 0,2 Liter fassende Kölsch-Glas. Nur das hohe, sich oben erweiternde bayerische Weißbierglas ist eine Ausnahme. Glas-Maßkrüge, besonders mit kunstvoll verzierten Zinn- oder Porzellandeckeln, waren früher modern, sind aber wieder selten geworden. Sie sind eine gute Kapital-Anlage.

Bierpflege

Die richtige Pflege des Bieres ist für seine Qualität genauso wichtig wie die Beachtung aller Regeln der Braukunst. Zur Pflege gehören: Lagerung, Transport, Temperierung und Ausschank. Als Todsünden gelten bei der Bierpflege starke Erschütterung des Bieres, gleich ob im Faß oder in der Flasche, heftige Temperaturschwankungen, zu hohe Temperaturen und Kohlensäureverlust.
Die Lagertemperatur darf im Sommer 9 Grad nicht über- und im Winter 5 Grad nicht unterschreiten, weil das Bier sonst trübe oder sauer wird. Flaschenbier ist vor direkter Sonnenlichteinwirkung zu schützen. Vor dem Anzapfen sollte ein Faß Bier einen Tag ruhen.
Durch verschmutzte Leitungen leidet der Geschmack von Bier ebenso wie durch zu hohe Ausschanktemperatur. Bier sollte mit folgenden Temperaturen aus dem Zapfhahn fließen: Pils 5 Grad, helles Bier 7 bis 8 Grad, Lager- und Exportbier 10 Grad, dunkles Bier bis zu 12 Grad.

Bierschaum wie ihn wenige kennen: Ein warmes und doch erfrischendes Mixgetränk.

Bierschaum

Für 4–6 Personen

4 Eier,
1 l Bier,
125 g Zucker,
1 Prise Zimt,
abgeriebene Schale von
½ Zitrone.

»Ei mit Bier, das rate ich Dir.« Das sagt schon ein uraltes Wort.
Die Eier mit dem Bier in einem Topf verquirlen, Zucker, Zimt und Zitronenschale dazugeben und bei zuerst kräftiger, später milder Hitze mit dem Schneebesen bis zum Steigen erhitzen. Dann vom Feuer nehmen, noch 5 Minuten weiterschlagen und sofort in feuerfesten Henkelgläsern servieren.

Der Bijou-Cocktail ist als Zungenschmeichler wohlbekannt.

Bijou-Cocktail

2 Eiswürfel, 1,5 cl Gin,
1,5 cl Chartreuse grün,
1,5 cl roter Vermouth,
1 Spritzer Orange Bitter,
1 grüne Olive (ohne Stein),
1 Stück Zitronenschale.

Eiswürfel, Chartreuse, Vermouth, Gin und Orange Bitter in ein Becherglas geben und gut verrühren.
Drink in ein Cocktailglas abseihen. Olive auf ein Holzstäbchen stecken und in das Glas stellen. Mit der Zitronenschale abspritzen.

Bikavér

Auf den Hügeln rund um Eger, nordöstlich von Budapest, reifen Kadarka-

44

Trauben heran, aus denen einer der bekanntesten ungarischen Rotweine gekeltert wird: Bikavér, der auch Stierblut heißt. Den Kadarka-Trauben werden meist Cabernet- und Gamay-Trauben beigegeben.

Birnenschnaps

Neben *Calvados* ist der Birnenschnaps der bekannteste Kernobstbranntwein. Er wird vor allem in Süddeutschland und der Schweiz aus der Williams-Christ-Birne gebrannt. Eine Spezialität des Birnenschnapses sind Flaschen, in denen im Branntwein eine ganze Birne schwimmt. Die Frucht gelangt in die Flasche, indem die Obstbauern über die Birnenblüte eine Flasche stülpen. Die Frucht reift dann im Glas.

Bischoffinger Enselberg

Die Lage Enselberg des Weinortes Bischoffingen am Kaiserstuhl ist weit über Baden hinaus bekannt.

Bitterbranntwein

Böse Zungen behaupten, die Bitterbranntweine, die auch *Magenbitter* genannt werden, schmeckten wie »quer durch die Apotheke«. In gewisser Weise stimmt das auch. Denn die meisten von ihnen entstanden, als die Branntweinherstellung noch Vorrecht der Apotheker war.

Der Bitterbranntwein wird nicht allein zum Genuß bereitet, sondern vor allem als Medizin. Er wirkt appetitanregend und verdauungsfördernd.

Der berühmteste Vertreter der Gattung, zu der auch Underberg und Fernet Branca gehören, ist der aus Amsterdam stammende Boonekamp. Er enthält unter anderem Süßholz-, Anis-, Fenchel-, Enzian- und Galgantauszüge, au-

ßerdem Lärchenschwamm und Rhabarber. Er hat eine Trinkstärke von 40 Vol.-Prozent. Auch der *Angostura Bitter* gehört zu dieser Getränke-Familie, um die viel Geheimniskrämerei betrieben wird, weil die Originalrezepte über den Erfolg einer Marke entscheiden. Mitunter enthalten sie 30 bis 40 verschiedene Zutaten in ganz bestimmten Mengenverhältnissen.

Bittergetränke

Die Bittergetränke, englisch Bitters genannt, werden aus Kräuter- und Wurzelextrakten, aus Drogenbestandteilen vor allem tropischer und subtropischer Pflanzen und aus Gewürzstoffen gemacht. Sie sind durch diese Extrakte meist dunkel gefärbt und haben durch Verwendung von Süßholz einen leichten Lakritzgeschmack. Im Gegensatz zu *Kräuterlikören*, bei deren Herstellung besonders auf einen ausgewogenen Geschmack geachtet wird, dominiert bei den Bittergetränken meist ein Gewürz sehr stark. *Englische Bitters* sind vor allem auf aromatischen Gewürzen wie Anis, Nelken und Zimt aufgebaut, während die ebenfalls berühmten *Spanischen Bitters* vor allem das Aroma von Wurzeln wie Baldrian und Enzian in den Vordergrund rücken. Italienische Spezialitäten sind der bittere Fernet und der rote Campari-Bitter, ein bekannter Aperitif.

Bitter Lemon

Eine sehr beliebte Basis für *Longdrinks*, vor allem mit Gin, Wodka, weißem Rum und anderen klaren Branntweinen, ist Bitter Lemon. Das chininhaltige Getränk wird aus den leicht bitteren Schalen der Limone gewonnen. Bitter Orange ist ein ähnliches Getränk aus Orangenschalen.

Der Blanche Cocktail ist ein großer Favorit der Damenwelt.

Bitter Lemon Gin

3 Eiswürfel, 3 cl Gin, Bitter Lemon.

Bittergetränke haben viele Freunde, sind aber nicht jedermanns Geschmack. Darum beim ersten Mal mit Bitter Lemon beim Auffüllen vorsichtig sein.

Eiswürfel in ein Becherglas geben, mit Gin übergießen und nach Geschmack mit Bitter Lemon auffüllen. Mit einem Trinkhalm servieren.

Bitterliköre

Im Gegensatz zu den *Bitterbranntweinen* ist bei den Bitterlikören der Alkoholgehalt meist etwas geringer, ab 32 Vol.-Prozent. Das Aroma der Kräuter- und Orangenauszüge wird durch Zusatz von Zucker gemildert. Diese Liköre werden auch als Kräuter- oder Gewürzliköre bezeichnet.

Bitters

Siehe Bittergetränke.

Blackberry Brandy

Blackberry Brandy kommt aus dem Englischen und heißt Brombeer-Likör. Der auf dem deutschen Markt bekannteste Brombeer-Likör stammt ursprünglich aus Schlesien, wo die Brombeere als *Kroatzbeere* bezeichnet wurde. Zur Verfeinerung von Blackberry Brandy wird oft ein wenig Himbeer- oder Kirschsaft verwendet.

Blackstone

3,5 cl Sherry dry, 1,5 cl Gin, 1 dash Angostrua Bitter.

Ein Aperitif, den man sich selbst ab und zu gönnen sollte. Nicht nur mixen, wenn Gäste kommen.

Zutaten ohne Eis mixen und ins Cocktailglas gießen.

Blackthorne

2 cl irischer Whiskey,
2 cl Vermouth dry,
2 dashes Pernod,
2 dashes Orange Bitter.

Ein aromatischer Cocktail
mit Whiskey aus Irland.
Alle Zutaten werden im
Mixglas verrührt und in das
Cocktailglas geseiht. Kein
Eis verwenden, das ver-
wässert den Geschmack.

Black Velvet

⅛ l Stout-Bier (dunkles
englisches Bier),
⅛ l eisgekühlter Sekt.

Mit Sekt gemixtes Bier
schmeckt vorzüglich. Wer
diese Mischung noch nicht
kennt, sollte sich davon
überzeugen lassen.
Das Bierglas wird gleich-
zeitig aus beiden Flaschen
mit Bier und Sekt gefüllt
und sofort serviert.

Blanche Cocktail
Foto Seite 45

2 Eiswürfel,
1 cl Anisettelikör,
1 cl Curaçao-weiß,
3 cl Orangenlikör,
1 Cocktailkirsche.

Dieser Cocktail begeistert
die Damen: Nach dem
Essen, zum Kaffee oder bei
einer Plauderstunde.
Eiswürfel grob zerkleinern
und in den Shaker geben.
Liköre darübergießen, mä-
ßig schütteln und in ein
Cocktail- oder Sektglas geben. Mit einer Cocktail-
kirsche garnieren und so-
fort servieren.

Blauburgun-der-Traube

Die *Rebsorte* Blauburgunder ist wohl am weitesten
verbreitet. In Deutschland
wächst sie in den baden-

Der Blitzpunsch ist nicht nur blitzschnell fertig, er schlägt auch ein.

württembergischen Wein-
baugebieten ebenso wie in
Rheinhessen, im Rheingau
und an der Ahr. Die Trau-
ben der Blauburgunder-
Rebe sind relativ klein,
rund und tiefblau. Die aus
Blauburgunder gekelterten
Weine haben im allgemei-
nen vollen, samtigen Cha-
rakter. Der Blauburgunder
hat in Deutschland auch
die Namen Früh- oder
Spätburgunder, Süßedel,
Süßrot und Schwarzer
Klevner. In Frankreich
heißt er Pinot Noir und in
Kalifornien Beaumont. Die
französischen Burgunder
sind wohl die berühmtesten
Weine dieser Traubensorte.

Blending

Was für Spitzenweine eine
Todsünde wäre, ist bei Top-
Whisky geradezu ein Ge-
bot: Das »Panschen«.
Blending nennt man das
Mischen von (etwas mehr)
Getreide- und (etwas weni-
ger) Malzwhisky. Der Eng-
länder sagt, der Whisky

wird »vermählt«. »Blend-
masters« sind Männer mit
untrüglicher Zunge, die es
meisterlich verstehen, aus
der Vielfalt der Sorten immer wieder das gleiche abgerundete Geschmackser-
gebnis zu erzielen. Blended
Whisky ist also veredelt.
Unblended Whisky kann
leicht fuselig schmecken.
Nach dem Verschnitt müs-
sen die Blended Whiskies
monatelang in Fässern ru-
hen, ehe sie auf Trinkstärke
herabgesetzt werden: 43
Vol.-% für den Export und
40 Vol.-% für den briti-
schen Markt. Bei whisky-
feuchten Herrenabenden
wird oft die Frage nach der
Anzahl der Schottischen
Blends gestellt. Nur wenige
vermögen sie richtig zu be-
antworten. Es sind rund
3000 Varianten.

Blitzpunsch
Für 2 Personen

Durchgeseihter Saft einer
halben Zitrone,

2 BL Puderzucker,
⅛ l Whisky,
kochendes Wasser,
1 cl Zwetschenwasser.

Der Punsch ist wirklich wie
der Blitz fertig und belebt
ungemein.
Zitronensaft mit Puderzu-
ker in einem Becher ver-
rühren, Whisky zugeben
und die Mischung in ein
angewärmtes Punsch- oder
Grogglas gießen, mit ko-
chendem Wasser auffüllen,
gut umrühren und Zwet-
schenwasser dazugeben.

Blondie

7,5 cl weißer Vermouth,
1 BL durchgeseihter
Zitronensaft, Sekt.

Blondie kann als aufmun-
ternder Drink Damen ser-
viert werden.
In ein hohes Glas Vermouth
und Zitronensaft geben, etwas umrühren, mit Sekt
nach Belieben auffüllen.

telgroßen Silber- oder Edelstahlbecher geben, mit Whisky übergießen und anzünden. Etwa 2 Minuten brennen lassen, dann mit heißem Wasser auffüllen. Bei der Zubereitung für mehrere Personen benutzt man am besten eine Kupferkasserole oder einen Feuerzangenbowlenkessel.

Blue Boy

Saft einer halben Zitrone,
2 EL Zucker,
2 cl Zitronensaft,
2 cl Curaçao blau,
2 cl Gin,
1 BL Zuckersirup,
½ Flasche Ponysekt.

Dieser prickelnde Drink wird in einem Glas mit Crustarand aus glitzernden Zuckerkristallen serviert.
Zuerst den Crustarand vorbereiten: In je eine flache Untertasse den Zitronensaft und den Zucker füllen. Ein hohes Becherglas mit dem Rand zunächst in den Zitronensaft tauchen, kurz abtropfen lassen, dann den Glasrand in den Zucker stellen. Glas umdrehen und den Crustarand trocknen lassen.
Zitronensaft, Curaçao, Gin und Zuckersirup im Shaker schütteln, die Mischung in das Glas seihen und mit Sekt nach Belieben auffüllen.

Bloody Mary

2 cl Wodka,
4 cl Tomatensaft,
1,5 cl durchgeseihter Zitronensaft,
1 Zitronenscheibe,
1 Prise Salz.

Es ist der Tomatensaft, der dem sehr würzigen Getränk den Namen gab.
Alle Zutaten im Becherglas verrühren und die Zitronenscheibe als Garnierung auflegen.

Blue Blazer

3 Stück Würfelzucker,
5 cl Whisky,
5 cl heißes Wasser.

Blue Blazer sorgt für attraktiven Feuerzauber. Durch das Flambieren verbrennt ein Teil des hochprozentigen Alkohols vor dem Trinken.
Würfelzucker in einen mit-

Bloody Mary richtet einen müden Zecher bald wieder auf.

TIP

Wer einen Bloody Mary recht pikant haben möchte, gibt zusätzlich ½ Teelöffel Worcestersauce oder eine Prise Cayennepfeffer oder auch einen Spritzer Tabascosoße in das Becherglas und rührt anschließend gut um.

Ein Cocktail, der es in sich hat: »Blue Lady«. Nur »harten« Damen zu empfehlen.

Blue Lady

2 Eiswürfel,
1 cl Curaçao blau,
2 cl Zitronensaft,
2 cl Gin,
1 Cocktailkirsche.

Ein Cocktail, der zu den Mediums gehört.
Eiswürfel fein zerkleinern und in den Shaker geben. Curaçao, Zitronensaft und Gin dazugeben. Alles kräftig schütteln und in ein Cocktailglas oder ein Stielglas seihen. Anschließend mit einer Cocktailkirsche garnieren.

Blume

Der charakteristische Duft, den ein Wein im Glas verströmt, heißt in der Weinfachsprache Blume. Diese Blume kann würzig, fruchtig, typisch oder kräftig sein, aber natürlich auch aufdringlich fremd und unangenehm. Bei der Weinprobe wird die Blume als drittes Kennzeichen nach Farbe und Klarheit noch vor dem Geschmack geprüft. Kenner testen Wein daher auch mit der Nase.

Blutalkohol

Mit Hilfe einer einfachen Formel kann man »unblutig« feststellen, wieviel Alkoholgehalt eine Blutprobe ergäbe. Die Formel lautet: Promille = Genossene Alkoholmenge in Gramm geteilt durch das eigene Körpergewicht in Kilogramm mal 0,7.
Man muß also erstens sein eigenes Körpergewicht, zweitens die Alkoholmenge kennen, die man zu sich genommen hat.
Beispiel: Wein hat 8–10 % Alkohol. Mithin sind in einem Liter Wein (= 1000 Gramm) 80–100 Gramm Alkohol enthalten. Teilt man diese 100 Gramm durch ein mit 0,7 multipliziertes Körpergewicht von zum Beispiel 80 Kilogramm (80 × 0,7 = 56) dann ergibt sich zum Beispiel für einen Liter Wein diese Rechnung:
100 : 56 = 1,78 Promille. Wer mit diesem Promille-Wert am Steuer eines Autos erwischt wird, ist seine Fahrerlaubnis los.
Hier einige Alkohol-Prozentzahlen von Getränken, die man kennen muß, um die Formel anzuwenden.
Wein 8–10 Vol.-%
Bier 3–4 Vol.-%
Sekt 10–12 Vol.-%
Südwein 15–20 Vol.-%
Whisky 40 Vol.-%
Cognac 40 Vol.-%
Obstler 30–50 Vol.-%
Wichtig für die Rechnung ist außerdem:
Die höchste Alkoholkonzentration im Blut wird etwa nach einer Stunde erreicht. Und sie nimmt, trotz emsiger Arbeit der fleißigen Leber, anschließend nur 0,15 Promille in der Stunde ab.
Die Formel setzt ferner eine »solide Grundlage« voraus, was bedeutet: Der Magen darf nicht leer sein. Das ergäbe höhere Werte. Allenfalls eine reichliche Käse-Mahlzeit als Grundlage bewirkt eine etwas geringere Alkoholkonzentration im Blut. Antipromille-Pillen dagegen halten niemals, was sie versprechen.

Bockbier

Der Bock wurde zwar nicht zum Gärtner, aber doch aus dem Namen der Bier-Stadt Einbeck, auf langen Umwegen, die sich vor allem in München vollzogen, zur Bezeichnung für ein starkes Bier gemacht. Mindestens 16 % Stammwürze und daraus resultierend einen Alkoholgehalt von knapp unter 5 % hat ein Bier, das diesen Namen nun mit Fug und Recht tragen darf. Doppel-»Böcke« müssen wenigstens 18 % Stammwürzgehalt haben, und sie kommen damit auf rund 6 Alkohol-Vol.-Prozent, also rund um ein Viertel stärker als Exportbier.
Merksatz für Bierologen: Jeder Bock ist ein Starkbier, aber nicht jedes Starkbier ist ein Bock.
Bockbiere gibt es in heller und dunkler Farbe, wobei die dunklen Böcke überwiegen. Das alkoholreichste Bier der Welt ist nach Meinung von Kennern der aus Kulmbach stammende Eisbock, dessen 24 % Stammwürze einen Alkoholgehalt von 8 % bedeuten. Das ist soviel wie die meisten Weine bieten – nur trinkt man diese nicht aus Maßkrügen! Das tun die Franzosen übrigens auch nicht, wenn sie »un boc« bestellen. Das ist für sie ein Gläschen Bier, egal welcher Stärke und um die 0,2 Liter fassend, inzwischen so etwas wie Aperitif-Ersatz.

Bocksbeutel

Die grüne Bocksbeutelflasche *(Flaschenformen)* ist in ihrer schmalen bauchigen Form unverwechselbar und typisch für gute mainfränkische Weine. Diesem ist sie laut Gesetz ausdrücklich vorbehalten; allerdings mit einer Ausnahme: Auch die »Mauerweine« von Neuweier bei Bühl in Baden dürfen in die Flaschen dieser Form abgefüllt werden. Sie war schon vor mehr als 500 Jahren in Franken üblich und entsteht dadurch, daß man eine Burgunder-Flasche im Herstellungsprozeß flachdrückt. Nicht alle Franken-Weine werden in diese originellen Flaschen abgefüllt, die es in Größen von 0,25 und 0,7 Liter gibt. *Konsumweine* vom Main kommen in normalen Literflaschen in den Handel.

Bodega

Spanier lernt man am besten in einer Bodega kennen, dem Stehweinausschank mit Keller-Kolorit. Obwohl Gesang bezeichnenderweise fast überall in den Bodegas verboten ist, kann man dort im fortgeschrittenen Stadium der Reise durch diverse Fässer, die neben Wein auch Aguar diente (Branntwein) und Liköre enthalten, Andalusier einen cante jondo genannten Flamenco anstimmen hören. Das Publikum in einer Bodega: Fischer, Händler, Arbeiter, auf gar keinen Fall Frauen – eine Männergesellschaft, wie sie in so vielen Kneipen dieser Welt residiert. In einer echten spanischen Bodega findet man kaum Touristen. Die Aufschriften der Fässer muß einem der Wirt enträtseln helfen. Sie sind Geheimzeichen einer Alkohol-Bruderschaft.

Bodybuilding

2 cl Maraschino,
2 cl Weinbrand,
2 cl Sahne,
1 ganzes Eigelb.

Schmeckt gut und gibt außerdem Kraft: Bodybuilding.

Bonanza Freeze ist ein Sommerdrink ohne Alkohol.

Ein kurzer Drink, den man in einem Zuge austrinken muß.
Maraschino, Weinbrand und Sahne im Mixgerät mischen und in ein Südweinglas gießen. Das unversehrte Eigelb vorsichtig daraufgleiten lassen und den Drink sofort servieren.

Böckelheimer Kupfergrube

Schloßböckelheim ist ein bedeutender Weinort im Anbaugebiet Nahe. Die Böckelheimer Kupfergrube ist eine Spitzenlage, der Böckelheimer Künigsfels eine sehr gute Lage. Beide sind weit über das Anbaugebiet hinaus bekannt.

Bonarda-Traube

Man kann die *Rebsorte* Bonarda als typisch italienisch bezeichnen, weil sie fast ausschließlich in Italien angebaut wird, und zwar im Norden des Landes. Charakteristisch für den lichtroten Wein aus Bonarda-Trauben ist ein ganz feiner Salzgeschmack.

Bonanza Freeze

2 cl Ananassirup,
2 cl Orangensirup,
1 EL geraspelte Ananas,
3 Eiswürfel,
Soda,
2 EL Fruchteis,
½ Orangenscheibe.

Ein Longdrink, den man durch die Zugabe von verschiedenen Eissorten nach Belieben immer wieder neu mixen kann.
Ananassirup, Orangensirup und geraspelte Ananas in ein hohes Becherglas geben. Eiswürfel hinzufügen und nach Belieben mit Soda auffüllen. Fruchteis nach Geschmack aufsetzen und mit der Orangenscheibe garnieren. Mit Löffel und Trinkhalm servieren.

Hochbetrieb herrscht in der Weinlese rund um Bordeaux.

Tagelang werden die vollen Bütten in die Keltern gefahren.

Bonded Whisky

Bonded Whisky ist ein Gütezeichen, denn »bonded« (englisch) heißt »unter Zollverschluß« gelagert. Die unter behördlicher Aufsicht abgefüllte und gekennzeichnete Flasche Whisky wird mit einem Siegel verschlossen. Dieses britische Gesetz von 1897 wurde erlassen, um ausgesucht gute Whiskysorten zu schützen und vor Nachahmung zu bewahren. Das Gesetz verlangt weiter, daß bei der Herstellung des Whiskys nur Getreidesorten eines Jahrganges verwendet werden dürfen. Ebenso darf nur ein einziger Destillateur für den Brennvorgang verantwortlich sein. Der Inhalt einer Bottled-in-Bond-Flasche ist mindestens vier Jahre alt und hat einen Mindestalkoholgehalt von 50 Vol.-Prozent.

Bordeaux

Die Landschaft des Bordelais, wo der berühmte Bordeaux wächst, ist Europas größtes zusammenhängendes Weinbaugebiet. Seine für den Anbau so überaus wichtigen Hauptschlagadern sind die Flüsse Garonne und Dordogne mit ihrem gemeinsamen, sehr breiten Mündungsarm in den altantischen Ozean, Gironde genannt. Das Herz dieser Landschaft an der Südwestküste Frankreichs

aber ist Bordeaux, das dem weltberühmten Wein seinen Namen gab.

Schon vor der Zeitenwende fanden die Römer links wie rechts der Garonne riesige Weingärten vor. Im Jahre 1308 waren die Engländer längst begeisterte Freunde des Bordeaux. Denn damals holten sie zur Krönung ihres Königs Eduard II. über tausend Stückfässer nach London, gefüllt mit »Claret«. So heißt der Bordeaux wegen seiner damals hellroten Farbe in England heute noch.

Der Herzog und Kardinal Richelieu führte den Bordeaux als »herrlichstes Getränk der Erde« am Hof des Sonnenkönigs ein. Dieser verlieh dem Wein den anspruchsvollen Ehrennamen »Nektar der Götter«.

Etwa 3,3 Millionen Hektoliter Wein und damit ein Drittel mehr als in ganz Österreich erntet man durchschnittlich pro Jahr im Bordelais.

Jeder zehnte Bürger Frankreichs lebt vom Wein. Darum hat der Staat die strengsten Weingesetze der Welt erlassen. Sie bestimmen Anbauweise und Qualitätsnormen der einzelnen Weingebiete überaus genau. Sie gewähren darüber hinaus eine genaue Kontrolle der Abfüllung. Daher die Bezeichnung Appellation d'Origine Contrôlée (A.O.C.), kurz Appellation Contrôlée genannt, zu Deutsch: Überprüfte Herkunftsbezeichnung.

Im Bordelais dürfen die

Weine durchaus nicht immer mit Bordeaux bezeichnet werden. Selbst wenn sie aus Gegenden mit großem Namen stammen wie zum Beispiel Médoc. Das Etikett wird hier zum Steckbrief mit genauester Beschreibung: Die Bezeichnung Bordeaux darf es nur führen, wenn der Wein aus edlen Trauben stammt, die auf einem für den Wuchs optimal geeigneten Boden gereift sind.

Im Jahresdurchschnitt werden im Bordelais mehr als 400 Millionen Flaschen abgefüllt. Die Menge der Weißweine übersteigt dabei die der roten. Die für Deutschland bestimmten Bordeaux erhalten die Bezeichnung »Prestige de Bordeaux«.

Die Güte der Bordeaux wie ihr Geschmack richtet sich nach der Bodenart. Dunklere Böden ergeben besseren Rotwein. Kiesel- und kalkhaltiger Untergrund bringt Qualitäten hervor,

die man jung, also bald nach der Lese trinken kann. Sandiger Boden verleiht dem Wein ein reiches *Bukett*. Steinige Böden bringen die edelsten Spitzenlagen hervor. Diese sollten möglichst lange lagern. Und zwar von sechs bis hundert Jahre und mehr! Je tiefer und verzweigter der Weinstock sein Wurzelwerk ausbreiten kann, desto wertvoller wird der Saft seiner Reben. Das Wort Château bedeutet im Bordelais nicht immer Schloß. Im allgemeinen handelt es sich bei den Château um eine lange Scheune, la chai genannt. Château darf nach dem französischen Weingesetz nur dann auf dem Etikett stehen, wenn zu dem chai ein Weinberg oder ein Weingut gehören. Der Hinweis Château oder Domain (Gut) oder Clos (Weingarten) darf nicht als Qualitätsbezeichnung aufgefaßt werden. Unbedingt muß eine Zeile darunter Appellation Contrôlée stehen.

Werden die Weine auf einem Château abgefüllt, so erhalten sie als Sonderrecht die Qualifikation »Mise en bouteilles au château« (vom Erzeuger abgefüllt) oder kurz »Mise du château«. Der Käufer muß genau darauf achten, daß es nicht heißt »Mise en bouteilles de château«. Denn damit wird keine Abfüllung durch den Winzer selbst garantiert. Man unterscheidet vier allgemeine Bordelaiser Appellationen: Bordeaux, Bordeaux supérieur, Bordeaux rosé oder Bordeaux clairet und Bordeaux mousseux (moussierend).

Sämtliche Bordeaux sind Weine aus verschiedenen Trauben. Der Maître de chai (Kellermeister) mischt drei bis fünf verschiedene Sorten und beweist durch eine genußversprechende Abstimmung seine Kunst an der Kelter. Der fertige Wein wird nach fünf Klassen eingestuft:

Premier, Deuxième, Troisième, Quatrième und Cinquième Cru (Cru = Gewächs). Wobei man sagen muß, daß auch das fünfte Gewächs noch von hochedler Art ist.

Dem Etikett entnimmt man außerdem noch die Gemeinde oder Gemarkung und dazu den Namen des Weinguts oder des Weingutbesitzers.

Zu den edelsten Bordeaux-Weinen zählen die Spitzenlagen im Haut Médoc, die Spitzenlage von Graves, von Saint-Emilion, von Pomerol. Dies alles sind Rotweine von auserlesener Köstlichkeit.

Hinzu kommen als Weißweine: Die Spitzenlage von Sauternes und die großen Lagen von Sauternes und Barsac, wie auch die großen Lagen von Graves.

Weine, die nur die Regionalbezeichnung Haut Médoc, Graves, Saint-Emilion oder Pomerol tragen, ohne ein Château als nähere Herkunft aufzuweisen, sind Konsumweine, also mittlere bis kleine Qualitäten.

Für Weine, die nur durch ihre Appellation Contrôlée bezeichnet sind, gibt es keine Klassifikation. Einen Bordeaux erster Qualität, der weniger als sechs Jahre gelagert ist, zu trinken, ist eine Sünde wider den Geist des Weins.

»Ein gut gelagerter Bordeaux schlägt auf der Zunge ein Pfauenrad«, sagen die Kenner.

Bosom Caresser ist ein Egg-Nogg, den vor allem Frauen lieben.

Bourbon Highball und Bourbon Cocktail sind beides beliebte Longdrinks für junge Leute.

Bosom Caresser

3 Eiswürfel,
1 Ei,
1 BL Zuckersirup,
2,5 cl Weinbrand,
⅛ l Milch.

Zerkleinerte Eiswürfel und alle Zutaten im Shaker kräftig schütteln. In ein Becherglas abseihen und mit einem Trinkhalm servieren.

Bourbon

Wenn der Barkeeper im Western-Saloon dem Sheriff einen Whisky über die Theke zuschiebt, dann ist das mit größter Wahrscheinlichkeit ein Bourbon, ein *amerikanischer Whiskey*. Bourbon unterscheidet sich von Scotch sowohl in der Herstellungsart wie im Geschmack. Er schmeckt im Gegensatz zu den weltberühmten schottischen Whiskys nicht nach Teer oder Torf, sondern nach Holzkohle und Karamel.

Man hat die Geschichte des amerikanischen Whiskeys zurückverfolgt bis ins 18. Jahrhundert und ist auf einen Baptistenprediger namens Elijah Craig gestoßen, der in Georgetown den ersten Whiskey gebrannt hat. Bis dahin hatte man sich nicht selbst an der Kunst der Brennerei versucht, sondern Scotch importiert. Die erste lizensierte Whisky-Brennerei der neuen Welt war dann die des Jack Daniels, der die unzähligen Schwarzbrenner ablehnte. Sein historischer, originalgetreu erhaltener winziger Betrieb in Tennessee liefert noch heute eine vorzügliche, teure Whisky-Marke.

Ursprünglich war der Bourbon vorwiegend in kleinsten Familienbetrieben gebrannt worden, die keinerlei Brennsteuern zu zahlen brauchten. Als der amerikanische Kongreß 1791 eine Branntweinsteuer einführte, kam es buchstäblich zu einer Whiskey-Rebellion, die den Einsatz von Truppen nötig machte. Wenig später wurde die Steuer schon wieder aufgehoben. Seit dieser Zeit sind Tausende von Whiskey-Marken entstanden, ihre derzeitige Zahl beträgt etwa 3000.

Bourbon wird im allgemeinen unverschnitten (= straight) verkauft und ist damit reiner Mais-Whisky. Das Gesetz bestimmt, daß Bourbon zu 51 % aus gemälztem Mais hergestellt sein muß. Der Rest kann Roggen- oder Gerstesprit sein. Wird er, was auch geschieht, mit neutralem *Sprit* vermischt, darf er nicht mehr Bourbon heißen, sondern muß »Blended Whiskey« genannt werden. (Whiskey mit e deutet übrigens immer auf amerikanischen oder irischen Whisky hin!). Steht auf dem Etikett einer Flasche »Bottled in Bond«, dann handelt es sich um etwas ganz Besonderes: Um einen mindestens vier Jahre alten, mindestens 50prozentigen Whisky, der wesentlich voller im Geschmack ist.

Der Name Bourbon stammt von der Bourbon-County (= Grafschaft), wo die Whiskey-Produktion auf die allerbesten Voraussetzungen trifft: Das Klima ist hervorragend für den Maisanbau geeignet, bestes Quellwasser ist in großen Mengen vorhanden.

Auch nur die allerwichtigsten Whiskey-Marken aufzuzählen ist völlig unmöglich. Einige sehr gute Marken sind: Old Grand Dad, Jim Beam, Beam's Choice, Old Forester, Old Taylor, Jack Daniels, Old Fitzgerald, Old Charter, Old Hickory, I. W. Harper, Wild Turkey, Maker's Mark, Bourbon Supreme. Kenner trinken erstklassigen Whiskey übrigens pur und nicht besonders gekühlt, um das Aroma unbeeinträchtigt genießen zu können.

Bourbon-Cocktail

2 Eiswürfel,
2 cl Bourbon Whiskey,
1 cl Zitronensaft,
1 cl Bénédictine,
1 cl Curaçao Triple Sec,
1 Spritzer Angostura.

Zum Mixen wird Bourbon bevorzugt, weil er sich den anderen Zutaten besonders gut anpaßt.
Eiswürfel zerkleinern und in den Shaker geben. Alle anderen Zutaten beifügen. Nach gutem Schütteln in ein Cocktailglas seihen.

Bourbon Highball

4 Eiswürfel,
2,5 cl Bourbon Whiskey,
Soda oder Ginger Ale,
1 Zitronenschalenspirale.

Eiswürfel in ein mittelgroßes Longdrinkglas geben, Whiskey darübergießen und mit Soda oder Ginger Ale nach Belieben auffüllen. Die Zitronenschale am Rand in das Glas hängen und mit Trinkhalm servieren.

Bourbon Sour

2 Eiswürfel,
5 cl Bourbon Whiskey,
2,5 cl durchgeseihter Zitronensaft,
2 BL Zuckersirup,
1 Spritzer Angostura Bitter,
Soda, 1 Zitronenscheibe.

Bourbon Sour ist gut geeignet für einen kleinen Empfang, doch man kann ihn auch alltags zwischendurch zur Aufmunterung trinken.
Eiswürfel zerkleinern und in den Shaker geben. Whiskey, Zitronensaft und Zuckersirup darübergießen. Nach gutem Schütteln in ein Becherglas seihen, mit Soda auffüllen. Die Zitronenscheibe als Garnierung an den Glasrand stecken.

Bowlen

Als Cups bilden die Bowlen in der großen Familie der *American Drinks* eine eigene Gruppe. Allerdings findet man unter der internationalen Bezeichnung Cups nicht nur die guten alten Bowlen-Rezepte aus Wein, Früchten, Zucker und Sekt oder Mineralwasser. Cups sind auch »Bowlen«, die selbst von trinkfesten Leuten mit Vorsicht zu genießen sind, weil sie oft hochprozentige Schnäpse und Liköre enthalten. Unsere üblichen Bowlen dagegen werden bestenfalls mit Likör leicht parfümiert.
Zum Bowlen-Wein: Es muß kein Spitzenwein sein, aber eine gute Mittelsorte. Und eisgekühlt sollte der Wein für die Bowlen sein, denn Eiswürfel sind verpönt.

Bourbon Sour ist ein beliebter Longdrink auf Empfängen.

Bowl of the Bride ist als Getränk wie geschaffen für eine sommerliche Gartenparty: Süffig, lieblich und sehr romantisch.

Bowl of the Bride

Für 6–8 Personen

⅛ l Grenadinesirup,
⅛ l Zitronensaft,
½ l Ananassaft,
1 Flasche weißer Rum,
600–700 g Ananaswürfel,
500 g Erdbeeren, Soda.

Sirup, Säfte, Rum und Ananas im Bowlengefäß verrühren und zwei Stunden zugedeckt im Kühlschrank ziehen lassen. Erdbeeren waschen, Stiele abzupfen und gut abgetropft dazugeben. Mit Soda auffüllen.

Bozen

Wer über den Brenner nach Italien fährt, kommt durch Bozen, die Hauptstadt der Region Alto Adige, dem ehemals österreichischen Südtirol. Eine ganze Reihe ansprechender roter und weißer Weine werden in der Umgebung von Bozen erzeugt. Die bekanntesten sind der *Kalterer See* und der Sankt Magdalener, dem sich die Schweizer Nachbarn besonders verschrieben haben. Die Eidgenossen kaufen Jahr für Jahr fast die gesamte Sankt-Magdalener Produktion auf. Bozen ist auch Handelszentrum aller Südtiroler Weine.

Bramble-Bramble

Für 2 Personen

125 g Brombeeren,
40 g Zucker,
⅛ l Wasser,
2 cl Brombeersirup,
1 Prise Zimt.

Dieses warme Getränk enthält keinen Alkohol. Man kann es gut an kühleren Sommertagen trinken. Übrigens mögen es auch Kinder gern.

Brombeeren mit Zucker und Wasser aufkochen, durch ein Sieb in einen Becher rühren, den Zuckersirup daruntermischen und mit Zimt würzen.

Wenn man eingemachte Brombeeren verwendet, entfällt das Wasser. Sie werden im eigenen Saft zum Sieden gebracht.

Brandy

Brandy hat in Großbritannien eine andere Bedeutung als in Deutschland. Die Briten nennen alles Bran-

Wo die Flüsse Etsch und Eisack zusammenfließen, liegt Bozen (Bolzano), die Hauptstadt des traditionellen Weinlandes Südtirol

Brandy Crusta

Brandy Cooler

dy, was aus Wein, Obst
und Beeren gebrannt wird.
In Deutschland hingegen
darf die Bezeichnung Brandy für Fruchtsaft- und
Fruchtaromaliköre nur verwendet werden, wenn dem
Brandy der Name der
Frucht (Apricot Brandy,
Cherry Brandy) voraus-
geht. Fruchtbrandy muß
bei uns mindestens 30 Vol.-
Prozent Alkohol enthalten.

Brandy- Cocktail

1–2 Eiswürfel,
2 dashes Angostura Bitter,
3,5 cl Weinbrand,
1,5 cl Vermouth rot,
Zitronenschale,
Oliven
oder Perlzwiebeln.

Der Cocktail wird in einem
einfachen Mixglas vorberei-
tet. Das Eis zerkleinern, in
das Mixglas geben, Ango-
stura, Weinbrand und Ver-
mouth darübergießen. Das
Ganze gut umrühren und in
ein Cocktailglas seihen.
Nach Belieben eine Zitro-
nenschale auflegen. Ab-
schließend wird ein Spießchen mit Oliven oder Perlzwiebeln dazu gereicht.

Brandy Cooler

3–4 Eiswürfel,
5 cl Weinbrand, Soda,
1 Orangenschalenspirale.

Weinbrand auf das Eis
gießen, mit Soda auffüllen,
umrühren und Orangen-
schale einhängen.

Einiges aus der großen Palette der Brandy-Drinks ist hier vereint: Brandy Crusta, Brandy-Cocktail und Brandy Cooler.

Brandy-Cocktail

Brandy Daisy

3 Eiswürfel,
Saft einer halben Zitrone,
1 cl Grenadine,
2 cl Weinbrand,
Soda,
3–4 Cocktailkirschen.

Dies ist ein ausgesprochener Damendrink für ein Kaffeekränzchen.
Eiswürfel zerkleinern und in den Shaker geben, Zitronensaft, Grenadine und Weinbrand drübergießen. Tüchtig schütteln, in eine Sektschale seihen und einen Schuß Soda dazugeben. Zuletzt die Cocktail-Kirschen als Garnitur hineinlegen. Man serviert den Drink mit Spießchen, damit der Gast die Früchte mühelos aus dem Glas holen kann.

Brandy Fix

1 BL Zuckersirup,
2 cl Cherry Brandy,
Saft einer halben Zitrone,
4 cl Weinbrand,
1 Eiswürfel,
1 dünne Zitronenscheibe.

In ein kleines Becherglas Zuckersirup, Cherry Brandy, durchgeseihten Zitronensaft und Weinbrand füllen. Gut umrühren und den sehr klein geschabten Eiswürfel darüberschütten. Obenauf die Zitronenscheibe.

Brandy Flip

2 Eiswürfel,
1 Eigelb,
2 BL Zuckersirup,
5 cl Weinbrand.

Man serviert ihn in einer Sektschale oder im kleinen Becherglas.
Die Eiswürfel zerkleinern und in den Shaker geben. Alle übrigen Zutaten beifügen, kräftig und schnell schütteln und in die Sektschale oder das Glas abseihen. Nach Belieben kann man etwas Muskatnuß darüberreiben.

Brandy Crusta

Saft einer halben Zitrone,
2 EL Zucker,
2 Eiswürfel,
1 BL Zuckersirup,
3 dashes Maraschino,
2 dashes Angostura Bitter,
5 cl Weinbrand,
1 Zitronenschalenspirale.

Dieses Spezialrezept sollte der Hausherr mal ausprobieren, um es besonderen Freunden zu servieren.
Zuerst den Crustarand vorbereiten: In je eine flache Untertasse den Zitronensaft und den Zucker füllen. Ein Limonadenglas mit dem Rand zunächst in den Zitronensaft tauchen, kurz abtropfen lassen, dann den Glasrand in den Zucker stellen. Glas umdrehen, Crustarand trocknen lassen. Eiswürfel zerkleinern und in den Shaker geben. Zitronensaft durchseihen und mit dem Zuckersirup, dem Maraschino, dem Angostura Bitter und dem Weinbrand über das Eis gießen. Gut schütteln. Den Inhalt des Shakers in das Crusta-Glas seihen und die Zitronenschale einhängen.

Brandy Smash

Brandy Pick me up

Brandy Highball

schütteln. In einen Sekt-
kelch abseihen und nach
Belieben mit Sekt auf-
füllen.

Brandy Punsch mit Eiern

½ l starker, heißer Tee,
125 g Zucker,
3 Eigelb,
125 g Zucker,
½ l Weinbrand.

Dieser Eierpunsch ist be-
sonders für die kalte Jahreszeit zu empfehlen.
Tee und Zucker in einem
Topf erhitzen. Eigelb, Zukker und Weinbrand schau-
mig rühren, dann unter
ständigem Schlagen bei
schwacher Hitze in den Tee
geben. Erhitzen, bis der
Punsch zu steigen beginnt.

Brandy Smash

1 BL Zucker,
1 BL Wasser,
3 Zweige frische Minze,
5 cl Weinbrand,
3–4 Eiswürfel,
3–4 Limettenscheiben,
2 Erdbeeren,
1 Cocktailkirsche,
1–2 Weinbeeren.

Diesen Longdrink sollten
Sie sich und Ihren Freun-
den an einem heißen Som-
mertag als kühle Erfri-
schung mixen.
Zucker in den Shaker geben
und mit dem Wasser auf-
lösen. Pfefferminzzweige
dazugeben, mit dem Bar-
löffel gut ausdrücken und
entfernen. Den Weinbrand
zufügen und alles kräftig
schütteln. Ein Weinglas
mit feingeschabtem Eis bis
zur Hälfte füllen. Shakerinhalt auf das Eis seihen
und die Oberfläche mit
den Früchten garnieren.
Diesen Drink mit Trink-
halm und Löffel servieren.

Brandy Highball

1 Eiswürfel,
1 BL Zitronensaft,
1 BL Zuckersirup,
1 dash Orange Bitter,
2 cl Weinbrand,
3 Eiswürfel,
Soda.

Dieser leichte Longdrink
erfrischt am Feierabend
und regt müde Geister an.
Eiswürfel zerkleinern und
in den Shaker geben. Zi-
tronensaft, Zuckersirup,
Orange Bitter und Wein-
brand darübergießen. Alles

tüchtig schütteln und da-
nach in ein hohes Becher-
glas seihen. Eiswürfel hineingeben und mit Soda
nach Belieben auffüllen.

Brandy Pick me up

2 Eiswürfel,
1 BL Zuckersirup,
2,5 cl Weinbrand,
Sekt.

Eis fein zerkleinern und in
den Shaker geben. Zucker-
sirup und Weinbrand da-
zugeben und alles gut

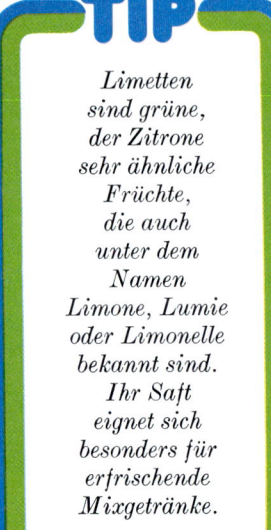

TIP

*Limetten
sind grüne,
der Zitrone
sehr ähnliche
Früchte,
die auch
unter dem
Namen
Limone, Lumie
oder Limonelle
bekannt sind.
Ihr Saft
eignet sich
besonders für
erfrischende
Mixgetränke.*

Brandy Teepunsch

2–3 Eiswürfel,
Saft einer halben Zitrone,
2 BL Zuckersirup,
2 cl Curaçao Orange,
4 cl Weinbrand,
4 cl starker, kalter Tee,
½ Pfirsich,
2 Cocktailkirschen
und 2 Erdbeeren
zum Garnieren.

Eis fein schaben. Zusammen mit dem Zitronensaft, Zuckersirup, Curaçao Orange, Weinbrand und Tee in ein mittelgroßes Becherglas geben. Alles gut verrühren. Mit den Früchten garnieren. Dazu Löffel und Trinkhalm servieren.

Branntwein

Um 800 n. Chr. beherrschten die Araber ein Verfahren, aus Dattelwein ein alkoholisches Destillat herzustellen. Aber das wurde nicht getrunken, sondern zur Parfümherstellung verwendet. Erst 350 Jahre später wurde in Europa ein Rezept zur Herstellung von Trinkbranntwein bekannt. Und kaum war die Kunst entdeckt worden, aus Wein durch Erhitzen mit anschließender Kühlung Alkohol zu destillieren, als auch schon Apotheker, Alchimisten und Mönche begannen, aus jeder Art Wein, dann aus Getreide, aus Wurzeln, Früchten und

Ein frischer Trunk für heiße Tage: Brandy Teepunsch.

Kräutern sowie nach Entdeckung der Neuen Welt auch aus Kartoffeln Branntwein und *Likör* zu bereiten. Zunächst galt Schnaps als Arzneimittel. Etwa im 15. Jahrhundert wurde er zum Volksgetränk. Eine von vielen Konsequenzen: Der Rat der Stadt Nürnberg beschloß 1530, einen Karren anzuschaffen, auf dem Be-

trunkene nach Hause gefahren werden konnten.
Heute versteht man unter Branntwein, der neben dem Likör eine der beiden Hauptkategorien der *Spirituosen* ist, jedes direkte Brennereierzeugnis, das unter Zusatz von Wasser auf Trinkstärke herabgesetzt wird. Wie das Gesetz es befiehlt, muß bei allen Spirituosen mit der Endsilbe -brand, -brandt, -brannt oder -brant nur Alkohol aus Korn, Wein oder Obst verwendet werden. Solche Spirituosen müssen einen bestimmten Mindest-*Alkoholgehalt* haben.
Branntweine, die Alkohol verschiedener Herkunft enthalten, müssen als Verschnitt bezeichnet werden. Nicht alle Branntweine führen auch den Namen Branntwein, obwohl sie echte Vertreter der großen Branntweinfamilie sind. Einige der bekanntesten: Arrak, Rum, Klare (aus

Wein, Korn oder Obst), Wässer (z. B. Kirschwasser), Geiste (z. B. Himbeergeist), Whisky, Steinhäger, Aquavit, Gin, Wacholder, Genever, Enzian, Wodka, Bittere.

Branntweinarten

Branntwein ist ein Unterbegriff der Spirituosen, ebenso wie *Likör*. Die Branntweinarten werden unterschieden nach dem Rohstoff des Brandes und nach der Herstellungsart, wobei viele Branntweine mit »Wein« nichts mehr zu tun haben.
So gibt es neben dem Branntwein aus Wein *(Armagnac, Brandy, Cognac, Weinbrand)* die Gruppen der *Klaren, Rum* und *Arrak, Kornbranntwein* und *Whisky, Obstbranntwein* und *Wacholderbranntwein* sowie die Gruppe der Spezialbranntweine, die aus Wurzeln, Trestern und Hefen hergestellt werden. Dazu kommen die Gruppen *Aquavit, Bittere, Wodka* und schließlich noch aufgesetzter Branntwein.

Branntweinherstellung

Siehe Alkohol.

Branntweinschärfe

Mittel wie Paprika und Pfeffer, die in Spirituosen einen höheren Alkoholgehalt vorzutäuschen vermögen, werden Branntweinschärfen genannt. In Deutschland sind sie nach § 103 des Branntweinmonopolgesetzes verboten.

Brauneberger Juffer

Aus dem Weindorf Brauneberg am rechten Ufer der Mosel kommt der sehr bekannte Juffer. Die Reben allerdings wachsen gegen-

Branntweinherstellung: Destillationsraum und Abfüllung.

über dem Ort am linken Ufer des Flusses. Das heißt, die Winzer müssen ihre Ernte in die Kelterhäuser und Keller am anderen Ufer bringen. Aber die hohe Qualität des Juffer lohnt die Mühe.

Brauner Punsch

Für 4 Personen

350 g Zucker,
abgeriebene Schale von zwei Zitronen,
1 Flasche Weißwein,
½ l Rum,
¾ l heißes Wasser,
Saft von 2 Zitronen.

Zucker und Zitronenschale in einen Topf geben. Unter Rühren bräunen. Mit Weißwein und Rum ablöschen. Sobald sich der Zucker aufgelöst hat, heißes Wasser und Zitronensaft zugießen. In Punsch- oder Teegläsern servieren.
Dieses Getränk schmeckt übrigens auch kalt. Dann

wird es in hohen Becher-gläsern serviert.

Brauner Rum

Der aus dem Zuckerrohr gewonnene Branntwein Rum ist ursprünglich farblos (s. weißer Rum). Durch Zusatz von gebräuntem Zucker entsteht der braune Rum. Aber auch die Lagerung von weißem Rum in frischen Holzfässern führt zur Einfärbung. Die Gerbsäure aus dem Holz der Fässer gibt dem Rum allerdings einen leichten, aber typischen Beigeschmack.

Brause

Die vor allem von Kindern geliebte Brause besteht aus kohlensäurehaltigem Wasser, dem natürliche oder künstliche Essenzen wie Wein-, Milch- oder Zitronensäure, aber auch Himbeersirup und Waldmeister zugesetzt werden.

Brauner Punsch sieht harmlos aus. Aber er hat es in sich.

Breakfast Egg Nogg

2 Eiswürfel,
1 ganzes Ei,
2 BL Zuckersirup,
2,5 cl Curaçao Orange,
2,5 cl Weinbrand,
5 cl Milch.

Bei uns begegnet man Egg Noggs meist nur als Bargetränk. Den Breakfast Egg Nogg dagegen kann man wirklich schon zum Frühstück empfehlen.
Die Eiswürfel zerkleinern und in den Shaker geben. Die anderen Zutaten drübergießen und kräftig und lange schütteln. In ein hohes Becherglas seihen und mit Trinkhalm servieren.
Verwendet man an Stelle des Curaçao die gleiche Menge Himbeersirup, erhält man den *Bosom Caresser*.

Brennender Teepunsch

Für 4–6 Personen

500 g Zucker,
1 Flasche Rum,
Saft von je 4 Orangen und Zitronen,
½ l starker schwarzer Tee.

Zucker in einen Punschkessel oder Topf geben. Mit Rum übergießen. Anzünden und so lange brennen lassen, bis der Zucker gebräunt ist. In einem anderen Topf Orangen- und Zitronensaft und Tee erhitzen. In den Punschkessel geben, umrühren. In Punschgläser füllen und sofort servieren.

Brennwein

Das zur Herstellung von Weinbrand verwendete Rohprodukt Brennwein trägt den Namen nicht ganz zu Recht, denn es ist ein Weindestillat, das durch den Zusatz von Weinalkohol eine Stärke von 24 Vol.-Prozent erreicht. Brenn-

weine sehen mostartig und trübe aus.
Für die deutsche Weinbrandherstellung werden Brennweine vor allem aus Jugoslawien, Ungarn, Griechenland, Spanien und Italien eingeführt.

Brinjevec

Der Brinjevec, ein aromatischer Wacholderschnaps, ist eine Spezialität der jugoslawischen Provinz Slowenien.

British Lion

12 cl heißes Wasser,
4 cl Scotch Whisky,
je 1 EL Kirschsirup und durchgeseihter Zitronensaft,
1 Stück Zitronenschale.

Ein Getränk, daß sich für den Abend eines verregneten Herbsttages anbietet, denn es sorgt für gemütliche Stimmung und wärmt. Heißes Wasser in ein vorgewärmtes Grog- oder Punschglas gießen. Whisky, Kirschsirup, Zitronensaft und Zitronenschale dazugeben und sofort servieren.

Broadway Smile

2,5 cl Cointreau,
2,5 cl Schwedenpunsch,
2,5 cl Crème de Cassis.

Wie alle Poussé-Cafés muß auch dieser Drink besonders sorgfältig zubereitet werden, damit die drei Zutaten als Schichten übereinander im Glas stehen bleiben.
Cointreau in ein hohes schmales Glas geben. Schwedenpunsch, ohne dabei abzusetzen, über den Rücken eines Barlöffels auf den Cointreau laufen lassen. Mit dem Crème de Cassis ebenso verfahren.

Brennender Teepunsch   **British Lion**

Besonders an kalten Tagen kann man sich für diese beiden Getränke so richtig erwärmen.

Broken-tea

Broken-tea (Engl.: gebrochener Tee) besteht aus maschinell zerkleinerten Teeblättern. Zu Broken-tea werden häufig bei der Verarbeitung abgebröckelte zarte Blattränder anderer Sorten gemischt.

Brolio

Zwischen Florenz und Siena liegt im Weinanbaugebiet des *Chianti Classico* das Schloß Brolio. Ein Sproß der Familie Ricasoli, der das Schloß gehört, machte sich Mitte des vorigen

Ein echtes Volksfest wird die Weinlese auf Schloß Brolio.

Jahrhunderts um den Chianti besonders verdient: Er kelterte den Wein aus vier verschiedenen Traubensorten und verhalf ihm dadurch zu seinem typischen Charakter. Dadurch wurde der *Chianti* von den Weinbergen des Schlosses Brolio international bekannt.

Brombeergeist

Der Brombeergeist ist ein selten auf dem Markt zu findender Beerenbranntwein mit 45 Vol.-%. Bergbauern aus Südtirol, der Schweiz und dem Schwarzwald brennen ihn oft für den eigenen Verbrauch. In der Spirituosenindustrie wird er als Zusatz (etwa ein Zehntel) bei der Herstellung von Blackberry-Brandy verwendet.

Brombeerlikör

Brombeerlikör gehört zur Gattung der »Fruchtsaftliköre«. Als bekanntester Brombeerlikör ist die »Kroatzbeere«, nach der schlesischen Bezeichnung für Brombeere, benannt.

Brombeertee

Die heilende Wirkung der Brombeerblätter ist seit der Antike bekannt. Gerbstoff und organische Säuren wirken blutstillend. Er ist ein bewährtes Mittel bei Darmkatarrh, Durchfall und kleineren Blutungen im Verdauungstrakt, wird aber auch als Erfrischungsgetränk geschätzt.

Brombeertee

4 g Brombeer-Teeblätter,
1/8 l kochendes Wasser,
1 TL Honig,
1 Zitronenachtel.

Teeblätter in eine vorgewärmte Kanne geben. Mit kochendem Wasser überbrühen. 10 Minuten ziehen lassen. Tee in ein Teeglas abseihen. Mit Honig und Zitronensaft servieren.

59

Mit dem Brombeertrunk wird eine Kinderparty im Sommer gewiß zu einem echten Erfolg.

Brombeertrunk

125 g reife Brombeeren,
25 g Zucker,
1 EL durchgeseihter
Zitronensaft,
1 Eiswürfel,
Sodawasser zum
Aufgießen,
1 Zitronenscheibe.

Ein alkoholfreier, aber keineswegs langweiliger Drink, der erfrischt und Vitamine spendet.
Brombeeren, Zucker, Zitronensaft und den zerkleinerten Eiswürfel im Mixer pürieren. In ein Ballonglas geben. Mit Sodawasser auffüllen. Zitronenscheibe einschneiden und an den Rand stecken. Mit Trinkhalm servieren.

Bronx

2 Eiswürfel, 1 cl Dry Gin,
1 cl Vermouth dry,
1 cl Vermouth rot,
1 dash Angostura Bitter,
1 cl Orangensaft,
1 Orangenschalenspirale.

Eiswürfel zerkleinern und in den Shaker geben. Gin, Vermouth, Angostura und Orangensaft auf das Eis gießen, alles gut vermischen und in ein Cocktailglas seihen. Orangenschalenspirale einhängen.

Brooklyn

2 Eiswürfel,
3 dashes Picon,
1 cl Maraschino,
2 cl Whisky,
2 cl Vermouth dry,
1 Cocktailkirsche.

Eiswürfel und Alkoholika in den Shaker geben und sehr gut schütteln. Ins Cocktailglas abseihen und mit der Kirsche garnieren.

Brut

Sehr trockene Schaumweine werden mit der französischen Bezeichnung »brut« versehen. Das gilt vor allem für Champagner. Brut kennzeichnet den geringsten Süßegrad und steht noch vor *extra dry*.

Bukett

Das Bukett eines Weines ist die gesamte aromatische Duftfülle, die ihm im ausgereiften Zustand entströmt und von den Geruchsnerven wahrgenommen wird. Weine aus kühleren Klimazonen mit feiner Säure entfalten mehr Bukett als säurearme Weine aus wärmeren Gegenden. Schon beim Most spricht man vom Gärbukett. Im Faß und in der Flasche entwickelt sich das Lagerbukett, das später schließlich in das Alters- oder Firnbukett übergeht.

Bulgarische Weine

Die Geschichte des Weinbaus in Bulgarien reicht weit zurück. Aber erst in jüngster Vergangenheit wurde die Produktion modernisiert. Als bester Weißwein gilt der *Euxenograd*, als bester Rotwein der *Gamza*.

*Mit der Nase
prüft der Kenner
das Weinbukett.*

Auch als Aperitif findet der Bronx-Cocktail viele Freunde.

*Aus dem Burgenland
kommen die Spitzenweine
Österreichs.*

Burgenland

Das kleinste Bundesland Österreichs liefert ein Drittel der österreichischen Weine. In guten Jahren bis zu eine Million Hektoliter. Rings um den Neusiedler See herum wurden schon zur Zeit der Römer Reben angebaut. Die Luftfeuchtigkeit, für die der See sorgt, und das warme Klima sind sehr gute Voraussetzungen für einen vorzüglichen Wein. Weltberühmt ist vor allem der Ruster Wein, der vielfach als *Beeren-* und *Trockenbeerenauslese* gekeltert wird. Als Kaiser Franz Joseph noch in Wien regierte (1848–1916), waren die Ruster Spezialitäten des Fürsten Esterházy, gepflegte *Spätlesen* und »Ausbrüche«, die beliebtesten Getränke am Hof.

»Ausbrüche« nennt man aus der ungarischen Furmint-Traube gewonnene Trockenbeerauslesen, die als Rarität gelten. Am besten schmeckt der Ruster Wein, wenn man ihn an Ort und Stelle zu den Spezialitäten der burgenländischen Küche trinkt, zu gegrilltem Fleisch und gebratenem Fisch. Wenn man einen teuren Spitzenwein bestellt, sollte der Korken ein eingebranntes R als Qualitätsgarantie aufweisen. Der größte Weinort von ganz Österreich ist das burgenländische Gols, an der nordöstlichen Ecke des Neusiedler Sees. Dort wird

Der Brooklyn ist ein idealer Auftakt zu einem Abendessen.

der bekannte Golser Neuburger gekeltert. Andere bekannte Weinorte des Burgenlandes sind Sankt Margarethen, Pöttelsdorf, Schützen, Illmitz und Podersdorf.

Burgunder

Der Burgunder ist ein Wein, von dem Kenner sagen, daß er weder in den Kopf noch in die Beine, sondern mitten ins Herz gehe. Dieser große Wein Frankreichs wird nur aus zwei Traubensorten gewonnen: Der rote Burgunder aus *Pinot Noir,* der weiße aus *Chardonnay.* Dazu kommt noch ein weit weniger bedeutender leichter Weißwein aus der Aligoté-Traube.

Der rote Burgunder gehört in seinen besten Lagen zur Spitzengruppe aller Weine dieser Welt. Von dem legendären Respekt, den er im eigenen Land genießt, erzählt der französische Schriftsteller Henri Stendhal: Colonel Brisson ließ einst vor dem ummauerten Weinberg eines Zisterzienserklosters eine Ehrenkompanie seines Regiments strammstehen und das Gewehr präsentieren zu Ehren des köstlichen Rotweins. Burgund liegt im Osten Frankreichs, etwa auf der Höhe zwischen Freiburg i.B. und Genfer See. Es besteht aus drei Departments, die sechs große Weinregionen umfassen: Die Region Chablis ganz im Norden, die Côte d'Or bei Dijon, die

Von Weinbergen eingerahmt: Schloß Clos in Burgund.

Mit Probierstuben, die an den Hauptverkehrsstraßen stehen, wirbt man in Burgund für die guten Weine des Landes.

Madonna von Beaune: Wein in der kirchlichen Kunst.

Côte de Beaune bei der gleichnamigen Stadt, die Region Challonais in der Gegend von Mercurey, das Gebiet Mâconnais westlich der Stadt Mâcon an der Saône und das Gebiet *Beaujolais* ganz im Süden zwischen Pontanevaux, Beaujeu und Villefranche.

Die ganze Weinanbaufläche nimmt im Verhältnis zur Größe Burgunds eine relativ kleine Fläche ein. Die Weinberge heißen in Burgund Climats, worunter soviel wie Einzellagen zu verstehen ist.

Der rote Burgunder ist von leuchtender Farbe. Seine Farbstoffe oxydieren allerdings sehr leicht, wodurch ein bräunlicher Farbton entsteht. Diese Verfärbung beeinträchtigt die Qualität jedoch in den seltensten Fällen.

Der weiße Burgunder erreicht die Qualität der roten Spitzenlagen nicht. Er ist würzig trocken, aber längst nicht so blumig wie die deutschen Rieslinge. Die wertvollsten Anbaugebiete des Burgunders ziehen sich entlang der Nationalstraße, die Paris über Dijon mit Marseille verbindet.

Burgund ist das Weinbaugebiet Frankreichs, das die meisten Appellation Contrôlée hat, nämlich 113. Einige tausend Weinbergbesitzer gibt es in Burgund, deshalb gleicht kaum ein Burgunder dem anderen, gibt es die verschiedensten Geschmackskompositionen. Burgunder kann leicht und aromatisch, zart und bieder, feurig, ja sogar heftig-deftig schmecken. In der Gegend von *Chablis* baut man gute und mittlere Weißweine an. Durch starke Maifröste und kalte Winde verliert der Chablis häufig an Qualität.

Der edelste und zugleich teuerste rote Burgunder wächst zwischen Dijon und Chagny an der sogenannten Côte d'Or. Diese berühmte Gegend ist der Landstrich auf der Welt, der genauer als jeder andere auf seine Anbaueignung für Wein untersucht und bewertet wurde.

In der Gegend um Beaune, der »Weinkapitale der Welt«, wachsen die meistgekauften Burgunder von Frankreich, zum Beispiel

der Beaune, der Pommard, der Volnay aus den gleichnamigen Gemeinden.

Die Region Mercurey liefert einen guten bis mittleren Weißwein. Es sind sogenannte Village-, also Landweine, die speziell nach Deutschland ausgeführt werden.

Die Region Mâconnais bietet mittlere bis gute Rotweine an, die aus Gamay-Trauben gewonnen werden. *Beaujolais* schließlich ist der Inbegriff für bekömmliche, unkomplizierte Rotweine.

Für alle Weine aus Burgund gilt die Regel: Nur die Spitzenlagen tragen den Namen des Weinbergs im Etikett, zum Beispiel Romanée oder Corton. Die großen Lagen sind stets mit dem Dorfnamen etikettiert, zum Beispiel Vosne-Romanée, Combe d'Ourveau. Sie tragen außerdem das Gütezeichen *Appellatino Contrôlée*.

Die Lebensdauer der Weine aus Burgund ist sehr unterschiedlich. Sie hängt sehr von der einzelnen Lage und dem Jahrgang ab. Edle Burgunder entwickeln ihre besten Eigenschaften im Alter zwischen sechs und vierzehn Jahren. Sie können unter guten Voraussetzungen aber zwanzig, ja bis 40 Jahre alt werden. Voraussetzung dafür ist, daß sie sachgemäß gelagert werden. Die Temperatur soll dabei nie unter 12

Grad liegen und nie 14 Grad übersteigen. Erwärmt man den Burgunder allzu schnell, etwa indem man ihn auf die Heizung oder in heißes Wasser stellt, büßt er seine *Blume* ein. Man trinkt ihn bei einer Temperatur von 14 bis 16 Grad. Die Flasche sollte zuvor eine gute Stunde lang flach hingelegt werden.

Burgunder Cobbler

3–4 Eiswürfel,
1 BL Grenadine,
1 BL Cordial Médoc,
1 BL Orangensaft,
Burgunderwein zum Auffüllen,
4 Weinbeeren am Zweig zum Garnieren.

Ein Longdrink, der vor allem Damen gefallen wird. Eis sehr fein zerkleinern und das Cobbler- oder Weinglas damit bis zur Hälfte füllen. Grenadine, Cordial Médoc und Orangensaft zugeben und mit Rotwein auffüllen. Den Cobbler mit Weinbeeren garnieren. Dazu Löffel und Trinkhalm reichen.

Burton

In der englischen Stadt Burton wird ein sehr starkes Bier gebraut.

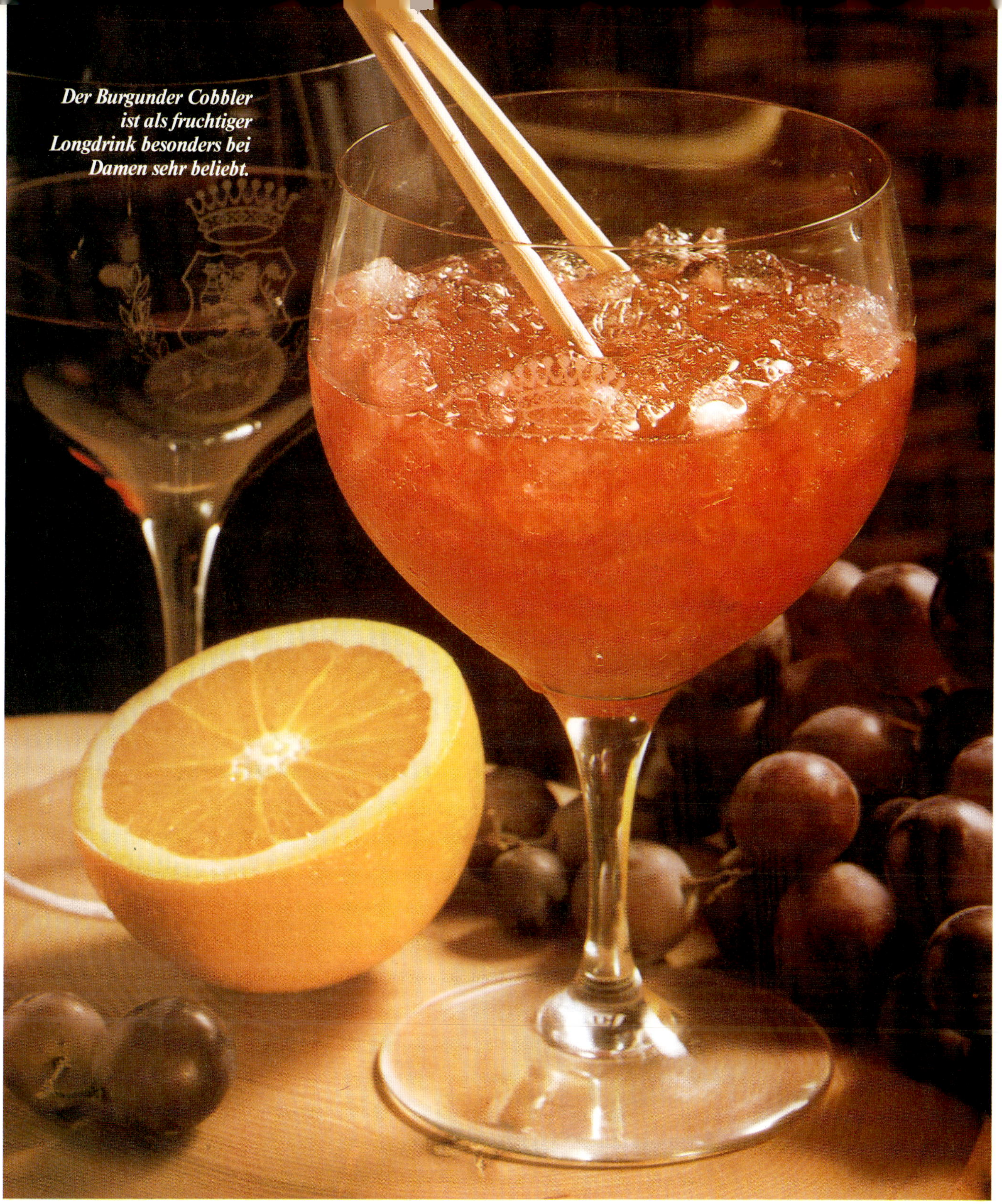

Der Burgunder Cobbler ist als fruchtiger Longdrink besonders bei Damen sehr beliebt.

Butterfly Flip

2–3 Eiswürfel,
1 Eigelb,
1 BL Zucker,
1 EL Sahne,
2,5 cl Cognac,
2,5 cl Crème de Cacao,
Muskatnuß.

Ein Longdrink, der am frühen Vormittag oder zur Teezeit am Nachmittag serviert werden kann. Der Butterfly ersetzt mühelos eine Zwischenmahlzeit, denn seine Zutaten – Ei, Zucker, Sahne und Alkohol – sind sehr kalorienreich. Alle Zutaten im Shaker kräftig schütteln. In einen Sektkelch gießen. Etwas Muskatnuß über den Flip reiben. Mit einem Trinkhalm sofort servieren.

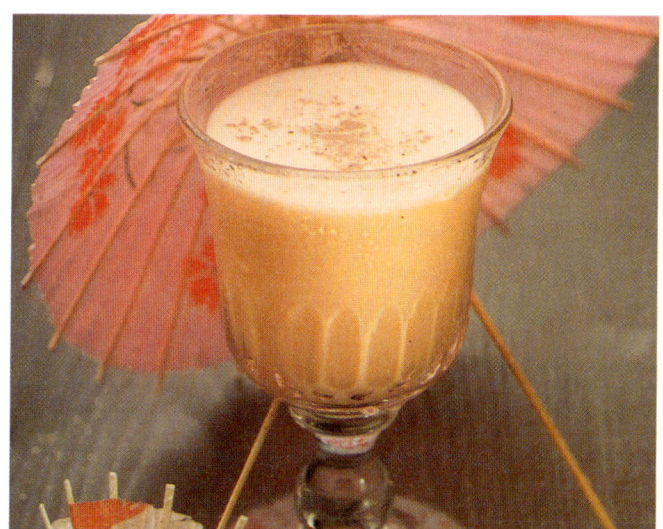

◀ *Eine Prise Muskat gibt dem Butterfly Flip den letzten Pfiff.*

Wärmend und dazu noch recht nahrhaft ist der Buttergrog.

Eine Mischung ganz eigener Art: Buttermilch à la mode.

Buttergrog

10–20 g Butter,
3 BL Zucker,
2 Gewürznelken,
etwas Zimtrinde,
1 Stück
Zitronenschale,
10 cl Rum oder
Weinbrand,
heißer Apfel- oder
Traubensaft.

Ein Grog, den Sie sich für die kalte Jahreszeit vormerken sollten.
Butter und Zucker in ein Grog- oder Punschglas geben. Die Gewürze zufügen und je nach Wahl Rum oder Weinbrand dazugeben. Mit heißem Apfel- oder Traubensaft auffüllen und gut umrühren. Dann die Gewürze entfernen und den Grog servieren. Übrigens können Sie den Saft in diesem Rezept auch durch Wasser ersetzen.

Buttermilch

Die beim Buttern von Sahne oder Milch anfallende Buttermilch darf bis zu 10 Prozent mehr Wasser enthalten als das Ausgangsprodukt. Wie alle Sauermilchgetränke ist auch Buttermilch sehr empfindlich gegen Metalle und sollte daher in Steingut oder glasemaillierten Behältern aufbewahrt werden. Buttermilch enthält noch einen Fettanteil von 0,3 bis 0,5 Prozent und ist ein wertvolles Nahrungsmittel.

Buttermilch à la mode

⅛ l Buttermilch,
3 BL geriebenes
Pumpernickel,
5 cl Fruchtsaft, je nach
Jahreszeit.

Alle Zutaten im elektrischen Mixer mischen und möglichst kühl in einem hohen Becher- oder Henkelglas servieren.

Buttermilch-Getränke

Erdbeer-Buttermilch

200 ccm Buttermilch
2 cl Erdbeersirup,
2 BL frische
Erdbeeren.

Zutaten im Mixer schlagen; 15 Minuten in den Kühlschrank stellen. Mit Trinkhalm servieren.

Frucht-Buttermilch

Für 2 Personen

⅛ l Buttermilch,

125 g Sauerkirschen aus dem Glas,
1 EL Zucker,
⅛ l Sahne,
1 EL gemahlene Mandeln.

Buttermilch mit abgetropften Kirschen und Zucker im Mixer schlagen. In eine Schüssel geben. Sahne steif schlagen und unter die Früchte ziehen. In zwei Kelchgläser seihen. Mit den Mandeln garnieren.

Salute

Für 2 Personen

⅛ l Buttermilch,
⅛ l schwarzer
Johannisbeersaft,
¼ Banane,
2 BL Weizenkeime.

Alle Zutaten im Mixer schlagen. 15 Minuten in den Kühlschrank stellen. Mit Trinkhalm servieren.

Ein kühler Drink für heiße Tage ist der Cablegramm Cooler.

Sanddorn-Buttermilch

3 cl Buttermilch,
2 cl Sanddornsirup.

Zutaten im Mixer schlagen. In ein mittleres Becherglas geben. Mit Trinkhalm servieren.

Byrrh-Cocktail

1,5 cl Byrrh,
1,5 cl Rye Whiskey,
1,5 cl Vermouth rot,
2–3 Eiswürfel.

Diesen Aperitif kann man auch gut am Vormittag servieren.
Alle Zutaten im Mixglas verrühren. In ein mittelgroßes Becherglas seihen.

Cabana

2 Eiswürfel,
3 cl Bananenlikör,
2 cl Känguruh.

Man trinkt ihn nach dem Dinner, sollte aber beachten, daß er nur Liköre enthält. Das Getränk ist zwangsläufig ziemlich süß. Die Eiswürfel zerkleinern und in den Shaker geben.

Die Liköre drübergießen. Kurz schütteln und in ein Cocktailglas seihen.

Cabernet-Franc-Traube

Aus der roten Cabernet Franc werden große Bordeaux-Weine hergestellt. Das bekannteste Produkt des Cabernet Franc sind jedoch die Rotweine der Region Médoc. Aber auch in anderen Teilen Frankreichs und in Rotwein produzierenden Ländern wie Italien und Jugoslawien wird diese Traubensorte verwendet.

Cabernet-Sauvignon-Traube

Der Löwenanteil der Bordeaux-Weine wird aus den tiefblauen Beeren der Cabernet Sauvignon gekeltert. Allerdings nicht unvermischt. Ein Drittel bis ein Viertel anderer Traubensorten kommen hinzu. Die frostempfindliche Cabernet Sauvignon wächst darüber hinaus in fast allen frostfreien Weinanbaugebieten der Erde wie Nord- und Südamerika, Nord- und Südafrika und Australien.

Cablegramm Cooler

2–3 Eiswürfel,
1–2 BL Zuckersirup,
Saft einer halben Zitrone,
2 cl Whisky,
Ginger Ale zum Auffüllen,
1 Eiswürfel,
1 Orangenschalenspirale.

Der Cablegramm Cooler ist als durststillendes Getränk für heiße Sommertage geeignet.
Eiswürfel zerkleinern. Mit Zuckersirup, Zitronensaft und Whisky in einem Shaker kräftig schütteln. In ein Kelchglas abseihen. Mit Ginger Ale auffüllen. Nach Belieben noch einen Eis-

würfel hineinlegen. Orangenschale als Garnierung am Rand des Glases einhängen.

Cachaça

Der brasilianische Cachaça ist ein deftiger Rum aus Zuckerrohr, der auch zur Likörbereitung sehr häufig verwendet wird.

Café Acapulco

1 gehäufter BL Pulverkaffee,
40 g Puderzucker,
¼ l kaltes Wasser,
1 BL Rum,
1 BL Zitronensaft,
2–3 Eiswürfel.

Café Acapulco ist ein erfrischender Trunk für heiße Tage. Er schmeckt übrigens auch ohne Rum. Natürlich kann man auch weniger Zucker nehmen. Pulverkaffee, Puderzucker und Wasser verrühren. Mit Rum und Zitronensaft abschmecken. Eiswürfel in ein Longdrinkglas geben und mit der Kaffeemischung auffüllen. Mit Trinkhalm servieren.

Ein heißer Gruß aus Arabien, mit Kardamom pikant gewürzt, ist der Café à la Scheik.

Sehr attraktiv: Café Cobbler.

Café à la Scheik

2 BL gemahlener Kaffee,
2 BL zerdrückter
Kardamom,
1 Tasse kochendes Wasser.

Ein gewürzter Kaffee, den
Sie Gästen als Gruß aus
Arabien anbieten können.
Den Kaffee in eine Tasse
geben, den Kardamom in
eine andere. Jede Tasse
halbvoll mit kochendem
Wasser füllen. Beide Mix-
turen in eine angewärmte
Tasse abseihen und mi-
schen. Man trinkt ihn original ohne Zucker, da sich
Kardamom und Zucker in
dieser Mischung nicht so
gut vertragen.

Café au lait

Für 2 Personen

⅛ l heiße Milch,
⅛ l heißer Kaffee,
1–2 Stück Würfelzucker.

Man findet das Getränk auf
allen französischen Speise-
karten. Es wird zu jeder
Tageszeit serviert.
Milch und Kaffee getrennt
in 2 Kännchen servieren
und aus jedem Kännchen
gleichzeitig und gleichmäßig die Tassen füllen. Zukker nach Geschmack dazu-
geben.

Café brûlot

2 Stück Würfelzucker,
1 BL Kirschwasser,
1 cl Kirschwasser,
⅛ Tasse starker heißer
Kaffee,
1 EL geschlagene Sahne.

Herren bevorzugen Café
brûlot, trinken ihn gern zu
jeder Tageszeit, besonders
aber nach einem Dinner.
Den Würfelzucker in eine
feuerfeste Tasse legen, mit
1 BL Kirschwasser durch-
tränken und anzünden.
Wenn ausgebrannt, mit
dem restlichen Kirschwas-
ser auffüllen, den Kaffee dazu gießen und mit einer
aufgespritzten Schlagsah-
nenhaube garnieren.

Café Capriccio

¾ Tasse starker heißer
Kaffee,
2 cl Cointreau,
½ BL Vanillinzucker,
1 EL Schlagsahne.

Ein anregender und wohl-
schmeckender Kaffee nach
dem Dinner, den nicht nur
Damen gern mögen.
In die zu drei Viertel mit
Kaffee gefüllte Tasse wird
der Cointreau gegossen. Die
mit Vanillinzucker gesüßte,
geschlagene Sahne obenauf
spritzen.

Café Cobbler

3–4 Eiswürfel,
2 cl Cognac,
gesüßter kalter, starker
Kaffee.

Diesen Café Cobbler kön-
nen Sie im Hochsommer
zur Kaffeetafel servieren.
Eiswürfel fein zerkleinern.
In ein Stielglas geben.
Cognac zugeben, Kaffee
drübergießen. Mit einem
Barlöffel umrühren und
mit Trinkhalm servieren.

Café de Cacao Frappé

2 Eiswürfel,
2,5 cl Crème de Cacao,
2,5 cl sehr
kräftiger kalter
Mokka,
2–3 Cocktailkirschen.

Eiswürfel zerkleinern und
in eine Sektschale geben.
Crème de Cacao und Mokka
drübergießen. Mit den Kirschen garnieren. Sofort mit
einem Trinkhalm und ei-
nem Löffel servieren.

Café Rio

Für 4 Personen

1 Packung
Vanille- oder
Mokkaeis (500 ml),
8 BL Extraktkaffee,
½ l kaltes
Wasser,
4 BL Mokkalikör.

Dieses Getränk sollten Sie
als Erfrischung am Nach-
mittag oder als Krönung
eines gut gelungenen Es-
sens reichen.
Alle Zutaten bis auf den
Mokkalikör im Mixer mi-
schen. In vier Longdrink-
gläser füllen und in jedes
Glas einen Barlöffel Mok-
kalikör geben. Mit Trink-
halm servieren.

Eisgekühlte Café-Spezialitäten sind im Sommer eine ganz besonders beliebte Erfrischung.

Café Rio

Café Acapulco

Café de Cacao Frappé

Calvados Royal gibt es nicht zu jeder Zeit, denn frische Erdbeeren gehören unbedingt dazu.

Calvados

Dieser kräftige französische Branntwein wird aus dem Apfelwein *(Cidre)* destilliert und kommt aus der Normandie. Der beste Calvados trägt die Herkunftsbezeichnung »Calvados du Pays d'Auge«. Die Franzosen trinken ihn entweder handwarm wie *Cognac* oder leicht gekühlt. In der Regel hat der Calvados 40 bis 42 Prozent Alkoholgehalt. Die Gärung des Apfelweines muß mindestens zwölf Tage dauern, erst dann kann er destilliert werden. Die Lagerung in Eichenfässern – je länger, je besser – dauert mindestens sechs bis sieben Jahre.

Calvados Cocktail

2 Eiswürfel,
2 cl Calvados,
2 cl Curaçao triple sec,
1 cl Orangensaft,
3 dashes Orange Bitter.

Dies ist ein Cocktail, der außerordentlich erfrischend wirkt.
Die Eiswürfel zerkleinern und in den Shaker geben. Die übrigen Zutaten drübergießen, kurz, aber kräftig schütteln und in ein Cocktailglas seihen.

Calvados Royal

3 frische Erdbeeren,
5 cl Calvados,
Sekt.

Ein spritziger Sekt-Cocktail, der schnell zubereitet ist.
Erdbeeren mit einer Gabel einige Male einstechen. In einen Sektkelch geben und den Calvados drübergießen. Mit sehr kaltem Sekt auffüllen und mit einem Löffel servieren.

Café Westindia

¾ Tasse heißer Mokka,
2 Stück Würfelzucker,
2 cl Rum, 1 Nelke,
abgeriebene Schale einer halben Zitrone,
1 EL geschlagene Sahne,
1 Zimtstange.

Eine etwas außergewöhnliche Kaffee-Mischung, die aber außerordentlich gut schmeckt.
Mokka, Würfelzucker, Rum, Nelke und die Zitronenschale in einer Kaffeetasse verrühren und eine Schlagsahnenhaube auf-spritzen. Mit der Zimtstange zum Umrühren servieren.

Caldas Rum

Der aus Kolumbien stammende Caldas-Rum gilt bei Kennern als Spitzenprodukt der Zuckerrohr-Destillation.

Caldo de Canna

Caldo de Canna ist ein brasilianisches Volksgetränk, das aus Zuckerrohrsaft hergestellt wird. Es ist milchigweiß und schmeckt ein wenig nach Traubensaft.

TIP

Mit einem Calvados Crusta können Sie Freunde gewinnen. 2–3 Eiswürfel mit je 2,5 cl Calvados und Weinbrand und je einem Barlöffel Orangen- und Limettensaft und Zucker im Shaker schütteln. In ein mit Crustarand versehenes Glas abseihen.

Calvados-Smash

2–3 Eiswürfel,
2 EL gemischte Früchte,
1 TL Zucker,
1 dash Selterswasser,
4 zerkleinerte frische
Pfefferminzblätter,
3 dashes Crème de Menthe,
2 cl Calvados,
1 dash Bénédictine,
Apfelsaft zum Auffüllen,
1 Pfefferminzblatt zum
Garnieren.

Der Calvados-Smash gehört zur Gruppe der Longdrinks und ist durch den Pfefferminzgeschmack ein sehr erfrischendes Getränk. Eiswürfel fein zerkleinern und in ein Cobblerglas füllen. Früchte als Garnierung auf das Eis legen. Zucker und Selterswasser im Shaker verrühren. Pfefferminzblätter, Crème de Menthe, Calvados und Bénédictine zugeben. Alles gut schütteln. In das Cobblerglas abseihen. Mit Apfelsaft aufgießen. Mit einem Pfefferminzblatt garnieren und mit einem Trinkhalm servieren.

Calypso

2–3 Eiswürfel, 4 cl Rum,
1 BL Zitronensaft, Cola,
1 Zitronenscheibe.

Cola mit Rum ist bekannt und beliebt. Die Beigabe von Zitronensaft verleiht dem Drink die besondere Note.
Die Eiswürfel in ein hohes Glas geben. Rum und den durchgeseihten Zitronensaft drübergießen. Nach Belieben mit Cola auffüllen und mit der Zitronenscheibe garnieren. Mit einem Trinkhalm servieren.

Campari

Der weltbekannte italienische Bitterbranntwein Campari verdankt seinen abgemilderten Bittercharakter größtenteils dem Zusatz von Chinarindenextrakt. Der von dem Mailänder Gastwirt und Destillateur Caspare Campari zunächst

Campari Soda ist als Aperitif in aller Welt sehr beliebt.

Campichello ist ein Drink so fein wie Samt und Seide. Rezept S. 70.

als »Holländischer Bitter« auf den Markt gebrachte Branntwein, der vor allem als *Aperitif* verwendet wird, wird nach streng geheimen Kräuterrezepten gebraut. Bekannt ist nur, daß der Campari in Fässern aus slowenischem Eichenholz lagern soll.

Campari Soda

2–3 Eiswürfel,
4 cl Campari,
1 Zitronenschalenspirale,
1 Schuß Sodawasser.

Das beliebte Getränk kommt aus Italien. Es löscht an heißen Tagen den

Durst und ist außerdem wohlschmeckend und bekömmlich.

In ein breites Becherglas die Eiswürfel geben, den Campari aufgießen und nach Belieben mit Soda auffüllen. Die Zitronenschale daranhängen und mit einem Trinkhalm servieren.

Campbeltown Whisky

Auf der im Westen Schottlands liegenden Halbinsel Kintyre wird der sehr schwere und sehr rauchige Campbeltown Whisky gebrannt, der fast nur zum *Blenden* verwendet wird.

Campichello

Für 4 Personen

4 Eigelb,
300 g Zucker,
abgeriebene Schale und Saft einer Zitrone,
1 Flasche Rotwein,
⅓ Flasche Rum.

Eigelb, Zucker, Zitronenschale, Zitronensaft und Rotwein in einen Topf geben und verrühren. Topf ins Wasserbad stellen und unter ständigem Schlagen erhitzen. Rum unter Rühren zugießen und sofort in Punschgläsern servieren.

Wenn Sie keinen größeren Topf als Wasserbad haben, können Sie die Zutaten auch im Topf bei schwacher Hitze verrühren.

Canadian Whisky

Kanadischer Whisky ist der leichteste seiner Art. Er hat Ähnlichkeit mit dem amerikanischen Bourbon. Denn auch in Kanada stellen Mais (Corn) und Roggen (Rye) die wichtigsten Grundstoffe. Je nach Landschaft und Brenntradition erhält der Canadian Whisky unterschiedlichen Charakter: Ganz mild zum Beispiel sind die Sorten aus British Columbia, kräftig dagegen jene aus der Um-

Der Capri Cocktail verkürzt die Zeit vor dem Abendessen.

Der Caramel Flip erspart Ihnen ohne weiteres ein Dessert.

gebung von Quebec mit vielen Abstufungen zwischendrin. Anders als in den übrigen Whiskyländern erfolgt das *Blending* gleich nach der Destillation. Canadian Whisky wird meist nicht länger als zwei Jahre gelagert, wie Cognac in frischen Eichenfässern. Der unausbleibliche Verdunstungsschwund darf durch Nachfüllen mit neuem Whisky ausgeglichen werden.

Capri Cocktail

2–3 Eiswürfel,
1 BL Campari,
1,5 cl roter Vermouth,
3,5 cl Weinbrand,
1 Cocktailkirsche zum Garnieren.

Diesen Cocktail können Sie als Before-Dinner-Drink servieren.

Eiswürfel und alle Zutaten in einem Mixbecher verrühren. In ein mittelgroßes Becherglas seihen und mit einer Cocktailkirsche garnieren.

Capuccino

1 Tasse starker heißer Kaffee,
1 Prise Zimt,
1 EL geschlagene Sahne,
1 BL Kakaopulver oder geriebene Schokolade,
Zucker nach Belieben.

An der italienischen oder französischen Riviera, in der Schweiz und in Südtirol gehört Capuccino zu den nachmittäglichen Genüssen.

Der Kaffee wird mit Zimt gewürzt, mit einer aufgespritzten Sahnehaube verziert und mit Kakaopulver oder geriebener Schokolade bestreut. Man trinkt ihn mit und ohne Zucker.

Caraffa

Die Caraffa ist ein italienisches Ausschankmaß für Wein von 0,66 Liter.

Caramel Flip

2–3 Eiswürfel, 1 Eigelb,
½ BL Kaffeepulver,
5 cl Crème de Cacao.

Eiswürfel zusammen mit Eigelb, Kaffeepulver und Crème de Cacao in den Shaker geben. Shaker mit einer Serviette umwickeln und kurz aber kräftig schütteln. In einen Sektkelch seihen und mit einem Trinkhalm versehen sofort servieren.

Carioca

2 Eiswürfel,
1 cl Sanddornsirup,
1 BL Pulverkaffee,
2 cl Rum,
1 dash Zitronensaft,
3 cl Grand Marnier,
1 EL geschlagene Sahne.

Das Neue an diesem Drink ist die Mischung von Sanddorn, Kaffee und Alkoholika. Man sagt, dieser Drink soll in eine besonders gute Stimmung versetzen. Probieren Sie es aus.
Die Eiswürfel zerkleinern und in den Shaker geben. Alles kurz, aber tüchtig schütteln, in ein Cocktailglas seihen und nach Belieben aus der geschlagenen Sahne eine Haube aufspritzen und mit Trinkhalm servieren.

Carlotta
Bild Seite 72

4 cl Selleriesaft,
4 cl Karottensaft,
4 cl Apfelsaft,
1 dash Zitronensaft,
1 BL gehackte Petersilie.

Auch die Freunde der Gemüsesäfte dürfen an der Bar nicht leer ausgehen. Die Verächter derartiger Drinks sollten sie wenigstens einmal kosten. Besonders Autofahrer werden spüren, wie Carlotta erfrischt.
Die Zubereitung ist ganz einfach. Alle Zutaten in einem Becherglas verquirlen und wohl kalt, aber ohne Eis servieren.

Carioca garantiert immer eine fröhliche Runde: Sanddorn, Alkohol und Kaffee sorgen für die richtige Stimmung.

Ein feiner Gemüsedrink nicht nur für Vegetarier: Carlotta.

Nach einem Schluck Carnaby Street wird jedem wieder warm.

Carnaby Street

Für 2 Personen

2 Eigelb,
1 Prise geriebene
Muskatnuß,
1 BL brauner
Kandiszucker,
1 BL Ingwerpulver,
½ l Ale,
1 Stückchen Zimt,
1 cl Rum.

Ein Eierpunsch, der es in sich hat und gut durchwärmt.

Eigelb mit Muskatnuß, Kandiszucker und Ingwerpulver in einer Schüssel schaumig rühren. Ale, Zimt und Rum in einem Topf erhitzen, aber nicht kochen lassen und den Eierschaum langsam unter ständigem Rühren daruntermischen. Bei schwacher Hitze mit dem Schneebesen schaumig schlagen. In Punschgläsern möglichst heiß servieren.

Cartizze

In der italienischen Provinz Treviso findet man den von Kennern geschätzten Cartizze. Der sehr helle Wein mit leicht bitterem Charakter wird aus *Prosecco-Trauben* gekeltert. Der Weißwein wird zum Teil auch als Schaumwein angeboten. Laut italienischem Weingesetz ist der Cartizze aus dem Anbaugebiet Conegliano-Valdobbiadene ein *DOC-Wein*.

Cassisgeist

Cassisgeist ist ein Branntwein aus der schwarzen Johannisbeere und wurde erstmals im 16. Jahrhundert von Mönchen aus Dijon hergestellt. Cassis ist reich an Vitaminen und harntreibenden Stoffen, weshalb es als Lösungsmittel für Gallen- und Nierensteine gilt.

Castello

Als Castello-Weine werden in Italien die Weine gekennzeichnet, die im engeren, manchmal sogar weiteren Umkreis irgendeines Kastells gekeltert werden. Es handelt sich dabei also nicht um einen Qualitätsbegriff, sondern um eine Lagebezeichnung.

Castello-Weine sind oft vorzüglich. In der Umgebung von Trient reift auf der Nordseite des Castello del Buon Consiglio ein prächtiger Wein heran. Ihn ließen sich bereits im 16. Jahrhundert die Väter des Trientiner Konzils schmecken. Im Veltlin, östlich des Comer Sees, gibt es den bekannten roten Castello di Inferno, kurz Inferno genannt, der schon einen Monat nach der Gärung trinkbar ist.

Der strohgelbe Castelli di Jesi stammt aus dem Hinterland von Ancona. Durch seinen appetitanregenden, angenehm bitteren Nachgeschmack wird er zu Vorgerichten und Fischen empfohlen.

Eine Sonderstellung nimmt der Castel del Monte aus Apulien ein. Es gibt ihn in drei verschiedenen Farben: Strohgelb, rubinrot und bläßlich rot (Rosato). Der Rotwein soll der Lieblingswein des großen Staufenkaisers Friedrich II. gewesen sein.

Im ältesten Weinbaugebiet Italiens, der Chianti-Gegend zwischen Florenz und Siena, sind besonders erwähnenswert der *Castello di Urzano*, der *Castello di Nipozzano* und der *Castello di Verrazzano*. Sie unterscheiden sich von den anderen zahllosen Chianti-Weinen dadurch, daß sie nicht in die allgemein üblichen bauchigen Flaschen, die Fiaschi, abgefüllt werden, sondern ausschließlich in Bottiglias, das heißt in Bordeaux-Flaschen. Alle Castelli-Romani-Weine sind Hausweine der Hauptstadt Rom.

Im Castel del Monte trank schon Kaiser Barbarossa Wein.

Nur die Kalorien im Longdrink Cecil Pick me up verhindern, daß man zu viel von diesem gehaltvollen Sekt-Cocktail trinkt.

Caxaca

Siehe *Cachaça*.

Cecil Pick me up

2–3 Eiswürfel,
2 BL Zuckersirup,
2 cl Weinbrand,
1 Eigelb,
Sekt zum Auffüllen.

Eiswürfel, Zuckersirup, Weinbrand und Eigelb in einen Shaker geben. Kräftig schütteln und in eine Sektschale oder ein Cocktailglas abseihen und mit Sekt auffüllen. Sofort mit einem Trinkhalm servieren.

Centerbe

Der Centerbe ist ein süßer italienischer Magenlikör, auch Mentuccia genannt, der aus hundert verschiedenen Kräutern der Abruzzen hergestellt wird, wobei das kräftige Aroma der Pfefferminze dominiert. In die gleiche Kategorie italienischer Kräuterliköre gehören der Millefiori (Tausend Blumen), der Fiori Alpini (Alpenblumen) und der berühmte Strega (Hexe), der aus Benevento bei Neapel kommt.

Ceylon-Tee

Siehe Tee.

Chablais

Wo die Rhône in den Genfer See mündet, liegt die Schweizer Weinlandschaft Chablais. Sie ist bekannt für kräftige trockene Weißweine. Die Lagen von Aigle, Ollon, Bex und Ycorne gelten als die besten. Die strengen Anbau- und Produktionsvorschriften für *Schweizer Weine* garantieren eine meist gleichbleibende Qualität und gute Bekömmlichkeit.

Schloß Aigle bei Genf liegt mitten im Weingebiet Chablais.

Chablis

Der trockene, harte, aber nicht herbe, nach Mineralien schmeckende, an frisches Heu erinnernde Chablis aus Frankreich steht leicht grünlich im Glas. Er ist von großer Eleganz, wenn er ein *Grand Cru* ist, das heißt auf einem jener östlich der Stadt gelegenen Weinberge wächst, die als beste Lage der Gegend gelten. Ein Chablis Premier Cru erreicht in *Bukett* und *Charakter* nicht die Grands Crus, ist aber noch ein vorzüglicher Wein. Chablis ohne jede Lagebezeichnung ist die nächst tiefere, immer noch beachtenswerte Qualitätsstufe. Der Petit Chablis dagegen ist ein ziemlich saurer, leichter Wein. In einigen außereuropäischen Ländern werden Unmengen von Chablis erzeugt. Mit dem französischen Original haben sie allerdings wenig gemein.

Chambertin

Die kleine Gemeinde Gevrey-Chambertin an der Côte de Nuits, dem burgundischen Weinbaugebiet südlich von Dijon, bringt den herrlichsten Wein hervor, den Burgund zu bieten hat. Die berühmten Grand-Cru-Lagen namens Chambertin und Clos de Bèze sind nicht einmal die einzigen, die allerhöchste Qualität erreichen. Deshalb dürfen verschiedene in der Nähe gelegene Weinberge ebenfalls den Namen Chambertin tragen, allerdings nur mit Zusätzen wie Mazoyères-Chambertin, Charmes-Chambertin, Griotte-Chambertin oder Chapelle-Chambertin. Ähnlich gute Lagen hatte einst die benachbarte Gemeinde Brochon. Da die dortigen Winzer aber um die Jahrhundertwende Massenweine anzubauen begannen, haben sie heute nicht einmal mehr eine *Appellation Contrôlée*.

Zwei andere Nachbargemeinden, Fixin und Morey-St.-Denis, die auch zur Côte de Nuits gehören, haben sich dagegen ihre Qualität bewahrt. Der Chambertin zeichnet sich durch Langlebigkeit aus. Kenner sagen, daß es keinen besseren Burgunder zu Rindfleischgerichten gibt.

Chambrieren

Kenner wärmen Rotwein nicht an, wenn er auf Zimmertemperatur gebracht werden soll; sie chambrieren ihn. Das geschieht am besten, indem man die Flasche in das Zimmer (chambre) stellt, wo sie später auch geleert werden soll. Diese Prozedur künstlich zu beschleunigen ist nicht ratsam. Wird der Wein nämlich zu schnell erwärmt, kann sich der Bodensatz und das Depôt an den Flaschenwänden lösen – er wird trüb. Gar unverzeihlich wäre es, die Flasche in heißes Wasser zu tauchen oder in den warmen Backofen zu stellen. Das macht den Wein schnell tot und wertlos.

Champagne

Die Weinberge der Champagne liegen rund um Reims und Epernay in Nordfrankreich. Ihr Boden ist kreidehaltig und die meisten Weine werden in tiefen, feuchten Kreidefels-Kellern gelagert, die schon von den Römern in der Gegend von Reims angelegt wurden. In der Champagne, etwa 140 Kilometer nordöstlich von Paris, gibt es 16 250 Weinbaubetriebe. Dieses nördlichste unter den französischen Weingebieten hat sich durch die Einzigartigkeit seiner Weine einen Namen gemacht, wie kein anderes Weinbaugebiet der Welt. Hier wachsen die Trauben, die die besten Firmen für ihre besten *Champagner* aufkaufen. Das Gebiet läßt sich in drei Zonen einteilen, die alle mit ihrem Charakter zu der klassischen Champagner-Mischung beitra-

Weinlese in der französischen Champagne, einem der berühmtesten Weinanbaugebiete der Welt.

gen: Die Montagne de Reims trägt die Pinot-Noir-Reben, deren schwarze Trauben schnell gekeltert werden müssen, damit sie einen weißen Wein ohne Farbspuren ergeben. Das Vallée de la Marne bringt den rundesten und reifsten Wein mit sehr viel Bukett hervor, ebenfalls von Pinot-Noir-Trauben. Bouzy erzeugt übrigens den »stillen« Rotwein, den die Einheimischen für sich reservieren. Südlich von Epernay liegt die Côte de Blancs mit ihren weißen Chardonnay-Reben, die der Champagner-Mischung ihre Frische und Finesse verleihen. Manchmal wird Champagner aus dieser Gegend ohne den traditionellen Zusatz der schwarzen Trauben als Blanc de Blancs verkauft.

Champagner

Der Champagner gilt als König der Schaumweine, aber er ist auch der Wein der Könige. Sein Steckbrief: Weiß oder Rosé, herb, trocken, Flaschengärung.
Der Name ist nicht nur einem bestimmten Ursprungsgebiet vorbehalten, das im Versailler-Vertrag verbrieft ist, er bezieht sich auch auf ein ganz spezielles Kelter-Verfahren und eine besondere Behandlung des Weins.

Das Herkunftsland der Trauben, die Champagne, liegt etwa 140 Kilometer nordöstlich von Paris und wird im Süden von der ebenso namhaften Weinlandschaft Burgund begrenzt. Hier, links und rechts der Marne, liegt das Gebiet, das unter Fachleuten als »Région délimitée de la Champagne viticole« bekannt ist. Hier, und nur hier, bietet der Boden der Pinot-Traube alle Mineralien, die den Champagner unnachahmlich machen. Ausschließlich Weine, die aus Trauben dieses streng begrenzten Gebietes gekeltert wurden, dürfen sich auch als

TIP

Champagner können Sie nach einem festlichen großen Essen mit einer feinen Orangencreme als Dessert oder nach dem Mokka servieren. Außerdem ist Champagner bei Empfängen eine zwar kostspielige, aber immer noch klassische Begrüßung.

Champagner bezeichnen. Welche Bedeutung der schäumende Wein aus dem Marne-Tal für Frankreich hat, wurde auf eindrucksvolle Weise deutlich, als 1973 eine extreme Gruppe von Australiern und Neuseeländern der Regierung in Paris ultimativ androhte, man werde per Flugzeug ganze Reblaus-Brutkolonien über der Champagne ausstreuen, wenn die französischen Atomversuche im Pazifik nicht eingestellt würden.
Der bedeutendste Importeur echten Champagners ist seit altersher England. Die Briten waren und sind es, die das Prädikat »brut«, »extra sec« oder »extra dry«, Hinweise auf die besondere Herbheit des Champagners, bei manchen Keltereien sogar zum »Reserved for England« werden ließen. Der zweitgrößte Abnehmer sind die USA. Daß man sich im Land der unbegrenzten Möglichkeiten mit einem zweiten Rang zufrieden gibt, findet eine einfache Erklärung: Der Coca-Cola-Kontinent keltert seinen eigenen Champagner – in den Staaten New York, Ohio, Missouri und Kalifornien. Nur eine kleine Minderheit gaumenbewußter Amerikaner zeichnet für den Konsum von rund drei Millionen Flaschen des »Echten« verantwortlich.

Echter Champagner garantiert Flaschengärung und Lagerung von mindestens vier bis sechs Jahren. Eine Zeit, in der flüssiges Kapital festliegt. Die Zinsen schlagen sich natürlich im Verkaufspreis nieder. Wo Champagner getrunken wird, kann man Geld förmlich riechen. So findet man im dichten Gefolge des weniger reichen, doch um so traditionsbewußteren England auch die Ölländer als Champagner-Konsumenten. Und so trinkt man Champagner: Aus schlanken, spitzen Kelchen, auf keinen Fall zu kalt, da sonst der volle Geschmack verloren geht. Am besten kühlt man Champagner, indem man ihn etwa eine Stunde in kaltes Wasser stellt.

Champagner Cobbler

3–4 Eiswürfel,
1 BL Curaçao,
1 BL Maraschino,
1 BL durchgeseihter Zitronensaft,
3 Erdbeeren oder Cocktailkirschen,
½ Pfirsich aus der Dose (in Achtel geschnitten),
1 EL Ananasstücke aus der Dose,
Champagner.

Das Eis sehr fein zerkleinern und das Cobblerglas bis zur Hälfte damit füllen. Eis mit einem Löffel glatt streichen und mit den Früchten garnieren. Curaçao, Maraschino und Zitronensaft drübergießen und mit Champagner auffüllen. Dazu Löffel und Trinkhalm servieren.
Wenn frische Früchte auf dem Markt sind, sollte man sie statt der konservierten verwenden.

Champagner Cocktail

1 Stück Würfelzucker,
1 dash Angostura,

1 Eiswürfel,
Champagner,
1 Stück Zitronenschale.

Würfelzucker in eine Sektschale geben und mit Angostura tränken. Eiswürfel zugeben. Mit Champagner auffüllen und mit einem Stück Zitronenschale abspritzen. Mit einem Trinkhalm servieren.

Champagner Flip

5 cl Rheinwein,
1 TL Zuckersirup,
2 Eigelb,
Champagner zum Auffüllen.

Das ist ein Getränk, welches Sie auch zum Kaffee-Stündchen servieren können.
Rheinwein, Zuckersirup und Eigelb im Shaker kräftig schütteln. In ein Kelchglas gießen. Mit Champagner auffüllen und mit einem Trinkhalm servieren. Statt Champagner können Sie selbstverständlich auch Sekt nehmen.

Champagner-Herstellung

Die tiefblaue Pinot-Noir-Traube bringt weißen Saft hervor. Das klingt unwahrscheinlich, aber es stimmt. Man läßt nämlich nicht zu, daß die dunkle Pigmentierung der Schaleninnenseiten im Zustand der hohen Reife auf den Saft übergreift. Wenn das doch der Fall ist, ergibt sich die aparte Färbung des Rosé.
Da Adel verpflichtet, beginnt der besondere Kelterprozeß des Champagners bereits mit der Lese. Nur sorgsam ausgesuchte und völlig unbeschädigte Trauben gelangen in die Kelter. Für diese Auslese sorgen ganze Heerscharen zumeist älterer Frauen, für die das anstrengende Schneiden der Reben im Weinberg zu beschwerlich ist. In langen

So weit das Auge reicht: Rebstöcke im Weingebiet Champagne.

Reihen sitzen sie zur Zeit der Lese in unmittelbarer Nähe der Weinberge. Ihren spitzen Scheren entgeht keine unreife, verschimmelte oder angefressene Beere.
Nur allerbeste Ware gelangt also in die Kelterräume. Für eine Pressung (charge) läßt man etwa 4000 Kilogramm zusammenkommen. Sehr wichtig ist nun der Preßvorgang, der in zwei Etappen erfolgt. Die ersten 2000 Liter Saft ergeben den besten Wein. Sie haben keine Rotfärbung der Schalen angenommen und sind als »cuvée« die Basis für Spitzen-Qualitäten. Der Saft aus der fortgesetzten Pressung ist dunkler und saurer.
Die Gärung beginnt unmittelbar nach dem Umfüllen in den Gärbottich. Nach vierundzwanzig bis sechsunddreißig Stunden

Champagner-Flaschen werden in »Rüttelpulten« im Weinkeller gepflegt.

hat sich eine unansehnliche graue Schaumschicht auf der Oberfläche abgesetzt.
Dies ist ein natürlicher Reinigungsprozeß, bei dem Staub, Schmutz und andere Ablagerungen dem Most entzogen werden. Die verbleibende klare Flüssigkeit wurde früher in saubere 200-Liter-Fässer aus Eichenholz zur Lagerung abgefüllt. Heute werden zumeist Glastanks mit Stahlmantel verwendet.
Nach acht bis zehn Wochen wird der junge Wein zum erstenmal in andere Tanks umgefüllt. Dabei werden weitere Rückstände ausgeschieden und gleichzeitig alle Produkte des gleichen Weinberges miteinander vermischt. So wird sichergestellt, daß die Weine der gleichen Lage auch wirklich gleich schmecken. Nach einem weiteren Umfüllen nach einigen Wochen, bei dem der Wein gründlich mit Sauerstoff versetzt wird, folgt das Verschneiden, bei dem der Kellermeister alles richtig oder falsch machen kann. Nach gründlichem, mechanischem Mischen wird der Zuckergehalt durch eine Füllösung (liqueur de tirage) fixiert. Dadurch wird auch das während der Flaschengärung entstehende Kohlensäuregas exakt dosiert.
Während dieser zweiten Gärung sind die Flaschen mit Plastikpfropfen und Kronkorken verschlossen. In dieser Phase wird der Champagner zu Schaumwein. Auch in der folgenden Zeit lagern sich wieder

Champagner-Cocktail

Champagner Flip

Champagner Pick me up

Bei Champagner- und bei Sektcocktails sind der Phantasie keine Grenzen gesetzt.

Rückstände ab, die zur Hauptsache aus abgestorbener Hefe bestehen. Um zu verhindern, daß sie sich beim Einschenken mit dem Getränk vermischen, werden sie völlig entfernt. Man erreicht das, indem man den Champagner rüttelt. Die Flaschen werden dazu in zwei Rüttelpulten (pupitres) fast horizontal eingesteckt. Woche für Woche bekommen sie nun vom Rüttler einen drehenden Stoß, wobei der Flaschenboden jeweils etwas erhöht wird. Nach einigen Wochen stehen die Flaschen dann senkrecht mit dem Korken nach unten und alle Rückstände haben sich am Korken gesammelt.

Nun werden die Flaschenhälse durch ein Kühlbad geführt, wobei direkt unter dem Pfropfen eine Eisschicht entsteht, unter der alle Rückstände eingeschlossen sind. Beim Öffnen werden sie durch den Kohlensäuredruck mit dem Pfropfen herausgeschleudert. Dieses »Enthefen« ist Aufgabe des ersten Mannes eines Teams, dem das »Finish« an jeder einzelnen Champagner-Flasche obliegt. Der nächste Mann fügt die nötige Menge Versandlösung (liqueur d'expédition) bei, eine klebrige Essenz aus Zucker, Weißwein und excellentem hellem Weinbrand, der eine weitere Gärung während des Versandes verhindern soll. Diese Beigabe schwankt je nach Bestimmung zwischen einem Viertel und fünfzehn Prozent.

Der Korken trägt den Namen der Firma und das Datum des Jahrgangs. Sein unterer Durchmesser muß doppelt so dick wie der Flaschenhals sein. Er wird vom »boucheur«, dem Chef des Teams, zusammengepreßt und bis zur Hälfte eingetrieben. Den Rest besorgt der Verdrahter, der den Korken ganz hinein drückt und mit dem bekannten Drahtkörbchen unter dem Wulst des Flaschenhalses fixiert. Am Ende des Teams – eine Art Vierer mit Steuermann –

Zu den ausgefallenen Drinks gehört der originelle, scharf gewürzte Muntermacher Chapala.

steht ein Junge, der alles noch einmal kräftig durchschüttelt. Danach ist der Champagner versandfertig.

Champagner Julep

2 Zweige frische Minze,
1 BL Zucker,
1–2 Eiswürfel,
1 Zweig frische Minze,
1 EL gemischte Früchte,
Champagner.

Juleps sind erfrischende Mixgetränke, die mit Minze und Früchten zubereitet werden. Nur ersatzweise sollten Sie auf Pfefferminze oder Pfefferminzlikör zurückgreifen.
Frische Minze und Zucker mit dem Barlöffel in einer Sektschale zerreiben. Die Minze herausnehmen. Eiswürfel zufügen, mit frischer Minze und Früchten garnieren. Mit Champagner auffüllen. Dazu Löffel und Trinkhalm servieren.

Champagner Pick me up

2–3 Eiswürfel,
1 BL Zuckersirup,
1,5 cl Vermouth dry,
1,5 cl Weinbrand,
Champagner.

Eiswürfel mit allen Zutaten bis auf den Champagner im Mixglas rühren. In ein Kelchglas abseihen, mit Champagner auffüllen.

TIP

Der Champagner-Cocktail sollte immer, die anderen Champagner-Drinks müssen nicht immer mit Champagner zubereitet werden.

Chapala

⅛ l Orangensaft,
2 BL Grenadine, Salz,
1 Prise Cayennepfeffer

Orangensaft und Grenadine in einem hohen Becherglas mischen, mit Cayennepfeffer und Salz würzen und in einem Cocktailglas servieren.

Charakter

Der Charakter eines Weins ist im Prinzip das gleiche wie der Charakter eines Menschen. Man versteht darunter die Summe aller seiner Eigenschaften. Beim Wein versteht man darunter allerdings nur jene Eigenschaften, die von Zunge, Nase und Auge wahrgenommen werden.
Ein Wein, der viel Charakter hat, ist also von einer ganz besonderen, wenn auch nicht unbedingt hervorragenden Art. Sehr häufig findet man auf Karten

Charlie Chaplin

2–3 Eiswürfel,
1 cl Apricot Brandy,
2 cl Zitronensaft,
2 cl Gin,
1 Cocktailkirsche.

Dieser Drink gehört zu den Medium-Cocktails. Sie können ihn also als Erfrischung zwischendurch reichen. Eiswürfel und alle anderen Zutaten im Shaker kräftig schütteln. In eine Cocktailschale eine Kirsche geben. Cocktail darüberseihen.

Chartreuse

Der grüne oder gelbe französische Kräuterlikör Chartreuse hat eine abenteuerliche Vergangenheit. Ein unbekannter Alchimist soll die Mischung gefunden haben, die als Lebenselexier berühmt wurde. Das Rezept geriet in die Hände des Marschalls von Estrées, eines Heerführers zur Zeit Friedrich des Großen, der es 1735 an die Mönche des Klosters La Grande Chartreuse bei Grenoble weitergab.
Bei einer Choleraepidemie soll der Likör damals Wunder gewirkt haben. Alten Chroniken zufolge wich die Cholera vor der Urgewalt des heilsamen Getränks erschrocken zurück.
In der Mitte des 18. Jahrhunderts wurde das Rezept des Chartreuse bekannt: Er besteht aus etwa 130 verschiedenen Kräutern und Extrakten. Darin enthalten sind Angelikawurzel, Pomeranzen, Chinarinde, Melisse, Ingwer, Pfeffer, Zitronen, Javakraut, Zimt, Nelken, Selleriesamen, Piment, Macis, Tonkabohnen, Muskatnuß, Alpenbeifuß und Abelmoschus. Flüssige Basis ist *Eau de vie de vin*, also ein Weinbrand. Der grüne Chartreuse ist mit 50–55 Prozent Alkoholgehalt stärker als der gelbe, der hundert Jahre später bekannt wurde und 43 Prozent hat.

Nach einem frischen Charlie Chaplin Cocktail sieht die Welt gleich wieder viel fröhlicher aus.

von Weinlokalen die Bezeichnung: Gute Art. Solche Weine sind leicht, lieblich, gefällig, harmonisch oder auch typisch. Der Charakter oder die Art eines Weines wird von der *Rebsorte*, dem Boden des Anbaugebiets, also der *Lage*, und dem *Jahrgang* bestimmt.

Chardonnay-Traube

Die hellgelben Beeren der Chardonnay-Traube sind die Basis zweier berühmter

Weine: Des *Champagners Blancs de Blancs* und des *weißen Burgunders*.
Die frostempfindlichen Trauben werden auch in anderen Ländern mit mildem Klima angebaut. Weißer Clevner oder Morillon ist mit Chardonnay identisch.

Charleston

2–3 Eiswürfel,
1 cl Dry Gin,
1 BL Kirschwasser,
1 cl Maraschino,
1 BL Curaçao,

1 cl Vermouth dry,
1 cl Vermouth blanc,
1 Stück Zitronenschale.

Der Charleston-Cocktail gehört zur Gruppe der Shortdrinks. Bieten Sie ihn als After-Dinner-Drink an.
Die Eiswürfel in ein Mixglas geben. Gin, Kirschwasser, Maraschino, Curaçao und Vermouth dazugeben. Alle Zutaten mit einem Barlöffel sehr gut verrühren und in ein Cocktailglas abseihen. Mit Zitronenschale abspritzen und servieren.

Französische Kartäusermönche pflegen schon seit Jahrhunderten die Liköre von Chartreuse.

In der Nähe von Grenoble, mitten in den französischen Alpen, liegt das Kloster von Chartreuse.

Spitzenweine kommen aus Châteauneuf-du-Pape im Rhônetal

Chartreuse Daisy

3 Eiswürfel,
1 BL Zitronensaft,
2 cl Chartreuse grün,
3 cl Weinbrand,
Soda,
3 Maraschinokirschen.

Daisies – übrigens von Damen bevorzugt – sind mit wenig Soda serviert nicht ganz harmlos. Mit einem größeren Schuß Sodawasser werden sie aber wesentlich leichter und bekömmlicher. Die Eiswürfel zerkleinern und in den Shaker geben. Zitronensaft, Chartreuse und Weinbrand drübergießen. Kurz, aber kräftig schütteln. In eine flache Trinkschale oder in ein Sektglas seihen, mit Soda auffüllen und mit den Kirschen garnieren. Einen Löffel dazu reichen.
Mit Chartreuse läßt sich auch ein attraktiver Chartreuse Frappé mixen: Sektkelch zu ¾ mit Cobbler-Eis füllen, 5 cl Chartreuse dazugeben, umrühren, mit Trinkhalm servieren.

Châteauneuf-du-Pape

Dieser sehr bekannte französische Rotwein wächst in der Umgebung des gleichnamigen Dorfes, wo einst die in der Stadt Avignon residierenden Päpste ihren Sommersitz hatten. Der dunkelrote Châteauneuf-du-Pape ist der alkoholstärkste Wein Frankreichs: Sein Mindestgehalt beträgt 12,5 Prozent, bisweilen aber hat er gute 5 Prozent mehr. Er wird aus bis zu dreizehn verschiedenen Traubensorten, darunter weißen, verschnitten. Die Spitzenqualität der Côte-du-Rhône-Weine hat ein Bukett, das mit »sonnenbeschienene Kräuter« umschrieben wird. Die besten Lagen des Châteauneuf-du-Pape heißen Château-de-la-Nerthe, Château Fortia und Château-des-Fines-Roches.
Der Châteauneuf-du-Pape sollte drei bis zehn Jahre lagern, weil er erst dann völlig ausgebaut ist. Meist bietet man ihn aber schon nach zwei- bis dreijähriger Lagerung an. Leider!

Château-Weine

Die Château-Weine genießen in Frankreich einen außerordentlichen Ruf. Vor allem im Bordelais rund um Bordeaux, aber auch in anderen Landesteilen. Unter Château versteht man in diesem Fall nicht ein Schloß, sondern ein Weingut.
Der Ruf, den die Château-Weine genießen, wird durch eine Reihe gesetzlicher Vorschriften geschützt: Ein Château-Wein muß zum Beispiel der *Appellation Contrôlée* unterliegen, er muß von einem einzigen Weingut stammen und dort selbst zu Wein verarbeitet worden sein. Ist er dort auch auf Flaschen abgefüllt worden, hat er das Recht, auf dem Etikett den Vermerk »Mise en Bouteille au Château« zu tra-

Besonders die Damen schwärmen von dem aromatischen Geschmack des bekömmlichen Chartreuse Daisy. Rezept auf Seite 79.

gen. Die Zahl der französischen Château-Weine ist so groß – allein im Bordelais gibt es 3000 – daß es unmöglich ist, sie auch nur annähernd namentlich zu nennen. Die berühmtesten allerdings kommen aus dem Bordelais.

Cheerio-ICS

Je 2 cl Orangensirup und Gin,
2 cl Kondensmilch,
1 gehäufter EL Vanilleeis,
Sodawasser zum Auffüllen,
1 gehäufter EL
Orangeneis,
1 EL geschlagene Sahne,
1 Orangenscheibe zum
Garnieren.

Orangensirup und Gin in ein hohes Becherglas geben. Kondensmilch drübergießen und Vanilleeis draufgeben. Mit Sodawasser auffüllen. Vorsichtig Orangeneis dazugeben. Mit einem Sahnetuff aus dem Spritzbeutel und der Orangenscheibe garnieren. Dazu Trinkhalm und Löffel servieren.

Cherry Bounce

Cherry Bounce heißt in Amerika ein feiner Magenlikör auf Kirschwasserbasis.

Cherry Brandy

Cherry Brandy ist einer der bekanntesten Fruchtliköre. Er enthält 30 Vol.-% und wird aus Sauerkirschsaft, Kirschwasser, Zucker und Stärkesirup hergestellt. Zur Geschmacksabrundung werden meist geringe Mengen Bittermandelöl beigegeben. Künstliche Farbstoffe als Zusatz sind untersagt. Eine hellere Variante ist der englische Cherry Brandy, der in seiner edelsten Form aus Kirschen der Grafschaft Kent hergestellt wird. Allerdings ist der englische Cherry Brandy kein Likör, sondern ein Branntwein.

Der Cherry Sour ist ein recht frischer Longdrink, der sich schon viele Freunde geschaffen hat.

Cherry Brandy Flip

2–3 Eiswürfel,
1 Ei,
1 BL Puderzucker,
8 cl Cherry Brandy,
etwas geriebene
Muskatnuß.

Ein Shortdrink, der als Aufmunterung nach einer durchtanzten Nacht gut geeignet ist. Sie sollten ihn aber besser erst nach dem Frühstück anbieten.
Eiswürfel, Ei und Puderzucker in den Shaker geben. Cherry Brandy zufügen. Shaker mit einer Serviette umwickeln und alles kurz, aber kräftig schütteln. In einen Sektkelch abseihen, Muskatnuß drübergeben und mit einem Trinkhalm servieren.

Cherry Milk

¼ l sehr kalte Milch,
4 cl Kirschsirup,
3 cl Cherry Brandy.

Man kommt vom Schwimmen, ist Rad gefahren oder hat Tennis gespielt, und ist ein wenig abgekämpft. Dieser Milk-Mix erweckt die Lebensgeister wieder.
Alle Zutaten im Mixgerät gut vermischen und sofort mit Trinkhalm in einem Becherglas servieren. Langes Stehen macht das Getränk leicht unansehnlich.

Cherry Sour

2 Eiswürfel,
1 BL Zuckersirup,
Saft einer Zitrone,
4 cl Cherry Brandy,
Soda,
3 Cocktailkirschen,
1 Scheibe Zitrone.

Ein Longdrink für alle Cherry-Freunde.
Das Eis zerkleinern und in den Shaker geben. Zuckersirup, Zitronensaft und Cherry Brandy darübergießen und kurz, aber tüchtig schütteln. In ein Becherglas seihen und mit Soda auffüllen. Mit den Kirschen garnieren, und die Zitronenscheibe einschneiden und an den Rand stecken.

Chesky

In diesem Namen steckt die erste Silbe von Cherry und die letzte von Whisky. Aus diesen beiden Getränken, wobei irischer Whiskey verwendet wird, wird in der französischen Stadt Châlons-sur-Marne ein Likör komponiert.

Chianti

Chianti ist der bekannteste und praktisch auch einzige Wein der italienischen Provinz Toskana. Denn die toskanischen Weine gehen zu 90 Prozent unter dem Namen Chianti in alle Erdteile. Das sind einige Millionen Hektoliter von sehr unterschiedlicher Qualität. Wichtig ist die Unterscheidung zwischen dem Chianti Classico und den übrigen Chiantis: Chianti Motalbano, Chianti dei Colli Fiorentini, Chianti dei Colli Senesi, Chianti dei Colli Aretini, Chianti delle Colline Pisane, Chianti Rufino. Der Chianti Classico muß ausschließlich aus dem durch das italienische Weingesetz festgelegten Anbaugebiet stammen. Es ist die Gegend zwischen Florenz und Siena. Diese Gegend ist das älteste Chianti-Gebiet und wahrscheinlich auch das älteste Weinbaugebiet Europas. Von seltenen Ausnahmen abgesehen ist der Chianti Classico ein rubinfarbener Rotwein. Bei längerem Lagern geht das Rubinrot in ein Granatrot über. Chianti, der drei Jahre und länger gelagert wurde, darf das Prädikat »Riserva« führen. Er wird in

Mit dem Ochsenkarren fahren toscanische Bauern zur Lese.

Bordeauxflaschen abgefüllt. Die jungen Chianti-Weine kommen in den sogenannten Fiaschi, den bastumflochtenen Ballonflaschen, in den Handel. Ein schwarzer Hahn auf gelbem Grund ist das Erkennungszeichen für Chianti Classico.
Gute Chianti-Weine werden aus einer Mischung von Sangioveto-, Canaiolo- und Trebbiano-Trauben gekeltert. Manchmal wird statt der Trebbiano- auch die Malvasia-Traube verwendet.
Den gesetzlichen Vorschriften nach darf ein guter Chianti nicht vor dem ersten März des Jahres nach seiner Herstellung in den Handel gebracht werden.
Der trockene Chianti ist ein idealer Begleiter vieler international bekannter italienischer Gerichte wie Spaghetti, Lasagne, Pizza oder Cannelloni. Natürlich paßt er auch zu fast allen Gerichten aus dunklem Fleisch und zu Käse.

Chiaretto

In der italienischen Provinz Brescia, vor allem am Westufer des Gardasees, wird der Chiaretto hergestellt, ein Rotwein, der so hell ist, daß er als Rosé gelten kann. Er ist lieblich, leicht süßlich und mild im Geschmack. Dazu kommt

ein Hauch mandelartige Bitterkeit, die allen guten Rotweinen eigen ist, die in diesem Teil Italiens wachsen. Der Chiaretto sollte jung getrunken werden, am besten als Schoppenwein an Ort und Stelle.

Chicago Cocktail

2 Eiswürfel,
4 cl Weinbrand,
1 BL Curaçao Orange,
1 dash Angostura,
gekühlter Sekt.

Chicago Cocktail können Sie als Before-Dinner-Drink servieren.
Eiswürfel, Weinbrand, Curaçao und Angostura in ein hohes Becherglas geben und gut verrühren. In eine Sektschale abseihen und mit Sekt auffüllen. Mit Trinkhalm servieren.

Chicha

Von Mexiko bis Chile wird in allen süd- und mittelamerikanischen Ländern der brennend scharfe Maisschnaps Chicha getrunken, den schon Kolumbus vorfand, aber als Maiswein bezeichnete. Herstellung und Zusätze von Chicha sind in den einzelnen Ländern stark verschieden, entsprechend

TIP

Chianti paßt zu allen dunklen Fleischsorten, wie zur gebratenen Hammelkeule oder zum Wildschweinsteak. Ein Begleiter zu Käsegerichten, zu Artischocken mit verschiedenen pikanten Soßen, zu Pizza und zu italienischen Nudel- und Reisgerichten.

schwankt auch der Geschmack: Mal mehr zu Korn, dann wieder mehr zu Whisky.
Eine Spezialität ist der moussierende Chicha de Algarroba, dem Teile des akazienähnlichen Algorroba-Baumes zugesetzt sind. Eine Ausnahme bildet der Chicha von Costa Rica, der statt aus Mais aus Bananen hergestellt wird.

Chilenische Weine

In Chile wachsen besonders viele unterschiedliche Rebsorten, denn schließlich erstreckt sich das Land mit seinen 4330 Kilometer Länge über mehrere Klimazonen: Von den Subtropen bis zu gemäßigten Zonen.
Im Norden des Landes werden Dessertweine hergestellt, in der Landesmitte gute Tischweine, im Süden einfache Trinkweine. Die Rebstöcke der über 30000 Weinberge Chiles gehörten zu den wenigen, die nicht von der Mehltau- und Phylloxera-Epidemie zerstört wurden, die im 19. Jahrhundert die meisten Weinkulturen der Erde vernichtete. Kenner halten die aus der Riesling-Traube gekelterten chilenischen Weißweine für zukünftige Konkurrenten des deutschen Moselweins. Eine gro-

ße Rolle spielen auch die Rotweine aus Pinot Noir, Cabernet und Merlot. Der chilenische Export beschränkt sich auf vier Sorten, die staatlich kontrolliert werden, nämlich auf den »courant« – ein einjähriger Wein – den »special« – ein zwei Jahre alter Wein – den »reserve«, der vier Jahre alt ist und den »gran vino«, der sechs Jahre lagert.

Der Wein spielt bei den Chilenen eine wichtige Rolle. Die Regierung beschränkt jedoch die Weinproduktion, um Alkoholismus zu verhindern. Die Jahresproduktion beläuft sich auf vier Millionen Hektoliter, d. h. Chile steht in der Weltproduktion an sechzehnter Stelle.

Chinesischer Tee

Siehe Tee.

Chocolate Cocktail

2–3 Eiswürfel,
1 BL geriebene bittere Schokolade,
1 cl Crème de Cacao,
1 cl Chartreuse gelb,
3 cl Portwein.

Ein After-Dinner-Cocktail, der ausgezeichnet schmeckt. Eis fein zerkleinern und in den Shaker geben. Schokolade, Crème de Cacao, Chartreuse und Portwein dazugeben und alles sehr gut schütteln. In ein Cocktailglas abseihen und sofort servieren.

Chocolate Pineapple ICS

2 cl Ananassirup,
2 cl Schokoladensirup,
2 EL geraspelte Ananas,
2 cl Kondensmilch,
1 gehäufter EL Vanille- oder Ananaseis, Soda,
1 EL Schokoladeneis,
1 BL geschlagene Sahne,
1 BL geraspelte Ananas.

Sie werden sehen: Schokolade paßt gut zu Ananas. Sirup, Ananas, Milch und Vanille- oder Ananaseis in ein hohes Becherglas geben. Mit Soda auffüllen. Schokoladeneis dazugeben. Mit Sahne und Ananas garnieren. Trinkhalm und Löffel dazureichen.

Chocolate Soldier

2 Eiswürfel,
1 dash Orange Bitter,
1 cl Crème de Cacao,
2 cl Vermouth dry,
2 cl Weinbrand.

Er schmeckt eigentlich immer, ist aber auch als Nachtisch an Sonn- oder Festtagen zu empfehlen. Das Eis etwas zerkleinern und in ein Mixgerät geben. Die anderen Zutaten hinzufügen, gut durchmixen und in einem flachen Schalenglas servieren.

Ein harmonischer Chicago Cocktail vor dem Essen ersetzt mühelos auch den besten Aperitif.

Beenden Sie ein Menü statt mit Dessert mal mit einem Chocolate Soldier.

Sweet Cider dagegen ist Apfelsaft.

Ananasstücke und die in Scheiben geschnittenen Orangen in ein Bowlengefäß geben. Calvados, Weinbrand und Curaçao Orange drübergießen. Diesen Ansatz für 30 Minuten in den Kühlschrank stellen. Dann Apfelsaft zufügen und abschmecken. Mit Mineralwasser auffüllen. In Gläser füllen und servieren. Löffel dazu reichen.

Cidre

Cidre ist französischer Apfelwein, vor allem aus den Provinzen Normandie und Bretagne, der schon im 12. Jahrhundert hier gekeltert wurde. Heute werden rund 2 Millionen Hektoliter im Jahr hergestellt. Man unterscheidet den süßen, leicht schäumenden Cidre, der in der Gärung gestoppt wird, den halbsüßen und den trockenen moussierenden Cidre von höherem Alkoholgehalt. Nach der Faßreife wird Cidre in bauchige Champagnerflaschen bis an den Korkspiegel gefüllt, damit kein Luftraum bleibt. Aus Cidre wird der bekannte französische Apfelschnaps *Calvados* gebrannt.

TIP

Ein sehr erfrischendes Getränk, besonders für heiße Sommertage, können Sie aus Cidre-Wein herstellen: Dünne Scheiben von 6 Äpfeln, 200 g Zucker und zwei Flaschen Cidre in ein Bowlengefäß geben, zugedeckt zwei Stunden stehenlassen und mit einer Flasche Sekt auffüllen.

Churchill

2,5 cl Campari,
helles Bier zum Auffüllen.

Ein etwas außergewöhnliches Getränk mit Bier, das Sie probieren sollten. Campari in ein Bierglas geben und mit hellem Bier nach Belieben auffüllen.

Cider-Cup

Für 4–6 Personen

600 g Ananasstücke,
2–3 Orangen,
5 cl Calvados,
5 cl Weinbrand,
5 cl Curaçao Orange,
2 l Apfelsaft,
1 Flasche Naturbrunnen.

Im Gegensatz zu den Bowlen enthalten Cups fast immer eine größere Menge Spirituosen und Liköre. Sie sind also durch den höheren Alkoholgehalt auch in ihrer Wirkung nicht zu unterschätzen.

Cider ist die angelsächsische Bezeichnung für Apfelwein oder – wie ihn die Franzosen nennen – für Cidre.

Cinque Terre

An der ligurischen Küste nördlich von La Spezia liegt das Weinanbaugebiet Cinque Terre. Seinen Namen verdankt es fünf malerischen Dörfern, die wie Schwalbennester am Fels kleben. Hier wird seit langem jeder Felsvorsprung genutzt, um Reben anzupflanzen. Die Mühe lohnt sich Jahr für Jahr, denn die trockenen, aromatisch goldfarbenen Cinque-Terre-Weine genießen einen guten

Cinque Terre, ein wildromantisches Weingebiet Italiens.

Ruf. Kenner trinken sie zu Meeresfrüchten.

Cirò

Die Provinz Catanzaro im süditalienischen Kalabrien kann mit dem recht berühmten Cirò aufwarten. Der harmonische Weißwein hat ein feines Bukett und 12 Prozent Alkohol. Die Kalabrier trinken ihn als Aperitif und zu Vorspeisen. Der rubinrote Cirò ist voll und samtig bei einem Alkoholgehalt von 13,5 Prozent.

Citrus-Mixgetränke

Citrus-Mixgetränke werden aus frischen oder konservierten Säften der verschiedenen Citrusfrüchte, anderen (alkoholfreien und oder alkoholhaltigen) Zutaten und fast immer mit Eis gemixt. Die Drinks mit frisch gepreßten Säften sind natürlich noch erfrischender und spritziger.

Zu den Citrusfrüchten zählen Apfelsinen, Pomeran-

Citrusgetränke mit ihrer fruchtigen Frische sind die klassischen Muntermacher und dürfen natürlich in keiner Bar fehlen.

Selbstgemachte Limonade genießen auch die Erwachsenen gern.

Auch mit Alkohol schmeckt dieser Mandarinen-Ingwer-Drink.

zen, Bergamotten, Mandarinen, Grapefruits, Pampelmusen, Zitronen und Limetten (Lumien). Die Säfte der Citrusfrüchte reichen im Geschmack von süß über bitter bis sauer. Sie sind besonders reich an *Ascorbinsäure* (Vitamin C). Citrusfrüchte werden zu allen Jahreszeiten angeboten und sind uns besonders während der Wintermonate willkommen.

Citrusfrüchte werden natürlich auch industriell verarbeitet. Angeboten werden reine Citrusfruchtsäfte sowie Limonaden aus Citrusfruchtsäften, kohlensäurehaltigem Wasser und Kristallzucker. Außerdem gibt es verschiedene fertige Citrusgetränke, die außer aus frisch gepreßten Fruchtsäften auch aus konservierten Fruchtsäften, Dicksäften und Essenzen hergestellt werden können.

Zum Mixen lassen sich eigentlich alle Citrusgetränke verwenden.

Die folgenden Rezepte sind nur eine Anregung zum Mixen mit Citrusgetränken. Der Phantasie sind auch auf diesem Sektor keine Grenzen gesetzt.

Limonade

Für 4–6 Personen

Durchgeseihter Saft von 6 Zitronen,
1 l kaltes Wasser,
225 g Zuckersirup oder Zucker,
8–12 Eiswürfel,
4–6 Zitronenscheiben oder 4–6 Zweige
frische Minze.

Zitronensaft, Wasser und Zuckersirup in einen großen Saftkrug geben, verrühren und gut kühlen. Vor dem Servieren in hohe Bechergläser je zwei Eiswürfel geben und die Limonade drübergießen. Nach Belieben mit einer Zitronenscheibe oder einem Zweig frischer Minze garnieren. Dazu Trinkhalme reichen.

Mandarinen-Ingwer-Drink

2–4 Eiswürfel,
⅛ l Mandarinensaft,
2 BL Zucker,
2 cl Ingwersirup,
1 Mandarinenscheibe.

Ein erfrischender Drink, den Sie natürlich auch noch alkoholisieren können.
2 Eiswürfel mit allen Zutaten bis auf die Mandarinenscheibe in ein Glas geben und gut mischen. In ein Becherglas abseihen. Mandarinenscheibe dazugeben und gut gekühlt mit einem Trinkhalm servieren. Nach Belieben noch 1–2 Eiswürfel dazugeben.

Pink Pearl

Für 6 Personen
Bild Seite 87

3–4 Eiswürfel,
¼ l Grapefruitsaft,
2 BL Zitronensaft,

1–2 BL Grenadine,
1 oder 2 Eiweiß.

Es muß nicht immer Alkohol sein. Dieser alkoholfreie und sehr erfrischende Shortdrink kann sich mit anderen Mixgetränken durchaus messen.
Eiswürfel zerkleinern und in den Shaker geben. Alle anderen Zutaten dazugeben und kräftig schütteln. In Cocktailgläser abseihen und sofort servieren.
Wenn Sie aus diesem Drink einen echten Cocktail machen wollen, sollten Sie als alkoholische Zutat nur Gin oder Wodka nehmen.

TIP

Wer es mag, kann in den Mandarinen-Ingwer-Drink auch ein Stück kandierten Ingwer geben.

Pink Pearl: Ein guter Tip für Abstinenzler. Rezept Seite 86.

Summer Fizz ist das richtige Getränk für eine Kinder-Party.

Summer Delight ist eine echte Freude an heißen Sommertagen.

Summer Delight

2–3 Eiswürfel,
durchgeseihter Saft einer
Limette (Lumie),
2,5 cl Himbeersirup, Soda,
1 Limettenscheibe,
4–6 Himbeeren.

Eiswürfel in ein hohes Becherglas geben, Limetten-
saft und Himbeersirup zu-
fügen. Mit Soda auffüllen
und mit den Früchten gar-
nieren. Vorsichtig umrüh-
ren und mit Trinkhalm servieren.

Summer Splitter

2–3 Eiswürfel,
durchgeseihter Saft einer
halben Zitrone,
3 cl Zuckersirup,
Ginger Ale.

Eiswürfel grob zerkleinern
und in ein hohes Becher-
glas geben. Zitronensaft
und Zuckersirup dazuge-
ben. Mit Ginger Ale nach
Geschmack auffüllen.

Summer Fizz

Für 8–10 Personen

12 Zweige frische Minze,
⅛ l Zitronensaft,
¼ l heißes Wasser,
225 g Johannisbeergelee,
⅛ l kaltes Wasser,
¾ l Orangensaft,
1 Eisblock,
1 Flasche Ginger Ale,
3 Zweige
frische Minze.

Kindern und Erwachsenen
schmeckt diese Fruchtsaft-
bowle.
Minze in einer Schüssel mit
einem Barlöffel zerdrücken.
Zitronensaft, heißes Was-
ser und Johannisbeergelee
zufügen. Wenn das Gelee
geschmolzen ist, kaltes
Wasser dazugeben. Erkal-
ten lassen und in ein Bowlengefäß seihen. Orangen-
saft zugießen, umrühren
und den Eisblock hinein-
geben. Kurz vor dem Ser-
vieren mit Ginger Ale auffüllen und mit Minze gar-
nieren.

Clairet

Unter dem Begriff Clairet versteht man heute leichte, junge Bordeauxweine, die kühl getrunken werden.

Clairette-Traube

Die weißen Clairette-Trauben reifen vorwiegend in Südfrankreich und in Kalifornien. Die daraus gekelterten Weine haben im allgemeinen ein stark ausgeprägtes Bukett und werden deshalb zum Teil mit anderen Weinen verschnitten.

Claret

Schon seit dem 12. Jahrhundert wird für die französischen Bordeaux-Rotweine im englischen Handel die Bezeichnung Claret verwendet. Südafrikaner und Australier dagegen bezeichnen ihre im eigenen Land hergestellten leichten roten Tischweine als Claret.

Claret Cup

Für 2 Personen

1½ Glas Rotwein,
2 Nelken,
1 Prise Zimt,
2 Eigelb,
1 BL Zucker,
1 Prise geriebene Muskatnuß.

Heiß vor dem Schlafengehen getrunken sorgt der Claret Cup garantiert für die richtige Bettschwere. Rotwein, Nelken und Zimt in einem Topf erhitzen, aber nicht kochen. Vom Herd nehmen und einige Minuten ziehen lassen. Inzwischen Eigelb und Zucker im Becher verquirlen. Die Rotweinmischung abseihen und mit der Eigelbmasse in einem Topf bei milder Hitze verschlagen. In Henkelgläser gießen und kurz vor dem Servieren mit der geriebenen Muskatnuß bestreuen.

Ein Claret Cup, kurz vor dem Schlafengehen getrunken, macht eine Schlaftablette überflüssig.

Genau richtig nach einer durchzechten Nacht: Claret Flip.

Claret Fizz

2–3 Eiswürfel,
Saft einer Zitrone,
4 cl roter Bordeaux,
Sodawasser zum Auffüllen.

Eiswürfel zerkleinern. Mit Zitronensaft und Bordeaux im Shaker kräftig schütteln. In ein großes Becherglas abseihen. Mit Sodawasser auffüllen. Dazu einen Trinkhalm reichen.

Claret Flip

2–3 Eiswürfel,
1 Eigelb,
2 BL Zuckersirup,
5 cl roter Bordeaux,
Muskatnuß.

Der Claret Flip ist der richtige Drink nach einer durchzechten Nacht. Die Eiswürfel zusammen mit allen Zutaten bis auf die Muskatnuß in den Shaker geben. Kräftig schütteln. In ein Kelchglas abseihen. Einen Hauch Muskat drüberreiben. Mit einem Trinkhalm servieren.

Classico

Der Zusatz Classico auf dem Flaschenetikett eines *italienischen Weins* bedeutet, daß dieser Wein aus dem ursprünglichen Anbaugebiet kommt. Beispiele sind der Chianti Classico oder der Soave Classico. Wird der Wein im später erweiterten Anbaugebiet hergestellt, darf er zwar den Namen tragen, nicht aber den Zusatz Classico.

Clipper Cocktail

½ BL Zucker,
2 dashes Gin,
3 cl Zitronensaft,
2 cl weißer Rum,
2–3 Eiswürfel.

Zucker, Gin, Zitronensaft und Rum in ein kleines Becherglas geben. Mit einem Barlöffel gut umrühren. Eiswürfel in einen Tumbler geben, Inhalt des Becherglases drüberseihen.

Clos

Ursprünglich verstand man in Frankreich unter clos die mauerumschlossenen Rebgärten der Klöster. Schließlich setzte sich dieser Begriff vor allem in *Burgund* für in sich geschlossene Einzellagen durch und in bestimmten Gebieten bedeutet clos Weinberg überhaupt. Der Clos de Vougeot ist einer der berühmtesten Weinberge der Côte de Nuits südlich von Dijon. Er wurde im zwölften Jahrhundert von den Zisterziensermönchen angelegt. Mitten im Weinberg liegt das alte Kloster Vougeot, Sitz der Chevaliers du Tastevin, der vornehmsten burgundischen Weinbruderschaft.

Mit dem Clipper Cocktail kann man ohne Bedenken einen abendlichen Bar-Bummel starten.

Cobblers

Cobblers sind *Longdrinks*, die im Gegensatz zu anderen Drinks nicht geschüttelt, sondern im Glas zubereitet werden. Bei den Cobblers kommt es besonders auf die attraktive Garnierung mit Früchten an. Cobblers werden in einem speziellen Cobblerglas oder in einer Sektschale mit Barlöffel und Trinkhalm serviert.

Cocktails

Unter den American Drinks bilden die Cocktails die größte aller Gruppen. Cocktails sind Shortdrinks, die man je nach Zusammensetzung vor dem Essen (*Before-Dinner-Drink*) oder nach dem Essen (*After-Dinner-Drink*) serviert. Manche Cocktails schmecken sowohl vor als auch nach dem Essen. Es gibt drei verschiedene Arten, einen Cocktail zu mixen: Sie werden im Shaker geschüttelt, im Mixglas gerührt oder in dem Glas gemischt, aus dem sie getrunken werden.

Cocktail Adonis

3 Eiswürfel,
1,5 cl roter Vermouth,

3 cl Sherry,
1 dash Angostura Bitter.

Den Cocktail Adonis serviert man als Aperitif vor einem guten Essen.
Alle Zutaten in einem hohen Glas mit einem Barlöffel gut verrühren, in ein Cocktailglas abseihen und servieren.

Cocktail-Kirschen

Das Lebensmittelgesetz macht einen Unterschied zwischen Cocktail-Kirschen und Maraschinokirschen: Während letztere in einer Mischung von Branntwein und Maraschinolikör auf den Markt kommen, wer-

Nicht nur hübschen Männern schmeckt der Cocktail Adonis.

den Cocktail-Kirschen ohne jeden Zusatz von Alkohol hergestellt. Beide Kirschenarten dienen der Verfeinerung und geschmacklichen Abrundung von Cocktails, Obstsalaten und Süßspeisen.

Cocoa Rickey

1 gehäufter
EL Vanilleeis,
4,5 cl Crème
de Cacao,
1 BL Milch,
Soda,
Zucker nach
Geschmack.

Vanilleeis in ein hohes Becherglas geben. Crème de Cacao und Milch zufügen und mit Soda auffüllen. Mit einem Barlöffel umrühren und den Zucker nach Geschmack hineingeben. Dazu sollten Sie Löffel und Trinkhalm reichen.

Cocuy

Cocuy ist ein Kaktusbrannt aus Venezuela, dem vergorene Sisalwurzeln beigemischt sind.

Cocos Flip

1 EL zerstoßenes Eis,
1 Glas (2 cl) weißer Rum,
1 Eigelb,
1 TL Sahne,
2 Glas (je 2 cl)
Crème de Cacao,
geriebene Muskatnuß.

Von der winzigen Cocos-Insel im Pazifischen Ozean hat der Flip seinen Namen. Eis, weißen Rum, Eigelb, Sahne und Crème de Cacao im Shaker gut schütteln. Eigelb und Sahne müssen völlig verquirlt sein und Schaum bilden. In ein Flip- oder Rotweinglas seihen. Mit Muskat leicht bestreuen. Sofort mit Strohhalm servieren. Der Flip darf nicht lange stehen, sonst fällt der Schaum zusammen.

Cognac

Im Südwesten Frankreichs, im Département Charente, liegt die Stadt, die dem bekanntesten Branntwein der Welt den Namen gab: Cognac. Über seine »Entstehung« gibt es viele phantasievolle Geschichten. Aber Tatsache ist, daß die Weine der Charente nur als Cognac wirklich zu genießen sind. Und das war auch wohl der Grund für die Weinbauern rund um Cognac, ihre Weine zu destillieren und als Branntwein zu verkaufen. Das geschah zuerst im 17. Jahrhundert. Einige Jahrzehnte später trat der Cognac seinen Siegeszug um die Welt an.
Ursprünglich nannten viele Länder ihren *Weinbrand Cognac*. Erst im Jahre 1909 wurde Cognac in Frankreich zur gesetzlich geschützten Herkunftsbezeichnung. Nach und nach verpflichteten sich auch andere Länder, ihren Weinbrand nicht mehr Cognac zu nennen. Seit 1919 gibt es in Deutschland die offizielle Bezeichnung Weinbrand. Andere Länder wie Portugal und Italien übernahmen die angelsächsische Bezeichnung Brandy. Rußland dagegen verkauft auch heute noch seinen Weinbrand als Kognac und in Spanien gibt es nicht nur Brandy, sondern auch Cognac.
In Frankreich heißt Weinbrand allgemein Eau-de-vie de vin. Nur die gebrannten Weine aus den fest umrissenen Gebieten von Cognac oder *Armagnac* dürfen die Bezeichnung Cognac oder Armagnac führen.
Cognac wird aus ganz bestimmten weißen Traubensorten nach einem festgelegten, gesetzlich kontrollierten Brennverfahren produziert. An dem Herstellungsverfahren hat sich seit dem 17. Jahrhundert kaum etwas geändert.
Cognac wird in zwei Brennvorgängen erzeugt. (Siehe auch *Alkohol.*) Das erste Destillat, der Rauhbrand, heißt Broillis und hat einen Alkoholgehalt von etwa 30

Vom Holz der Steineiche werden die Cognac-Fässer gemacht.

In zwei Durchgängen wird der Saft aus den Trauben gekeltert.

Vol.-%. Nach dem zweiten Abbrennen, wobei Vor- und Nachlauf zugunsten des Mittellaufs ausgeschieden werden, besteht das Destillat zu etwa 70 Prozent aus Alkohol. Dieser Feinbrand heißt Bonne chauffée. Er kommt als völlig klare Flüssigkeit in Fässer aus Eichenholz, die dem Cognac seine charakteristische goldgelbe Farbe geben.
Guter Cognac muß drei, fünf oder mehr Jahre reifen. Sein Alter wird amtlich kontrolliert. Und zwar vom »Bureau National Interprofessionel du Cognac« (BNICo). Das BNICo stellt Alterszertifikate aus. Danach kommt ein bis zu drei Jahre alter Cognac mit der Bezeichnung »Cognac«, »Cognac Authentique« oder »Dreistern« in den Handel. Mindestens vier Jahre alter Cognac trägt die Bezeichnung »Réserve«, »V.O.« (verry old) oder »V.S.O.P.« (verry superior old, pale =

sehr überlegen alt, hell). Fünf Jahre alter Cognac darf sich »Extra«, »Napoléon« oder »Vieille Réserve« nennen. Alles, was älter ist als fünf Jahre, wird seit 1954 nicht mehr amtlich kontrolliert. Älterer Cognac kann, aber er muß nicht immer sehr gut sein.
Im Charentegebiet werden die Fässer mit Cognac nicht in Kellern gelagert, sondern in sogenannten Chais. Das sind langgestreckte, luftige, ebenerdige Lagerhallen. Auf den Dächern der Chais wächst ein von der Cognac-Verdunstung lebender schwarzer Pilz. Denn die Verdunstungsquote ist hoch: Knapp ein Drittel der Erzeugung verflüchtigt sich. Allein das wäre schon Grund genug, Cognac nicht uralt werden zu lassen.
Nach einer kurzen Lagerzeit wird das 70prozentige Bonne chauffée durch Zusatz von destilliertem Wasser allmählich auf die Trink-

In diesen großen Fässern werden die Cognac-Sorten gemischt.

Mit Nase, Auge und Zunge prüft der Kellermeister den Cognac.

stärke von 40 bis 42 Prozent gebracht.

Wie lange der Cognac einer bestimmten Region lagern muß, ist eine Sache jahrhundertelanger Erfahrung. Wichtig für die Qualität des Cognacs sind die Lagerfässer, der Säuregehalt der Trauben und vor allem der Boden, auf dem der Wein wächst. Das Holz für die Fässer muß sehr trocken sein, man verwendet dafür achtzig- bis hundertjährige Bäume der Steineiche. Damit die notwendige Säure – möglichst 10 Gramm pro Liter – vorhanden ist, werden die meisten Trauben in den Weinbergen von Cognac schon vor der endgültigen Reife gelesen. Am wichtigsten ist jedoch der Boden! Je kreidereicher er ist, desto besser ist die Qualität des Cognacs. Und deshalb wurde das Gebiet um die Stadt Cognac in verschiedene Regionen eingeteilt, deren Bezeichnung

als zusätzlicher Markenname anerkannt wird. Man kann also aus der Zusatzbezeichnung eines Cognacs schließen, woher er kommt: **Grande Champagne** bezeichnet die Gegend rings um die Stadt Segonzac. Weinbrände dieser Gegend können sich auch Fine Champagne nennen. (Das hat nichts mit der gleichnamigend Gegend zu tun, aus der der berühmte Champagner kommt.)

Petite Champagne ist das Gebiet um Châteauneuf, Barbezieux, Archiac und Jonzac.

Borderies kommt aus der Stadt Cognac und seiner nördlichen Umgebung.

Fins Bois bezeichnet das Gebiet um Angoulême, Rouillac, Saintes und Pons. Bons Bois liefert das die Fins-Bois-Region umgebende Gebiet.

Bois Ordinaires heißt der Cognac aus der Gegend von Surgères und Aigrefeuilles.

Bois à Terroir schließlich bezeichnet Gebiete um La Rochelle und Rochefort, dazu die Inseln Oléron und Ré.

Die Qualität der Cognacs nimmt von Fine Champagne bis Bois à Terroir stetig ab. Der für französischen Cognac häufig als typisch betrachtete Seifengeschmack ist übrigens ein Fabrikationsfehler, der die Qualität mindert.

Siehe auch Karte Französische Weine.

Cola-Getränke

Siehe Kola-Getränke.

Colli Albani

Südwestlich von Rom liegt eine vulkanische Hügelkette, die als Weinanbaugebiet bekannt und geschätzt ist. Die westlichsten Hügel dieser Kette sind die Colli Albani. Sie wurden nach der Stadt Albano benannt. Das charakteristische der strohgelben bis sattgelben Weine dieses Gebietes ist ein Geschmack nach frischem

Obst. Es gibt trockene und leicht süße Weine, die vorwiegend aus roten *Malvasia*- und *Trebbiano-Trauben* gekeltert werden.

Collio Goriziano

Im Weinanbaugebiet Collio Goriziano nördlich von Triest reifen viele verschiedene rote und weiße Traubensorten. Typisch für dieses Weinbaugebiet ist, daß die einzelnen Sorten meist unvermischt gekeltert werden. Auf dem Etikett muß laut Gesetz neben »Collio Goriziano« jeweils die Traubensorte angegeben sein. Erscheint diese nicht auf dem Etikett, dann handelt es sich um einen trockenen, spritzigen, hellgelben Collio Goriziano, der aus einer Mischung von *Ribolla*-, *Malvasia*- und *Tocai*-Trauben hergestellt wird. Kenner trinken diesen Collio bei einer Temperatur von 8 bis 10 Grad zu leichten Vorspeisen und Fisch.

Colmar

Die Stadt Colmar im Oberelsaß ist Hauptstadt des französischen Départements Haut-Rhin und Handelszentrum für *Elsässer Wein*, der in mehr als hundert Gemeinden erzeugt wird. Colmar ist auch Sitz eines Weinbauinstituts.

Trockene Weißweine mit feinem Obstgeschmack wachsen in den Albaner Bergen.

Conegliano

Nördlich von Venedig liegt die Stadt Conegliano, die in ganz Italien durch ihr Weininstitut und eine Weinbauschule bekannt ist. Nicht minder bekannt sind die Weine, die im Anbaugebiet um Conegliano wachsen: Da gibt es den Weißwein aus der Verdiso-Traube, der sehr leicht und trocken ist und am besten schmeckt, wenn er eine gewisse, eigentümliche Schärfe hat. Manchmal wird er auch mit der Prosecco-Traube vermischt, die sonst aber hauptsächlich für *Schaumwein* verwendet wird. Raboso heißt der *Rotwein* dieser Gegend. Er ist sehr mild im Geschmack.

Coney Island Refresher

3 cl Weinbrand,
1 dash Nußlikör,
$\frac{1}{8}$ l kalte Milch,
Muskatnuß.

Weinbrand, Nußlikör und Milch mit dem Mixgerät verrühren. In ein großes Becherglas gießen. Einen Hauch Muskatnuß drüberreiben und mit einem Trinkhalm servieren.

Continental Cocktail

2–3 Eiswürfel,
je 2 dashes Angostura,
Curaçao, Orange Bitter
und Maraschino,
je 3 dashes französischer
und italienischer
Vermouth,
Schaumwein zum Auffüllen,
1 Kirsche zum Garnieren.

Diesen Drink können Sie auch am Vormittag servieren.
Alle Zutaten bis auf Schaumwein und Kirsche in den Mischbecher geben, gut mischen. In eine Sektschale seihen, mit Schaumwein auffüllen und mit einer Kirsche garnieren. Trinkhalm dazu reichen.

Colorado Cocktail

Columbus Cocktail

Zwei ungleiche Brüder aus Amerika, die sich aber trotzdem sehr gut miteinander vertragen.

Colorado Cocktail

2–3 Eiswürfel,
1,5 cl Cherry
Brandy,
1,5 cl Kirschwasser,
1,5 cl Sahne.

Der aromatische, mit Sahne abgerundete Colorado Cocktail findet vor allem den Beifall der Damen.
Zwei oder drei Eiswürfel in den Shaker geben. Die anderen Zutaten dazugeben und alles gut schütteln. In ein Cocktailglas abseihen. Mit einem Trinkhalm servieren.

Columbus Cocktail

2–3 Eiswürfel,
1,5 cl Limettensaft
(Lumiensaft),
1,5 cl Apricot Brandy,
1,5 cl Rum.

Mit einem Columbus Cocktail verschönt man sich die Vorfreude auf ein gutes Essen.
Zwei oder drei Eiswürfel in den Shaker geben. Die übrigen Zutaten dazugeben und alles kräftig schütteln. In ein Cocktail- oder Ballonglas abseihen. Mit einem Trinkhalm servieren.

Der Coney Island Refresher vertreibt rasch jeden Kater.

Copacabana Cocktail

*Aus einer ganz normal
bestückten Hausbar können
Sie diese drei Drinks in
wenigen Augenblicken für
Ihre Gäste bereiten.*

Continental Cocktail

Cooperstown

93

Coolers

Coolers sind eiskalte, durststillende Getränke auf der Basis Zitronensaft und Zucker. Man kann fast jede Spirituose mit viel Eis und Ginger Ale zu einem Cooler aufbereiten.

Cooperstown

2–3 Eiswürfel,
2 cl Dry Gin,
1,5 cl Vermouth dry
1,5 cl Vermouth bianco,
1 Zweig Minze.

Eiswürfel, Gin und Vermouth in ein Becherglas geben und gut umrühren. In ein Cocktailglas seihen, mit der Minze garnieren.

Copacabana Cocktail

2–3 Eiswürfel,
Saft einer halben Zitrone,
1,5 cl Cognac,
1,5 cl Cointreau,
2,5 cl Apricot Brandy,
1 Orangenscheibe.

Ein Cocktail, der auf keiner Party fehlen sollte.
Zwei oder drei Eiswürfel in den Shaker geben. Zitronensaft, Cognac, Cointreau und Apricot Brandy dazugeben. Alles kräftig schütteln. In einen Sektkelch abseihen. Orangenscheibe an den Glasrand stecken oder dazugeben, mit Trinkhalm servieren.

Cordial Medoc

Der Cordial Medoc ist ein französischer Likör und gehört zur Gruppe der weinhaltigen Liköre. Die Verwendung der Iris-Wurzel gibt ihm einen leichten Veilchenduft. Bordeaux- und Malagaweine spielen bei der Herstellung ebenso eine Rolle wie Backpflaumen.

Corvo

Aus der sizilianischen Provinz Palermo kommen der weiße und der rote Corvo. Weinliebhabern sind sie seit langem ein Begriff. Schon 1824 wurde der erste Corvo in den Kellereien des Herzogs Salaparuta hergestellt. Der damalige Herzog hatte vorher eine Reise nach Bordeaux unternommen, um sein Wissen um die Herstellung von Spitzenweinen im Bordelais zu erweitern. Alle Weine aus den Besitzungen der herzoglichen Familie, die aber heute der Region Sizilien gehören, heißen Corvo, nach dem gleichnamigen Weinberg rund um das Schloß Castel d'Accia, unweit Palermo. Der strohfarbene weiße Corvo mit einem Alkoholgehalt von 12,5 Prozent ist trocken, herb, samtig und prickelnd zugleich. Er wird aus den nur in Sizilien reifenden Trauben Cataratto und Inzolia gekeltert.
Der rubinrote, feurige Corvo Rosso aus den ebenfalls typisch sizilianischen Traubensorten Perricone und Catanese erreicht erst nach vier Jahren seine höchste Reife.

C.O.S.

C. O. S. heißt die Trinkerformel für Kenner von Weinbränden. Man begutachtet zuerst die Farbe – color – indem man das Glas gegen das Licht hält. Dann prüft man den Duft – odor – und schließlich den

C.O.S.: Für Kenner heißt es, erst prüfen, dann trinken.

Geschmack – sapor. Erst wenn der feine Weinbrand in allen Teilen den Anforderungen genügt, schenkt der vorbildliche Gastgeber seinen Gästen ein.

Côte Chalonnaise

Der Wein aus dem Anbaugebiet Côte Chalonnaise genießt einen guten, aber nicht den besten Ruf, den ein Burgunder haben kann. Nur die besten Weine können mit den Durchschnitts-Qualitäten der nördlicher gelegenen Côte de Beaune konkurrieren. In der Gegend von Rully gibt es allerdings ausgezeichnete trockene Weißweine. In der Umgebung von Mercurey werden A. O. C.-Weine gekeltert.

Côte d'Or
Siehe Burgund.

Côte du Rhône

Im Tal der Rhône liegen zwischen Vienne und dem Delta des Flusses westlich von Marseille 136 kleinere und größere Gemeinden, die vorwiegend vom Weinbau leben. Der bekannteste Wein der Côte du Rhône ist der *Châteauneuf-du-Pape* aus der Gegend der Stadt Avignon.
Das 180 Kilometer lange Gebiet hat sehr unterschiedliche Klimaverhältnisse und damit auch höchst unterschiedliche Weine. Im Norden sind sie von feiner, eleganter Art, weiter im Süden werden sie zunehmend voller, stärker, mächtiger. Insgesamt gibt es kaum eine Eigenschaft, die man ihnen nicht nachsagt. Sie können bitter, kernig, kräftig, feurig, schwer, fruchtig, aber auch leicht, lieblich bis zart und elegant sein.
Im Unterschied zu den Weinen aus *Burgund*, die gar nicht sehr weit nördlich von diesem Gebiet wachsen, werden die Weine der Côte du Rhône nicht

Auch auf diese Art kann man seinen Whisky trinken: Cocktail Cowboy.

jeweils nur aus einer einzigen Traubensorte gekeltert, sondern immer aus mehreren. Die Zahl schwankt zwischen zwei und dreizehn Sorten. Besonders dunklen Weinen wird sogar meist ein gewisses Quantum Weißwein beigegeben. Viele Gemeinden bauen sowohl weiße wie rote und auch noch Rosé-Weine an.

Die ganz im Norden des Gebiets gelegene *Côte Rôtie* produziert nuancenreiche Rotweine mit deutlichem Himbeerduft. Auf den Terrassen des Hermitage nördlich der Stadt Valence bauten schon die alten Römer Wein an. Den feurigen weißen Saint-Peray rühmten sowohl der Dichter Plutarch (46–120 n. Chr.), als auch der Komponist Richard Wagner (1835 bis 1917). Der Cornas, der gleich daneben wächst, war ein Lieblingswein Karls des Großen (742–814).

Von natürlicher Süße ist der Rasteau. Der Beaumes de Venise gilt als bester süßer Muskat von ganz Frankreich. Er wird, ein wenig aufgespritet, zu einem weichen, bernsteinfarbenen Dessertwein aufbereitet.

Der Tavel schließlich war der erste Rosé Frankreichs, den unter anderen der »Sonnenkönig« Ludwig XIV. wegen seines wunderbaren, nach Walderdbeeren duftenden Buketts und auch wegen seines hohen Alkoholgehalts (bis 15 Prozent) besonders gerne trank.

Côte Rôtie

Die Côte Rôtie ist das nördlichste Weinanbaugebiet des Rhône-Tals. Von dort kommt einer der besten Rhône-Rotweine überhaupt. Trotzdem ist er nicht annähernd so bekannt wie der *Châteauneuf-du-Pape* aus dem Süden. Da die Weinberge ohnehin sehr klein sind und die Produktion entsprechend

Der Longdrink ohne harte Basis: Country Club Highball.

Côte du Rhône: Weinland mit uralter Tradition.

gering, mag das dem wirklichen Weinkenner nur recht sein. Von gleicher Güte sind ein seltener weißer Condrieu und der weiße Château Grillet.

TIP

Ein trockener Roséwein von der Côte du Rhône schmeckt sehr gut zu gebratenem oder gegrilltem Fisch.

Country Club Highball

2–3 Eiswürfel,
7,5 cl französischer Vermouth dry,
2,5 cl Grenadine,
Soda zum Auffüllen,
Zitronenschalenspirale.

Die zwei oder drei Eiswürfel in ein großes Becherglas geben. Vermouth und Grenadine drübergeben. Mit einem Barlöffel umrühren. Mit Sodawasser auffüllen. Mit einer Zitronenschalenspirale garniert servieren.

Cowboy

3 cl Whisky,
2 cl Sahne,
2 EL geschabtes Eis.

Alles im Shaker schütteln. In ein Kelch oder Becherglas abseihen. Mit einem Trinkhalm servieren.

Crème de Cacao

Der Crème de Cacao ist ein wasserheller Kakaolikör, der aus gerösteten und geschroteten Kakaobohnen hergestellt wird und einen ganz feinen Vanillegeschmack hat. Er hat mindestens 25 Vol.-% Alkohol. Neben dem weißen gibt es noch einen braunen Kakaolikör, der kein reines *Destillat* ist und daher etwas Farbe von der Kakaobohne hat. Er ist gleich stark wie der weiße, aber weniger süß.

Crème de Cassis

Crème de Cassis ist ein Likör, den Mönche aus Burgund im 16. Jahrhundert erstmals aus der schwarzen Johannisbeere gewannen. Johannisbeer-Brannt dient als Grundlage für den feinen, hocharomatischen Cassislikör mit seinem wei-

chen, angenehmen Geschmack. Der feine Geschmack beruht auf der Zugabe makelloser Blätter des Johannisbeerstrauchs zu den reifen Früchten, deren Saft der Gärung überlassen wird. Gelegentlich wird das Aroma noch durch Himbeeren verfeinert.

Creole Punch

2–3 Eiswürfel,
2–3 BL Zuckersirup,
Saft einer halben Zitrone,
5 cl Portwein,
1 dash Weinbrand,
2–3 Eiswürfel,
1 EL Früchte der Saison.

Eis zerkleinern. Mit Zuckersirup, Zitronensaft, Portwein und Weinbrand in einem Tumbler gut verrühren. Ein großes Becherglas mit zerkleinertem Eis füllen. Inhalt aus dem Tumbler drüberseihen. Mit einem Barlöffel umrühren,

bis das Glas beschlägt. Dann mit Früchten garnieren und mit einem Trinkhalm versehen servieren.

Crustas

Crustas heißen jene attraktiven Longdrinks, die mit einem krustigen Zuckerrand verziert werden. So wird der Crusta-Rand gemacht: In je eine flache Untertasse den Saft einer halben Zitrone (oder je nach Rezept einer halben Orange) und 2 EL Zucker geben. Ein Glas mit dem Rand in den Saft tauchen und kurz abtropfen lassen. Glasrand in den Zucker stellen. Glas umdrehen und Crustarand kurze Zeit trocknen lassen.

Daneben gibt es noch die schnelle Version: Mit einem Stück Zitrone den Glasrand abreiben und diesen dann in Zucker tauchen. Bei dieser Methode wird der Crustarand allerdings meist nicht so gleich-

mäßig. Außerdem läßt sich die Höhe des Crustarandes nicht so genau bestimmen. Crustas werden mit Trinkhalm serviert.

Crystal Highball

Bild Seite 97

1–2 Eiswürfel,
2 cl weißer Vermouth,
2 cl roter Vermouth,
2 cl durchgeseihter
Orangensaft, Soda,
1 Orangenschalenspirale.

Crystal Highball ist ein schnell zubereiteter Longdrink, der erfrischt und anregt. Er wird im Glas zubereitet.

Die Eiswürfel in ein Cocktailglas oder eine Sektschale geben. Vermouth und Orangensaft drübergießen und nach Belieben mit Soda auffüllen. Die Orangenschalenspirale einhängen und mit einem Trinkhalm servieren.

Ein Punsch muß nicht immer heiß sein: Kalter Creole Punch.

Mit Zitronensaft und Zucker wird der Crustarand gemacht.

Cuba Crusta

Saft einer halben Zitrone,
2 EL Zucker, 2 Eiswürfel,
1 cl Zitronensaft,
1 cl Ananassaft,
1 BL Curaçao triple sec,
4 cl weißer Rum,
1 Zitronenschalenspirale.

Crustas gibt es in vielen Variationen. Der Cuba Crusta gehört zu den interessantesten.
Zuerst den Crustarand vorbereiten: Zitronensaft und Zucker in je eine flache Untertasse geben. Den Rand eines Weinglases in den Zitronensaft tauchen, kurz abtropfen lassen, danach den Glasrand in den Zucker stellen. Glas umdrehen und den Crustarand trocknen lassen. Die Eiswürfel zerkleinern und in den Shaker geben. Zitronen- und Ananassaft, Curaçao und Rum drübergießen. Kurz, aber kräftig schütteln. Die Mischung aus dem Shaker in das

Bekannt und beliebt als willkommene Erfrischung und als Muntermacher: Cuba libre.

Glas seihen und die Zitronenschalenspirale einhängen.

Cuba libre

2–3 Eiswürfel,
1,5 cl durchgeseihter Zitronensaft,
5 cl Rum,
Cola.

Eines der bekanntesten und beliebtesten Longdrinkrezepte.
Eiswürfel in ein hohes Becherglas geben. Zitronensaft und Rum drübergeben und nach Belieben mit Cola auffüllen. Umrühren, mit Trinkhalm servieren.

Cuba-Rum

Cuba, die Zuckerinsel in der Karibik, bringt einen besonders leichten, trockenen Rum hervor. Zu den bekanntesten Sorten zählen der White Label (nicht zu verwechseln mit dem gleichnamigen Whisky), der Gold Label und der Anejo, die sich hauptsächlich durch die Länge der Faßlagerung und ihr Kolorit unterscheiden. Der Anejo besitzt einen ausgeprägten Holzgeschmack, den er durch seine lange Lagerung in Holzfässern erhält.

Cups

Siehe Bowlen.

Curaçao

Der Likör mit dem portugiesischen Namen ist ein Holländer. Dort wird er nämlich schon seit dem 16. Jahrhundert aus den getrockneten Schalen grüner Pomeranzen von der westindischen Insel Curaçao (daher der Name) bereitet. Heute ist Curaçao durchweg eine Gattungsbezeichnung für die meisten Liköre mit Orangenaroma.

Curaçao-Eistee

2–3 Eiswürfel,
4 cl kalter starker, schwarzer Tee,
4 cl Zuckersirup,
4 cl Curaçao,
2 cl Kondensmilch.

Alle Zutaten im Shaker kräftig schütteln. In ein Becherglas abseihen. Mit Trinkhalm servieren.

Appetitanregend ist der Crystal Highball. Rezept Seite 96.

Empfehlenswert für warme Sommerabende: Curaçao-Eistee.

Cuvée

Unter Cuvée versteht man eine bestimmte Mischung verschiedener Weine, die es vor allem dem Schaumweinhersteller ermöglicht, ein in der Qualität gleichbleibendes, vom Jahrgang unabhängiges Produkt auf den Markt zu bringen.

Der Begriff hat aber auch noch eine andere Bedeutung: Cuvée heißt auch der Most, der bei der ersten Pressung von den Trauben abläuft. Er ergibt den besten Wein, der dann ebenfalls zur Schaumweinherstellung verwendet wird.

Daiquiri Cocktail American Style

2–3 Eiswürfel,
2,5 cl Limetten-(Lumien-)saft,
5 cl weißer Rum,
1 BL Zuckersirup,
1 BL Curaçao Orange,
3–4 Eiswürfel,
1 Zitronen- oder Limettenscheibe,
1 Cocktailkirsche.

Eiswürfel in ein Mixgerät geben. Limettensaft, Rum, Zuckersirup und Curaçao dazugeben. Alles sehr gut mischen. Eiswürfel sehr fein zerkleinern und ein Cocktailglas zu zwei Dritteln damit füllen. Mischung aus dem Mixgerät drüberseihen. Mit der Zitronen- oder Limettenscheibe und der Kirsche garnieren. Dazu einen Trinkhalm. Diesen Cocktail können Sie auch mit anderen Früchten garnieren.

Berühmte Namen: Daiquiri als Cocktail und als Longdrink.

Der Daisy mit Sekt gilt als ausgesprochener Drink für Damen.

Jedes Land hat seine Kaffee-

Daiquiri on the rocks

2–3 Eiswürfel,
2,5 cl Limettensaft,
3 BL Zuckersirup,
5 cl weißer Rum,
4–5 Eiswürfel.

Zwischen unfreiwilligen Abenteuern bestellte »Unser Mann in Havanna«, Sir Alec Guiness, zur Abkühlung stets einen Daiquiri, den echten kubanischen Drink für heiße Tropennächte.

Eiswürfel, Limettensaft, Zuckersirup und weißen Rum in den Shaker geben. Alles sehr gut schütteln. Eiswürfel in einen Tumbler füllen. Shakerinhalt drübergießen. Sofort servieren.

Daisies

Daisies sind Longdrinks, die in einer breiten Trinkschale oder in einem Champagnerkelch mit Barlöffel und Trinkhalm serviert

spezialitäten: Dänischer Kaffee.

Wie sein Name es empfiehlt, trinkt man diesen Longdrink während der Dämmerstunde.

werden. Sie bestehen aus Zitronensaft, Grenadine-Sirup, Sodawasser und einer beliebigen Spirituose. Mit Maraschino-Kirschen kann der Geschmack abgerundet werden. Daisies sind sehr süß und gelten als Damen-Cocktails.

Daisy mit Sekt

3 Eiswürfel,
1 cl Grenadine,
2 cl Zitronensaft,
2 cl Chartreuse gelb,
Sekt, Früchte der Saison.

Dies ist ein ausgesprochener Damendrink. Anregend und belebend.
Die Eiswürfel zerkleinern und in den Shaker geben. Grenadine, Zitronensaft und Chartreuse drübergießen. Kräftig schütteln und in eine größere Sektschale seihen. Mit Sekt auffüllen und mit den Früchten garnieren. Man serviert mit Spießchen für die Früchte und mit Trinkhalm.

Dalmatinische Weine

Siehe Jugoslawische Weine.

Damenweine

Der Begriff Damenweine stammt aus dem 19. Jahrhundert. Er ist heute sehr umstritten. Es handelte sich dabei um relativ körperarme und leicht süße Weißweine.

Dämmerstunde

2 cl Weinbrand,
1–2 Eiswürfel,
Soda,
1 Orangenscheibe,
3 Cocktailkirschen.

Dieser erfrischende Longdrink ist ein guter Auftakt für den Feierabend.
Weinbrand mit Eis in ein Becherglas geben, mit Soda auffüllen, die Orangenscheibe auflegen und darauf die Cocktailkirschen setzen. Mit einem Trinkhalm servieren.

Dänischer Kaffee

Für 8–10 Personen

6 Eier,
abgeriebene Schale von einer Zitrone,

100–120 g Zucker,
etwa ¾ l kalter,
starker Kaffee,
gut ⅛ l Weinbrand.

Eier und Zitronenschale zusammen schaumig schlagen. Nach und nach unter ständigem Schlagen den Zucker einrieseln lassen, bis eine dickliche Creme entstanden ist. Dann zunächst den Kaffee unterschlagen, danach den Weinbrand.
In gekühlten Punsch- oder Ballongläsern oder in Tassen servieren.

Danziger Goldwasser

Eigentlich stammt der Gewürz-Likör mit den zaubrig-schillernden Goldplättchen gar nicht von einem Danziger. Es war der Holländer Ambrosien Vermölln aus Lier, der anno 1567 in Spanien weilte, bis ihn König Phillip II. nebst anderen Protestanten im Zeichen der Inquisition aus dem Lande jagte. Ambrosien suchte sich eine neue Heimat in Deutschland und erhielt 1598 die Erlaubnis, in Danzig eine Likörfabrik zu gründen – damit begann die Geschichte des »Dubelt Güldenwasser«.
Noch heute wird der Güldene nach einem 400 Jahre alten Rezept komponiert, in dem Rosenblüten und Orangenblätter, Kümmel

Auch aus Gdansk, wie Danzig heute heißt, kommt noch immer das berühmte Danziger Goldwasser.

und Koriander, die Muskatnuß, Pfeffer und andere Spezereien eine wichtige Rolle spielen. Und natürlich echtes Blattgold (22-karätig!). Das ehemalige Lieblingsgetränk weiblicher Likörkränzchen wird heute auch noch in Danzig, polnisch Gdansk, unter dem Namen »Zlotawoda« hergestellt.

Darjeeling-Tee
Siehe Tee.

Darling

2 cl Cherry Brandy,
2 cl Kondensmilch,
1 gehäufter EL Vanilleeis,
Soda,
1 gehäufter EL
Himbeereis,
2 EL kleine
Ananasstückchen aus der
Dose oder
frische Himbeeren,
2 EL geschlagene Sahne.

In ein hohes Glas zuerst den Cherry Brandy, dann die Kondensmilch und zuletzt Vanilleeis geben. Mit Soda etwa bis zur Hälfte auffüllen. Danach das Himbeereis ins Glas geben, mit den Früchten garnieren und die Sahne aufspritzen. Serviert wird mit einem Trinkhalm und einem langen Löffel.
Die Eismenge kann nach Belieben vermehrt, die Sodamenge verringert werden. Dies hier ist nur ein Grundrezept.

Dash
Siehe Barmaße.

Dattelschnaps

Dattelschnaps soll es nach allerdings unbewiesenen Vermutungen der Archäologen schon zu Zeiten des Babylonierkönigs Hammurabi um 1700 v. Chr. gegeben haben. Der hitzige Geist der Dattelfrucht steht im Orient hoch im Kurs. Aber auch der Saft der Dattelblätter wird zu Branntwein destilliert.

Dawn Crusta, ein fruchtiger Longdrink für stille Stunden.

Delhi Gin Sling: Probieren Sie einmal etwas Ausgefallenes.

Dawn Crusta

Saft einer halben Zitrone,
1 EL Zucker.
1–2 Eiswürfel,
4 cl weißer Rum,
1 cl Orangensaft,
1 BL Apricot Brandy,
1 dash Grenadine,
Orangenschalenspirale.

Den Rand eines Weinglases in den Zitronensaft tauchen, kurz abtropfen lassen, dann den Glasrand in den Zucker stellen. Glas umdrehen und den Crustarand trocknen lassen. Das Eis grob zerkleinern und in den Shaker geben. Rum, Orangensaft, Apricot Brandy und Grenadine drübergießen. Kurz, aber kräftig schütteln, in das Glas seihen und die Orangenschalenspirale hineinhängen.

Deidesheim

Als Mittelpunkt des Weinbaus in der *Rheinpfalz* gilt Deidesheim. An den sonnenreichen Hängen der Haardt in der Umgebung der Stadt wird vor allem Riesling angebaut. Für würzige Weine kommen noch Traminer- und Muskateller-Trauben hinzu. Die Auslesen und Trockenbeerenauslesen sind hoch aromatisch, haben eine tiefgoldene Farbe und entfalten ein ausgezeichnetes Bukett.
Deidesheimer Spitzenlagen sind der Herrgottsacker, der Grainhübel, der Hohenmorgen und die Deidesheimer Leinhöhle.

Dekantieren

Gute alte Burgunder- oder Bordeaux-Weine bilden ein Dépôt, einen Bodensatz aus Kristallen, der bitter schmeckt und deshalb nicht mitgetrunken werden sollte. Man legt die Flaschen deshalb etwa zwei Stunden vor dem Servieren in einen Dekantierkorb, der durch Schräglage der Flasche bewirkt, daß sich das Dépôt an der tiefsten Stelle ab-

setzt. Den Korken sollte man vorsichtig ziehen und den Wein behutsam in die Gläser gießen. Auch alter Portwein muß dekantiert werden.

Delhi Gin Sling

3 Eiswürfel,
3 cl Kirschlikör,
6 cl Gin,
3 cl Mangosirup,
1 dash Bénédictine,
Soda, 1 Cocktailkirsche.

Hinter dem exotischen Namen verbirgt sich ein ausgefallener Drink.
Die Eiswürfel in ein Becher- oder Kelchglas geben und mit Kirschlikör, Gin

und Mangosirup übergießen. Gut umrühren, den Bénédictine aufspritzen und mit Soda auffüllen. Mit der Cocktailkirsche garnieren und mit einem Trinkhalm servieren.

Delicious Sour

2–3 Eiswürfel,
1 BL Zuckersirup,
Saft einer halben Zitrone,
2 cl Calvados,
2 cl Barack Palinka,
1 Eiweiß,
Sodawasser zum Auffüllen,
2 Apfelstückchen zum Garnieren.

Eis grob zerkleinern und in den Shaker geben. Die übrigen Zutaten bis auf Soda und Apfelstückchen

dazugeben und im Shaker kräftig schütteln. In ein mittelgroßes Becherglas abseihen. Mit Sodawasser auffüllen. Die Apfelstückchen auf den Rand setzen. Mit einem Trinkhalm servieren.

Demerara-Rum

Demerara-Rum war als Navy-Rum das traditionelle Getränk britischer Seeleute und Kolonialisten. Er wird in Brasilien und British-Guyana (dessen größter Fluß dem Rum seinen Namen gibt) hergestellt. Zunächst hat das Zuckerrohrdestillat runde 80 Vol.-%, ehe es auf Trinkstärke herabgesetzt wird. Seine schwarzbraune Farbe erhält der Demerara aus Zukkercouleur. Er unterscheidet sich von anderen Rum-Sorten durch seine ohne bakterielle Hilfe erzeugte schnelle Gärung.

Demijohn

Mit dem englischen Demijohn wird ein Glasbehälter bezeichnet, der zwischen 5 und 50 Liter Fassungsvermögen haben kann. Er ist korbumflochten und hat zwei stabile Korbhenkel.

Demi-sec

Der französische Begriff demi-sec bedeutet halbtrocken. Er wird zur Kennzeichnung des Süßegrades von Champagner und anderen Schaumweinen verwendet. Demi-sec entspricht einem Süßegrad von 8 Prozent in der Champagner-Qualitätsabstufung.

Denominazione Semplice

Italienische Weine, die auf dem Flaschenetikett den Zusatz Denominazione Semplice tragen, entsprechen etwa den deutschen Tafelweinen. Siehe Italienisches Weingesetz.

Köstlich sauer, genau wie er heißt, schmeckt der Delicious Sour.

Dépôt

Bei längerer Lagerung bilden vor allem Rotweine, aber auch Port- und andere Dessertweine ein Dépôt. Das ist ein Bodensatz, der bei Rotweinen viel Gerbstoff enthält und deshalb bitter schmeckt. Beim Weißwein werden die Weinsteinkristalle manchmal fälschlich für Dépôt gehalten. Weinstein beeinträchtigt aber den Geschmack des Weines in keiner Weise. Bei Rotweinen – vor allem bei Bordeaux und Burgunder – sollte das Dépôt nicht mit ins Glas gelangen.

Dessertwein

Alle Dessertweine werden, wie schon der Name sagt, zum Dessert gereicht. Oder manchmal auch danach. Und wer zwischendurch einmal daran nippt, darf sich darauf berufen, daß der Begriff Dessertwein mit Süd- oder Süßwein identisch ist.
Edel, aber nicht penetrant soll die Süße der Dessertweine sein. Ziemlich viel Alkohol enthält er eigentlich immer. Zu den bekanntesten Weinen dieser Art gehören der *Portwein*, der *Marsala* und der Madeira. *Tokajer* aus Ungarn, *Moscato* aus Italien, *Malaga* und *Sherry* aus Spanien sind ebenfalls Dessert- oder Süßweine.

Destillation

Siehe Alkohol.

Destille

Destille reimt sich nicht von ungefähr auf Zille. Der Berliner Meister der Zeichenfeder und Kenner des »Milljöhs« genehmigte sich ab und zu gern mal einen bei Muttern an der Ecke, wobei er seinen Blick auf der Suche nach Gratismodellen schweifen ließ.
Die Destille, die billige Schnaps- und Fuselkneipe an der Ecke, hat einen ebenso festen Platz im alten Berlin wie die Typen

aus Meister Zilles Feder. Keine feinen Bars, sondern Treff der unteren und untersten Schicht des Sozialgefälles der wilhelminischen Ära. Hier trafen sich Penner, Schnapsbrüder und Nutten, kleine Ganoven und Eckensteher, die ihre letzten Groschen vertranken. Dazwischen wagten sich auch mal paar feine Pinkels, Damen und Herren der Gesellschaft, die es eben mal für schick fanden, die miefige Luft Berlins zu schnuppern, mal ins Primitive und Lasterhafte zu tauchen. So ganz nach dem Motto: »Und denn zieh wa mit Jesang in een andret Restorang. Und denn ziehn wa mit Jebrülle in 'ne andere Destille«.

Deutscher Rauchkorn

Hinter der Bezeichnung Rauchkorn verbirgt sich nichts anderes als deutscher Whisky, obwohl Whisky ein Gattungsbegriff ist und sich nicht »deutscher Whisky« nennen muß. Torfe der Lüneburger Heide ersetzen bei der Rauchkorn-Herstellung den für die Malzräucherung unersetzlichen Brand aus Schottlands Hochmooren. Die jahrelang in angekohlten Eichenfässern gelagerten deut-

schen Whiskies können sich durchaus mit ihren Vettern aus Schottland oder Amerika messen.

Deutscher Wein

»In guten Weinjahren bringt der Rheingau die unbestritten besten Weine hervor, die auf der Welt hergestellt werden.« Dies schrieb kein patriotischer deutscher Experte, sondern der englische Fachschriftsteller Alec Waugh. Und Waugh steht in England nicht allein da mit seiner Meinung. Am englischen Königshof zum Beispiel werden seit eh und je deutsche Rheinweine, insbesondere aus dem Rheingau, getrunken. Freilich nennen die Briten alle deutschen Rheinweine verallgemeinernd »Hock«. Und diese seltsame Bezeichnung kommt von dem Weinstädtchen Hochheim am Main, dessen Weine schon Goethe mit Vorliebe trank und die sich auch der besonderen Wertschätzung der englischen Königin Victoria (1819–1901) erfreuten.
Wein wird in Deutschland seit der Zeit der Besetzung durch die Römer angebaut, also schon vor Christi Geburt. Cäsar förderte durch Verordnung den Anbau in Gallien (Frankreich) und Germanien. Damals tranken Germanen und Besatzung freilich einen Wein, der mit den heutigen Qualitäten nichts gemeinsam hatte.
Daß deutscher Weißwein (der Anteil der Rotweine an der Gesamtproduktion beträgt nur 15 Prozent) heute als führend in der Welt gelten kann, ist auf eine ganze Reihe von Gründen zurückzuführen:
Zunächst einmal garantiert eine ungeheure Vielfalt von Böden eine entsprechende Palette von verschiedenartigen, charaktervollen Weinen. Eine besonders große Rolle spielen aber auch die klimatischen Be-

dingungen unserer Weinanbaugebiete.
Ahr, Mosel, Mittelrhein und Rheingau sind die nördlichsten Weingegenden Europas. Die Winzer stehen hier oft außerordentlichen Schwierigkeiten gegenüber: Frühjahrsfröste, sonnenarme Jahre, relativ kleine Rebflächen, großer Aufwand, hohe Kosten beim Anlegen von Weinbergen an zum Teil sehr steilen Hängen – all das hat zu einem Verhältnis des Winzers zum Wein geführt, das der Qualität zugute kommt. Weil die hohen Kosten der Herstellung gedeckt werden müssen, werden die meisten Weine so sorgsam und fachmännisch behandelt und gepflegt, wie das in keinem anderen Land der Welt üblich ist. Nur weitgehende Veredelung macht den Weinanbau ertragreich und damit möglich.
Das Ergebnis ist eine große Zahl von Spitzenqualitäten. Während die französischen oder italienischen Weinbauern teils wahllos, teils nach alter Tradition die besten Weine ihres Besitzes mit weniger guten verschneiden und dadurch zu gleichbleibender Qualität verarbeiten, trennt der deutsche Winzer (wenn auch nicht immer) sorgfältig einen Wein vom anderen. Nur in Ausnahmefällen wird zum Beispiel an der Mosel ein Riesling, also ein Wein aus der besten Traubensorte, mit einem Müller-Thurgau oder einem Elbling verschnitten, und bei einer guten Lage schon gar nicht.
Dies hat zur Folge, daß es neben kleinen Tafelweinen sehr viele ganz große, hervorragende Qualitätsweine gibt. Schließlich spielt bei der überragenden Qualität der deutschen Weine auch die moderne Kelter- und Kellereitechnik eine ganz wesentliche Rolle:
Sie führte zu Weinen mit größerer Frische und zu feineren Abstufungen des Geschmacks. Darüber hinaus wurde vor allem eine größere Haltbarkeit der Weine erreicht.

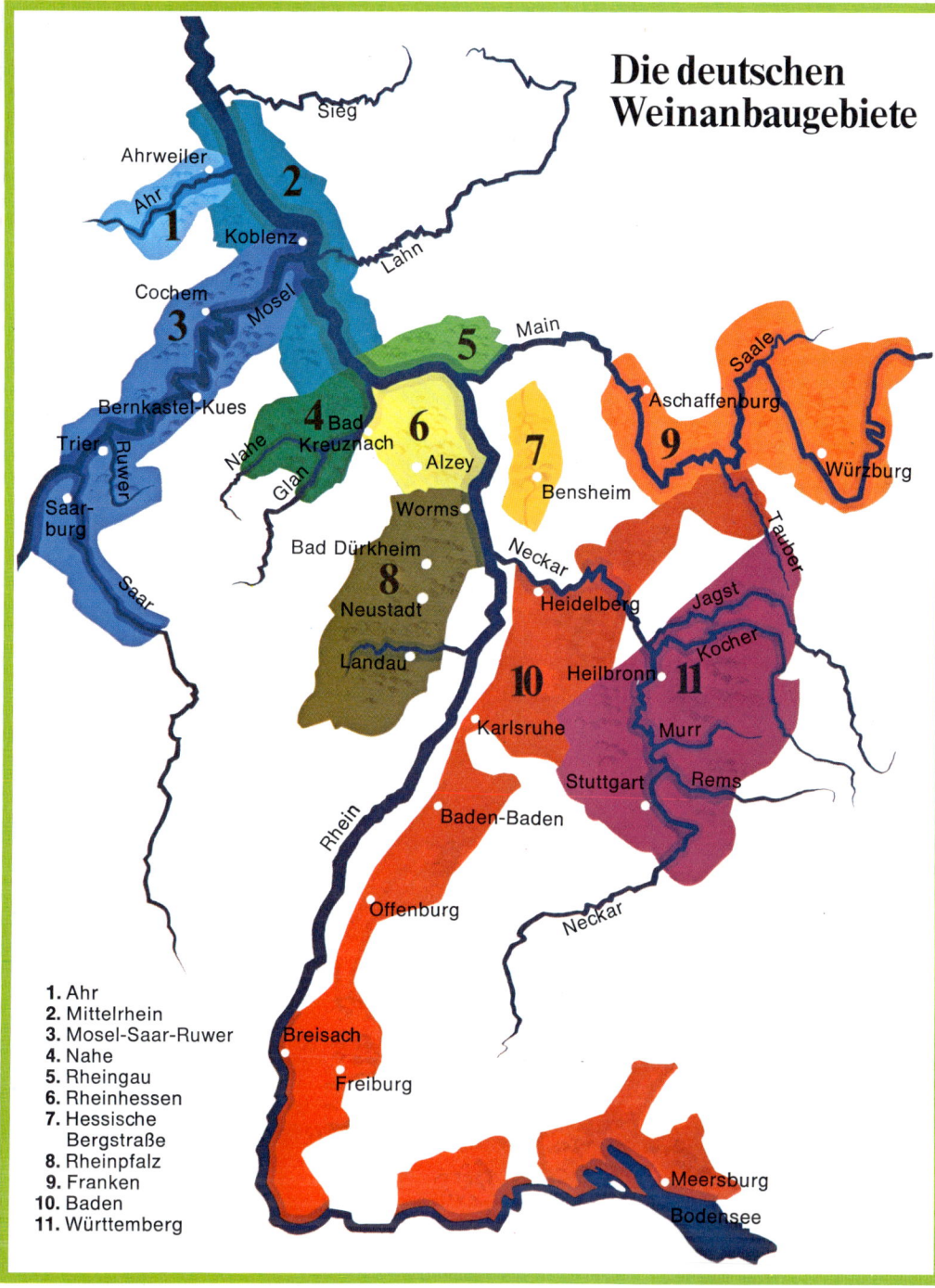

Die deutschen Weinanbaugebiete

1. Ahr
2. Mittelrhein
3. Mosel-Saar-Ruwer
4. Nahe
5. Rheingau
6. Rheinhessen
7. Hessische Bergstraße
8. Rheinpfalz
9. Franken
10. Baden
11. Württemberg

und Jahr), Frankreich (107), Argentinien (92), Portugal (72), Spanien (60), Chile (44), Schweiz (39) und Österreich (38). In den elf deutschen Anbaugebieten wurden in den letzten Jahren durchschnittlich folgende Mengen erzeugt:

	Hektoliter
Rheinpfalz	2 000 000
Rheinhessen	1 800 000
Mosel/Saar/ Ruwer	1 100 000
Baden	1 000 000
Württemberg	600 000
Nahe	350 000
Rheingau	300 000
Franken	150 000
Mittelrhein	80 000
Ahr	40 000
Hess. Bergstraße	20 000

Deutsches Weingesetz

Alle deutschen Weine werden in drei Güteklassen eingeteilt. So will es das neue deutsche Weingesetz, das seit Juli 1971 in Kraft ist. Die jeweilige Klasse muß auf dem Flaschenetikett vermerkt sein. Beim Weineinkauf kann eigentlich nichts schiefgehen, wenn Sie genau wissen, was unter Deutschem Tafelwein, Qualitätswein und Qualitätswein mit Prädikat zu verstehen ist.

Deutscher Tafelwein

Deutsche Tafelweine sind leichte, frische Weine mit einem Mindestalkoholgehalt von 8,5 %. Sie werden ausschließlich aus deutschen Trauben gekeltert. Laut Gesetz gibt es vier Tafelweinbaugebiete: Rhein und Mosel, Main, Neckar, Oberrhein. Tafelwein darf verschnitten werden; auch Weine verschiedener Anbaugebiete. Bei verschnittenen Weinen darf aber außer »deutsch« keine andere geographische Bezeichnung auf dem Etikett stehen. Lagennamen sind für Tafelweine nicht zuge-

Der feine Geschmack der deutschen Weine wird freilich im Ausland nicht durchweg nur geschätzt. Das Säure-Restzuckerverhältnis, das bei unseren Weinen, vor allem beim Riesling, besonders ausgewogen ist, ist für ausländische Zungen nicht nur ein Plus. Die Franzosen zum Beispiel lieben den Wein weniger fein als fruchtig und kräftig. Der Finessen-Reichtum ist letztlich aber doch der Hauptgrund für die Wertschätzung des deutschen Weins in der ganzen Welt.

Obwohl der Wein hierzulande eine große Rolle spielt, ein ausgesprochenes Weinland ist Deutschland nicht. Das liegt vor allem an der relativ geringen Menge, die erzeugt werden kann: Zwanzigmal mehr Wein wird ein- als ausgeführt.
Was die bebaute Rebfläche angeht, steht Deutschland mit 77 000 Hektar erst an zwanzigster Stelle, bei weitem übertroffen von Spanien (1 616 000 ha), Italien (1 525 000 ha), Frankreich (1 342 000 ha) und der Sowjetunion (1 100 000 ha).

Aber selbst Ungarn, die USA, Südafrika und sogar Syrien bauen mehr Reben an als wir. Bei der Weinproduktion freilich – Trauben werden ja auch in großen Mengen als Obst gegessen – steht die Bundesrepublik schon an zehnter Stelle in der Welt. Den letzten Beweis dafür, daß das Land der großen Weine kein ausgesprochenes Weinland ist, liefert die Statistik des Weinkonsums: Mit 16,2 Liter pro Kopf der Bevölkerung und Jahr liegt die Bundesrepublik weit hinter Italien (112 Liter pro Kopf

Auf dem Flaschenetikett eines deutschen Weins muß laut Gesetz die Güteklasse angegeben sein. Davon gibt es seit 1971 drei.

lassen. Wird der Tafelwein aus einer einzigen Traubensorte in einer bestimmten Gemeinde eines Tafelweinbaugebietes hergestellt und vom Erzeuger abgefüllt, können Sie das auf dem Etikett lesen.

Qualitätswein

Der Qualitätswein ist ein gebietstypischer Wein aus einem der elf bestimmten Weinanbaugebiete (Karte Seite 103). Sie dürfen auch verschnitten werden, aber nur mit Weinen aus demselben Anbaugebiet. Das Flaschenetikett muß eine amtliche Prüfungsnummer tragen. Sie garantiert, daß dieser Wein frei von Fehlern in Farbe, Geruch und Geschmack ist und daß er mindestens 7 % Alkohol enthält. Die Prüfungsnummer garantiert auch, daß die Zeit der Traubenlese kontrolliert und der Wein in einem Untersuchungslabor analytisch geprüft wurde. Die dritte durch die Nummer garantierte Kontrollstufe ist die sogenannte Sinnenprüfung, bei der fachlich geschulte Gutachter den Wein nach einem vorgegebenen Punktsystem bewerten.

Qualitätswein mit Prädikat

Deutsche Spitzenweine finden Sie nur unter den Qualitätsweinen mit Prädikat. Die amtliche Prüfungsnummer garantiert dieselben Kontrollen wie beim Qualitätswein. Laut Gesetz gibt es folgende sechs Prädikate: Kabinett, Spätlese, Auslese, Beerenauslese, Trockenbeerenauslese und

Eiswein. Was im einzelnen darunter zu verstehen ist, finden Sie unter dem Stichwort *Qualitätsweine mit Prädikat.*

Devil's Own Cocktail

2–3 Eiswürfel,
2,5 cl Cognac,
2,5 cl grüner Crème de Menthe,
1 Prise Paprika rosenscharf.

Ein heißer Drink: Devil's Own Cocktail mit scharfem Paprika.

Eis grob zerkleinern und in den Shaker geben. Cognac und Crème de Menthe dazugeben und alles kräftig schütteln. In ein Cocktailglas abseihen. Mit Paprika bestäubt servieren.

Dézaley

Auf den terrassenförmig angelegten Weinbergen rings um den Ort Dézaley westlich von Lausanne wachsen Chasselas-Reben, die in den benachbarten

Kantonen übrigens Fendant oder Dorin heißen. Aus den weißen Trauben dieser Rebsorte wird der trockene, gehaltvolle Dézaley gekeltert. Den Dézaley der Lage Clos des Abbayes halten viele Weinliebhaber für den besten Schweizer Wein.

Diabetiker-Getränke

Im Prinzip sind alle Getränke, die keinen oder nur ganz wenig Zucker enthalten, für Diabetiker (Zuckerkranke) geeignet. Um ihre Diät nicht zu gefährden, sollten sie aber auf ausdrückliche Hinweise achten. Korrekt werden mit der Bezeichnung »Diabetiker« Bier, Wein, Sekt und Spirituosen angeboten. Auf den Flaschen sollte bzw. – wo es gesetzlich geregelt ist wie beim Bier – muß neben dem Alkoholgehalt angegeben sein, wievielen Broteinheiten (BE) ein Liter des Inhalts entspricht oder wieviel Flüssigkeit einer Broteinheit entspricht. Die Diabetiker-Erfrischungsgetränke und -Säfte werden ebenfalls ohne Zucker hergestellt.

Diana Cobbler

2–3 Eiswürfel,
1 BL Grenadine,
1 BL Maraschino,
1 dash Angostura,
Sekt, frische Früchte.

Cobblers müssen eiskalt gereicht werden, dann erfrischen sie.

Das Eis sehr fein zerkleinern. Ein hohes Becherglas etwa bis zur Hälfte mit dem Eis füllen, das Eis glattstreichen. Grenadine, Maraschino und Angostura daraufgeben und mit Sekt auffüllen. Mit Früchten der Saison garnieren und mit langem Löffel und einem Trinkhalm servieren.

Diätbier

Durch volle Vergärung der Extraktstoffe aus der Stammwürze entsteht Diätbier, dessen Bezeichnung gesetzlich geregelt ist. Dieses Bier enthält keinen Zucker mehr. Er wurde zu Alkohol umgewandelt oder durch Enzyme abgebaut. Diätbiere, die als Diätpils in den Handel kommen, haben den hopfenbitteren Geschmack von Pils, sind nicht sehr alkoholreich, daher auch für Nicht-Diätbedürftige gute Durstlöscher. Diätbier als Diabetikerbier muß durch Hinweise auf dem Etikett in seinem Gehalt an Kohlenhydraten definiert sein. Üblich ist Diätbier, von dem 1,6 Liter einer Broteinheit entsprechen. Die Broteinheit (BE) ist Grundlage der Diabetes-Diät.

Digestif

Wie beim Aperitif kann man sich auch beim Digestif darüber streiten, ob man ihn am Ende mit »v« oder »f« schreibt. Die Franzosen tun es mit »f«, und sie haben ihn schließlich erfunden – das Gegenstück zum Aperitif, einen Schuß Alkohol, der der Verdauung guttun soll. Ein Schnaps, nämlich ein unvermischter, unverdünnter und unverfälschter Hochprozentiger sollte es sein, denn er unterstützt am besten die chemischen Vorgänge, die eine gediegene Mahlzeit im Magen auslöst.

Die Kultivierung des Digestifs hat dazu geführt, daß man ihn geschmacklich

Diki Diki Cocktail schmeckt nach frischem Grapefruit-Saft.

Eiskalter Dixie wird mit einem Zweig Pfefferminze serviert.

angepaßt hat. So wurden bittere und herbe, gaumenschmeichelnde Liköre und ausgesprochene »Magenaufräumer« mit zahlreichen Kräutern geschaffen.

Diki Diki Cocktail

1 cl Grapefruitsaft,
1 cl Schwedenpunsch,
3 cl Calvados,
2–3 Eiswürfel.

Ein würzig-fruchtiger Cocktail, den man schon am Vormittag reichen kann. Alle Zutaten mit den Eiswürfeln im Shaker sehr kräftig schütteln. In eine Cocktailschale abseihen.

Dingac

Halb ist der Dingac ein Markenwein, halb noch alte Bezeichnung für verschiedene Weine mit gleichem Charakter. Der ein wenig schwere, blumige, viel Gerbsäure enthaltende Rotwein wird in Dalmatien gekeltert. Mildes Feuer charakterisiert die besten Dingac-Weine.

Dionysos
Siehe Bacchus.

Dixie
Für 6 Personen

2–3 Eiswürfel,
1 BL Zitronensaft,
24 cl Rye Whiskey,
2 BL Zucker,
2 dashes Angostura,
1 BL Curaçao,
2 BL weißer Crème de Menthe,
Minzeblätter zum Garnieren.

Dixie ist ein sehr erfrischender Drink für heiße Sommertage. Eiswürfel und Zitronensaft in den Shaker geben. Die übrigen Zutaten bis auf die Minze in den Shaker geben und alles kräftig schütteln. In Cocktailgläser abseihen. Glasränder mit Minze garnieren.

Im Wallis, der Heimat des Dôle, steht Schloß Valeria.

Djakarta Drink

Für 2 Personen

¾ l Wasser,
4 Scheiben grüner
Ingwer,
50 g Kandiszucker.

Ein heißer Drink, der alle Freunde des würzigen Ingwers erfreuen wird.
Wasser, Ingwer und Kandis in einen Topf geben, heiß werden lassen und aufkochen. 15 Minuten ziehen lassen, abseihen und in Henkelgläsern sehr heiß servieren.
Natürlich können Sie dieses Getränk auch mit Alkohol zubereiten. Besonders geeignet sind Rum und Arrak.

D. O. C.

Die Abkürzung D. O. C. steht für Denominazione di Origine Controllata und bedeutet kontrollierte Herkunftsbezeichnung. Siehe *Italienisches Weingesetz.*

Dolcetto-Traube

Die italienische Dolcetto-Traube reift vor allem im Nordwesten Italiens, in Piemont. Aus ihr werden leichte, fruchtige Rotweine gewonnen. Die Rebsorte Dolcetto findet man aber auch in der Schweiz, vor allem in den Weinbergen des Tessin.

Dôle

Für den bekannten Schweizer Dôle gibt es strenge Vorschriften. Die *Pinot-Noir-* und *Gamay-Trauben* dürfen nur im Kanton Wallis geerntet werden und der daraus gewonnene Most muß als Minimum 85 Grad Öchsle haben. Das Ergebnis ist ein körperreicher Qualitätsrotwein mit relativ hohem Alkoholgehalt.

Domaine

Das französische Wort »domaine« steht vor allem in Burgund für ein großes zusammenhängendes Weingut, das Weinberge verschiedener Ortschaften umfassen kann. Bei Weinen, die von einer großen »domaine« stammen, erscheint auf dem Flaschenetikett neben Weinort und Lage auch der Name des Weingutsbesitzers.

Domäne

Wenn in Zusammenhang mit Wein und Weinbau der Begriff Domäne auftaucht, ist darunter ein staatliches Weingut zu verstehen.

Donnaz

Der leuchtend rote Donnaz hat leichte Granatreflexe. Er ist weich und samtig und schmeckt ein wenig nach Bittermandel. Dieser aus der *Nebbiolo-Traube* gewonnene Gebirgswein ist typisch für das Aostatal in Piemont, wo sich die Weinberge teilweise bis zu tausend Meter hoch hinaufziehen. Eine dreijährige Faßlagerung und ein Mindestalkoholgehalt von 11,5 Prozent sind vorgeschrieben.

Doppel

Führt ein Schnaps zu seiner normalen Bezeichnung den Zusatz »Doppel« oder »Doppelt«, so sagt dies nur, daß sein Alkoholgehalt weit über dem gesetzlichen Minimum liegt. Aber er ist natürlich nicht doppelt so stark. Vielmehr muß ein Brannt mit 32 Vol.-% als Doppel mindestens 38 Vol.-Prozent enthalten.

Doppelbock

Der Name Doppelbock ist irreführend, denn Doppelbock ist zwar stärker als *Bockbier,* aber beileibe nicht

Der derbe Douglas-Cocktail ist ein idealer Appetitanreger.

doppelt so stark. Doppelbock ist ein – helles oder dunkles – Starkbier mit mindestens 18 Prozent *Stammwürze,* das entspricht 5,5 bis 6 Prozent Alkoholgehalt. Doppelbock gibt es bis zu Stärken von 24 Prozent Stammwürze.

Dortmunder Bier

Dortmunder Bier ist neben dem *Münchner Bier* das bekannteste in Deutschland. Sechs Großbrauereien im Dortmunder Raum stoßen das stark gehopfte und daher feinbittere Bier aus, das mehr gold- als hellgelb und klar wie ein Maimorgen ist. Das Geheimnis des Dortmunder Bieres ist das Brauwasser von 10 Grad deutscher Härte, also das härteste Wasser überhaupt. Neben Dortmunder Bier gibt es noch Bier vom Dortmunder Typ, das nicht nur im weiteren Westfalen, sondern auch im Rheinland viel gebraut wird.

Dosenbier

Weil man Bier in Fässern nicht überall mit sich herumschleppen kann und Bier in Flaschen vom Sonnenlicht angegriffen wird, wurde das Bier in Dosen vor allem für den Export in die Tropen erfunden. Viele Bierkenner verachten es, den Gerstensaft auf diese Weise zu genießen. Nicht etwa, weil es nach den geruch- und geschmacklosen Dosenblechen schmecken könnte, sondern weil Bier nur aus dem Faß richtig läuft und richtig schmeckt. Die Kohlensäure sei Schuld daran, sagen die Experten.

Douglas Cocktail

1 Eiswürfel,
2 dashes Angostura,
1 cl Grenadine,
2 cl Gin, 2 cl Whisky,
1 Olive.

Dubonnet

Duplex

Dubonnet Fizz

Mit Dubonnet können Sie süße und herbe Drinks mixen. Für den Duplex brauchen Sie Sekt und Ananaseis. Rezepte S. 108/109.

Dummer Junge heißt dieser trockene Sekt-Cocktail, der sich hervorragend als Aperitif eignet.

Alle Zutaten, mit Ausnahme der Olive, in einem Mischbecher verrühren. In ein Cocktailglas seihen und mit der Olive garnieren. Ein Cocktailspießchen dazu servieren.

Douro

Der Douro ist Portugals nördlichster Fluß. Über Hunderte von Kilometern windet er sich durch das »pais do vinho«, das Land des Weines, und mündet bei Oporto in den Atlantik. Zu beiden Seiten des Flusses und in den Nebentälern reifen die Trauben, aus denen der bekannte Port gekeltert wird. Die Traubenernte wird für die Bewohner des Douro-Tals zum Volksfest: Von weither kommen Männer und Frauen, in Gruppen getrennt und ihr Hab und Gut in Körben auf dem Kopf balancierend, um sich als Pflücker zu verdingen. Bis spät in die Nacht hinein werden die Trauben in großen Bottichen zum rhythmischen Klang der Pfeifen getreten. Die festliche Stimmung hält während der ganzen Erntezeit an. Früher trat der junge Port die Reise in malerischen »rabelos«, schlanken Booten mit Lateinersegel, flußabwärts nach Oporto an. Diese Reise dauerte vier Tage. Heute ha-

ben Tanklastwagen die schmucken Segler ersetzt. Sie schaffen's in vier Stunden.

Drambuie

Der Drambuie ist ein in seiner Entstehung von Legenden umwobener Honiglikör auf der Basis von Malzwhisky und mit Kräutern zubereitet. Der Malzwhisky muß mindestens 15 Jahre alt sein und von den schottischen *Highlands* stammen. Drambuie hat mindestens 40 Vol.-% Alkohol und wird möglichst eiskalt serviert.

Nur noch selten sieht man auf dem Douro die Rabelos, die Portweinsegler, mit ihrer wertvollen Fracht.

Dreikönigswein

Im Elsaß nennt man den Strohwein Dreikönigswein, weil die zum Schrumpfen und Trocknen auf Strohmatten ausgebreiteten Weinbeeren erst am Dreikönigstag gekeltert werden.

Dry

Dry heißt zu deutsch »trokken«. Gemeint ist damit die Einteilung von Champagner, Dessert- und Süßweinen, aber auch einigen Spirituosen (Gin) nach Süßegraden. Dry bedeutet somit »herb« oder »wenig süß«. Eine noch feinere Unterscheidung ist »medium dry« (halb trocken) und »extra dry« (extra trocken).

Dubonnet Cocktail

2–3 Eiswürfel, 2,5 cl Gin, 2,5 cl Dubonnet, Zitronenschale zum Abspritzen.

Der richtige Drink für Stunden am Kamin. Eiswürfel mit Dubonnet und Gin im Mixbecher schütteln. In ein Cocktailglas abseihen. Mit Zitronenschale abspritzen.

Dubonnet Fizz

2–3 Eiswürfel,
4 cl Dubonnet,
1 BL Cherry Brandy,
Saft je einer halben Orange und Zitrone,
Sodawasser zum Auffüllen.

Eis grob zerkleinern und in den Shaker geben. Alle Zutaten bis auf Soda dazugeben und kräftig schütteln. In ein Cocktail- oder Becherglas abseihen. Mit Sodawasser auffüllen.

Dummer Junge

4 cl Rotwein,
1 BL Zuckersirup,
etwa 6 cl Sekt,
1 Zitronenschalenspirale.

Weshalb dieser spritzige Sekt-Cocktail »Dummer Junge« heißt, ließ sich nicht ermitteln. Die Erfahrung ergab nur dies: Er schmeckt sehr gut.
Den Rotwein in eine Sektschale gießen, mit dem Zuckersirup süßen, Sekt auffüllen und die Zitronenschalenspirale einhängen.

Dunkles Bier

Die Farbe des Bieres hängt von der Farbe des Malzes ab. Dunkles Malz wird aus eiweißreicher Gerste durch längere Weiche, längere Darrzeit, langsame Trocknung und höhere Malztemperaturen hergestellt. Vor allem in Bayern war bis zum Zweiten Weltkrieg das dunkle Bier überwiegend verbreitet. Erst in den letzten Jahrzehnten hat sich auch hier das helle, pilsartige Bier durchgesetzt. Obwohl dunkles Bier etwas süßlicher und auch kräftiger schmeckt, ist es eine weit verbreitete falsche Meinung, es sei »schwächer«. Der Alkoholgehalt hat mit der Farbe nichts zu tun. Auch bei den *Bockbieren* (mit mehr als

16 Prozent Stammwürze) gibt es helle und dunkle Biere. Auch gibt es beide Arten bei den *ober-* und den *untergärigen* Bieren.

Duplex
Bild Seite 107

1 gehäufter EL Ananaseis,
2 cl Sherry,
Sekt zum Auffüllen.

Die Zusammenstellung dieses Drinks ist recht apart. Ananaseis in einen Sektkelch geben. Sherry zufügen und mit dem Eis verrühren. Mit Sekt auffüllen. Dazu einen Trinkhalm servieren.

Durbacher Schloßberg

Zu den besten Lagen im Bereich Ortenau in Baden zählen der Durbacher Ölberg, der Durbacher Schloßberg und der Durbacher Plauelrain. Die Traminer, Ruländer und Rieslinge dieses Gebietes schneiden bci den deutschen *Wein-* *prämierungen* meist hervorragend ab.
Der Weinort Durbach liegt nördlich von Offenburg an der *Badischen Weinstraße.*

Durchein-ander

2 Eiswürfel,
2 cl Pernod,
2 cl Vermouth dry,
je 3 dashes Maraschino, Bénédictine, Curaçao und Crème de Cacao.

Zwischen Kaffee und Abendbrot serviert man seinen Gästen gern einen Cocktail. Dieser eignet sich besonders dazu.
Zuerst die beiden Eiswürfel in den Shaker geben. Alle anderen Zutaten darüberschütten, kräftig schütteln und in ein Cocktailglas seihen.

Dürnstein

In der Wachau, westlich von Wien, liegt an der Donau der romantische Wein-

Der Durbacher Schloßberg zählt zu den Spitzenlagen Badens.

ort Dürnstein. Er hat hervorragende Lagen aufzuweisen wie den Hollerin, den Liebenberg und die Himmelsstiege. Die Burgruine in den Weinbergen oberhalb der Stadt ist historisch von Bedeutung: Der englische König Richard Löwenherz wurde dort im Mittelalter gefangen gehalten. Der Legende nach zog sein Sänger Blondel von Burg zu Burg und sang des Königs Lieblingslied. Als ihm in Dürnstein sein König antwortete, begann er dessen Befreiung. In Dürnstein findet der Reisende auch einige der typisch österreichischen Buschenschenken, die zum *Heurigen* einladen.

East India

1 Eiswürfel,
4 cl weißer Rum,
1 BL Curaçao Orange,
1 BL Ananassaft,
1 dash Angostura,
1 Cocktailkirsche.

Ein Aperitif, der Aufsehen erregt: Durcheinander.

Regt den Appetit an: Der fruchtige East India Cocktail.

Eiswürfel in den Shaker geben. Die anderen Zutaten, mit Ausnahme der Kirsche, darübergießen, ganz kurz schütteln und in ein Cocktailglas seihen. Mit der Kirsche garnieren und ein Spießchen dazu reichen.

Eau de Creole

Eau de Creole, »Wasser der Kreolen«, heißt ein Likör aus den Blättern des in Südamerika wachsenden Mammibaumes. Seine aprikosenartigen, sehr süßen Früchte werden zu einer Art Wein verarbeitet.

Eau de vie

Unter Eau de vie ohne den Zusatz »de vin« versteht man in Frankreich alle Brännte, deren Grundlage nicht der Wein ist. »Eau de vin de grain« zum Beispiel ist Kornbrannt und der normannische Apfelbrannt Calvados heißt »Eau de vie de cidre«. Die Bezeichnung Calvados hat sich erst um 1800 eingebürgert. Eau de vie heißt zu deutsch »Wasser des Lebens«.

Eau de vie de vin

Eau de vie de vin heißen in Frankreich alle Weinbrandsorten, die nicht aus den genau abgegrenzten Regionen von *Cognac* und des *Armagnac* stammen. Wenn ihnen auch das zugkräftige Gütesiegel der Nobelweinbrandregionen fehlt, so sind dennoch viele hervorragende Destillate darunter. In Deutschland kommen sie unter der Bezeichnung »Französischer Weinbrand« auf den Markt.

Eberbach

Kloster Eberbach liegt im *Rheingau* zwischen *Mainz* und *Rüdesheim*, unweit von *Eltville*. Die Eberbacher waren es, die aus dem berühmten Steinberg bei

Einen selten schönen Weinkeller hat das Kloster Eberbach.

Hallgarten einen Weinberg machten, dessen Lage für hervorragenden Wein bekannt ist. Das Kloster wurde von Napoleon enteignet und gehört jetzt dem Staat. Hier werden offizielle Weinversteigerungen abgehalten; außerdem lagert der Steinberger in den Klosterkellern. Drei weitere feine Lagen des Steinberges sind Jungfer und Schönhell. Im großen Kelterhaus in Eberbach stehen heute noch die riesigen hölzernen Keltern aus dem Mittelalter.

Ebereschenbranntwein

Besonders in Osteuropa werden die reifen Früchte der Eberesche zur Branntweinherstellung verwendet. Der bekannteste Eber-

Unansehnlich aber gut sind die edelfaulen Beeren der Tokajer-Traube.

eschenbranntwein ist der polnische *Jarcebiak*. Aber auch in Südtirol wird ein Ebereschengeist gebrannt.

Ebereschenlikör

Aus den Beeren der wilden Ebereschen wird der gerbsaure und meist bittere Ebereschenlikör hergestellt. Der bekannteste ist der tschechische *Jarcebinka*.

Ecstasy-Cocktail

2–3 Eiswürfel,
2 cl französischer
Vermouth dry,
2 cl Drambuie,
2 cl Cognac.

Die Eiswürfel mit allen anderen Zutaten im Shaker kräftig schütteln. In eine kleine Cocktailschale abseihen.

Ecuador

2 cl Weinbrand,
2 cl Moccalikör,
1 BL Pulverkaffee,
1 BL Karamelsirup,
2 cl Kondensmilch,
1 Eigelb,
1 EL Vanilleeis.

Dieser Drink präsentiert sich feurig und zugleich nahrhaft. Er baut nach anstrengender Arbeit über-

aus rasch neue Kräfte auf. Alle Zutaten werden in einem Mixgerät verarbeitet und im Becherglas mit einem Trinkhalm serviert.

Edelfäule

Wenn eine Traube im späten Herbst überreif wird, fault sie in vielen Fällen. Schuld daran ist ein Schimmelpilz, der die Schale perforiert und damit das Wasser verdunsten läßt. Dabei schrumpft die Traube zusammen und die Extraktstoffe werden konzentriert. Diese halb ausgetrockneten, edelfaulen Trauben ergeben einen Most mit sehr

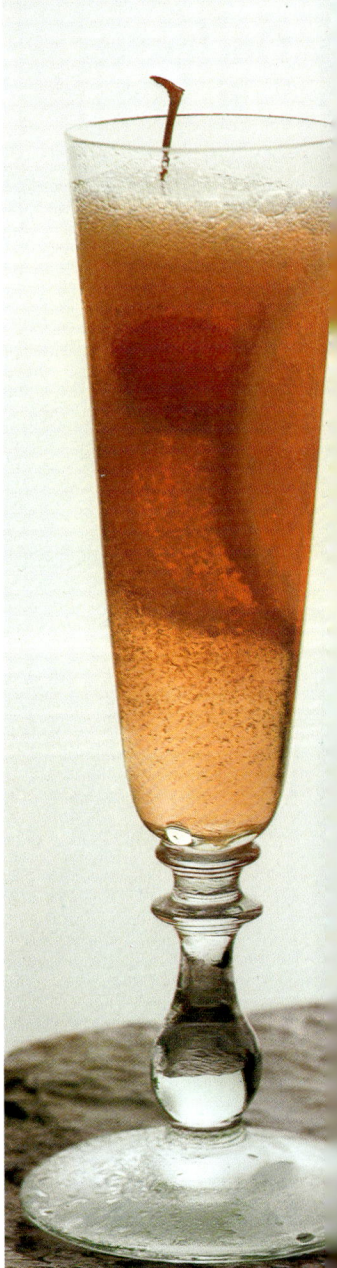

hohem Zuckergehalt. Daraus gewinnt man kostbare *Trockenbeerenauslesen*, die zu den *Qualitätsweinen mit Prädikat* gehören.

Edelzwicker

Der Edelzwicker ist ein elsässischer Wein. Er wird aus Weinen der Traubensorten Riesling, Tokajer, Muskat oder Gewürztraminer gemischt.

Eden Rocks

1 BL Himbeersirup,
2,5 cl Kirschwasser,
Sekt zum Auffüllen,

Ecstasy-Cocktail: Ein Drink, der leicht in Stimmung bringt.

1 dünne Orangenscheibe,
1 Maraschinokirsche.

Himbeersirup und Kirschwasser in einen Sektkelch geben. Mit Sekt auffüllen. Orangenscheibe und Kirsche dazugeben. Mit einem Trinkhalm servieren.

Egg-Nogg

2 Eiswürfel,
1 Eigelb,
2–3 EL Puderzucker,
5 cl Weinbrand,
⅛ l kalte Milch,
1 Prise geriebene Muskatnuß.

Der Sekt-Cocktail Eden Rocks.

Aus dem Grundrezept des Egg-Nogg lassen sich viele Drinks mixen, die alle recht nahrhaft sind.

Ein Milchgetränk, das wenig Alkohol enthält und sehr bekömmlich ist.
Zuerst die beiden Eiswürfel in den Shaker geben. Eigelb, Puderzucker und Weinbrand dazugeben. Gut schütteln und in ein hohes Becherglas seihen. Mit der Milch auffüllen, kurz umrühren, mit der geriebenen Muskatnuß bestreuen und mit einem Trinkhalm servieren.

Egg-Noggs

Egg-Noggs sind Milchgetränke, die immer Eigelb oder Eigelb samt Eiweiß enthalten. Außerdem gehört zum Egg-Nogg eine Prise Muskatnuß. Egg-Noggs können warm oder kalt gemixt werden. Ihre Alkoholbasis ist meistens Rum oder Brandy, manchmal auch Portwein. Serviert werden Egg-Noggs in großen Tumblern mit Barlöffel und Trinkhalm.

Eierlikör

Eierlikör oder auch Eierweinbrand ist eine Sammelgruppe von alkoholschwachen Getränken auf der Grundlage von Eigelb. Den Destillaten wird meist Vanilleextrakt, aber auch Zitronen- oder Orangenschale zugesetzt. Für die Herstellung von Eierlikören gelten besonders strenge gesetzliche Hygiene-Bestimmungen.

Eierlikör

Für 3–5 Personen

---

5 Eigelb,
¾ Tasse 10%ige
Kondensmilch,
knapp ¼ l Weinbrand.

In einem Mixgerät zuerst Eigelb und Kondensmilch mixen und zuletzt dann den Weinbrand dazugeben. Noch einmal kurz durchmixen.
Da zu raschem Verzehr gedacht, in einen Glaskrug füllen und daraus in die Likörgläser eingießen.

Sparen Sie beim Einspänner nur nicht mit der Sahne!

Einfachbier

Einfachbier ist das leichteste aller Biersorten. Es darf nach den gesetzlichen Bedingungen höchstens 2,5 Prozent Stammwürze, was etwa 0,6 Vol.-% Alkohol bedeutet, enthalten. Einfachbier wird in vielen ländlichen Gegenden von Genossenschaftsbrauereien als Haustrunk hergestellt. Es gilt als Erntebier.
Frisch serviert ist es ein guter Durstlöscher, ohne die Erscheinungen des Alkohols. Einfachbier läßt sich allerdings nicht lange lagern, weil es stark abbaut und dann »traurig« schmeckt.

Einspänner

½ BL Zucker,
¾ Tasse heißer Kaffee,
1 EL geschlagene Sahne.

Die Wiener Droschken – auch wenn es immer weniger werden – gehören auch heute noch in das Wiener Stadtbild. Nach ihnen ist auch der Einspänner benannt. Angeblich haben ihn die Droschkenkutscher in ihrem Stammhauskaffee in ihren täglichen Pausen getrunken. Auf jeden Fall gehört die Sahne dazu, die in Wien Schlagober genannt wird. Außerdem bekommt man ein Glas Wasser dazu.
Diese feine Sitte, die auch in der Schweiz und auf dem Balkan verbreitet ist, findet man in Deutschland leider nur selten.
Den Zucker in ein Glas geben. Heißen Kaffee drübergießen. Umrühren. Schlagsahne obenauf spritzen.

Eisbock

Bier gefrieren zu lassen, ist eigentlich eine Todsünde wider den Gerstensaft, denn er wird trüb. Eisbock aber wird aus gefrorenem Bier hergestellt, denn nur so ist es möglich, Bier mit 8 Vol.-Prozent Alkohol zu bekommen.

Eisbrecher

Für 8–10 Personen

3 l Rotwein,
½ Flasche Arrak,
250 g Zucker,
2–3 Orangen,
2–3 Zitronen.

Eisbrecher ist ein Rotweinpunsch, der vor allem in Norddeutschland bekannt und dort im Winter besonders beliebt ist. Und das nicht nur bei Seebären. Rotwein, Arrak und Zucker in einen Topf geben. Die Orangen und Zitronen in dünne Scheiben schneiden und dazugeben. Alles bis kurz vor dem Siedepunkt erhitzen und in einen feuerfesten Krug abseihen. Eisbrecher in feuerfesten Grog- oder Punschgläsern servieren.

Eiskaffee

1 gehäufter EL Vanilleeis,
⅛ l eiskalter starker Kaffee,
3 EL geschlagene Sahne,
2 Eiswaffeln.

Das Vanilleeis in ein Kelchglas geben, den Kaffee auffüllen, eine Sahnehaube draufspritzen und mit den Eiswaffeln garnieren.
Die Sahne kann nach Belieben mit Vanillinzucker gesüßt werden. Etwas Mokkalikör über der Sahne sieht übrigens gut aus und schmeckt ausgezeichnet.

Eis-Mate

1 BL Matetee, etwa ⅛ l kochendes Wasser,
1 gehäufter EL Vanilleeis.

Normalerweise wird Matetee heiß getrunken. Diese eiskalte Version ist jedoch ebenso interessant.
Den Tee in einem Becher überbrühen, 5 Minuten ziehen lassen und abseihen. Den erkalteten Matetee mit dem Eis im Mixgerät schnell mischen und sofort mit Trinkhalm in Kelchgläsern servieren.
Hier bietet sich noch eine attraktive Version an:
Man kann den Tee heiß oder kalt aus kleinen, ausgehöhlten Kürbissen oder Melonen trinken.

Eismix Imperial

1 EL Vanilleeis,
2 cl Kirschwasser,
2 cl Maraschino,
Sekt.

Krasse Gegensätze, im Bild vereint: Der heiße Eisbrecher und der kühle Eis-Mate in der Melone.

In einem Punschglas vorsichtig Eis, Kirschwasser und Maraschino verrühren. Mit Sekt auffüllen und mit einem Trinkhalm servieren.

Eistee

Eistee ist – wie der Name sagt – kalter Tee, der mit Eis im Glas serviert wird. Eistee wurde im Jahre 1904 von Richard Blechynden auf der Weltausstellung von St. Louis »erfunden«. Blechynden sollte dort Ceylontee verkaufen, konnte jedoch wegen der brütenden Hitze niemand dazu animieren, sein kochendheißes Getränk zu versuchen. Also bot er den Tee eisgekühlt an.
Von diesem Tag an brauchte er sich über mangelnden Umsatz nicht mehr zu beklagen. Und für die Tee-Freunde gab es wieder ein attraktives Rezept mehr.

Eiswein

Siehe Qualitätswein mit Prädikat.

Eis zum Mixen

Eis gehört zur unumgänglichen Grundausstattung jeder Bar, denn ohne Eis sind die meisten Drinks undenkbar. Man unterscheidet beim Eis zum Mixen zwischen großen Eiswürfeln (Kuben), kleineren Eiswürfeln (etwa Haselnußgröße), grob zerkleinertem Eis und fein zerkleinertem Eis. Am einfachsten lassen sich Eiswürfel mit der Eismühle

Die Weininsel Elba im Mittelmeer ist eine Reise wert.

zerkleinern. Alle anderen Methoden (auch die mit dem Handtuch und dem Hammer) sind weniger empfehlenswert. Das beste Eis zum Mixen erhält man aus frischem, klaren Brunnenwasser. Sagen die Experten.

Eitelsbacher Karthäuserhofberg

Das Flüßchen Ruwer, das ein paar Kilometer nordöstlich von Trier in die Mosel mündet, hat zwei Spitzenlagen: Den Eitelsbacher Karthäuserhofberg und den Maximin Grünhäuser Herrenberg. Die Weine beider Lagen werden durch hervorragende Pflege zu Spitzenweinen. Ruwer-Weine haben ein hochedles Bukett, sind frisch und beglücken den Kenner zum Teil auch mit einem feinen Erdgeschmack.

Elba

Die Weine der italienischen Insel Elba können sich sehen lassen. Da ist einmal der strohgelbe, trockene Elba Bianco, der vorwiegend aus der toskanischen *Trebbiano-Traube* gekeltert wird. Er paßt hervorragend zu fast allem, was frisch aus dem Meer auf den Tisch kommt. Zum anderen gibt es den rubinroten, aromatischen trockenen Elba Rosso. Der Rosso schmeckt zu italienischen Nudelgerichten genauso gut wie beispielsweise zu Wild oder Schweinebraten. Die *Sangiovese-Traube* dominiert bei der Herstellung des Roten.

El Dorado

2–3 Eiswürfel,
1 BL Kokusnußraspel,
2,5 cl Eiercognac,
2,5 cl brauner Crème de Cacao,
5 cl weißer Rum.

Kühle Überraschung für warme Sommerabende: Eismix Imperial.

Ob dieser Drink zuerst in der deutschen Urwaldkolonie am Alto Paramá in Argentinien oder im sagenhaften Goldland gleichen Namens gemixt wurde, ist unklar. Vielleicht hat man ihn auch nur nach einem der beiden Orte benannt.
Alle Zutaten in den Shaker geben und sehr gut schütteln. In ein großes Cocktailglas oder ein Sektglas seihen und mit Trinkhalm servieren.

Elixier d'Anvers

Das Elixier d'Anvers ist ein belgischer *Bitterlikör* von herb-süßem Geschmack, der nach streng geheimen Rezepten hergestellt wird.

Elixier de Spa

Das »Elixier aus Spa« ist wie die meisten *Kräuterliköre* experimentierfreudigen Mönchen zu verdanken. Kapuziner, die 1643 in der Wasserfestung Spa ein Kloster gründeten, komponierten aus den Kräutern der Umgebung einen heilkräftigen Trank, der nach Kümmel, Engelswurz und einem Hauch von Curaçao schmeckt.

Eloro

In der Provinz Syrakus auf Sizilien werden der rote und der weiße Eloro hergestellt. Der Eloro Rosso wird hohen Ansprüchen gerecht, wenn er durch ausreichende Lagerung voll ausgereift

El Dorado heißt dieser exotisch-würzige After-Dinner-Drink.

ist. Ein trockener, harmonischer Wein, der zu Braten aus dunklem Fleisch und zu Wildgerichten schmeckt. Leuchtend gelbe Farbe, Frische und feine Blume sind charakteristisch für den Eloro Bianco.

Elsässer Weine

Alsace oder Vin d'Alsace steht groß auf den Etiketten jener Flaschen, die aus dem Elsässer Anbaugebiet zwischen Straßburg im Norden und Mülhausen im Süden kommen. Elsässer Weine sind bekannt für ihre Frische und Leichtigkeit. Sie ähneln im Charakter den Moselweinen, erreichen allerdings nicht deren Spitzenqualitäten. Obwohl es auch einige Rotweinlagen gibt, ist dieses Anbaugebiet zwischen Vogesen und oberrheinischer Tiefebene in erster Linie eine Weißweingegend, in der vor allem *Riesling, Traminer, Silvaner, Muskat* und *Tokajer* angebaut werden.

Typisch für Weine aus dem Elsaß sind die hohen, schlanken, »flûtes« genannten grünen Flaschen, die den Mosel- und Rheinweinflaschen in der Form nahekommen. Qualitätsweine sind auf dem Etikett als »Grand Vin d'Alsace« (Spätlese) oder »Cru Exceptionnel« und »Réserve Exceptionelle« (Auslese) bezeichnet. Die guten Elsässer Weine führen meistens auch den Namen des Herstellers auf dem Etikett. Charakteristisch für Weine aus dem Elsaß ist außer der typischen Frische vor allem die Herbheit, die dadurch entsteht, daß der Zucker völlig zu Alkohol vergoren wird. Allerdings sind sie selten naturrein. Trotz ihres relativ hohen *Mostgewichts* werden Elsässer Weine oft mit Zucker angereichert.

Das einzige Riesling-Gebiet Frankreichs bietet auch zwei Spezialitäten: Den *Zwicker* und den *Edelzwicker*. Das sind Weine, die aus verschiedenen Traubensorten gemischt werden.

Der Elsässer Gewürztraminer ist übrigens als Getränk nach dem Essen beliebt und teurer als die anderen Weine aus diesem Anbaugebiet.

Embarcador

Der bernsteinfarbene Embarcador mutet mit seiner Süße und seinen zwanzig Prozent Alkoholgehalt fast schon wie ein Likör an. Er wird auf Sardinien, südlich von Sassari, an der Westküste gekeltert.

Empire

2–3 Eiswürfel,
2,5 cl Dry Gin,
1,2 cl Calvados,
1,2 cl Apricot Brandy,
1 Kirschenpaar zum Garnieren.

Mitten im Weinberg liegt die alte Wehrkirche von Hunawihr im Elsaß.

In spitzen Bütten tragen Elsässer Winzer die Trauben aus dem Berg.

Der Empire Cocktail gehört zu den Before-Dinner-Cocktails, die Sie besonders als Gastgeber unbedingt probieren sollten.

Eiswürfel mit Dry Gin, Calvados und Apricot Brandy in ein Mischglas geben. Gut umrühren. In ein Cocktailglas abseihen. Mit einem Kirschenpaar und einem Cocktailspießchen servieren. Für dieses Rezept gibt es noch eine sehr gute Abwandlung: Ersetzen Sie den Calvados-Anteil durch die gleiche Menge Cognac.

Emulsions-likör

Zur Gruppe der Emulsionsliköre gehören die Schokoladen-, Sahne-, Milch-, Mokka mit Sahne- und die Eierliköre. Sie müssen nach den gesetzlichen Bestimmungen in der Bundesrepublik mindestens 20 Vol.-% Alkohol enthalten. Unter Emulsionen versteht man Gemenge zwischen Flüssigkeiten und festen Stoffen, die ganz fein zerkleinert sind. Ein Beispiel ist Milch. Emulsionsliköre sind dickflüssig bis pastenartig, dürfen aber nicht durch Stärkezusätze oder Sirup eingedickt werden.

Engelskuß

3,5 cl Apricot Brandy,
1,5 cl flüssige Sahne,
1 Cocktailkirsche.

In ein Pousse-Café-Glas den Apricot Brandy füllen. Sahne über den Rücken eines Barlöffels vorsichtig drüberlaufen lassen, so daß zwei Schichten entstehen, die nicht ineinander verlaufen dürfen. Versuchen Sie es anfangs mit leicht angeschlagener Sahne, das ist einfacher. Die Cocktailkirsche auf ein Spießchen stecken und auf das Glas legen.

Eleganter Abschluß eines Menüs: Pousse-Café Engelskuß.

Englische Bitters
Siehe Bittergetränke.

English Punch
Für 6–8 Personen

½ l Weinbrand,
¼ l Rum,
¼ l Curaçao,
¼ l Arrak,
1 l starker Tee,
1 in Scheiben geschnittene Orange,
1 in Scheiben geschnittene Zitrone,
Saft von 2 Zitronen,
abgeriebene Schale einer halben Orange,
250 g Zucker.

Die Zutaten verraten es: Hier handelt es sich um einen harten Punsch, der warm oder kalt serviert werden kann. Nach einer Party mit English Punch sollte man auf jeden Fall nicht mehr Autofahren.

Alle Zutaten in einem Topf bis vor dem Siedepunkt erhitzen. Nicht zum Kochen bringen, sonst entweicht der Alkohol und damit auch das Aroma. Sobald sich der Zucker gelöst hat, den Punsch in eine Terrine oder in ein Bowlengefäß abseihen. In Henkelgläsern servieren.

Noch etwas: Der verwendete Alkohol muß gut sein. Wärme deckt Schwächen auf, die diesem Punsch bestimmt schaden würden.

Entwicklungs-hilfe

3 Eiswürfel,
1 ganzes Ei,
⅛ l eiskalter starker Kaffee,
3 cl Portwein,
3 cl Weinbrand.

Starker Kaffee macht munter. Auch dann noch, wenn man ihn so gut »verpackt«. Die Eiswürfel zerkleinern und in den Shaker geben. Alle Zutaten auffüllen, gut schütteln und in einem hohen – besser aber in einem Ballon-Glas – servieren.

Enzian

Der Irrtum ist wohl unausrottbar, daß der Enzian-Branntwein aus der blauen Gebirgsblume entsteht, die auf den Enziankrüglein zu sehen ist. In Wahrheit ist Enzian das Brennprodukt von bis zu 5 Kilogramm schweren Wurzelstöcken des Gelben Enzians, die in mühseliger Arbeit von den Wurzelgrabern mit der Reuthacke aus dem kargen Boden der Alpen und der Pyrenäen geholt werden. Der Enzian, der nach den gesetzlichen Bestimmungen mindestens 38 Vol.-% Al-

TIP

In Bayern und Tirol wird der Enzian entweder direkt zu einer kräftigen Mahlzeit oder danach serviert. Man reicht ihn gut gekühlt, manchmal sogar leicht gefrostet. Wegen seines hohen Alkoholgehalts kann man mit Enzian auch sehr gut flambieren.

kohol enthalten muß, wird fast immer in einer Stärke zwischen 45 und 50 Vol.-% auf den Markt gebracht. Meist handelt es sich dabei um »Gebirgsenzian«, in dem nur etwa 5 Prozent des Alkohols aus der Enzianwurzel stammen. »Echter« oder »Edelenzian« ist sehr teuer.

Enzian hat einen bitteren, erdigen Geschmack und riecht streng herb. Die Bergbewohner schwören auf Enzian als »Medizin« zur Reinigung von Magen, Leber, Niere und Blase. Auch als Tee findet die Wurzel des Enzians, fein gehackt, Verwendung.

Mit dem Ochsengespann arbeitet dieser Weinbauer in Piemont.

Erbacher Markobrunn

Der Jahrgang 1893 ging einst fast ganz an den Hof des Zaren Nikolaus II. von Rußland, der auf den Erbacher Markobrunn geradezu versessen war. In neuerer Zeit kaufte zum Beispiel der amerikanische Präsident und General Dwight D. Eisenhower mit Vorliebe Auslesen dieses

berühmten Weins ein: Anläßlich seines letzten Deutschlandbesuchs kaufte er an Ort und Stelle eine größere Partie Markobrunner.

Erbach liegt zwischen Eltville und Hattenheim im Rheingau. Der berühmteste Erbacher Weinberg, der Markobrunn, wurde schon im Jahr 1104 urkundlich erwähnt. Die *Auslesen* und *Beerenauslesen* der Spitzenlage Markobrunn halten sich Jahrzehnte lang und übertreffen dann oft – zu-

sammen mit einigen anderen Rheingau-Weinen – alles, was es an Weißweinen auf der Erde gibt.

Erbaluce di Caluso

In den italienischen Provinzen Turin und Vercelli im Nordwesten des Landes wird aus Erbaluce-Trauben der Erbaluce di Caluso gekeltert. Dieser trockene, elfprozentige Weißwein mit feinem Bukett paßt ausgezeichnet zu leichten Vorspeisen und Fisch. Neben diesem trockenen Wein gibt es aber noch zwei Dessertweine: Den Caluso passito und den Caluso passito liquoroso. Die Trauben für diese Weine werden etwa ein halbes Jahr auf besondere Art gelagert, bevor sie in die Presse kommen. Erst nach fünfjähriger Faßlagerung haben diese Dessertweine die richtige Reife.

Erdbeer-Ananas-Sorbet

1 cl Erdbeersirup,
1 EL frische, pürierte, gezuckerte Erdbeeren,
2 EL Kondensmilch,
1 EL Erdbeereis,
1 cl Ananassirup,
1 EL geraspelte Ananas aus der Dose,
2 EL Kondensmilch,

Mit dieser »Entwicklungshilfe« kann kein Gespräch scheitern.

1 EL Vanilleeis, Soda,
2 EL geschlagene Sahne,
1 EL geraspelte Ananas,
1 große Erdbeere.

Ein herrlicher Sorbet für kleine und große Kinder. Alle Zutaten, wie oben angegeben, nacheinander in ein hohes Glas geben. Das Soda soll die letzte Eiszugabe gerade bedecken. Darauf die Sahnehaube spritzen. Den Innenrand mit den Ananasraspeln garnieren, in die Mitte die Erdbeere als Krönung setzen. Sofort servieren.

Sorbets können mit den verschiedensten Früchten hergestellt werden. Zum Garnieren keine Äpfel, Birnen, Zitronen, Orangen oder Trauben verwenden.

Erdbeerbowle

Für 6 Personen

750 g Erdbeeren,
200 g Zucker,
3 Flaschen Wein,
1 Flasche Sekt.

Erdbeeren waschen, entstielen, große Erdbeeren halbieren, ins Bowlengefäß füllen. Mit Zucker mischen. Eine Flasche Wein draufgießen und zugedeckt 20 Minuten ziehen lassen. Dann kommt der übrige Wein dazu. Kurz vorm Servieren den Sekt angießen.

Erdbeer-Buttermilch

¼ l Buttermilch,
3 cl Erdbeersirup,
3–4 frische Erdbeeren.

An heißen Tagen ist dieser alkoholfreie Trunk eine willkommene Erfrischung. Alle Zutaten im Mixgerät verarbeiten und im Glas mit Trinkhalm servieren.

Erdbeerflip

5 cl Erdbeersirup,
3 EL frische, pürierte Erdbeeren,
4 cl Dosenmilch,

117

1 gehäufter EL Erdbeereis,
1 Eigelb.

Ein Flip ohne Alkohol, der auch schon am Vormittag serviert werden kann.
Die Zutaten müssen im Mixgerät sehr rasch verarbeitet werden. Sofort in ein Kelch- oder Becherglas füllen und mit Trinkhalm servieren.
Ein Flip, der lange steht, wird wässerig, unansehnlich und schmeckt nicht mehr.

Erdbeer-Frappé

1 Becher gekühlter Joghurt,
2 BL Vanillinzucker,
2–3 EL zerdrückte, leicht gezuckerte Erdbeeren.

Erdbeer-Frappé ist eine kühle, kleine Zwischenmahlzeit in flüssiger Form, ohne Alkohol und ohne Eis. Joghurt und Vanillinzucker in einem Becher schaumig schlagen. Die Hälfte der Masse in ein Kelchglas füllen, darauf die zerdrückten Erdbeeren verteilen und die restliche Joghurt-Mischung aufgießen. Mit einem Löffel servieren.

Erdbeergeist

Der Erdbeergeist ist ein in Mitteleuropa seltener Obstbranntwein. Er muß mindestens 40 Vol.-% Alkohol haben. Er ist vor allem in Südamerika beliebt.

Erdbeerlikör

600 g reife Walderdbeeren,
1 l Weinbrand,
½ Vanilleschote,
600–650 g Kandis,
2 l Wasser,
2 l Alkohol aus der Apotheke

Erdbeer-Ananas-Sorbet

Erdbeer-Frappé

Erdbeer-Buttermilc

Mit frischen Erdbeeren kann man zahlreiche Mixgetränke komponieren, die auch als Nachtisch gereicht werden können.

oder 2 l Weinbrand, eventuell etwas roter Einmachzucker oder rote Lebensmittelfarbe.

Natürlich können Sie Erdbeerlikör kaufen, aber selbstgemacht schmeckt er noch besser.

Die Erdbeeren pürieren und in eine Kanne geben. Weinbrand und die aufgeschnittene Vanilleschote dazugeben. Alles gut verrühren und in Flaschen füllen. Die

gut verschlossenen Flaschen vierzehn Tage stehen lassen. Dann den Saft durch ein Tuch laufen lassen und auffangen. Kandiszucker im Wasser auflösen und etwa 20 Minuten kochen lassen. Den abgekühlten Zukkersirup mit dem Erdbeersaft und dem Alkohol oder dem Weinbrand vermischen. Diese Flüssigkeit durch Filterpapier laufen lassen und nach Belieben noch mit Einmachzucker oder Lebensmittelfarbe rot färben. Den Erdbeerlikör in Flaschen abfüllen und bis zur Verwendung kühl aufbewahren.

Erdbeer-Shake

2 gehäufte EL frische Erdbeeren,
⅛ l Milch,
3 BL Puderzucker,
1 gehäufter EL Erdbeereis,
1 EL geschlagene Sahne.

Die Erdbeeren waschen und die Stengelansätze abzupfen. Erdbeeren mit allen anderen Zutaten bis auf die Sahne und zwei Erdbeeren im Mixer gut mischen. In ein Kelchglas geben und mit einer Sahnehaube versehen. Mit den Erdbeeren garnieren und mit Trinkhalm und Löffel servieren. Es schmeckt ausgezeichnet, wenn Sie die Frischmilch in diesem Rezept durch die gleiche Menge Sauermilch ersetzen und mit Vanillinzucker abschmecken.

Erdener Prälat

Zwischen Traben-Trarbach und Bernkastel, von wo die teuersten Weine des Moseltals kommen, liegt das Städtchen Erden mit seinen berühmten Weinbergen Prälat und Treppchen. Von den Weinen dieser beiden Spitzenlagen sagt man, sie seien viel zu kostbar, um verkauft zu werden. Das Erdener Treppchen ist neben dem Bernkasteler Doktor und der Wehlener Son-

Erdbeer-Shake: Ein Drink, wie geschaffen für ein Kinderfest.

nenuhr sicher eine der bekanntesten Lagen Deutschlands.

Erfrischungsgetränke

Fruchtsaftgetränke, *Limonaden* und *Brausen* werden unter dem Sammelbegriff süße, alkoholfreie Erfrischungsgetränke zusammengefaßt.

Erlauer Stierblut
Siehe Bikavér.

Eröffnung
Bild Seite 121

1–2 Eiswürfel,
3 cl Whisky,
1 cl Grenadine,
1 cl Vermouth rosso,
1 Cocktailkirsche.

Zu den klassischen Bowlen zählt die Exoten-Bowle nicht. Aber wunderbar aromatisch ist sie und eine echte Bereicherung für alle, die gern etwas Neues ausprobieren.

Zuerst die 1–2 Eiswürfel in den Shaker geben. Die anderen Zutaten, mit Ausnahme der Kirsche, drüberschütten, kurz, aber kräftig schütteln, in ein Cocktailglas seihen und mit der Kirsche garnieren. Ein Cocktailspießchen für die Kirsche dazu reichen.

Escherndorfer Lump

In der Mainschleife bei Escherndorf gibt es an den Hängen der alten Vogelsburg die Lage Escherndorfer Lump. Der Wein wird aus *Riesling, Silvaner* und *Müller-Thurgau* gekeltert. Die Qualitätsweine der Lage Lump gehören zu den teuersten Weinen *Frankens*.

Eskimo

Für 2 Personen

⅛ l Milch,
⅛ l Kondensmilch,
1 Eigelb,
1 BL Vanillinzucker,
abgeriebene Schale einer halben Zitrone,
⅛ l Weißwein,
2 cl Weinbrand.

Damit der Drink seinem Namen Ehre macht, muß er so kalt wie möglich serviert werden.
Alle flüssigen Zutaten gut kühlen und zusammen mit den anderen in einem Mixgerät gut mischen. Man serviert in einem hohen Becherglas mit einem Trinkhalm.

Est! Est! Est!

Der Est! Est! Est! ist ein strohfarbener, harmonischer, trockener Weißwein aus der Provinz Rom. Sein Alkoholgehalt muß mindestens 11 Prozent betragen. Vorschrift ist, daß die Reben auf vulkanischem Boden wachsen. Hauptanbaugebiet ist das Gebiet rings um den Bolsenasee nördlich von Rom.
Um den Namen Est! Est! Est! rankt sich folgende Geschichte: Der deutsche

Eröffnung: Dieser Cocktail regt den Appetit an. Rezept S. 119.

Prälat Johannes von Fugger, ein großer Weinliebhaber, wollte einst nach Rom reisen. Um nicht unnötig Zeit zu vergeuden, schickte er seinen Leibdiener voraus, der Weinproben machen sollte. Dort, wo der Wein den Ansprüchen seines Herrn zu genügen schien, mußte er an die Tür der Schenke mit Kreide »Est!« schreiben, das hieß soviel wie: In Ordnung! In Montefiascone war der Wein so sehr in Ordnung, daß er gleich dreimal das vereinbarte Zeichen an die

Pforte schrieb. Der geistliche Herr fand das Urteil seines Dieners schnell bestätigt, der Wein hielt ihn fortan hier fest. Ohne sein Reiseziel Rom erreicht zu haben, trank er sich in Montefiascone zu Tode.

Etikett

Damit die Spirituosenhersteller den Verbrauchern kein X für ein U vormachen können, hat der Gesetzgeber genau festgelegt, was auf den Etiketten der Flaschen stehen darf und

Im Ätna-Massiv gibt es zahlreiche erloschene Krater.

TIP

Der trockene Est! Est! Est! schmeckt vorzüglich zu italienischen Nudelgerichten mit Tomatensoße, zu Fisch und Muscheln. Die ideale Trinktemperatur liegt bei 10 bis 12 Grad.

was nicht. So muß auf dem Etikett in mindestens 3 Millimeter hohen Schriftzeichen die Alkoholstärke angegeben sein. Die Herkunft der Spirituose – »Deutsches Erzeugnis« oder »Ausländisches Erzeugnis« – und der Ort der Fertigstellung müssen genannt sein. Statt des Herstellers kann auch der Großhändler auf dem Flaschenschild genannt werden. Verboten sind Bezeichnungen, die geeignet sind, den Käufer über Inhalt und Herkunft zu täuschen. Strikt untersagt sind auch alle Hinweise auf heilende oder vorbeugende Wirkungen einer Spirituose, lediglich Zusätze wie appetitanregend, verdauungsfördernd oder wohltuend sind gestattet.

Etna

Das Eruptivgestein, das der Ätna, der größte tätige Vulkan in Europa, im Laufe der Zeit ausgespuckt hat, bildet den Nährboden für Carricante-, Cataratto-, Trebbiano- und Nerollo-Reben. Aus den Trauben dieser Reben erzeugen die Sizilianer rote und weiße Ätna-Weine, die offiziell Etna Rosso und Etna Bianco heißen. Sie zählen zu den besten, die Sizilien zu bieten hat. Der rubinfarbene Rote ist trocken, feurig und robust. Er paßt gut zu gegrilltem und gebratenem Rindfleisch. Der trockene, frische Weißwein dagegen ist ein idealer Begleiter von Fisch, Schalen- und Krustentieren.

Exoten-Bowle

Für 8–10 Personen

½ Wassermelone,
6–8 frische Datteln,
5 cl Cognac, ½–1 Mango,
1–2 Kiwis, 1 Kaki,
3 Flaschen Weißwein,
1 Flasche Sekt.

Bowlen werden vor allem in der warmen Jahreszeit oft und gern getrunken. Mit einheimischen Früchten zubereitet, gibt es sie in vielen Variationen. Fast jeder

Haushalt hat seine Spezialrezepte. Deshalb sollten Sie Ihrer Phantasie freien Lauf lassen und auf Entdeckungsreise gehen. Sie werden sehr schnell feststellen, wie gut auch eine Bowle mit exotischen Früchten schmeckt. Je nach Jahreszeit und Früchteangebot können Sie neue attraktive Rezepte entwickeln.

Melone schälen und Datteln abziehen, in Würfel schneiden und in ein Bowlengefäß geben. Fruchtwürfel mit Cognac beträufeln. Mango entkernen, schälen und auch würfeln. Kiwis schälen und in dünne Scheiben schneiden. Kaki schälen, halbieren und ebenso in dünne Scheiben schneiden. Die Fruchtstücke in das Bowlengefäß geben und mit einer Flasche Weißwein übergießen. Diesen Bowlenansatz etwa eine Stunde zugedeckt ziehen lassen. Kurz vor dem Servieren den restlichen Wein und den Sekt dazugeben. Vorsichtig umrühren und in Bowlengläser füllen. Dazu sollten Sie Löffel oder Spießchen für die Früchte reichen. Übrigens können Sie die Bowle auch in einer ausgehöhlten Wassermelone servieren, die Sie vorher gut gekühlt haben.

Exportbier

Exportbier ist ein Vollbier mit mindestens 12,5 Prozent Stammwürze. Um Bier für den Export besonders haltbar zu machen, wird es stärker als das sonstige Vollbier gehopft und schmeckt daher bitterer als normales Vollbier, allerdings nicht so herb wie Pils.

Extra dry

Extra dry, auch Extra Sec, Très Sec oder Extra trocken werden besonders herbe Schaumweine genannt, die nur ein Minimum von Zucker enthalten. Beim Champagner darf ein Extra-dry-Produkt höchstens 2 Prozent Versandlösung ent-

halten. Versandlösung ist eine Lösung von Zucker in Weißwein und sehr hellem Weinbrand, die dem Champagner beim Verlassen des Kellers zugefügt wird.

Extraktstoffe

Extraktstoffe (wörtlich übersetzt: Auszüge) nennt man alle nichtflüchtigen Substanzen in Spirituosen und Weinen wie Zucker, Salz, Säuren, Eiweißstoffe, Harze usw. Alkohol – weil flüchtig – gehört nicht dazu.

Fakir

⅛ l kalte Milch,
2 cl Ananassirup,
2 cl Orangensirup,
1 BL Vanillinzucker,
Cola.

Ein alkoholfreies, kühles Getränk, das sich ganz schnell mixen läßt.
In einem Becherglas die Milch mit dem Ananas- und Orangensirup vermengen, mit dem Vanillinzucker abschmecken und mit Cola auffüllen. Man reicht das Getränk gut gekühlt mit einem Trinkhalm.

Falerner

Im römischen Kaiserreich war der Falerner der berühmteste Wein. Der Naturforscher Plinius und der Dichter Horaz räumten ihm den ersten Platz unter den Weinen ein. Die heutigen Rot- und Weißweine aus der Gegend von Falerno in Kampanien rechtfertigen

bei weitem nicht mehr den einstigen Ruf: Der Rotwein ist im allgemeinen zu schwer, während der Weißwein ziemlich süß und aufdringlich schmeckt.

Fanciulli

2–3 Eiswürfel,
1 cl Fernet Branca,
1,5 cl Vermouth rosso,
2,5 cl Bourbon Whiskey.

Diesen anregenden Cocktail trinkt man am liebsten vor dem Essen.
Alle Zutaten in der angegebenen Reihenfolge in den Shaker geben und kräftig schütteln. In ein Cocktailglas abseihen.

Fanny Hill

1 cl Campari,
1 cl Curaçao weiß,
1 cl Weinbrand,
Sekt,
1 Zitronenscheibe.

Campari, Curaçao und Weinbrand in einer Sektschale verrühren und mit Sekt auffüllen. Die Zitronenscheibe auflegen.
Wenn Sie gern einen größeren Schuß Sekt bevorzugen, können Sie den Cocktail auch in einem Becherglas zubereiten.

Fara

Aus den italienischen Gemeinden Fara und Brione im Norden Piemonts kommt ein intensiv granatroter Wein. Er ist trocken und leicht säuerlich. Das Bukett erinnert an Himbeeren. Erst wenn er mindestens drei Jahre im Faß gelagert hat und einen Alkoholgehalt von 12 Prozent aufweist, darf er zum Qualitätswein deklariert werden. Gleichzeitig muß auch der Jahrgang auf dem Etikett vermerkt sein. Der rote Fara schmeckt am besten, wenn man ihn auf 18 Grad temperiert trinkt. Zu Wildgerichten paßt dieser Wein übrigens sehr gut.

Vor dem Essen sollten Sie den Fanciulli mixen, weil er sehr bekömmlich ist.

Bad Dürkheim: Das Faß ist alljährlich Mittelpunkt des großen Wurstmarktes.

Faßgrößen

Das größte Faß der Welt steht auf einem Hügel bei der australischen Stadt Elbham (nahe Melbourne). Sein Fassungsvermögen: 4,5 Millionen Liter. Dagegen ist das große, als Weinlokal eingerichtete Bad Dürkheimer Faß mit 1,7 Millionen Liter fast klein zu nennen. Berühmte Riesenfässer kann man auch im Heidelberger Schloß (221 726 Liter) und in Budapest (116 000 Liter) bestaunen. Unter den Fässern, in denen Wein gelagert wurde, nehmen sie eine Ausnahmestellung ein.

Die in der Weinproduktion verwendeten Fässer sind dagegen meist relativ klein: Bei Deutschlands Winzern sind Größen von 300, 600, 1200, aber auch einigen Tausend Liter üblich. Normalmaß ist das sogenannte »Stückfaß« mit einem Inhalt von 1200 Liter. Nur an der Mosel ist das *Fuder* die Maßeinheit für den Winzer.

Das früher allein übliche Holzfaß kommt im Zuge der Technisierung der Weinproduktion mehr und mehr außer Gebrauch. Es wird von großen Metalltanks und Zementfässern ersetzt, die freilich innen einen Glasüberzug haben. Die traditionellen Eichenfässer veränderten den Geschmack des Weines auf willkommene Weise, verliehen ihm manchmal aber auch einen intensiven Faßgeschmack. Spitzenweine werden zum Teil immer noch in Holzfässern zur Reife gebracht.

Die skandalumwitterte Fanny Hill gab einem rubinroten frischen Sektcocktail den Namen.

Faßschwund

Flüssigkeiten, die in Holzfässern gelagert werden, verflüchtigen sich nach und nach durch die Poren des Daubenholzes, auch wenn das Faß eigentlich »dicht« ist. Je größer ein Faß ist, um so geringer ist der Faßschwund. Bei Wein beträgt er zwischen 1,5 und 3,5 Prozent im Jahr. Bei Spirituosen bewegt er sich um die zwei Prozent. Da Wasser und Alkohol verschiedene Dampfdrücke besitzen, hängt es von der Faßbeschaffenheit, der Lagertemperatur und dem Feuchtigkeitsgrad des Lagerraumes ab, ob die gelagerte Flüssigkeit alkoholreicher oder alkoholschwächer wird. Der Faßschwund muß vor allem bei Wein, aber auch bei Spirituosen, aufgefüllt werden, weil die ins Faß einströmende Luft das Lagergut nachteilig verändert. Wein kann sauer werden.

Favorit

2 cl Curaçao weiß,
2 cl Rum,
2 cl Kondensmilch,
1½ BL Puderzucker,
1½ BL Pulverkaffee,
1 Eigelb.

Man nennt den Favorit gern einen Promille-Flip, der munter macht.
Alle Zutaten werden in ein Mixgerät gegeben, gut gemixt und im Becherglas mit Trinkhalm serviert.

Federweißer

Als Federweißer wird ein noch nicht ganz durchgegorener junger Wein bezeichnet. Wegen seines prickelnden Geschmacks heißt er in der Pfalz Bitzler, in Württemberg Sauser oder Suser und in Österreich Sturm. Wie ein Sturm bricht auch die berauschende Wirkung über den Zecher herein, der zuviel vom Federweißen trinkt. Man sollte ihn deshalb immer nur in ganz kleinen Mengen genießen.

Feigenbranntwein

Feigenbranntwein ist eine Spezialität, die auf dem Balkan und im Vorderen Orient gebrannt wird. Jugoslawienkenner erstehen ihn auf den Kornatischen Inseln vor Dalmatien. Fei-

Favorit

Feodora Cobbler

Rum und Curaçao machen diese beiden Drinks weit weniger harmlos, als sie im Bild aussehen.

genbranntwein entfaltet seinen Duft und Geschmack erst nach längerer Reifezeit. In der Türkei wird der Feigenbranntwein als Iyi-

Aus Feigen wird auf dem Balkan Schnaps gebrannt.

Raki mit 43 Vol.-% Alkohol in den Handel gebracht. Andere Feigenbranntweine enthalten um 50 Prozent Alkohol.

Fendant

Als leicht, weich, ehrlich und gut, weder süß noch sauer charakterisiert der Fachmann den Schweizer Fendant aus dem Wallis. Fendant heißt im Wallis jene Rebenart, die in Frankreich als Chasselas und in Baden als *Gutedel* bekannt ist. Die besten Fendant-Lagen haben die Weinorte Aigle und Ycorne. Auch der Fendant von Sion ist sehr bekannt.

Feodora Cobbler

3 Eiswürfel,
6 Bananenscheiben,
1 cl Weinbrand,
1 cl Curaçao,
1 cl Rum,
Soda,
1 Orangenscheibe.

Obwohl die Cobblers meist als Damengetränke angesehen werden, dürfte dieser etwas härtere Cobbler auch Männern schmecken.
Die Eiswürfel sehr fein zerkleinern und in ein Cobblerglas oder in einen Sektkelch geben. Das Eis darin

glattstreichen. Die Bananenscheiben drauflegen, Weinbrand, Curaçao und Rum darübergießen und mit Soda nach Belieben auffüllen. Die Orangenscheibe einschneiden und an den Glasrand stecken. Mit Trinkhalm und Löffel servieren.

Feuer- burgunder

Für 4–6 Personen

1 Flasche Burgunderwein,
1 BL Ingwerpulver,
1 BL Zimtpulver,
3 gemahlene Nelken,
½ Päckchen Vanillinzucker,
500 g Honig.

Dieser Glühwein kann auch kalt getrunken werden. Er schmeckt in jeder Form ausgezeichnet.
Alle Zutaten werden in einem Topf erhitzt, dürfen aber auf keinen Fall kochen. Kurz vor dem Siedepunkt den Topf vom Feuer nehmen und den Punsch in eine vorgewärmte Terrine seihen. In Punschgläsern servieren. Will man ihn kalt trinken, seiht man ihn in einen Bowlenkrug und läßt ihn darin erkalten. Vor dem Servieren gut umrühren.

Feuerzangen- bowle

Für 4–6 Personen

3 Flaschen Bordeauxwein,
1 Stück Orangenschale,
1 Stück Zitronenschale,
5 Gewürznelken,
1 kleiner Zuckerhut,
1 Flasche hochprozentiger Rum.

Sie hatte schon immer ihre Liebhaber, die Feuerzangenbowle. Daran hat sich bis zum heutigen Tage nichts geändert.
Den Wein in einen Kupferkessel geben. Orangenschale, Zitronenschale und Nelken in ein Mullsäckchen

binden und in den Wein hängen. Die Feuerzange über den Kessel legen, Zukkerhut drauflegen, mit Rum tränken und anzünden. Ständig etwas Rum nachgießen, bis er verbraucht und der schmelzende Zukker in den Wein getropft ist. Dann die Feuerzange und den Gewürzbeutel entfernen. Bowle in feuerfesten Gläsern servieren.

Fiasco

Fiasco heißt die bekannte bauchige, strohumflochtene Chianti-Flasche aus Italien. Die Strohkörbe werden von Hand hergestellt.

Finkel

Finkel heißt ein Schnaps, aus den aromatischen Wacholderbeeren Skandinaviens.

Fino

Die spanische Bezeichnung fino bekommen *Sherry*-Weine, die als trocken und herb klassifiziert werden.

Ein Fino eignet sich beispielsweise als *Aperitif* besser als ein Sherry mit höherem Süßegrad.

Fixes

Die Familie der Fixes kann man zu den *Before-Dinner-Drinks* zählen, da sie meist mittags oder abends eine Stunde vor dem Essen serviert werden. Obwohl die erfrischenden Fixes in kleinen Bechergläsern serviert werden und viel konzentrierten Alkohol enthalten, gehören sie zu den *Longdrinks*.

Fizzes

Neben den Cocktails, sind die Fizzes wohl die bekanntesten *American Drinks*. Ihr berühmtester Vertreter ist der *Gin Fizz*, der in allen Bars der Welt zum Pflichtprogramm gehört. Wie gut ein Fizz ist, hängt weitgehend davon ab, wie er geschüttelt wird. Deshalb sollte man einen Fizz so lange kräftig schütteln, bis der Shaker leicht beschla-

gen ist. Fizzes werden als echte *Longdrinks* in einem mittelgroßen Becherglas (Tumbler) mit Trinkhalm serviert.

Flamingo-Cooler

3 Eiswürfel,
2 cl Brombeerlikör,
2 cl Weinbrand,
2 cl Zitronensaft,
1 BL Orangensaft,
1–2 BL Zucker,
Ginger Ale,
1 Orangenscheibe.

Coolers werden meist mit Ginger Ale aufgefüllt. Sie gehören zu den durststillenden Getränken.
Eis in den Shaker geben. Brombeerlikör, Weinbrand, Zitronen- und Orangensaft darüberschütten, mit dem Zucker bestreuen und kräftig schütteln. Dann in ein Becherglas seihen und mit Ginger Ale nach Belieben auffüllen. Als Garnierung die Orangenscheibe an den Glasrand stecken.

Longdrink für lange Nachmittage: Flamingo-Cooler.

Flammendes Herz

1 Tasse heißer Mokka,
1–2 BL Zucker,
2 cl Weinbrand.

In vorgerückter Stunde bringt dieser feurige Mokka die Gäste wieder auf die Beine.
Die Kaffeetasse wird mit dem Mokka gefüllt, nach Geschmack Zucker beifügen, den Weinbrand vorsichtig über einen Löffel auf den Kaffee laufen lassen, anzünden und brennend servieren.

Feuerzangenbowle sollte man mit großer Vorsicht genießen.

Flammendes Herz macht nach dem Essen wieder munter.

125

Reißverschluß aus Plastik mit Foliensicherung.

Flaschenkorken mit Plastikkopf zum Drehen.

Drehverschluß aus Metall mit Korkdichtung.

Korken mit Brandzeichen für Weinflaschen.

Mit Draht gesicherter Sektkorken aus Plastik.

Kapselverschluß aus Metall mit Kunststoffeinlage.

Flaschenreife

Bei Qualitätsweinen spielt die Flaschenreife eine große Rolle. Siehe auch Weinherstellung.

Flaschenverschlüsse

Alkoholische Getränke und Säfte müssen in gut verschlossenen Flaschen aufbewahrt werden, da erstens Alkohol verdunstet und zweitens nicht verschlossene Säfte leicht in Gärung übergehen. Die Industrie unterscheidet zwischen Korken, Kapseln, Dreh- und Reißverschlüssen. Der klassische Weinflaschenverschluß ist der Korken, der aus der Rinde der Korkeiche geschnitten wird. Bierflaschen wurden lange durch den Bügelverschluß geschlossen, der sich aber in den Brauereien als unrationell und auch unhygienisch erwiesen hat. Statt der Gummidichtung des Bügelverschlusses sind in den letzten Jahren Plastikverschlüsse modern geworden.

Fliegender Holländer

2–3 Eiswürfel,
5 cl Genever,
2,5 cl durchgeseihter Zitronensaft,
2,5 cl Grenadine,
Wasser.

Dies ist ein Cocktail, der immer schmeckt, ob vor oder nach dem Essen, zum kleinen Plausch oder beim Fernsehen.
Eiswürfel, Genever, Zitronensaft und Grenadine in ein kleines Becherglas geben und mit Wasser auffüllen. Dieser Drink schmeckt ganz besonders gut, wenn man zum Mixen frisches Quell- oder Brunnenwasser verwendet.

Flip Flap

2–3 Eiswürfel,
1 Eigelb,
1 BL Zuckersirup,
1 BL Grenadine,
2,5 cl Portwein,
2,5 cl Sherry,
1 Prise geriebene Muskatnuß.

Diesen Flip sollten Sie sich zur Aufmunterung mixen. Er bringt Sie bestimmt wieder auf die Beine.
Alle Zutaten in den Shaker geben. Shaker mit einer Serviette umwickeln und kurz, aber kräftig schütteln. Den Inhalt in ein Ballon- oder Sektglas seihen. Etwas geriebene Muskatnuß drüberstreuen und mit einem Trinkhalm servieren.

Flips

Meistens bestehen Drinks dieser Art aus Eigelb, Zucker und alkoholischen Zutaten. Flips dürfen nicht zu lange geschüttelt und müssen sofort nach der Zubereitung serviert werden. Und zwar im Flipkelch oder im Sektkelch mit Trinkhalm. Kenner empfehlen den Flip schon am frühen Vormittag oder zur Teestunde.

Floater

3–4 Eiswürfel,
Sodawasser zum Auffüllen,
4 cl Weinbrand.

Durch Flip Flap werden Sie ganz schnell wieder munter.

◀ *Den Fliegenden Holländer mixen Sie mit Genever, Zitrone und Grenadine.*

Franken

»Vier Flaschen Steinwein erbittet sich Goethe.« So lautete eine kleine Bestellung des großen Dichters aus dem Jahr 1808. Später hat er wesentlich größere Mengen seines geliebten Steinweins bestellt und getrunken. Gemeint war mit Steinwein die Würzburger Lage Stein, deren Name in der ganzen Welt für Frankenweine schlechthin steht.

Franken ist mit einer durchschnittlichen Jahresproduktion von 150000 Hektoliter Most Deutschlands viertkleinstes Weinbaugebiet. Die hier vorwiegend verwendeten Rebsorten sind vor allem die *Müller-Thurgau* (44 %), der *Silvaner* (41 %) und der *Riesling*.

Die charakteristischen, körperreichen Frankenweine können so trocken wie ein *Chablis*, so rassig wie ein *Mosel* und so kernig wie ein *Kaiserstühler* sein. Frankenweine werden an Main, Tauber und Saale zwischen dem

---

Bei diesem Drink schwimmt Weinbrand auf Wasser. Sie können also genau sehen, was auf Sie zukommt. Ein großes Ballonglas oder ein hohes Becherglas zur Hälfte mit Eiswürfeln oder einem größeren Eisstück füllen. Sodawasser aufgießen. Vorsichtig vom Rand her Weinbrand in das Glas gießen. Er soll sich nicht mit Wasser vermischen. Trinkhalm dazu servieren.

Forbidden Fruit

Ein in den USA sehr beliebter süßer *Likör* ist der Forbidden Fruit – das heißt: Verbotene Frucht. Er verdankt seinen Namen einer kugelförmigen, apfelsinenähnlichen Flasche, in der er auf den Markt kommt. For-

bidden Fruit wird auf der Basis von Pampelmusen, Orangen, Mandarinen und Zitronen hergestellt.

Forster Kirchenstück

»Im allgemeinen ziehe ich den Forster dem Deidesheimer vor.« Das sagte einmal Fürst Bismarck (1815 bis 1898), ein ausgezeichneter Weinkenner, über Rheinpfälzer Weine. Sicherlich war das Urteil subjektiv, denn die *Deidesheimer* und die Forster Weine geben sich kaum etwas nach. Die beiden Forster Lagen Kirchenstück und Jesuitengarten und die Deidesheimer Leinhöhle und Grainhübel zählen zu den »Großen Vier der Pfalz« und zu den teueren Weinen.

Beim Floater sollen Weinbrand und Soda sich nicht mischen.

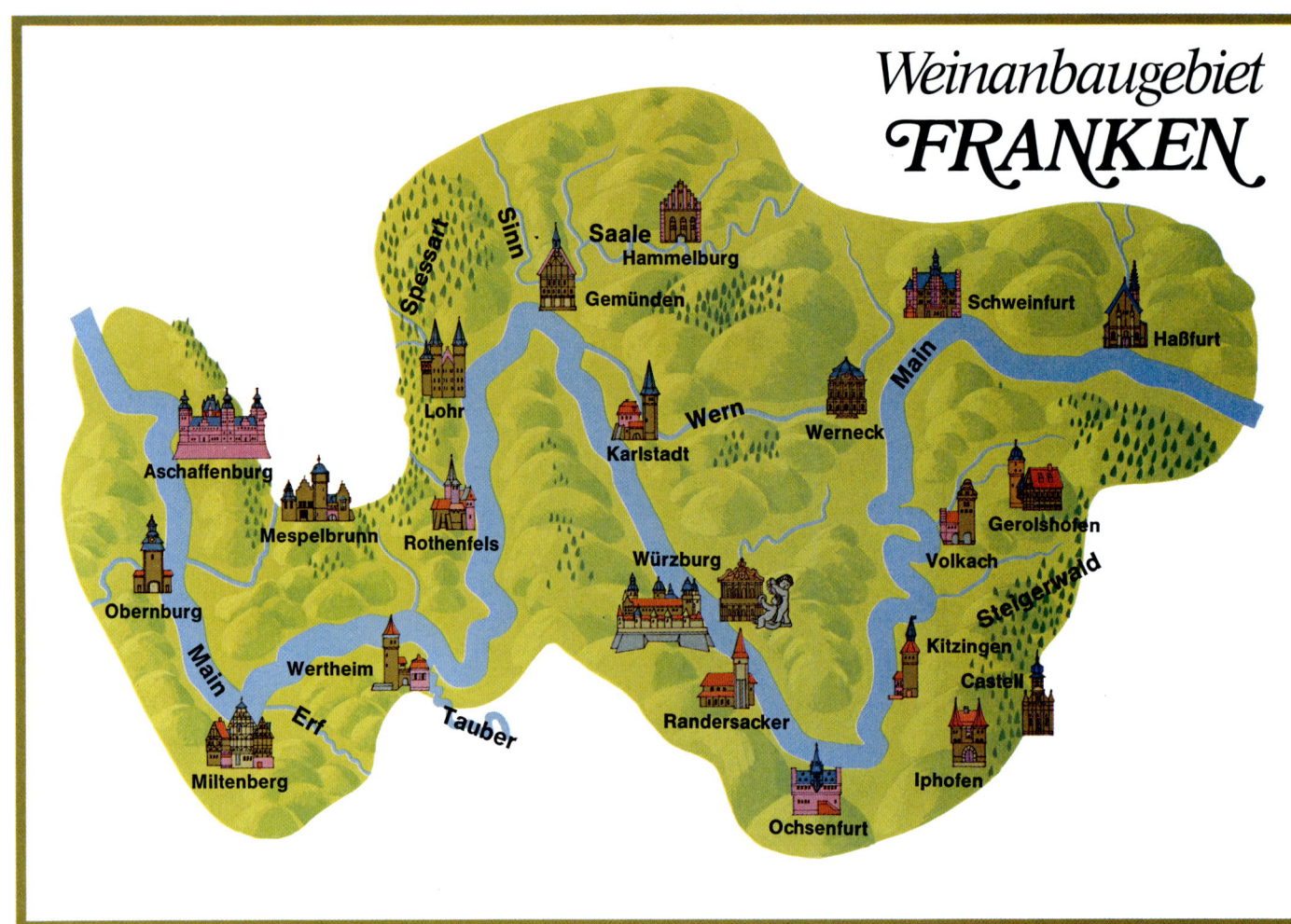

Weinanbaugebiet FRANKEN

Spessart im Westen und dem Steigerwald im Osten gekeltert. Geographischer Mittelpunkt ist Würzburg. In Veitshöchheim befindet sich Deutschlands zweitgrößtes Weingut, die Landesanstalt für Wein-, Obst- und Gartenbau mit Staatsweingut und Hofkellerei.

Neben dem Steinwein bietet die Weinkarte Frankens so klangvolle Lagennamen wie *Escherndorfer Lump*, *Iphöfer Julius-Echter-Berg*, *Hörsteiner Abtsberg*, *Würzburger Innere Leiste*, *Nordheimer Vögelein*, *Casteller Bausch* und andere Spitzenweine, die weit über die Grenzen Deutschlands hinaus von Kennern geschätzt werden.

In keinem Weinbaugebiet Deutschlands wirkt sich der Faktor Boden auf die Qualität des Weins so nachdrücklich aus wie in Franken: Auf Muschelkalkböden wachsen kräftige, füllige Weine, die Keuperböden des Steigerwalds sorgen für den charakteristischen erdigen Geschmack, der typisch »fränkisch« ist, auf Buntsandstein wachsen samtige Rotweine.

Die klassische Frankenrebsorte Silvaner ging in den letzten Jahren zugunsten der Müller-Thurgau-Rebe, die hier hervorragendste Qualitäten liefert, zurück. Das hohe Qualitätsdenken der fränkischen Winzer ist sicher der Grund für die große Nachfrage nach Weinen aus diesem Gebiet, die freilich durchweg sehr teuer sind, die Bocksbeutelweine zählen zu den teuersten in Deutschland!

In den vielen kleinen Weinorten des Frankenlandes findet man noch eine urtümliche Romantik. Für Autotouristen ist die auf den meisten Straßenkarten verzeichnete Bocksbeutelroute ein Wegweiser zu den meisten sehenswerten Orten des Weinlandes Franken. Wer den Wein dieses Gebiets sowohl in der Praxis wie in der Theorie kennenlernen möchte, wende sich an den Verkehrsverein in Volkach: Hier werden im April, im September und im Oktober die Bocksbeutel-Weinseminare veranstaltet, an denen jedermann nach vorheriger Anmeldung teilnehmen kann.

TIP

Trockene Frankenweine servieren Sie am besten zu Vorspeisen, Fisch und hellem Fleisch. Spitzenweine aber sollte man lieber allein genießen, weil das edle Bukett dann besser zur Geltung kommt.

Französischer Champagner Cobbler

3–4 Eiswürfel,
1 BL Curaçao,
1 BL Maraschino,
1 BL durchgeseihter Zitronensaft,
3 Erdbeeren oder Cocktailkirschen,
½ Pfirsich aus der Dose, in Achtel geschnitten,
1 EL Ananasstückchen aus der Dose,
Champagner.

Das Eis sehr fein zerkleinern und ein Cobblerglas bis zur Hälfte damit füllen Das Eis mit einem Löffel glattstreichen, mit Früchten garnieren.
Nacheinander Curaçao, Maraschino und Zitronensaft darübergießen. Mit Champagner auffüllen. Zusammen mit einem Löffel und einem Trinkhalm servieren.

Französischer Glühwein

2 Flaschen roter Bordeaux,
200 g Zucker,
eine halbe Stange Zimt,
1 Messerspitze geriebene
Muskatnuß,
1 Lorbeerblatt.

Rotwein, Zucker, Zimt, Muskat und Lorbeerblatt in einen Topf geben. Bis kurz vor dem Siedepunkt erhitzen. Durch ein Sieb in einen anderen Topf seihen. Sofort in feuerfesten Gläsern servieren.

Französisches Weingesetz

Die französischen Weine verdanken ihren Weltruhm nicht zuletzt strengen Gesetzen, die ihre Herstellung regeln und damit echte Qualitätsgarantien fordern. Seit mehr als 600 Jahren hat der französische Staat mit Gesetzen auf die Winzer eingewirkt. Aber erst im letzten Jahrhundert, genauer gesagt, im Jahre 1855, wurde mit der Klassifizierung der Weine von Médoc *(Bordeaux)* der entscheidende Schritt getan. Im letzten Jahrhundert haben sechs Neufassungen und Ergänzungen des alten

Für ganz besondere Anlässe ein ganz besonderes Getränk: Französischer Champagner Cobbler mit vielen Früchten und echtem Champagner.

Französischer Glühwein mit fremd anmutenden Gewürzen.

Weingesetzes zu immer strengeren Bestimmungen und Klassifizierungen geführt.
Grundsätzlich werden die französischen Weine in drei Klassen eingeteilt:
1. Die einfachen Tafelweine oder Landweine.
2. A.O.C. – Qualitätsweine mit kontrollierter Herkunftsbezeichnung.
3. V.D.Q.S. – Qualitätsweine aus genau festgelegten Anbaugebieten.
Siehe auch Stichworte A.O.C. und V.D.Q.S.

Französische Weine

»Der Bordeaux ist die Königin, der Burgunder der König der Rotweine« heißt es in Frankreich. Und tatsächlich: Die französischen Spitzen-Rotweine suchen auf der ganzen Welt ihresgleichen. Erstklassige *Bordeaux-* und *Burgunder-*Weine gibt es zu Tausenden, selbst der größte Weinliebhaber kann sie im Laufe seines Lebens kaum alle pro-

bieren und kennenlernen. Von Bordeaux und Burgund abgesehen gibt es noch einige Weingegenden in Frankreich, deren Kelterprodukte Weltruf genießen. In der *Champagne* gibt es den Wein, der zum berühmtesten Schaumwein, zum *Champagner,* verarbeitet wird. Im Gebiet um *Cognac* wird aus den Weinen der bekannteste Weinbrand destilliert.
Das Elsaß produziert ausgezeichnete Weißweine. Unter den *Côte-du-Rhône*-Wei-

nen gibt es ebenfalls gute Qualitäten in Rot, Weiß, Rosé.

Aus dem Loire-Tal kommen mundige Rosés, aber auch recht gute Weißweine. Der Süden Frankreichs schließlich bringt eine Fülle von Landweinen annehmbarer Qualität hervor.

Alles in allem sagen Fachleute, die es wissen müssen: Etwa zehn Prozent der französischen Weine gehören zur absoluten internationalen Spitzenklasse; weitere zehn Prozent kann man als sehr gute Weine einstufen; die restlichen achtzig Prozent müssen den Konsumweinen zugerechnet werden, die eine durchschnittliche, ja sogar unterdurchschnittliche Qualität aufweisen.

In Frankreich, dem ehemaligen Gallien, wurden bereits lange vor Christi Geburt griechische Reben kultiviert. Von der Hafenstadt Marseille aus, die von den Griechen etwa im Jahr 600 vor Christus gegründet wurde, trat der Wein seinen Siegeszug durch Europa an. Bis vor kurzem standen die Franzosen mit einem Konsum von annähernd 115 Liter pro Jahr und Kopf der Bevölkerung weit an der Spitze der Weltrangliste. Das Land mußte deshalb trotz einer Erzeugung von über 60 Millionen Hektoliter Wein noch rund 3,5 Millionen Hektoliter importieren – einst vor allem aus Algerien, jetzt zunehmend aus Italien. Allmählich aber haben die vom Gesundheitsministerium verbreiteten Parolen, die den Wein als »Staatsfeind Nummer 1« anprangerten, Erfolg. Frankreichs Verbrauch ging auf 107 Liter pro Kopf und Jahr zurück. Das hat zur Folge, daß sich auch die durch exzessiven Alkoholgenuß verursachten Krankheiten (vor allem Leberschäden und Geisteskrankheiten) zunehmend rückläufig entwickeln.

Frappés

Diese eisgekühlten Mixgetränke bilden zusammen mit den *Glacés* eine Gruppe unter den *American Drinks*. Glacés und Frappés können sowohl mit Alkohol als auch mit Sirup gemixt werden. Sie werden immer mit Barlöffel und Strohhalm serviert.

Frascati

Die meisten Weine der Provinz Rom sind Weißweine; der Frascati gehört dazu. Er wird südlich von Rom in unmittelbarer Nähe der gleichnamigen Stadt und in den Albaner Bergen gekeltert. Seine Qualität ist recht unterschiedlich: Die guten Frascati-Weine sind kräftig, mit vollem Bukett und einem feinen Geschmack nach trockenen Traubenhülsen. Sie zählen zu den interessantesten Weinen Italiens. Sie müssen einen Mindestalkoholgehalt von 11,5 Prozent haben. Frascati-Tischwein, der auch in Dörfern erzeugt wird, die unter dem Namen *Castelli Romani* zusammengeschlossen sind, steht bei den Römern hoch in Ehren. Die beste Trinktemperatur liegt bei 10 Grad. Nur den etwas süßeren Frascati amabile genießt man besser bei einer Temperatur von 12 Grad. Die tiefen Weinkeller von Frascati stammen übrigens noch aus der Antike.

Freisa di Chieri

In der Umgebung der piemontesischen Stadt Chieri wird aus der Freisa-Traube der gleichnamige Rotwein gekeltert, der in zwei Versionen auf den Markt kommt. Einmal als trockener, leicht säuerlicher Tafelwein, zum anderen als süßer, perlender Dessertwein.

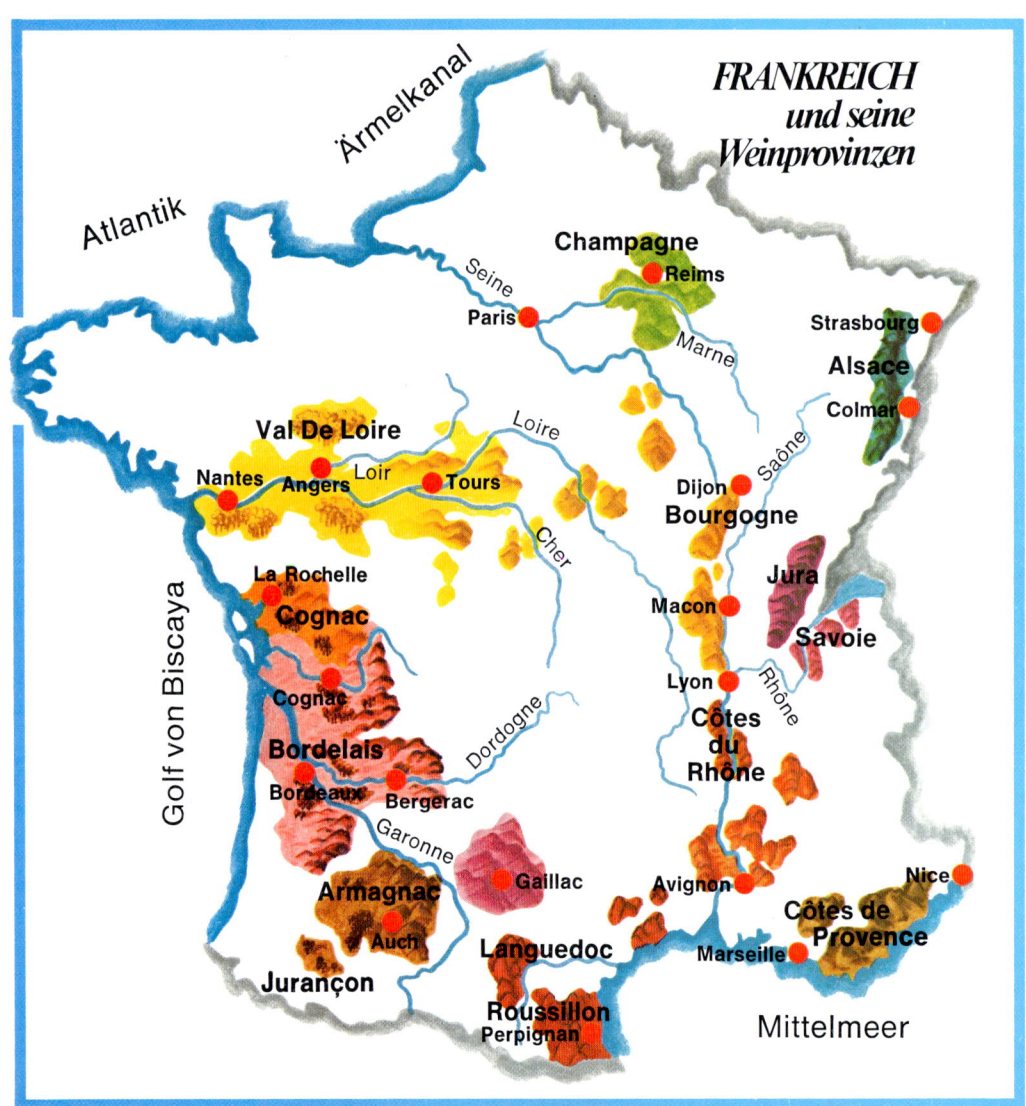

FRANKREICH und seine Weinprovinzen

Ärmelkanal
Atlantik
Golf von Biscaya
Seine
Paris
Champagne
Reims
Marne
Strasbourg
Alsace
Colmar
Val De Loire
Loire
Loir
Nantes
Angers
Tours
Cher
Dijon
Bourgogne
Saône
Jura
Macon
Savoie
La Rochelle
Cognac
Cognac
Lyon
Rhône
Côtes du Rhône
Bordelais
Bordeaux
Dordogne
Bergerac
Garonne
Gaillac
Avignon
Nice
Armagnac
Auch
Languedoc
Côtes de Provence
Marseille
Jurançon
Roussillon
Perpignan
Mittelmeer

French 75

Fresco

French 75

2 Eiswürfel,
1 cl Zitronensaft,
2 cl Gin, 2 cl Cointreau,
1 cl Pernod,
Champagner.

Ein Longdrink aus Frank-
reich, der mit Champagner
aufgefüllt wird.
Die Eiswürfel zerkleinern
und in den Shaker geben.
Zitronensaft, Gin, Coin-
treau und Pernod darüber-
gießen. Kurz, aber kräftig
schütteln und in ein großes
Cocktailglas seihen. Mit
dem Champagner nach Be-
lieben auffüllen.

French
Cocktail

1 Eiswürfel,
3 cl Gin, 2 cl Pernod,
1 BL Grenadine.

Gin ist eine ideale Grundlage für Cocktails. Er verträgt sich mit den verschiedensten Beigaben gut.
Den Eiswürfel in den Sha-
ker geben. Alle anderen Zutaten darübergießen. Kurz
schütteln und in ein Cocktailglas seihen.

Fresco

3 Stück Würfelzucker,
3 BL Zitronensaft,
Sekt,
1 Zitronenschalenspirale.

Dieser Sektcocktail ist für
viele Gelegenheiten geeignet. Außerdem läßt er sich
sehr schnell zubereiten.
Würfelzucker in ein Cock-
tailglas geben, den Zi-

tronensaft drüberseihen
und den Zucker gut durch-
tränken lassen. Mit Sekt
auffüllen und die Zitronenschalenspirale einhängen.
Mit einem Trinkhalm ser-
vieren.

Frizzante

Leicht schäumende *italienische Weine*, die erst in der
Flasche eine schwache zweite Gärung durchmachen,

An der frommen Helene haben besonders Damen große Freude.

bekommen die Bezeichnung
frizzante, was gleichbedeutend ist mit prickelnd. Den
Weinen wird keine Kohlen-
säure zugesetzt.

Fromme
Helene

1 Eiswürfel,
2 cl Eierlikör,
3 cl Maraschino.

Ein Cocktail, der den Süß-
schnäbeln unter den Damen
besonders zusagen wird.
Den Eiswürfel fein schaben
und in ein Cocktailglas
schütten. Die anderen Zu-
taten drübergießen, ein wenig umrühren und mit ei-
nem Trinkhalm servieren.

Frozen Caruso
Cocktail

4–5 Eiswürfel,
1,5 cl Gin,
1,5 cl trockener Vermouth,
1,5 cl Crème de Menthe.

Eiswürfel grob zerkleinern
und alle Zutaten in einem
Shaker kräftig schütteln.
In ein kleines Becherglas
geben. Mit einem Trink-
halm servieren.

*Drei Longdrinks aus
der internationalen
Spitzenklasse.*

Frozen Caruso schmeckt wie flüssiges Pfefferminzbonbon.

Früchtewein

Zucker muß – zuweilen ganz kräftig – hinzukommen, damit aus Beeren und anderen Früchten ein trinkbarer Wein entsteht, denn die Ausgangsprodukte haben meist einen recht hohen Säuregehalt. Ansonsten ist das Herstellungsverfahren im großen dem des Traubenweines nahe verwandt. Da der dem Saft beigegebene Zucker sich in der Gärung mit in Alkohol verwandelt, bekommen die Fruchtweine meist einen beträchtlichen Alkoholgehalt.

Frucht-Mix

½ reife Banane,
4 cl Orangensaft,
1 EL Honig,
1 Tropfen Bittermandelextrakt,
1 EL Vanilleeis,
⅛ l Milch.

Eine alkoholfreie Eismilch, die nicht nur Autofahrer erfrischt oder die Gäste bei einem Kindergeburtstag beglückt, sondern auch sonst zu jeder Tageszeit an heißen Tagen serviert werden kann.
Alle Zutaten in ein Mixgerät geben, gut durchmischen und im Becherglas mit einem Trinkhalm servieren.

Fruchtsäfte

Fruchtsäfte werden aus gewaschenem und gemahlenem Obst gepreßt. Um keine Gärung eintreten zu lassen, werden die Säfte aus Beeren, Kern- und Steinobst, Wildfrüchten, Trauben und Südfrüchten entweder pasteurisiert, also kurzfristig auf 70 Grad Celsius erhitzt oder unter einem Kohlesäuredruck von 8 Atmosphären gelagert. Auch durch Eindicken werden die Säfte besser haltbar gemacht. Im Naturzustand sind sie nämlich durch Bakterien, die die Gärung einleiten, stark gefährdet.

Das Gesetz bestimmt, daß zu Apfel-, Birnen- und Traubensaft weder Wasser noch Zucker zugesetzt werden darf.
Fruchtsäfte sollen nicht zu kalt serviert und getrunken werden. Dunkle Säfte dürfen 15 bis 18 Grad Celsius haben, helle, wie Birnen- oder Apfelsaft, sollen es auf 12 Grad bringen, bevor sie serviert werden.

Fruchtsaftgetränke

Die Bräuche sind streng, die an Fruchtsaftgetränke angelegt werden: Mindestens 6 Prozent reinen Fruchtsaft und mindestens 9 Prozent Zucker müssen sie enthalten, damit sie ihren Namen zu Recht tragen dürfen.
Welches Wasser dazu verwendet wird, ist dagegen unerheblich: Es kann kohlensäurehaltig sein oder reines Tafelwasser. Die Fruchtsäfte dürfen auch gemischt oder eingedickt zur Herstellung der Getränke verwendet werden. Künstliche Färbung ist jedoch verboten. Die Produzenten müssen ihre Verpackung so wählen, daß eine Verwechslung von Fruchtsaftgetränken mit reinen Fruchtsäften nicht möglich ist.

Fruchtsaftliköre

Die Fruchtsaftliköre müssen mindestens zu 20 Prozent aus dem Saft der Frucht bestehen, nach dem der *Likör* benannt ist. Es gibt nach dem Gesetz Fruchtsaftliköre aus Ananas, Brombeeren, Erdbeeren, Kirschen, Johannisbeeren, Heidelbeeren und Himbeeren, die alle mindestens 25 Vol.-% Alkohol enthalten müssen. Zusätze von anderen Säften und Aromastoffen sind erlaubt, dagegen ist das Färben (Ausnahme: Ananas) nicht gestattet. Als Fruchtsaftlikör gilt auch »Kirsch mit Rum«.

Fruchtaromalikör

Fruchtaromaliköre müssen nach der Frucht schmecken, nach der sie benannt sind. Der Zusatz von anderen Aromastoffen – außer Vanillin – ist vom Gesetz verboten, im Gegensatz zu den *Fruchtsaftlikören*. Der Alkoholgehalt muß mindestens 30 Vol.-% betragen. Das Färben von Fruchtaromalikören ist jedoch statthaft. Dazu werden gebrannter Zucker, Sandelholz, Safran und Selleriekraut besonders gern verwendet.

Fruchtdessertweine

Nimmt man statt Weintrauben süße Beeren oder Früchte als Grundlage für die Weinbereitung, so entsteht ein süßer Fruchtwein, der meist als Dessertwein getrunken wird. Festgelegt ist der Alkoholgehalt: 13 Vol.-% soll er sowohl bei Dessertweinen auf der Basis von Äpfeln (Apfelsüßwein) als auch anderer Früchte betragen. Auch der Gehalt an flüchtigen Säuren ist reglementiert. Da 13 Prozent Alkoholgehalt ein recht hoher Anteil ist, gilt Fruchtsüßwein als ein Getränk, das man mit Vorsicht und in Maßen genießen sollte.

TIP

Natürlich kann man Fruchtaromaliköre pur trinken, und ebenso gut kann man mit ihnen mixen. Aber auch als i-Tüpfelchen auf einem Dessert mit Obst und Sahne sind Fruchtaromaliköre bestens geeignet.

Frucht-schaumwein

Fruchtschaumwein wird aus dem Saft von Äpfeln, Birnen, Johannis-, Stachel-, Heidel- und Erdbeeren durch Gärung unter Zusatz von Kohlensäure hergestellt und oft als Fruchtsekt bezeichnet. Fruchtschaumwein enthält mindestens 4 Vol.-% Alkohol und einen Zuckergehalt zwischen 5 und 15 Prozent.

Frucht-Sorbet

2 EL Vanilleeis,
4 cl französischer Vermouth dry,
Soda,
2–4 EL beliebige süße Früchte: Frische Erdbeeren, Himbeeren, Ananasstückchen aus der Dose, auch Apfelsinenspalten.

Sorbets haben die längste Tradition unter allen Eisgetränken.
Ein hohes Becherglas etwa ein Drittel hoch mit dem Eis füllen, den Vermouth drübergießen und mit Soda auffüllen. Die Früchte hineingeben und mit einem Trinkhalm und einem Löffel servieren. Anstelle von Soda können Sie auch mit Sekt auffüllen.

Frühburgun-der-Traube

Die Sortenmerkmale der blauen Frühburgunder-Traube sind identisch mit denen der *Spätburgunder*. Sie ergeben hellrote, leichte Weine, und die Trauben reifen früh.

Frühlese

Nach Unwettern oder wenn Fäulnis droht, kann die

Full House ist ein Drink, der immer gut ankommt.

Traubenlese vorzeitig stattfinden, das heißt, früher als allgemein üblich. Die Frühlese bedarf in der Bundesrepublik einer amtlichen Genehmigung.

Fuder

Die Winzer an der *Mosel* rechnen nicht wie die Win-

zer in den übrigen deutschen Weingebieten nach »Stück« zu 1200 Liter, sondern nach Fuder zu 1000 Liter. Für den Laien ist das Fuder schlicht und einfach ein Faß.

Full House

2–3 Eiswürfel,
1,2 cl Schwedenpunsch,
1,2 cl französischer Vermouth dry,
2,5 cl Rum.

Auf ein Full House muß man beim Pokern eine ganze Weile warten. Bei diesem Cocktail ist die Sache wesentlich einfacher, denn Sie können ihn sich so oft mixen, wie Sie wollen. Eiswürfel mit allen anderen Zutaten im Shaker kräftig schütteln. In ein Cocktailglas oder in ein anderes Kelchglas abseihen und servieren.

Furor bavaricus, die bayerische Wut, kommt wohl daher, daß dieser Seelenwärmer keinen Tropfen Alkohol enthält. Rezept S. 134.

Furmint-Traube

In Ungarn und im Osten Österreichs spielt die Furmint-Traube eine große Rolle. Sie ist die Basis der *Tokajer-Weine*. Die Reben gedeihen nur in einem milden Klima.

Furor bavaricus

Für 1–2 Personen

1 Zitrone,
8 Stückchen Zucker,
¼ l heiße Milch,
1 Eigelb.

Dieser Seelenwärmer muß so heiß wie die Sünde gereicht werden, dann wärmt er, obwohl er ohne Alkohol bereitet wird.

Die Zitronenschale mit den Zuckerstückchen abreiben und den Zucker im Topf mit der heißen Milch auflösen. In einem kleinen Becher das Eigelb schaumig rühren und unter ständigem Schlagen mit dem Schneebesen mit der Milch vermengen. Das muß bei milder Hitze geschehen, bis fast der Siedepunkt erreicht ist.

In angewärmten Tassen oder feuerfesten Henkelgläsern servieren.

Fuselöl

Fuselöl ist ein Bestandteil des Rohspiritus und für den menschlichen Verzehr ungeeignet. Es wird daher aus dem Trinkalkohol ausgeschieden. Fuselöle bestehen hauptsächlich aus Amylalkohol, der erst bei 132 Grad siedet und daher im Nachlauf des Brennvorgangs auftritt.

Gallon

Gallon oder Gallone ist ein angelsächsisches Hohlmaß. 4,62 Liter faßt die englische Gallone. Amerika geht seinen eigenen Weg: Die imperial (die amerikanische) Gallone hat nämlich nur 3,78 Liter. In Niederschlesien versteht man unter der Gallone dagegen ein flaschenförmiges Schnapsglas mit vierkantigem Flaschenhals, das ein achtel oder viertel Liter schlesischen Korn aufnimmt.

Gamay-Traube

Der bekannteste aus Gamay-Trauben gekelterte Wein ist der *Beaujolais*. Im Beaujolais gibt es die Kalkböden, die die Gamay-Reben brauchen, um hochwertige Trauben hervorzubringen. Für vulkanische Böden, Sand und Schiefer ist die Rebsorte nicht geeignet.

Gambellara

Von den Südosthängen der Monti Lessini zwischen Verona und Vicenza kommt der frische, leichte Gambellara-Weißwein, der hell- bis goldgelb im Glas steht. Er paßt gut zu Fischgerichten, hält allerdings einem Vergleich mit dem *Soave*, der in der gleichen Gegend gekeltert wird, nicht stand.

Gargantua

2 Flaschen helles Bier,
½ Flasche Sherry,
1–2 EL Zucker,

Gargantua, ein warmer Bierpunsch, ist ein ideales Getränk an regnerischen Herbsttagen.

134

2 Scheiben geröstetes
Weißbrot,
Schalen von 2 Zitronen,
1 Prise geriebene
Muskatnuß.

Gargantua ist ein einfacher, sehr beliebter Bierpunsch, der sich sehr schnell bereiten läßt.
Bier und Sherry in einem Topf bis kurz vor den Siedepunkt erhitzen und nach Geschmack süßen. Weißbrot zerbröckeln und hineingeben. In die Punschterrine die Zitronenschalen legen und die Bier-Sherry-Mischung darübergießen. Mit der geriebenen Muskatnuß würzen und sofort in Punschgläser abgeseiht servieren.

Gärung

Gärung ist ein chemischer Prozeß, bei dem unter Abgabe von Energie Stärke und Zuckerstoffe in Äthylalkohol und Kohlensäure verwandelt werden.
Bei der Bierherstellung ist es die zuckerhaltige Malzmaische, die durch Bierhefe zur Gärung gebracht wird. Beim Wein beginnt der Gärprozeß von selbst: Läßt man beispielsweise einen gehäuften Teller süßer Trauben einige Tage stehen, beginnt der aus den untenliegenden Früchten austretende Saft zu gären. Es riecht und schmeckt dann so prickelnd säuerlich. Bei den Trauben sind es nämlich Hefepilze der Luft über den Weinbergen, die sich

Berge von Schaum entstehen bei der Gärung in der Brauerei.

Ohne Crustarand ist der Geisha Cocktail ein feiner Aperitif.

auf den Früchten niederlassen und bei Zusammentreffen mit dem Traubenzucker ihr schöpferisches Werk beginnen. Bei der gesteuerten Traubengärung läßt man die anfallende Kohlensäure entweichen, Das Endergebnis ist der durchgorene, abgeklärte Wein.

Gasoss

Gasoss ist Israels Nationalgetränk: Fruchtsirup mit eiskaltem Sodawasser aufgefüllt.

Gattinara

Für den granatroten Gattinara gibt es bestimmte Auflagen: Nur Weine aus Trauben von sonnigen Hanglagen, vorwiegend Nebbiolo, der Gemeinde Gattinara in Piemont dürfen als Gattinara-Wein bezeichnet werden. Erst nach mindestens vierjähriger Lagerung darf er verkauft werden. Angabe des Jahrgangs ist Vorschrift. Der Gattinara paßt ausgezeichnet zu einem richtigen, guten Festtagsbraten.

Geisenheimer Rothenberg

Im westlichen *Rheingau*, unweit von Rüdesheim, liegt das Städtchen Geisenheim, das wegen seiner Lehr- und Forschungsanstalt für Wein-, Obst- und Gartenbau allen Wein-Experten bekannt ist. Die berühmte Spitzenlage des Ortes ist der Rothenberg, ein Weinberg, der seinen Namen dem charakteristischen Rot des Bodens verdankt.

Geisha

Saft einer halben Zitrone,
2 EL Zucker.
2–3 Eiswürfel,
1,7 cl weißer Vermouth,
1,7 cl Cherry Brandy,
1,7 cl Gin,
1/4 Ananasscheibe aus der Dose.

In je eine flache Untertasse den Saft einer halben Zitrone und den Zucker geben. Das Glas mit dem Rand zuerst in den Saft tauchen und kurz abtropfen lassen. Dann den Glas-

rand in den Zucker stellen. Glas umdrehen und den Crustarand trocknen lassen. In der Zwischenzeit Eiswürfel zerkleinern. Mit dem Vermouth, Cherry Brandy und Gin in den Shaker geben. Kurz schütteln. Cocktail in das Crustaglas seihen. Mit einer Ananasscheibe oder einem Stückchen Ananas garnieren und mit Trinkhalm und Löffel dazu servieren.

Geiste

Der Grund, warum man che *Obstbranntweine* als Geiste (Himbeergeist) und andere als Wässer (Kirschwasser) bezeichnet werden, liegt letztlich am Zuckergehalt der Früchte. Obst, das für eine selbständige Gärung zu wenig Zucker enthält, wird mit Sprit versetzt und dann destilliert, also im Wortsinn »vergeistigt«.
Wässer hingegen werden aus vollvergorenen Früchten oder Säften destilliert.

Geistige Getränke

Als geistige Getränke werden alle branntweinhaltigen Getränke, nicht jedoch Wein und Bier bezeichnet.

Gelber Wein

Der gelbe Wein ist ein Reis-Schnaps, den Chinesen und Tibeter nach alten Rezepten brennen.

Geisenheim am Rhein, das deutsche Zentrum der Weinforschung.

Gemüselikör

Eine Rarität unter den zahlreichen *Likören* stellt der Gemüselikör dar, der aus der Artischocke hergestellt wird (Cynar). Er wird vor allem in Italien als Aperitif sehr geschätzt.

Gemüsesäfte

Wegen ihres Gehaltes an wichtigen Vitaminen sind Gemüsesäfte und Mischungen aus ihnen auch dann beliebte Getränke, wenn man nicht nur Pfunde loszuwerden versucht. Einmal regen sie die Verdauung an, zum zweiten haben sie keine Kalorien und drittens noch spenden sie den bei Abmagerungskuren so dringend notwendigen Vitaminnachschub. Wie Obstsäfte kann man auch Gemüsesäfte selbst herstellen, darf sich dann aber nicht über den etwas unbefriedigenden Geschmack wundern. Bei industriell produzierten Säften runden ihn nämlich Gewürze ab.

Die Säfte sind als »Abpressungen von rohen Gemüsen und eßbaren Wurzeln« (Rettich, Meerrettich, Karotten) definiert. Auch Kräuter wie Petersilie dienen als Basis, und ein nicht zu verachtender Gemüsesaftgenuß ist der Sauerkrautsaft – wer ihn nicht »riechen« kann, muß sich eben die Nase zuhalten, der Geschmack ist vorzüglich. Für den, der es genau wissen will: Ein Liter Gemüsesaft enthält zwischen 60 (Karotten) und 1400 Milligramm (Petersilie) reines Vitamin C.

Genever

Genever, der niederländische Klare, ist mit dem Gin zwar verwandt, hat sich aber trotz Nachahmung und Variationen seinen unverwechselbaren Charakter erhalten. Den gibt ihm nicht nur die Beere des stacheligen Heidebaumes, sondern es sind mehr Aromaspender daran beteiligt. In der gesetzlichen Definition des Genever heißt es: »Destilliert unter Zufügen von Wacholderbeeren und eventuell anderen Kräutern oder Körnern mit Ausschluß der Verwendung von künstlichen Essenzen.«

Genever kann man als Jonge Genever, als leicht aromatisierten Klaren, und als Oude Genever, als einen in mehreren Destillationsstufen hergestellten und gelagerten Wacholderbranntwein bekommen.

Die Original-Geneverstadt Hollands ist Schiedam. Dort trinkt man seinen Oude Klare aus den charakteristischen Steingutflaschen.

Georgia Mint Julep

2 BL Zucker, 6 cl Wasser, 3 Zweige frische krause Minze, 2 Eiswürfel, 2,5 cl Weinbrand, 2,5 cl Apricot Brandy, 1 Aprikose oder 1 Pfirsich, 1 kleiner Zweig krause Minze,

je eine Limetten- und Zitronenscheibe.

An warmen Sommerabenden, die man auf dem Balkon oder im Garten verbringt, ist Georgia Mint Julep ein ideales Getränk. Den Zucker im Wasser auflösen, die Minze hinzugeben, etwa 3 Minuten ziehen lassen, mit einem Barlöffel ausdrücken und herausnehmen. Die Eiswürfel fein schaben und in ein Becherglas füllen. Darauf die Zucker-Minz-Mischung, den Weinbrand und den Apricot Brandy gießen. Die entkernte Frucht in Achtel schneiden und als Garnierung auflegen. In die Mitte den kleinen Minzezweig stecken, nach Wunsch noch je eine Zitronen- und Limettenscheibe dazugeben. Mit Löffel und Trinkhalm servieren.

Es können frische Früchte oder Früchte aus der Dose verwendet werden. Auch die Menge bleibt dem persönlichen Geschmack überlassen.

Der Georgia Mint Julep paßt zu einer frohen Garten-Party.

Auch für die Zubereitung von Getränken können Sie einen

Gespritzter

Gespritzter ist die in Österreich gebräuchliche Bezeichnung für *Schorle*, also eine Mischung von 50 Teilen Wein und 50 Teilen kohlensäurehaltigem Wasser.

Gesundheit

2 Karotten,
¼ l Buttermilch,
1 Prise Salz,
1 Prise Zucker.

Ein sommerlicher Trunk, der besonders für durstige Kinderkehlen zu empfehlen ist.
Die Karotten putzen und mit den anderen Zutaten im Mixgerät gut durcharbeiten und in einem hohen Becherglas gut gekühlt servieren.
Anstelle der frischen Karotten kann auch ⅛ l frischer Karottensaft verwendet werden. Dann schmeckt das Getränk noch etwas würziger.

Gewürzpunsch

des Gewürzvorrats brauchen.

Gin Punsch

Gin Fizz

Gin Oyster

Gin ist die Basis vieler Mixgetränke. Hier sehen Sie drei klassische Drinks. Rezepte Seite 139/140.

Gewürzbier

Für 2–3 Personen

1 l dunkles Bier,
3 EL Honig,
je 1 Prise Pfeffer,
Nelkenpulver und Zimt,
1 EL Ingwersirup.

Alle Zutaten in einem Topf erhitzen, nicht zum Kochen bringen, aber 2–3 Stunden ziehen lassen. Nochmals erhitzen, abseihen und möglichst heiß in feuerfesten Gläsern servieren.

Gewürzliköre

Die Aromastoffe der Gewürze – von A wie Anis bis Z wie Zimt – haben Alchimisten und Apotheker ebenso wie Köche und Kräuterweiblein schon seit Jahrtausenden in ihren Bann gezogen. Geheimnisvolle Kräfte wurden den Gewürzen zugesprochen und das oft nicht zu Unrecht.
So verwundert es nicht, daß bald nach der Verbreitung der Kenntnisse über die Branntweinherstellung vor allem die Klosterbrüder damit begannen, das starke Aroma der Gewürze für die Zubereitung von Likören zu nutzen.
Zu den Likören mit einem dominierenden Gewürz gehören:
Allasch – ein sehr süßer Kümmellikör von 40 Vol.-Prozent Alkohol, der seine Heimat in Lettland hat.
Anisette-Likör – er ist von kräftigem Anis-Aroma und wird vor allem von Damenkränzchen zum Kaffee geschätzt.
Ingwer-Likör – ist brennend-aromatisch und gilt als

ausgesprochener Magen-likör.

Muskat-Likör – ist nur genießbar, weil der sehr starke Geschmack der Muskatnuß durch viele Gewürze, darunter Anis, Kamille, Kardamom, Majoran, Melisse, Nelke und Zimt, gemildert wird.

Nelken-Likör – wird mit Kirschlikör versetzt, weil sonst der Nelkengeschmack zu durchschlagend wäre.

Kümmel-Likör – neben dem Allasch gibt es die Gruppe der Berliner Kümmel mit einem Alkoholgehalt von 32 bis 40 Prozent und dann noch den Kristallkümmel, auch Eiskümmel genannt, der einen Alkoholgehalt bis zu 60 Vol.-% hat und so süß ist, daß Zuckerkristalle an der Flaschenwand abgeschieden werden.

Unvollständig wäre die Liste schließlich ohne den Pfefferminzlikör, von dem vor allem der Crème de Menthe – in drei Farben: grün, weiß, rot – als Teil von vielen frischen Mixgetränken bekannt ist.

Gewürz-punsch
Für 4–6 Personen

1 Flasche roter Traubensaft,
1 Flasche Apfelsaft,
Saft von 2 Zitronen,
Saft von einer Orange,
6 Nelken,
1 Stückchen Zimt,
1 Prise Muskatnuß,
Schale von einer halben Zitrone,
¼ l Wasser,
1–2 BL Honig.

Dieser wohlschmeckende Punsch enthält keinen Alkohol.

Trauben-, Apfel-, Zitronen- und Orangensaft, alle Gewürze und Wasser in einem Topf aufkochen und 10 Minuten ziehen lassen. In eine Punschterrine seihen und nach Belieben mit Honig süßen. Sehr heiß in Punschgläsern servieren. Wer den Geschmack etwas kräftiger liebt, kann den Wasserzusatz weglassen.

Gewürztee
Für 3–4 Personen

1 l heißer schwarzer Tee,
1–1½ EL Honig,
8 cl durchgeseihter Zitronensaft,
2 dashes Tabascosoße,
4 Zitronenscheiben,
4 kleine Stückchen Zimt.

Gewürze spielen bei vielen Teegetränken eine große Rolle. Das fängt bei der Zitrone an und reicht über bekannte Gewürze bis hin zu der in diesem Zusammenhang weniger bekannten Tabascosoße.

Den heißen Tee mit Honig, Zitronensaft und Tabascosoße verrühren und sehr heiß mit je einer Zitronenscheibe und einem Stückchen Zimt im Glas servieren.

Gewürztraminer-Traube

Siehe Traminer-Traube.

Ghemme

Südlich vom Lago Maggiore, zwischen Mailand und Turin, liegt das Weinanbaugebiet Ghemme. Dort wachsen vorwiegend Nebbiolo-Reben. Die günstigen Boden- und Klimaverhältnisse bewirken, daß Ghemme-Weine manchmal sogar den berühmten *Barolo* übertreffen. Der granatrote, samtige Wein duftet nach Veilchen und frischem Harz und hinterläßt einen leicht bitteren Geschmack auf der Zunge. Er wird vorwiegend aus Nebbiolo-Trauben gekeltert und zu 15 bis maximal 40 Prozent mit dem Most der Bonarda- und Vespolina-Trauben verschnitten. Als Qualitätswein muß der zwölfprozentige Ghemme eine Lagerzeit von mindestens vier Jahren durchmachen, bis er gereift ist.

Gin

Man merkt es dem noblen Briten kaum an, welchen

Gläser für Rotwein, Likör, Weißwein und Südwein.

Sektschale

Sektkelch und Sektflöte

Schwenker

Wandel er im Laufe der Zeit durchgemacht hat. Ein ganzes Kapitel englischer Sozialgeschichte ist mit Gin geschrieben.

Wilhelm von Oranien brachte, nachdem er zum englischen König gewählt war, aus seiner alten Heimat, den Niederlanden, den Genever über den Kanal. Im gleichen Zuge belegte der Herrscher alle kontinentalen Alkoholika, vornehmlich solche aus Frankreich, mit hohen Einfuhrzöllen. Dagegen erlaubte er seinen Untertanen, den klaren Wacholderschnaps *Genever* »abgabenfrei« zu brennen.

Damit begann ein Übel: Wogen billigen Gins (wie der anglisierte Holländer jetzt genannt wurde) überfluteten England und strömten durch die Elendsviertel der großen Städte. »Stockbesoffen für zwei Pence« lautete seinerzeit die Aufforderung skrupelloser Kneipenwirte. Man kann sich lebhaft vorstellen, auf welch abenteuerliche und

Gin und seine Folgen: Eine britische Karikatur von 1750.

obskure Weise destilliert wurde.

Der englische Maler William Hogarth hat die Szenen alkoholischen Exzesses in seiner zeitkritischen Zeichnung »Gin Lane« festgehalten: Grölendes Volk im Vollrausch, darunter Kinder, die Mutter mit dem Säugling an der Brust. Nicht von ungefähr nannten Spötter den Gin »Mutters Ruin«.

Als die allgemeine Verwahrlosung bedrohliche Formen annahm und die Destillate der Ginfabrikanten immer fragwürdiger wurden, sah sich das Parlament Anno 1743 genötigt, den Exzessen mit dem »Gin-act«, dem Gin-Gesetz, entgegenzutreten. Von nun an waren strenge Qualitätskontrollen vorgeschrieben.

Der Gin von heute ist ein Nobelgetränk, weit entfernt von dem Fusel früherer Zeiten. Aus Getreide- und Roggenmaische erhält Gin in Zusammenklang mit Destillaten aus der Wacholderbeere ein unvergleichlich zart-flüchtiges Bukett, daß durch Würzzusätze von Kümmel, Kardamom, Koriander, Zitronen- und Pomeranzenschalen noch eigentümlicher wird.

Gin hat in der Regel 38 Vol.-%; im London Dry Gin steigt der Alkoholgehalt auf 40 bis 45 Prozent. Die dritte Variante, der »Plymouth Gin« oder »Old Tom Gin« ist mit geringen Mengen Zuckersirups gesüßt.

Gin ist aus der langen Reihe der mixfreudigen Alkoholika nicht mehr fortzudenken.

Gin Fizz
Foto Seite 137

2–3 Eiswürfel,
Saft einer Zitrone,
2 BL Zuckersirup,
3 cl Gin, Soda.

Die Erfinder des Gin Fizz, zwei französische Barmixer, haben sich mit ihrer Sorgfalt bei der Zubereitung dieses Drinks ein Vermögen erschüttert. Tatsächlich kommt es beim Gin Fizz in erster Linie auf das richtige Schütteln an.

Die Eiswürfel zerkleinern und in den Shaker geben. Zuerst Zitronensaft, dann Zuckersirup und Gin darübergießen. Shaker mit einer Serviette umwickeln, damit die Handwärme nicht störend wirkt. Der Shaker soll nämlich leicht beschlagen. Deshalb 1–2 Minuten schütteln, dann ist es meist so weit. Den Fizz in ein hohes Becherglas seihen und bis etwa zur halben Höhe mit Soda auffüllen. Mit Trinkhalm servieren.

Für fast jedes Getränk gibt es typische Gläser.

Biergläser

Bechergläser

Cocktailgläser

chnapsglas

Gin Oyster

Foto Seite 137

1 BL Gin, 1 Eigelb,
2 BL Tomatenketchup,
1 dash Worcestersoße,
1 dash Zitronensaft,
je eine Prise Salz,
Pfeffer, Paprika und
geriebene Muskatnuß.

Gin Oyster ist eine scharfe Sache, die gern als erfolgversprechendes Katergetränk serviert wird.
In ein Cocktailglas zuerst den Gin gießen, das Eigelb darauflegen, und mit dem Ketchup umkränzen. Worcestersoße und durchgeseihten Zitronensaft dazugeben und mit den anderen würzenden Zutaten die Gin-Oyster bestreuen. Mit einem Löffel servieren.

Gin Punsch

Foto Seite 137

3 Eiswürfel,
Saft einer
halben Zitrone,
2 BL Zucker,
2 dashes Maraschino,
4 cl Gin,

1 EL Cocktailkirschen,
1 EL Ananasstücke aus
der Dose.

Die Eiswürfel klein schaben. Ein Becherglas gut bis zur Hälfte damit füllen. Die flüssigen Zutaten hineingießen, etwas umrühren und mit den Früchten garnieren. Man serviert mit Löffel und Trinkhalm.
Die Zugabe von Früchten kann nach Belieben vergrößert werden.

Gipsy

2 Eiswürfel, 3 cl Wodka,
2 cl Bénédictine,
1 dash Angostura.

Wodka und Bénédictine vertragen sich gut und verleihen diesem Cocktail ein ganz besonderes Aroma.
Die Eiswürfel in den Shaker geben. Die anderen Zutaten drübergießen, kurz, aber kräftig schütteln und in ein Cocktailglas seihen.

Glacés

Wie der französische Name schon andeutet (glace =

Vom Bénédictine hat der Gipsy Cocktail Farbe und Aroma.

Eis), handelt es sich bei den Glacés um eisgekühlte Bargetränke. Charakteristisch an den Glacés ist, daß sie mit einer kleinen Karaffe frischen Wassers serviert werden. Unter den *American Drinks* bilden die Glacés zusammen mit den *Frappés* eine Gruppe. Beide Drinks können sowohl mit Sirup als auch mit Alkohol gemixt werden.

Gläser

Es ist ganz und gar nicht einerlei, aus welchem Glas man Wein, Bier oder Spirituosen trinkt. Bemerkenswerterweise kommen die traditionellen Gläser für ein Getränk fast immer der Idealform für das betreffende Getränk nahe: In einem oft Jahrhunderte dauernden Prozeß hat sich für jedes Getränk eine individuelle und optimale Glasform herausgebildet.
Das trifft freilich sehr viel mehr auf Wein als auf Bier und Spirituosen zu, bei denen das Farbenspiel und das Aroma nicht die gleiche wichtige Rolle spielen.
Der Weinkenner bevorzugt ein möglichst dünnwandiges Glas aus reinem Kristall mit einem dünnen hohen Stiel und etwas bauchiger, sich oben verengender Tulpenform. Das farblose Glas läßt das Farbspiel des Weins richtig zur Geltung kommen, die Tulpenform dient der Zusammenfassung der Bukettstoffe und der Blume des Weins. Der hohe Stiel

verhindert, daß sich die Wärme der Hand auf den Wein überträgt.
An Rhein, Mosel und im Elsaß verwendet man Gläser mit grünem Stiel. Der Römer, das uralte Rheinweinglas mit dickem grünem Schaft, ist ebenfalls weit verbreitet. Dieser Pokal bezog seinen Namen übrigens nicht von den alten Römern, sondern – nach Ansicht von Sprachforschern – aus dem Holländischen, wo »roemen« soviel wie »rühmen« bedeutet. Rotwein, der ja wesentlich wärmer getrunken wird als Weißwein, serviert man häufig in kurzstieligen Gläsern, die ebenfalls eine leichte Tulpenform haben. In Frankreich sind solche Gläser unter dem Namen »Gobelet« weit verbreitet.
Das ideale Champagner- und Sektglas ist die sogenannte Flöte in spitzer Kegelform oder sogar mit leicht ausladendem Rand. Auch Gläser in Tulpenform eignen sich gut für Champagner, flache Schalen dagegen nicht, weil er schlechter perlen kann.
Beim Einschenken von Wein, zumal von besseren Qualitäten, sollte man ein großes Glas nur zur Hälfte, ein kleines nur zu zwei Dritteln füllen, damit genügend Raum zur Entfaltung von Aroma, Bukett und Blume bleibt. Für Dessertweingläser verwendet man ebenfalls die Tulpenform.
Cognac trinkt man aus bauchigen, oben sich nur mäßig verengenden, kleineren Gläsern. Die Experten trinken Weinbrände übrigens nicht aus den übergroßen Ballongläsern, die in so vielen Hausbars stehen.
Für Sekt, Rotwein und Weißwein kann man das gleiche Glas verwenden, wenn man eine langstielige, farblose Tulpe verwendet. In einem kleineren, tulpenförmigen Glas kann man Dessertweine und Weinbrände ebenso wie alle anderen Schnäpse, vom Wodka bis zum Slivowitz und Calvados servieren – Siehe auch Barausstattung.

Glottertaler Roter Bur

Die Lage Roter Bur im Glottertal zählt zu den Spitzenlagen des Bereichs Breisgau. Feurig und schwer sind die Rotweine, die dort aus der *Spätburgunder-Traube* gekeltert werden. Die Glottertaler sagen von ihrem Wein, daß er den Kopf frei läßt und die Füße zu Gummi macht.

Glühwein

An kalten Tagen oder an kühlen Abenden ist Glühwein zum Aufwärmen genau das richtige. Glühweine, die mit den heißen *Punschen* nah verwandt sind, können aus Rotwein, Weißwein, Apfelwein oder auch aus Portwein zubereitet werden. Der Wein darf allerdings nicht kochen, sondern nur erhitzt werden.

Glühwein Special

60 g Zucker,
¼ Stange Zimt, 3 Nelken,
Schale einer halben Zitrone,
⅛ l Wasser oder Tee,
1 Flasche Rotwein,
Saft einer halben bis
einer Zitrone.

Für Glühwein gibt es die verschiedensten Rezepte. Die vielfältigen Möglichkeiten, die einzelnen Zutaten zu verwenden, verändern immer wieder den Geschmack. Man muß vieles durchprobieren, bis man sein Hausrezept gefunden hat.
Zucker, Zimt, Nelken und Zitronenschale mit Wasser oder Tee in einem Topf aufkochen und 20 Minuten ziehen lassen. Den Rotwein bis zum Siedepunkt erhitzen, die Gewürzmischung abseihen, beides mischen und mit dem Zitronensaft abschmecken.
Den Rotwein nie kochen lassen. Zitronensaft und Zucker können nach Geschmack verringert oder vermehrt werden.

Manche Feinschmecker sehen in Gogel-Mogel eine Art Medizin.

Golden Cocktail: Ein guter Anfang für ein excellentes Menü.

Gogel-Mogel

1 Ei,
1 Eigelb,
1 BL Zuckersirup,
6 cl Weinbrand,
1 Prise geriebene Muskatnuß.

Zuckersirup und Muskat geben diesem Drink eine pikante, eigenwillige Note. Ei und Eigelb in einer kleinen flachen Schale mit einem Schneebesen kräftig schlagen. Langsam den Zuckersirup und den Weinbrand einfließen lassen. Weiterschlagen bis die Masse schaumig ist. In eine flache Sektschale füllen und mit der geriebenen Muskatnuß bestreuen.

Golden Cocktail

2–3 Eiswürfel,
1 BL Grenadine,
1 BL Curaçao weiß,
2 cl Vermouth rosso,
2 cl Gin,
1 Kirsche.

Eiswürfel in den Shaker geben. Grenadine, Curaçao, Vermouth und Gin hinzugeben. Alles kurz und kräftig schütteln. In ein Cocktailglas abseihen und mit einer Kirsche garniert servieren. Dazu ein Spießchen für die Kirsche reichen.

Golden Daisy Cocktail

2–3 Eiswürfel,
Saft einer Zitrone,
1 cl Cointreau,
3 cl Whisky,
1–2 BL Zuckersirup,
Soda.

Golden Daisy ist ein Cocktail, der anregt und sehr bekömmlich ist. Eis in den Shaker geben. Zutaten außer Soda drübergießen, schütteln. In ein Cocktailglas seihen. Mit Soda auffüllen. Das Getränk läßt

Golden Fizz: Ein eiskalter Longdrink, in dem Gin dominiert.

sich auch in einem Mixgerät zubereiten, was bei mehreren Gästen zeitersparend ist.

Golden Fizz

2–3 Eiswürfel,
1 Eigelb,
Saft von 1 Zitrone,
1–2 BL Puderzucker,
1–2 BL Grenadine,
5 cl Gin,
Sodawasser
zum Auffüllen.

Wie alle Fizzes muß dieser Drink eiskalt serviert werden.
Eiswürfel grob zerkleinern und in den Shaker füllen.

Eigelb, Zitronensaft, Puderzucker, Grenadine und Gin hinzugeben. Den Becher mit einer Serviette umwickeln. Alles kräftig und lange schütteln.
In ein hohes Becherglas seihen und mit Sodawasser auffüllen.
Mit einem Trinkhalm servieren.

Golden Lady

2 Eiswürfel,
1 cl Curaçao weiß,
1 cl Orangensaft,
3 cl Weinbrand,
gekühlter Sekt
zum Auffüllen.

Golden Lady ist ein Sektcocktail, den man gern zur Begrüßung anbietet.
Die Eiswürfel in den Shaker geben. Alle anderen Zutaten drübergießen, kurz aber kräftig schütteln, in eine Sektschale seihen und mit Sekt auffüllen.

Good Morning Cocktail

3 Eiswürfel,
2 cl Rum,
2 cl Portwein,
Saft von einer halben Zitrone,
1 Eiweiß,
1 BL Zuckersirup.

Freunde, die am frühen Vormittag unverhofft aufkreuzen, werden den Drink sehr begrüßen.
Die Eiswürfel in den Shaker geben. Alle anderen Zutaten auffüllen, schütteln und in ein Becherglas seihen.

Göttertrank
Für 2 Personen

Saft von einer halben Zitrone,
2 cl Orangensirup,
2 cl Schokoladensirup,
1 gehäufter EL Vanilleeis,
1 gehäufter EL Schokoladeneis,
½ l Milch,
2 Orangenscheiben,
1 EL Schokoladenstreusel.

Diese Eismilch wird immer Beifall finden.
Zitronensaft, Orangensirup, Schokoladensirup, Vanille- und Schokoladeneis mit der Milch im Mixgerät gut durcharbeiten. In hohen Bechergläsern servieren, mit den Orangenscheiben und den Schokoladenstreusel garnieren und einen langen Löffel und Trinkhalm dazugeben.

Goût

Auf den Etiketten von *Champagner*-Flaschen fin-

det man häufig das Wort Goût (= Geschmack) in Verbindung mit Americain oder Anglais. Goût Americain bezeichnet einen ziemlich süßen Champagner, der für den Export in die Vereinigten Staaten bestimmt ist.
Mit Goût Anglais bezeichnet man einen ziemlich trockenen, also herben Champagner, den die Engländer bevorzugen.
In der Weinfachsprache Frankreichs spielen auch folgende Bezeichnungen eine große Rolle: Goût de Bois = Holzgeschmack, Goût de Bouchon = Korkengeschmack, Goût de Framboise = Himbeergeschmack. Ein Wein mit Faux Goût ist ein mißglückter Wein mit schlechtem Geschmack.

Graacher Josephshöfer

Zu den bekannten Moselweinen gehört der Graacher Josephshöfer. Das Weindorf Graach im Bereich Bernkastel hat aber noch drei andere, nicht weniger bekannte Lagen aufzuweisen: Himmelreich, Domprobst und Abtsberg.

Grand Cru

Wörtlich übersetzt heißt Grand Cru soviel wie »großes Gewächs« oder »große Lage«. Als Grand Cru dürfen laut Gesetz nur Spitzenweine des *Chablis*, bestimmte Weine des Saint-Emilion und des Elsaß bezeichnet werden. »Cru Exceptionnel« bedeutet bei *Elsässer Weinen* soviel wie Auslese.

Grand Marnier Pick me up

2–3 Eiswürfel,
1,2 cl Orangensaft,
2,5 cl Grand Marnier,
Champagner zum Auffüllen.

Das Orangenaroma des Grand Marnier gibt diesem Cocktail seine Frische. Ein feiner Before-Dinner-Drink. Eiswürfel zerkleinern und mit Orangensaft und Grand Marnier in den Shaker geben. Kräftig schütteln. In einen Sektkelch abseihen und mit Champagner auffüllen. Mit einem Trinkhalm servieren.

Grapefruit Highball ist ein fruchtiger Drink ohne Alkohol.

Grand vin

Die Bezeichnung »Grand vin« auf manchen französischen Flaschenetiketten ist irreführend, denn sie garantiert leider nicht, daß es sich dabei um einen »großen Wein« handelt. Da der Begriff nicht geschützt ist, verpflichtet er nicht zu hoher Qualität.

Grapefruit Highball

2–3 Eiswürfel,
2,5 cl Grenadine,
7,5 cl Grapefruitsaft,
Sodawasser oder Ginger Ale.

Ein alkoholfreier Drink, der sich vor allem für eine Gartenparty eignet.
In ein hohes Becherglas Eiswürfel, Grenadine und

◀ *Grand Marnier Pick me up: Ein auf Empfängen beliebter Damen-Drink.*

Grapefruitsaft geben. Mit Sodawasser oder Ginger Ale auffüllen. Umrühren und mit Trinkhalm servieren.
Es sieht übrigens sehr gut aus, wenn Sie den Highball in einer ausgehöhlten Grapefruitschale statt in einem hohen Becherglas servieren.

Grapefruitsaft

Siehe Citrus-Mixgetränke.

Grappa

Spötter wollen wissen, in Italien gebe es genausoviele Grappa- wie Weinsorten. Das ist theoretisch richtig. Denn Grappa ist ein wasserheller, sehr deftiger Branntwein mit 50 Vol.-Prozent Alkohol, der aus Trester, also den Rückständen beim Weinkeltern, gebrannt wird. In der Praxis aber unterscheiden Fachleute – und welcher Italiener ist bei diesem Schnaps nicht Fachmann – zwischen Grappa aus Rotwein und aus Weißwein.

Da bei der Rotweinkelterung auch die Stiele der Weintrauben mit vergoren werden, müssen die Rotweintrester nicht noch einmal vergoren werden. Grappa aus Rotwein erhält so einen fülligen und kräftigen Geschmack.
Grappa aus Weißwein setzt voraus, daß der Weißweintrester erst einmal mit Hefe zur Gärung angesetzt wird. Weißwein-Grappa ist etwas feiner und feuriger.
Eine Hochburg der italienischen Grappa-Brennerei ist das Städtchen Bassano del Grappa, das am Austritt der Brenta in die Po-Ebene liegt. Eine Grappa-Spezialität ist Grappa del Ruta, wo in der Flasche eine Weinraute schwimmt: Ein beliebtes Souvenir.
Ein »Modeschnaps« wurde Grappa, den Italiener zum Espresso nach einer guten Mahlzeit nehmen, durch die Erzählungen von Ernest Hemingway, dessen Helden bei jeder Gelegenheit sich durch den kräftigen Tresterbranntwein wieder aufrichteten.

Die Hochburg des Grappa ist die Stadt Bassano am Unterlauf der Brenta.

Grasshopper

2,5 cl Crème de Cacao,
2,5 cl Crème de Menthe grün.

Dieser Grasshopper gehört zu den Pousse-Cafés. Er wird wie alle Getränke dieser Gruppe in Pousse-Café-Gläsern oder in Sektkelchen serviert. Wichtig: Die Flüssigkeiten müssen immer in der vorgeschriebenen Reihenfolge eingegossen werden.

Crème de Cacao in ein Pousse-Café-Glas gießen. Crème de Menthe über den Rücken eines Barlöffels vorsichtig drüberlaufen lassen. Dazu einen Trinkhalm reichen.

Aus Chur in Graubünden kommen viele der begehrten Schweizer Föhnweine.

Graubündner Weine

In Graubünden werden vorwiegend aus *Blauburgunder-Trauben* teilweise sehr blumige, sehr bekömmliche, sehr süffige Weine produziert. Vor allem die Weißweine, die am Oberlauf des Rheins zwischen Chur und Bad Ragaz hergestellt werden, haben edle Säuren und interessante Nuancen. Die sogenannten Föhnweine aus Graubünden sind so begehrt, daß sie oft schon ein Jahr nach der Lese nicht mehr zu haben sind.

Graves

Aus der Weinlandschaft Graves südlich von *Bordeaux* kommen vor allem Weißweine nach Deutschland. Rund vier Fünftel der Gesamtproduktion des Anbaugebietes Graves sind Weißweine. Die trockenen bis mittelsüßen, hellgelben Graves-Weine zählen im allgemeinen nicht zu den Spitzenweinen. Die wenigen roten Graves-Weine dagegen können zum Teil durchaus mit den bekannten Roten des nordwestlich von Bordeaux gelegenen Anbaugebietes Médoc konkurrieren.

Greco di Tufo

In sieben Gemeinden der süditalienischen Region Kampanien wird der weiße Greco di Tufo aus den gebietstypischen Greco-del-Vesuvio-Trauben hergestellt. Sowohl der trockene als auch der leicht süße Wein zeichnen sich durch besondere Frische aus. Beide sind nur beschränkt lagerfähig.

Green Dragon

3 Eiswürfel,
5 cl Wodka,
5 cl Crème de Menthe grün.

Eiswürfel mit Wodka und Crème de Menthe grün in den Shaker geben. Alles kurz und kräftig schütteln. In einem geeisten Sektkelch, Cocktailglas oder einer geeisten Sektschale servieren.

Das Glas wird dafür mit zerkleinertem Eis gefüllt, das man entfernt, bevor der Drink hineingeseiht wird. Eine andere Möglichkeit: Das Glas für 5–10 Minuten in das Gefrierfach des Kühlschrankes stellen.

Green Fizz

4–5 Eiswürfel,
1 Eiweiß,
2 BL Zuckersirup,
Saft einer Zitrone,
5 cl Gin,
1 BL Crème de Menthe grün,
Sodawasser.

Der Fizz ist der unbestrittene König der Longdrinks und sehr wandlungsfähig. Lassen Sie Crème de Menthe grün weg, so erhalten Sie einen »Silver Fizz«. Geben Sie aber 2 cl frische Sahne hinzu, so wird ein »New Orleans Fizz« daraus. Ein »Silver Fizz« wird zum »Pink Lady Fizz«, wenn Sie an Stelle von Zuckersirup die gleiche Menge Grenadine verwenden.

Eiswürfel zerkleinern und in den Shaker geben. Ei-

Crème de Menthe gibt dieser Green-Familie die intensive Färbung und den Pfefferminzgeschmack.

Green Fizz

weiß, Zuckersirup und Zitronensaft hinzugeben. Den Shaker mit einer Serviette umwickeln und alles 2 Minuten lang schütteln. Gin und Crème de Menthe grün zugeben, noch einmal kurz schütteln und in ein Becherglas seihen. Mit Sodawasser auffüllen.

Green Hat

2–3 Eiswürfel,
2,5 cl Gin,

2,5 cl Crème de Menthe grün,
Sodawasser.

Eiswürfel in ein großes Kelch- oder Becherglas geben. Gin und Crème de Menthe zugeben und mit Sodawasser auffüllen. Mit Trinkhalm servieren.

Green Sea

2–3 Eiswürfel,
1,5 cl französischer Vermouth dry,

Green Hat

Green Sea

Green Dragon

2 cl Wodka,
1,5 cl Crème de Menthe grün.

Wer zu tief ins Glas schaut,
spürt die Wogen des Meeres
und das Schwanken eines
Schiffes. So jedenfalls behaupten es die Freunde dieses Cocktails.
Eiswürfel zerkleinern und
in einen Shaker geben. Vermouth dry, Wodka und
Crème de Menthe grün hin-
zugeben. Alles kurz und
kräftig schütteln. In ein
Cocktailglas abseihen.

TIP

*Mit Grenadine
läßt sich ganz
fabelhaft ein
roter Crustarand
herstellen.
Das Glas wird
dazu statt in
Zitronensaft in
Grenadine
getaucht. Dann
färbt sich
der Zuckerrand
leicht rot.*

Grenadine

Grenadine ist der herbe,
tiefrote Saft des Granat-
apfels, der einen hohen Anteil an Gerbsäure, aber nur
sehr wenig Vitamine ent-
hält. Der süß-säuerliche
Saft wird auch zu Sirup
eingedickt und als Färbe-
mittel oder als erfrischender Zusatz bei Mixgeträn-
ken verwendet.
Im Altertum galt Grena-
dine – der Ursprung des
Granatapfels dürfte in Per-
sien liegen – als Mittel zur
Steigerung der Fruchtbar-
keit. Aber auch Tod und
Vernichtung symbolisierte
der Granatapfel. Der Sage
nach hat Aphrodite selbst
auf Zypern den ersten Gra-
natapfelbusch gepflanzt.

Grenadine-
Limonade

2–3 Eiswürfel,
5 cl Grenadinesirup,
Soda.

Autofahrende Partygäste wissen diesen alkoholfreien Drink zu schätzen.
Eiswürfel in ein hohes Becherglas geben. Grenadine-sirup über die Eiswürfel gießen und mit Soda auffüllen. Zusammen mit einem Trinkhalm servieren.

Grenadine Shake

2 cl Grenadine,
1 EL Zitronensaft,
1 gehäufter EL Vanilleeis,
$\frac{1}{8}$ l Milch.

Kinder mögen den Grenadine Shake besonders gern, wenn er noch gesüßt wird. Alle Zutaten im Mixgerät vermischen und in ein hohes Kelch- oder Becherglas füllen. Nach Wunsch noch mit einer Zitronenscheibe am Glasrand garnieren. Mit Trinkhalm servieren.

Griechische Weine

Homers Helden tranken Wein. Und nicht zu knapp. Beschimpft Achilleus seinen obersten Kriegsherrn Agamemnon, nennt er ihn oinobares kynos omat echon, einen hundsäugigen Saufaus. Homers Meer war weinfarben. Allenthalben wurde getrunken und gemixt, nämlich Wein mit Wasser, das übliche Getränk bei den Symposien der alten Griechen. Griechenland entwickelte, das darf man behaupten, die Weinkultur. Die Krater genannten Mischkrüge gehörten dazu, ebenso wie die herrlich geschmückten Becher und die Amphoren aus Ton. Die Griechen taten und tun gut daran, den Wein kaum ungemischt zu genießen, denn er war und ist sehr stark.

Heute ist Griechenland ein in der Quantität zwar bedeutendes Weinbau- und Weinexportland, aber die Qualität hat sich in den letzten 2000 Jahren nicht nennenswert geändert. Daran ist das heiße und trockene Klima schuld. Mit dem Tourismus und den Trinkgewohnheiten griechischer Gastarbeiter, denen Kaufhäuser und Supermärkte Rechnung tragen, ist der Retsina zu uns gekommen, der mit dem Harz der Strandkiefer haltbar gemachte Wein. Was ursprünglich nur der Konservierung diente, wurde Geschmacksmode, der sich heute viele Nichtgriechen anschließen. Vom Retsina, der beim ersten Schluck fremd schmeckt, könne man nach dem dritten nicht mehr zu trinken aufhören, heißt es. Während der Retsina noch im Kommen zu sein scheint, stirbt allmählich die Praktik, Süßweine von den griechischen Inseln noch mit *Sprit* zu verstärken. Man trinkt den *Samos* jetzt naturrein. Auch so ist er noch kräftig genug.

Zu den qualitativ besten Weißweinen gehören der Santa Laura, der Hymettos und der Demestica. Überdurchschnittliche Weine werden auf den Inseln Rhodos, Santorin und Zakynthos gekeltert. Unter den Rotweinen ist der leicht süße Mavrodaphne vom Peleponnes recht bekannt. Aus Mazedonien und von den Inseln Korfu, Kreta, Lemnos, Paros und einigen anderen kommen sehr dunkle Rotweine, die großenteils zum Verschnitt verwendet werden.

Grignolino d'Asti

Aus den für Norditalien typischen Grignolino-Trauben wird in der Region Piemont der rubinrote Grignolino d'Asti hergestellt: Ein trockener, tanninhaltiger *D.O.C.*-Wein mit 11 Vol.-Prozent Alkohol, den Kenner bei einer Temperatur von 18 Grad trinken. Liebhaber italienischer Weine erkennen den Grignolino d'Asti, der leider sehr rar ist, schon bei der Geruchsprobe: Er hat einen leichten Geranienduft.

Grenadine Shake

Grenadine-Limonade

◀ *Grenadine färbt Getränke stark rot und gibt ihnen einen herben Geschmack.*

Griechische Spitzenweine kommen von Santorin.

Grinzing

Wiens ehemaliger Vorort Grinzing, heute im 19. Gemeindebezirk der Stadt eingemeindet, ist der Inbegriff für *Heurigen*-Seligkeit. Typisch für Grinzing sind Weinstuben und Weingärten, in denen die Winzer den Heurigen ausschenken, den neuen Wein, der weniger als ein Jahr alt ist. Viele Winzer, in Österreich Weinbauern genannt, haben ihre eigene Schenke, wo sie mittels eines »Buschens« – eines Kiefern- oder Fichtenzweiges – den Ausschank von Heurigem anzeigen. Die Weinstuben werden daher häufig Buschenschenken genannt. Der Heurige wird in Schoppen und kühl serviert. Er geht besonders in die Beine. Über den bei den Österreichern sehr beliebten Heurigen sagte

ein Wiener Kabarettist: »Nach Wien kommen und nicht zum Heurigen geh'n, ist wie Neapel sehen und nicht sterben!«

Grog

Grog gehört wie der *Punsch* zu den American Drinks und ist ein Longdrink. Im Gegensatz zum Punsch wird der Grog bereitet, in dem neben Zucker, Zitronensaft, frischem Wasser und der Spirituose (Rum, Arrak, Cognac, Whisky usw.) 2 bis 3 Gewürznelken und eine kleine Stange Zimt bis zum Siedepunkt mit erhitzt werden, dann allerdings vor dem Servieren aus dem Grog gefischt werden. Bei der Zubereitung des Grogs wird durch das Erhitzen der Flüssigkeit ein Teil des Alkohols verflüchtigt. Man kann mit 6 bis 8 Prozent *Verlust* rechnen. Seinen Namen hat der Grog der Sage nach von dem englischen Admiral Vernon, den seine Leute mit dem Spitznamen Old Grog titulierten, weil er immer Kleider aus grobem Stoff, englisch Grogram, trug. Vernon verbot seinen Leuten, den Rum pur zu trinken, um sie vor Gesundheitsschäden zu bewahren. Die Matrosen kamen daraufhin auf die Idee, den Rum mit Wassern zu verlägern, wogegen der Admiral offenbar nichts einzuwenden hatte.

Großlagen

Die ungeheuer große Zahl der deutschen Einzellagen wurde durch das neue Weingesetz von 1971 drastisch reduziert: Auf dem Etikett dürfen nur noch Lagen genannt werden, die mehr als fünf Hektar groß sind. Weine von *Lagen*, die nicht mehr genannt werden dürfen, kommen unter dem Namen der zuständigen Großlage in den Handel. Die Anzahl der Großlagen ist in den einzelnen deutschen Weinbaugebieten unterschiedlich groß. An der Ahr gibt es eine einzige Großlage (Klosterberg), in

der Pfalz deren 25. Die Zahl der etikettfähigen deutschen Einzellagen beträgt immerhin noch etwa 2500.
Siehe auch Deutsches Weingesetz.

Grumello

Siehe Valtellina.

Grüne Minna

125 g Spinat,
1 BL Honig,
Saft von einer halben Zitrone,
$\frac{1}{8}$ l Milch.

Der Name dieses ungewöhnlichen Getränkes ist irreführend, denn es hat mit

Heurigenlokal in Grinzing: Hier ist immer Stimmung.

Gefängnis nichts zu tun. Vielmehr handelt es sich um eines der seltenen Gemüse-Mix-Getränke.

Ein Drink, den kaum jemand kennt: Grüne Minna mit Spinat.

147

Ein echter Geheimtip für Sommerabende: Die Gurkenbowle.

Den Spinat im Entsafter entsaften oder durch den Fleischwolf drehen und den Saft durch ein Tuch auspressen. Saft, Honig und Zitronensaft mischen und mit der Milch auffüllen. Gut umrühren und im Becheroder Ballonglas servieren.

Grüner Blitz

2 Eiswürfel,
2,5 cl Wodka,
2,5 cl Vermouth bianco,
1 BL Chartreuse grün.

Die Eiswürfel in den Shaker geben. Alle anderen Zutaten drübergießen, schütteln und in ein Cocktailglas seihen.

Grüner Sekt

1 BL geschabtes Eis,
2 BL Chartreuse grün,
3 Cocktailkirschen,
gekühlter Sekt.

Das geschabte Eis in einen Sektkelch geben, die übrigen Zutaten nacheinander beifügen und mit dem Sekt auffüllen. Man serviert mit einem Quirl und einem Cocktailspießchen oder Löffel für die Kirschen.

Grüner Tee

Alle Teesorten können zu grünem Tee verarbeitet werden. Dabei werden die Teeblätter feuchter Hitze ausgesetzt, so daß sie beim Dörren ihren grünen Farb-

stoff behalten und diesen dann beim Kochen ans Wasser weitergeben. Grüner Tee ist im Gegensatz zu schwarzem nicht fermentiert und geröstet und schmeckt deshalb ein wenig bitter. Er braucht bei der Zubereitung nur etwa drei Minuten zu ziehen.

Guava-Saft

Die Guava, Guava-Feige oder Guayava ist der größte Vitamin-C-Spender: Bis zu 900 mg pro 100 g Frischgewicht enthält die gelbe Frucht, die äußerlich der Feige ähnlich ist. Sie wächst auf Bäumen und kommt aus dem tropischen Amerika, aus Südostasien, aus Madeira und vereinzelt aus dem Mittelmeerraum.
Das lachsfarbene Fleisch schmeckt aromatisch süßsauer und erinnert ein wenig an Feigen. Aufgeschnitten gleicht die Frucht mit den vielen Kernen, die man getrost mitessen kann, der Tomate.
Zu uns kommt die Guava als Saft, als Kompott und vereinzelt auch als exotische Marmelade. Der aromatische, dickliche Saft wird mit Vorliebe zu exotischen Mixgetränken verwendet.

Guillome Sour

2 Eiswürfel,
1 BL Zuckersirup,
Saft von einer halben Zitrone,
4 cl Scotch Whisky,

2 BL Sahne,
Soda,
3 Cocktailkirschen.

Guillome Sour ist ein Longdrink für warme Sommerabende.
Die Eiswürfel zerkleinern und in den Shaker geben. Zuckersirup, Zitronensaft, Whisky und Sahne drübergießen, etwa 1–2 Minuten sehr gut schütteln, in ein Becherglas seihen und mit Soda auffüllen. Cocktailkirschen hineingeben und mit Trinkhalm und Löffel servieren.

Gumpoldskirchner

Der Gumpoldskirchner ist ein bekannter österreichischer Weißwein. In Gumpoldskirchen, 20 km südlich von Wien, wird schon seit der Gründung des Ortes durch Bischof Gumpold vor rund 1000 Jahren Weinbau betrieben. Klima und Bodenverhältnisse sind so günstig, daß verschiedene Rebsorten gedeihen wie *Grüne Veltiner* und *Weißburgunder*, *Riesling* und *Traminer*.
Die Weine von den Lagen Kramer, Wiege und Sonnberg, der Gumpoldskirchner Rotgipfler und das Goldknöpfel zeichnen sich durch kräftigen, vollen Geschmack aus.
Leider aber ist nicht jeder exportierte Gumpoldskirchner unverfälscht. Traditionsreiche Weingüter und Winzergenossenschaften sind Garanten für Echtheit. Ist auf dem Flaschenetikett die Lage, die in Österreich Ried heißt, und der Vermerk »Original« angegeben, darf man mit einem unverfälschten Gumpoldskirchner rechnen.

Gurkenbowle

Für 6–8 Personen

1 frische grüne Salatgurke,
½ Flasche Weißwein,
4 cl Arrak,
125 g Zucker,
2 Flaschen Weißwein,

⅛ l Portwein,
1 Flasche gekühlter Sekt.

Eine Bowle für Kenner. Sie schmeckt am besten an warmen Sommerabenden. Die Gurke in dünne Scheiben schneiden, in einen Steintopf geben und mit dem halben Liter Weißwein, dem Arrak und dem Zucker 1 Stunde zugedeckt an einen kühlen Ort stehen lassen. Dann die andern beiden Flaschen Weißwein aufgießen, ½ Stunde zugedeckt im Kühlschrank ziehen lassen, die Gurkenscheiben abseihen und die Bowle in eine Steingutbowle oder in einen Krug füllen. Den Portwein hinzufügen, umrühren und kurz vor dem Servieren mit gekühltem Sekt auffüllen. Wer es mag, kann noch einige Gurkenscheiben als Garnierung in die fertige Bowle geben.

Gutedel-Traube

Die Gutedel-Traube ist sehr alt und sehr weit verbreitet. Sie soll aus Ägypten nach Frankreich gekommen und im burgundischen Chasselas zuerst angebaut worden sein. In Frankreich und in der Schweiz heißt die Gutedel-Traube deshalb auch Chasselas. Die Schweizer haben dafür noch einen zweiten Namen: Fendant. Die Weine aus Gutedel-Trauben sind säure- und alkoholarm, mild und bekömmlich. In Deutschland findet man Gutedel-Reben vor allem in den Weinbergen Badens. Die Badener nennen sie übrigens auch Moster.

Gütesiegel

Garantiezeichen für Wein gab es schon in der Antike. In Deutschland wird von der Deutschen Landwirtschaftsgesellschaft (DLG) das Deutsche Weinsiegel verliehen. Diese Auszeichnung geschieht unabhängig von der amtlichen Qualitätsprüfung und steht nur

Half and Half: Ein bitter-fruchtiger Drink, der zu den Aperitifs gehört. Rezept S. 150.

Rezept S. 150.

süßen Wein, der in der Umgebung von Piacenza produziert wird. Er gehört zu den *D.O.C.*-Weinen der Region Emilia und ist ein idealer Begleiter pikanter Nudelgerichte der Bologneser Küche.

Hagebuttentee

An Waldrändern, auf Lichtungen und an Hängen wächst ein wilder Rosenstrauch, der viele Namen hat: Hundsrose, Heckenoder auch Hagrose. Seine roten, eiförmigen Früchte, die Hagebutten, reifen im Spätsommer. Sie sind reich an Vitamin A und C und enthalten außerdem Gerbstoff und organische Säuren. Diesen Stoffen verdankt der Hagebuttentee seine anregende und stärkende Wirkung. Für das karminrote Getränk werden die getrockneten, zerkleinerten Hagebutten samt Samen kalt angesetzt (ein Eßlöffel auf $1\frac{1}{2}$ Tassen Wasser) und dann 5–10 Minuten gekocht. Dieser angenehm säuerlich schmeckende Tee sollte mit etwas Honig gesüßt werden. Eisgekühlt ist er im Sommer ein ausgezeichnet erfrischendes und durstlöschendes Getränk. Schneller geht es mit der Zubereitung allerdings, wenn man fertige Beutel mit Hagebuttentee nimmt, mit kochendheißem Wasser übergießt und einige Minuten ziehen läßt.

Halb und Halb
Für 6 Personen

$1\frac{1}{2}$ Flaschen Rotwein,
$1\frac{1}{2}$ Flaschen Weißwein,

Qualitäts- und Prädikatweinen zu.
Tafelweine, also Konsumqualitäten, werden nicht durch dieses Gütesiegel ausgezeichnet. Gegenüber der amtlichen Prüfung werden beim Deutschen Weinsiegel höhere Anforderungen an die Qualität gestellt. Neben dem rot-schwarzen Weinsiegel vergibt die DLG auch ein gelbes Siegel für trokkene, herb-kräftige und kaloriengeprüfte Weine. Der Badische Weinbauverband

vergibt an Qualitätsweine ein eigenes Gütesiegel (siehe Abbildung). Schließlich können Weine auch von den Landwirtschaftskammern durch Preismünzen in Gold, Silber und Bronze und bei der DLG-Bundesweinprämiierung ausgezeichnet werden.

Gutturnio

Beim Gutturnio handelt es sich um einen intensiv roten, trockenen bis leicht

Die Blätter und Früchte der Heckenrose werden zu Tee verarbeitet.

Haremsgezwitscher ist ein Sorbet, wie ihn die Damen lieben.

Harry's Dry Jumbo: Vorsicht, er ist so stark wie ein Elefant.

1 Stück Zimt (2 cm lang),
250 g Zucker.

Dieses Rezept stammt aus einem alten Rezeptbuch. Natürlich können Sie den Zucker auch weglassen.
Rot- und Weißwein mit Zimt in einen Topf geben. Einmal aufkochen lassen. In einen feuerfesten Krug Zucker geben. Den Wein drübergießen. Umrühren.

Half and half

Bild Seite 149

---

2 Eiswürfel,
2,5 cl Vermouth bianco,
2,5 cl Grapefruitsaft,
1 dash Campari.

Diesen Drink serviert man vor dem Essen.
Die Eiswürfel in den Shaker geben. Die anderen Zutaten drübergießen, kräftig schütteln und in ein Cocktailglas seihen.

Happy-Ice-Cream-Soda

---

2 cl Apricot Brandy,
2 cl Erdbeersirup,
2 cl Kondensmilch,
1 gehäufter EL Vanilleeis,
Soda,
1 gehäufter EL Erdbeereis,
2 EL geschlagene Sahne,
1 EL Aprikosenspalten.

Eine Ice-Cream-Soda löscht nicht unbedingt den Durst, aber sie erfrischt und schmeckt immer wieder gut.
Apricot Brandy und Erdbeersirup in ein hohes Becherglas geben. Nacheinander Kondensmilch und Vanilleeis hinzufügen und mit Soda nach Belieben auffüllen. Das Erdbeereis auflegen, die Sahne aufspritzen und mit den Aprikosenspalten bestreuen. Mit einem langen Löffel und Trinkhalm servieren.

Harems-gezwitscher

1–2 gehäufte EL Zitroneneis,
4 cl eisgekühlter Tee,
etwa 4 cl Rotwein.

Ein Fruchtsorbet, der mit Rotwein aufgefüllt und gut gekühlt serviert wird.
Ein Sektkelch bis etwa zu einem Drittel mit Zitroneneis füllen, den Tee drübergießen und mit dem Rotwein auffüllen. Man serviert mit einem langen Löffel und einem Trinkhalm.
Am besten eignet sich ein roter Burgunder zum Auffüllen.

Harry's Dry Jumbo

2–3 Eiswürfel,
1 BL Cynar,

2 BL Rosso Antico,
2,5 cl Wodka, 5 cl Gin.

Diesen Drink sollten Sie sich mixen, wenn Sie etwas Besonderes genießen wollen.
Eiswürfel, Cynar, Rosso Antico, Wodka und Gin in ein Mixglas geben. Alles sehr gut verrühren und in einem kleinen Becherglas servieren.
Sie können die 2–3 Eiswürfel auch durch einen großen ersetzen und den Drink damit servieren.

Harry's Pick me up

---

2 Eiswürfel,
1 BL Grenadine,
1 cl Zitronensaft,
2 cl Weinbrand,
eiskalter Sekt.

Eine ausgezeichnete Ouvertüre für ein kleines Fest.

Der Cocktail erfrischt und löst die Zunge. Auch als Before-Dinner-Drink eignet sich Harry's Pick me up recht gut.

Die Eiswürfel in den Shaker geben, Grenadine, Zitronensaft und Weinbrand drübergießen, schütteln und in ein Sektglas seihen. Mit eiskaltem Sekt nach Geschmack und Belieben auffüllen.

Harzwein

Siehe Retsina.

Hattenheim

Die Riesling-Weine der Hattenheimer Lagen Nußbrunnen, Schützenhaus und Mannberg im Bereich Johannisberg zählen zu den besten des Anbaugebietes *Rheingau*.

Hausmarke

Vor allem in Hotels, aber auch in Restaurants findet sich auf der Getränkekarte häufig die Bezeichnung »Hausmarke«. Meistens wird unter diesem Namen preiswerter Schaumwein angeboten. Große Sektfirmen liefern aber zum Teil auch ihren Markensekt mit dem Etikett bestimmter Hotels oder Restaurants. So kann sich unter einer schlichten Hausmarke durchaus auch ein Spitzensekt verstecken.

Hausmarke ICS

2 cl Mokkalikör,
2 cl Eierlikör,
2 cl Kondensmilch,
1 gehäufter EL Vanilleeis,
1 gehäufter EL Schokoladeneis,
4 EL Sahne,
Schokoladenstreusel zum Garnieren.

Diese Hausmarke spricht sich in Ihrem Freundeskreis sicher schnell herum,

denn sie ist ein Gedicht. Mokka- und Eierlikör in ein hohes Becherglas geben. Kondensmilch zugießen. Vorsichtig Vanilleeis und Schokoladeneis drübergeben. Sahne in einer Schüssel steif schlagen. In einen Spritzbeutel füllen. Sahnetupfer auf das Eis spritzen. Mit Schokoladenstreusel bestreut servieren. Dazu einen Trinkhalm servieren und einen Löffel, möglichst mit einem langen Stiel, dazugeben.

Haustee

Als Hausfrauen noch Zeit hatten (oder sie sich nahmen) und in Garten, Wald und Wiese die Pflanzen, Büsche und Bäume noch nicht von Abgasen zerfressen und von Industriestaub bedeckt waren, gehörte zu einem gutgeführten Haushalt Haustee ebenso dazu wie selbstgemachte Marmelade.

Haustee besteht entweder aus einer Sorte von Blättern (Erdbeere, Brombeere, Himbeere, Lindenblüten, Pfefferminze, Quecke, Hagebutte, Johannisbeere) oder aus Mischungen von verschiedenen Zutaten.

Wichtig ist die richtige Zubereitung, die Fermentierung des Haustees: Die möglichst jungen Blätter (oder Blüten) werden im Schatten zum Welken gebracht. Dann werden sie – etwa mit einem Nudelholz – zerdrückt, mit Wasser besprizt und fest in grobes Leinen eingeschlagen. So wird der Haustee drei bis vier Tage an einem warmen Ort gelagert und beginnt dabei leicht zu gären. Der Gärprozeß wird dann gestoppt und der Tee zwei Tage lang bei Temperaturen von höchstens 25 Grad getrocknet.

Haustrunk

Der Haustrunk spielt in Weinbaugegenden eine große, aber keine wichtige Rolle, weil er nur für den eigenen Bedarf verwendet,

Havanna: Ein süßer Drink zum Abschluß einer guten Mahlzeit.

also nicht verkauft werden darf. Das Getränk wird aus Traubenmaische, Traubenmost oder frischen Trestern, den Rückständen bei der Kelterung, hergestellt. In Baden und Württemberg werden dem »Wein« aus Traubentrestern und Wasser noch unterschiedliche Mengen Zitronensäure zugesetzt.

Haute Couture

1,5 cl Weinbrand,
1,5 cl Crème de Cacao,
1,5 cl Bénédictine.

Ein Cocktail, der ohne Eis zubereitet wird.

Der Reihe nach alle Zutaten in ein Cocktailglas geben und mit einem Trinkhalm servieren.

Haut-Sauternes

Siehe Sauternes.

Havanna

2–3 Eiswürfel,
2 dashes Zitronensaft,
1,2 cl Gin,
1,2 cl Schwedenpunsch,
2,5 cl Apricot Brandy,
1 Cocktailkirsche.

Erfrischend, belebend und schnell fertig ist der Havanna-Cocktail.

Alle Zutaten in den Shaker geben. Kräftig schütteln. In ein Cocktailglas abseihen. Mit der Kirsche garnieren.

Hawaii-Kiss

Für 2 Personen

1 frische Ananas,
2 cl Gin,
2 Eiswürfel,
Sekt.

Die Frucht aushöhlen, aus dem Fruchtfleisch den Saft auspressen und in die Höh-

151

Der Highlandpunch bringt jede Party in Schwung.

beersaft, meistens aber aus Heidelbeerwein hergestellt. Wegen seines hohen Gerbstoffgehaltes wird Heidelbeerlikör auch für medizinische Zwecke verwendet, so als Mittel gegen Durchfall. Besonders feine Heidelbeerliköre kommen aus den nordeuropäischen Ländern.

Heilwasser

Siehe Mineralwasser.

Heiße Oma

1 EL Honig,
200 ccm heiße Milch,
1 Eigelb,
2 cl Weinbrand
oder Rum,
1 Prise geriebene
Muskatnuß.

Auf die beruhigende Wirkung von heißer Milch, Honig und Eigelb und auf die verfeinernde Wirkung des Alkohols kann man sich bei diesem Schlaftrunk verlassen.
Honig in der heißen Milch auflösen. Das Eigelb schaumig schlagen und unterziehen. In eine große vorgewärmte Tasse oder einen vorgewärmten Porzellanbecher füllen, mit Weinbrand oder Rum verfeinern und mit der geriebenen Muskatnuß bestäuben.

lung gießen. Gin und Eiswürfel hineingeben und mit Sekt auffüllen. Mit Trinkhalmen servieren.

Hawaii Shake

2 cl Erdbeermark,
1 gehäufter EL
geraspelte Ananas
aus der Dose,
1 EL Ananassirup,
1 gehäufter EL
Vanilleeis,
⅛ l kalte Milch.

Je kühler die Eismilch gereicht wird, desto besser schmeckt sie. Erdbeermark können Sie selbst zubereiten, indem Sie Erdbeeren zerdrücken und dann durch

ein Haarsieb streichen. Alle Zutaten werden im Mixgerät verarbeitet und im hohen Becherglas mit einem Trinkhalm und einem langen Löffel serviert.

Hefe

Hefe besteht aus mikroskopisch kleinen einzelligen Pilzen, die über Enzyme die alkoholische Gärung in Gang bringen. Sie spalten mit Fermenten die verschiedensten Zuckerarten der Pflanzen in Alkohol und Kohlensäure, wobei zahlreiche aromatische Stoffe anfallen. Die Hefepilze der Luft lassen sich auf der Wachsschicht der Trauben nieder und bringen den Traubenzucker zur Gärung.

Hefebrannt-wein

Hefebranntwein wird auch »Gelägerbranntwein« genannt, da er aus der Weinhefe, dem Geläger, die beim ersten Abstich der Traubenweine in größeren Mengen anfällt, destilliert wird. Der wohlschmeckende wasserhelle Schnaps bringt es auf 40 bis 50 Vol.-% Alkohol und hat einen leicht seifigen Geschmack.

Heidelbeer-likör

Der angenehm säuerlichsüße, etwas herbe Heidelbeerlikör wird aus Heidel-

Helvetia ist ein Shortdrink, der vorzüglich zu Kaffee paßt.

Weinanbaugebiet
Hessische Bergstraße

Bereich
Umstadt

Starkenburg

Bereich
Starkenburg

Bensheim

Heppenheim

RHEIN

NECKAR

Schöne Fachwerkhäuser säumen den Marktplatz zu Heppenheim.

Hessische Bergstraße

Die Hessische Bergstraße mit ihrer frühen Baumblüte und ihrem besonders warmen Klima war bisher kein ausgesprochenes Weinbaugebiet. Zwar gab es hier seit je eine Reihe von Weinbergen, aber die Böden lassen keine ganz großen Weine zu. Seit der Reform des Weingesetzes jedoch gibt es das Weinbaugebiet Hessische Bergstraße. Es erstreckt sich an den Westhängen des Odenwalds zwischen Weinheim und Darmstadt mit Schwerpunkten bei Heppenheim, Bensheim, Auerbach, Jugendheim und Zwingenberg. Auch in der Gegend von Groß-Umstadt bei Darmstadt wachsen recht angenehme Weißweine. Unter den Spitzenlagen und sehr guten Lagen Deutschlands ist die Bergstraße allerdings noch nicht vertreten, da dieses Weinbaugebiet erst im Aufbau begriffen ist.

Heuriger

Der Heurige ist, im Gegensatz zur Bedeutung des Wortes »heurig« in Österreich, nicht ein Wein des gleichen, sondern des vorangegangenen Jahres. Er wird in allen österreichischen Weinbaugebieten ausgeschenkt. Meistens wird er mit einem gläsernen Weinheber direkt aus dem Faß gehoben (Grinzing).

Highballs

Highballs sind *Longdrinks*, die in einem großen Tumbler oder auch in großen ballonförmigen Gläsern serviert werden. Sie bestehen aus Whisky, Cognac, Gin oder Rum und Ginger Ale. Typisch ist die Garnierung mit einer langen Zitronenspirale.

Highland-punch
Für 8 Personen

350 g Zucker,
Saft einer Zitrone,
1 l Wasser,
½ Flasche Whisky,
½ Flasche Rum,
⅛ l Weinbrand,
⅛ l Portwein.

Man sollte diesen Punsch nie auf leeren Magen trinken.
Den Zucker und den durchgeseihten Zitronensaft mit dem Wasser in einem Topf bis kurz vor den Siedepunkt erhitzen. Die anderen Alkoholika nacheinander dazugießen. Alles bis kurz vor den Siedepunkt erhitzen und sofort in Punschgläsern servieren.

Highlands Whisky

Unter Highlands Whisky verstand man ursprünglich alle »straight whiskys«, die nichtverschnittenen reinen Malt-Whiskys des schotti-

Helgoländer Welle

3 Stück Würfelzucker,
5 cl kochendes Wasser,
5 cl Rum,
5 cl heißer Rotwein,
½ Zitronenscheibe.

Ein deftiger und trotzdem lieblicher Grog, der von Damen bevorzugt wird.
Ein Punschglas vorwärmen, einen Löffel einstellen, die Zuckerstücke hineingeben und nacheinander mit Wasser, Rum und Rotwein nach Belieben auffüllen. Umrühren und die halbe Zitronenscheibe auflegen.

Helvetia

2–3 Eiswürfel,
1 cl Sahne,
1 BL Grenadine,
1,5 cl Kirschwasser,
1,5 cl Cherry Brandy.

Helvetia reichen Sie Ihren Gästen nach dem Essen zum Kaffee. Statt Kirschwasser und Cherry Brandy können Sie auch Apricot Brandy und Barack Palinka nehmen.
Zunächst Eiswürfel, Sahne und Grenadine in den Shaker geben. Kirschwasser und Cherry Brandy zufügen und alles kräftig schütteln. In ein Cocktail- oder Kelchglas abseihen und sofort servieren.

Himbeerbowle darf man ausnahmsweise auch mit etwas Rum oder Cognac verfeinern.

Himbeeren und Zucker mit der halben Flasche Wein ansetzen, 1 bis 2 Stunden zugedeckt an kühlem Ort ziehen lassen. Nach Belieben danach Rum oder Weinbrand beifügen, den Rest Weißwein auffüllen. Den Sekt kurz vor dem Servieren dazugeben.

Himbeergeist

Werden die reifen Beeren in Alkohol »ausgezogen«, wobei ihnen alle Duft- und Geschmacksstoffe entzogen werden, erhält man nach der Destillation Himbeergeist. Er ist so aromahaltig, daß er Likören wie Curaçao, Cherry Brandy, Prünellenlikör und anderen das gewisse Etwas zu geben vermag.

schen Hochlandes. Da der »Malt« außerhalb Schottlands nicht den gewünschten Absatz bringen wollte, gingen die Brenner Anno 1852 dazu über, *Blended Whisky* herzustellen.

Reine Malz-Whiskys werden heute nur noch an wenigen Orten, die nördlich der Linie Dundee am Firth of Tay im Osten und Grennock im Westen Schottlands liegen müssen, gebrannt. Nur dort gibt es – wenn man den Highlanders glauben darf – das richtige Wasser und die Luft, die dem Malt-Whisky die erforderliche Qualität zu geben vermögen, was freilich einige Lowlanders

nicht daran hindert, ebenfalls Malt zu brennen.

Aus den Highlands stammt übrigens folgende Geschichte: »Wenn du einen guten Scotch trinkst, hörst du einen Pfeifer. Ist der Whisky mild, hörst du zwei. Fünf oder sechs dagegen, wenn er Charakter hat. Trinkst du aber einen ganz großen Scotch, wirst du gar 100 Pfeifer hören!«

Highlife

2–3 Eiswürfel,
1 BL Zitronensaft,
1 BL Zuckersirup,
5 cl Cognac, Sodawasser.

Eiswürfel in ein Becherglas geben. Zitronensaft, Zuckersirup und Cognac zufügen und mit Sodawasser auffüllen. Mit einem Barlöffel umrühren.

Himbeerbowle
Für 6 Personen

500 g Himbeeren,
2 EL Zucker,
½ Flasche Weißwein,
4 cl Rum oder Weinbrand,
1½ Flaschen Weißwein,
1 Flasche gekühlter Sekt.

Diese Bowle darf mit Rum oder Weinbrand angesetzt werden, damit die Früchte Form und Farbe behalten.

Himbeer Highball

2–3 Eiswürfel,
2 cl Gin,
1 cl Himbeersirup,
1 BL durchgeseihter
Zitronensaft,
Soda zum
Auffüllen.

Der ganz besondere Reiz
dieses erfrischenden Longdrinks liegt in seinem
aromatischem Geschmack
nach Himbeeren.
Die Eiswürfel in ein hohes
Becherglas geben. Alle Zutaten drüberfüllen, um-
rühren und mit Soda nach
Belieben auffüllen.
Mit einem Trinkhalm ser-
vieren.

Himbeer-Ice-Cream-Soda

3 cl Himbeersirup,
2 cl Kondensmilch,
1 gehäufter EL
Himbeereis,
Soda,
1 gehäufter EL Vanilleeis,
2 EL geschlagene Sahne,
1 EL frische Himbeeren.

Mit Himbeer-Ice-Cream-
Soda wird ein Kinderge-
burtstag noch erfolgrei-
cher.
In ein hohes Becherglas zuerst den Himbeersirup ge-
ben, Kondensmilch und
Himbeereis hinzufügen und
mit Soda nach Belieben auffüllen. Nun wird das Va-
nilleeis eingelegt und das
Ganze mit Schlagsahne be-

Auch mit Tee statt Wasser schmeckt Himbeerpunsch sehr gut.

*Zwei frische Sommerdrinks:
Himbeer Highball
und Himbeer-Ice-Cream-
Soda (rechts).*

deckt und mit den Him-
beeren garniert. Man ser-
viert mit einem Trinkhalm
und einem langen Löffel.

Himbeer-punsch
Für 6–8 Personen

Saft von 2 Zitronen,
300 g Zucker,
2 l Wasser, ¾ l Rum,
¾ l Himbeersirup,
250 g Himbeeren,
6–8 Zitronenscheiben.

Für dieses Rezept gilt, wie
für alle »harten« Punsche,
daß die Flüssigkeit niemals
so stark erhitzt werden
sollte, daß Alkohol und
Aroma entweichen können.
Übrigens kann man den
Wasseranteil auch ganz
oder teilweise durch schwarzen Tee ersetzen.
Alle Zutaten bis auf Him-
beeren und Zitronenschei-
ben vorsichtig erhitzen.
In eine vorgewärmte
Punschterrine abseihen.
Die Himbeeren dazugeben
und abschmecken. Dann in
Punsch- oder andere feuer-

feste Gläser füllen. Zur Garnierung an jeden Glasrand
eine Zitronenscheibe stek-
ken.

Himbeersaft

Reinen Himbeersaft findet
man bestenfalls im Reform-
haus als sogenannten »Mut-
tersaft«.
Was unter Himbeersaft ge-
handelt wird, ist meist
Himbeersirup mit etwa 60
Prozent Zuckergehalt und
muß verdünnt werden.
Der reine, frische Saft der
aromatischen Beere soll bei
Übelkeit helfen, bei Schwäche, Nervenschmerzen und
Blutarmut.

Himbeer-wasser

Werden die reifen Himbee-
ren eingemaischt, um aus
sich selber zu gären, entsteht nach wiederholter Destillation Himbeerwasser.
100 Pfund frische Früchte
sind nötig, um etwa 25 Liter Saft für die Fruchtmaische zu spendieren. Nach

der Destillation bleiben dann ganze vier Liter 50-prozentigen Himbeerwassers übrig. Mit anderen Worten: In einer Flasche reinen Himbeerwassers steckt der Geist von 30 Pfund frischen Früchten. Dementsprechend teuer ist die Spirituose, im Gegensatz zum preisgünstigeren *Himbeergeist.*

Hippocras
Für 4–6 Personen

¾ l Wasser,
400 g Zucker,
1 BL geriebene Muskatnuß,
je 1 gestrichener BL gemahlener Zimt und Ingwerpulver,
2 schwarze Pfefferkörner,
Saft einer halben Zitrone,
4 cl Weinbrand,
2 Flaschen kräftiger Weißwein.

Dieser Weinpunsch ist mild, würzig und sehr bekömmlich.
Wasser, Zucker, Gewürze und Zitronensaft in einem großen Topf aufkochen und ½ Stunde ziehen lassen. Weinbrand und Wein hinzufügen und bis kurz vor dem Siedepunkt erhitzen. Gut umrühren, in eine angewärmte Punschterrine abseihen und sofort in Punschgläsern servieren. Würzige Salzbrezeln und Kümmelstangen schmecken gut dazu.

H-Milch

H-Milch ist die Abkürzung für homogenisierte Milch. Das heißt, Milch wurde 0,7 Sekunden auf 145 Grad erhitzt, wodurch alle Keime in der Milch abgetötet wurden. So behandelt läßt sich H-Milch auch ungekühlt bis zu vier Wochen aufbewahren, ohne daß ein Geschmacks- oder Nährstoffverlust festzustellen ist. H-Milch gibt es von fettarm bis zu einem Fettgehalt von 3,5 Prozent.

Hock Cup ist eine wohlschmeckende Bowle, die nur wenig Vorbereitungszeit beansprucht.

Hochheim

Der Weinort Hochheim im Anbaugebiet *Rheingau* liegt am Nordufer des Mains, kurz vor dessen Einmündung in den Rhein. Die Hochheimer Lagen Domdechaney, Kirchenstück und Königin-Victoria-Berg gehören zu den international bekannten Rheingauer Qualitätslagen. Der leicht erdige Geschmack der Hochheimer Rieslinge erinnert an manche Frankenweine. Wegen Hochheim nennen die Engländer alle Rheinweine »Hock«.

Hock Cup

1 Scheibe Ananas aus der Dose,
1–2 EL Ananassaft,
1 dash Maraschino,
1 dash Apfelsinensaft,
5 cl Rheinwein,
5 cl Soda,
1 Apfelsinenachtel.

Die Ananasscheibe in ein Bowlenglas geben, den Saft drübergießen, Maraschino und Apfelsinensaft zufügen und mit Wein und Soda auffüllen. Ein Apfelsinenachtel in das Glas legen.

Holländischer Kaffee

2,5 cl Eierlikör,
⅛ l heißer starker Kaffee,
1 EL geschlagene Sahne,
½ BL gemahlener Kaffee,
½ BL Kakao.

Dieses Rezept erinnert an ein gemütliches und reichhaltiges holländisches Frühstück.
Den Eierlikör in eine vorgewärmte Tasse geben. Mit Kaffee auffüllen und eine Sahnehaube drübergeben.

Die Sahne mit einer Mischung aus Kaffeemehl und Kakao überstäuben. Einen Löffel dazureichen.

Holsteiner Eiergrog

1 Eigelb,
1 EL Zucker,
4 cl Wasser,
6–8 cl Rum.

Man sagt, je steifer der Grog, desto zünftiger ist er. Dieser ist fast mehr als zünftig.
Eigelb mit Zucker schaumig rühren und in ein vorgewärmtes Grogglas geben. Wasser und Rum getrennt erhitzen und beifügen. Sehr heiß servieren.

Holunderpunsch

Für 4–6 Personen

1 l Holundersaft,
½ l kräftiger Tee,
Saft und Schale je einer Zitrone und Orange,
1 Stück Zimt,
2 Nelken,
Zucker nach Bedarf,
1 BL Sanddornsirup.

Alle Zutaten, bis auf Zucker und Sanddornsirup, bis kurz vor dem Siedepunkt erhitzen, nach Geschmack mit Zucker und Sanddornsirup abschmecken, abseihen und in Punschgläser füllen.
Nach Belieben können 1 bis 2 Eigelb, in etwas lauwarmer Punschflüssigkeit verquirlt, in das Getränk dazugegeben werden.

Holundersaft

Holundersaft oder Fliedersaft wird von September bis November aus den schwarzen Beeren des Gartenflieders gewonnen, während die roten Beeren des wildwachsenden Feldflieders teilweise giftige Stoffe enthalten. Beim Feldflieder müssen daher die Kerne entfernt werden.

Der Holländische Kaffee sollte sehr heiß getrunken werden.

Roh oder unreif darf Holunder (Flieder) überhaupt nicht genossen werden, da er zu Übelkeit und Erbrechen führt. Holundersaft, der zu Suppen und Süßspeisen verwendet wird, gilt als schweißtreibend und blutreinigend.

Holundertee

3 TL Holundertee,
¼ l kochendes Wasser,
1 TL Honig.

Die Blüten des schwarzen Holunders (Gartenflieder) werden seit Jahrtausenden als Gesundheitstee getrunken. Wegen seiner ätherischen Öle und Gerbstoffe wirkt der Holundertee schweißtreibend und wird deshalb als Hausmittel gegen Erkältungen und Fieber verwendet. Hier die Holunderteebereitung:
Holundertee in einen Becher geben. Wasser drübergießen. 10 Minuten ziehen lassen. Durch ein Sieb in eine vorgewärmte Kanne gießen. Mit Honig süßen.

Honeymoon ist ein Cocktail für sehr gemütliche Stunden.

Honeymoon Cocktail

2–3 Eiswürfel,
3 dashes Curaçao Orange,
1 cl Orangensaft,
1,5 cl Bénédictine,
2,5 cl Calvados.

Eiswürfel in einen Shaker geben. Curaçao Orange, Orangensaft, Bénédictine und Calvados hinzugeben. Alle Zutaten kurz und kräftig schütteln und dann in ein Cocktailglas abseihen.

Honigbier

Honigbier ist ein in den USA entwickeltes nichtalkoholisches Getränk (Honeybeer) aus Honig.

Honigflip

2 große Eiswürfel,
2 BL Honig,
2 cl schwarzer Johannisbeersaft,
¼ l Milch, 1 Eigelb,

Ein Drink für den frühen Vormittag oder zur Teezeit. Alle Zutaten in den Shaker geben, kurz schütteln und in ein hohes Becherglas seihen. Mit einem Trinkhalm sofort servieren.

Hörsteiner Abtsberg

Im Bereich Mainviereck liegt unweit von Aschaffenburg der westlichste Weinort Frankens: Hörstein. Seine Weinberge Abtsberg, Reuschberg, Schwalbenwinkel zählen zu den bekanntesten in Franken.

Honiglikör

Alkoholisches aus Honig zu bereiten, soll nach Ansicht der Archäologen schon vor mehr als 1000 Jahren Brauch gewesen sein (*Honigwein* oder *Met*).

Heute sind Spirituosen auf Honigbasis meist Spezialitäten regionaler Anbieter aus typischen Honiggebieten. Am bekanntesten ist der aus Ostpreußen stammende »Bären- oder Petzfang« (oder »Bärenjäger«), ein Honiglikör mit mindestens 35 Vol.-% Alkohol, der vor Erkältungen geschützt haben soll. Aus Polen und Litauen kommt der traditionsreiche Krupnik (auch Krupnikas), ein Verwandter des Bärenjägers.

Von der portugiesischen Algarve-Küste kommt der Mel Doiro, ein Likör auf Honigbasis mit Destillaten verschiedener Früchte der Umgebung. »Tescht« (auch »Tetsch«) heißt ein Honiglikör aus Äthiopien. Er wird aus Honig der Wildbienen und den Blättern und Blüten des Rhamnusbaumes gewonnen. Sein Alkoholgehalt liegt zwischen 40 und 45. Vol.-Prozent.

Honigpunsch

Für 6–8 Personen

---

750 g Honig,
Schale je einer halben Zitrone und Orange,
1 Stückchen Zimt,
4 Nelken,
1½ l Wasser,
½ Flasche Arrak,
Saft von je einer halben Zitrone und Orange,
6–8 Zitronenscheiben.

Wie bei allen Punschen auch hier die Regel: Nie so stark erhitzen, daß der Alkohol und das Aroma entweichen können.

In einem Topf den Honig, die Zitronen- und Orangenschalen, Zimt, Nelken und Wasser bis kurz vor dem Siedepunkt erhitzen. In eine angewärmte Terrine abseihen, mit dem wenig angewärmten Arrak und

dem Zitronen- und Orangensaft vermengen und in Punschgläsern servieren. In jedes Glas eine Zitronenscheibe geben.

Honigwein

Siehe Met.

Hopfen

Der Hopf is a Tropf! Diese Weisheit bayerischer Hopfenpflanzer bezieht sich auf die Unzuverlässigkeit des Hopfens, soweit das seine Qualität angeht.

Dabei ist »der Hopf«, der das Bier würzt, nicht einmal männlichen Geschlechts. Im Gegenteil: Männliche Hopfenpflanzen stören nur beim Heranwachsen und Reifen dessen, was die Brauer an der zweigeschlechtlichen Nesselpflanze Hopfen so schätzen: Nur die Fruchtzapfen der weiblichen Pflanze kommen nämlich in die Bierwürze – und wären »Hopfenmänner« in der Nähe, käme es zur Befruchtung dieser Dolden und zur unerwünschten Samenbildung. Nur die jungfräulichen Hopfenblüten helfen Männerdurst zu löschen.

Der beste Hopfen wächst in Mitteleuropa. Der »Hopfengürtel« zieht sich vom Rhein

(Pfalz) am Nordrand des Bodensees (Tettnang) entlang in die bayerische Holledau (auch: Hallertau) um Wolnzach, Mainburg und Au südlich der Donau und nördlich über Spalt bei Nürnberg und die Hersbrucker Schweiz nach Saaz in Böhmen, wo der Hopfen für die Pilsener Biere gedeiht. Auch Belgien und Jugoslawien produzieren gute Hopfenqualitäten, die von einem gemäßigten Klima abhängig sind.

Hopfen als Bierwürze wurde etwa um das 8. Jahrhundert durch französische Mönche bekannt. Vorher wurde Bier durch allerlei Kräuter und Rinden gewürzt.

So verwendeten die alten Germanen Eichenrinde (wegen des hohen Gerbsäuregehaltes) als Würzmittel für das Bier. Lange Zeit war auch das »Grut« als Würze in Mode, eine Mischung aus falscher Myrte und wildem Rosmarin.

Je mehr Hopfen im Biersud mitgekocht wird, um so bitterer wird das Bier, das vorher malz-süß ist.

Horchata

Für 4–6 Personen

---

100 g Melonenkerne,
100 g Zucker,

¾ l Wasser,
abgeriebene Schale einer halben Zitrone,
4–6 Eiswürfel.

Wenn Gäste der Madrider Straßencafés an heißen Tagen große Mengen eines Getränkes zu sich nehmen, das dem teuflischen Absinth täuschend ähnlich sieht, so trinken sie in Wirklichkeit was ganz Harmloses, nämlich Horchata, eine Art Mandelmilch. Der beliebte spanische Labetrank besteht aus gesüßtem Mandelsirup (den man in Flaschen kaufen kann) und wird mit eiskaltem Wasser aufgefüllt.

Wir haben noch ein anderes Rezept für Horchata entdeckt, in dem Melonenkerne verwendet werden. Sie sollten es einmal ausprobieren. Vor der Original-Version braucht sich dieses Rezept nicht zu verstecken. Melonenkerne mahlen oder im Mixer zerkleinern und in einen Bowlenkrug geben. Zucker, Wasser und Zitronenschale beifügen und die Mischung 6 Stunden ziehen lassen. Kurz vor dem Anrichten kleine Bechergläser zu einem Viertel mit geschabtem Eis füllen und mit der abgeseihten Mischung aufgießen.

Horse's Neck

---

1 Zitronenschalenspirale,
Saft einer Zitrone,
2 Eiswürfel,
1 BL Zucker,
Saft einer halben Grapefruit,
Ginger Ale oder Bitter Lemon.

Man serviert Horse's Neck zwar in einer Sektschale, füllt aber nicht mit Sekt auf.

Die Zitronenschalenspirale in die Sektschale geben. Den Zitronensaft mit Eis, Zucker und Grapefruitsaft in den Shaker geben, schütteln, in die Sektschale seihen und mit Ginger Ale oder Bitter Lemon auffüllen.

Aus den Hopfendolden stammt der bittere Geschmack des Bieres.

Curaçao gibt dem Punsch Hot Lokomotive den letzten Pfiff.

Hot Coffee

4 Stück Würfelzucker,
2 cl Armagnac,
⅛ l heißer starker Kaffee.

Für die Zubereitung dieses Kaffees braucht man ein feuerfestes Glas.
Würfelzucker in das feuerfeste Glas geben, Armagnac etwas anwärmen, drübergießen und anzünden. Wenn der Alkohol verbrannt ist, mit Kaffee auffüllen.

Hot Italy

4–5 Eiswürfel,
4 cl Whisky,
Vermouth rosso,
1 dash Angostura,
1 Stück Zitronenschale.

Ein Cobbler, der kühlt und zugleich wärmt. Was das Eis an Kühlung erreicht, heizt der Vermouth wieder auf.
Die Eiswürfel fein schaben, ein hohes Becherglas etwa bis zur Hälfte damit füllen. Whisky drübergießen, mit Vermouth nach Belieben auffüllen, Angostura dazugeben und mit der Zitronenschale abspritzen.

Hot Lokomotive

1 Eigelb, 1 BL Zucker,
1 BL Honig,
1,5 cl Curaçao triple sec,
10 cl Rotwein,
1 Scheibe Zitrone,
1 Prise geriebene Muskatnuß.

Eigelb, Zucker und Honig in einem Topf verrühren.

TIP

Den Hot Raspberry, ein weiteres Heißgetränk, sollten Sie auch einmal probieren: 4 cl Himbeersirup mit heißem Wasser und Zitronensaft mischen. Eine Zitronenscheibe einschneiden und auf den Glasrand stecken. Wenn Sie statt Himbeersirup Erdbeersirup nehmen, heißt das Getränk Hot Strawberry.

Curaçao und Rotwein unterrühren und unter ständigem Schlagen bis kurz vor dem Siedepunkt erhitzen. Die Zitronenscheibe in ein vorgewärmtes Glas legen, den Punsch auffüllen und mit Muskat bestreuen.

Hsi-Feng

Hsi-Feng ist ein chinesischer Branntwein aus Mohrenhirse, der gegen Thrombosen und Verkalkungen helfen soll.

Huckleberry Drink

4 cl Heidelbeersirup,
6 cl heißes Wasser,
1 cl durchgeseihter Orangensaft,
1 Orangenscheibe.

Ein Heißgetränk, das an einem frostigen Wintertag besonders von Kindern gern getrunken wird.
Den Heidelbeersirup in den Kinderbecher geben, mit dem heißen Wasser verrühren und mit dem Orangensaft verfeinern. Die Orangenscheibe einschneiden und an den Glasrand

stecken oder nur einfach auflegen.

Hudson

Was kaum jemand weiß oder vermuten würde: Der Hudson-River, an dessen Mündung in den Atlantik New York liegt, war einst ein ausgesprochener Weinfluß mit rheinähnlichem Charakter. Heute gibt es am Hudson allerdings nur noch ein großes Weingut. Tafeltrauben aber werden in zunehmender Menge angebaut.

Huflattichtee

Blätter und Blüten des Huflattichs enthalten viel Pflanzenschleim, der adstringierende (zusammenziehende) und erweichende Eigenschaften hat. Huflattichtee wirkt deshalb lindernd bei Bronchitis und Erkältungen.
Man bereitet ihn zu, indem man eine Tasse kochendes Wasser auf einen Eßlöffel getrocknete Blätter gießt und 10 Minuten zugedeckt ziehen läßt.
Seine heilende Wirkung wurde schon in der Antike sehr geschätzt.

Milch in allen Formen –
als Sahne, Eis, Joghurt
und frisch von der Kuh –
findet beim Mixen
immer wieder
Verwendung.

Ice-Cream-Frappés

Im Gegensatz zu den mit Eiswürfeln oder zerkleinertem Eis gemixten *Glacés* und Frappés werden Ice-Cream-Frappés immer mit Speiseeis zubereitet. Man reicht sie – mit oder ohne alkoholische Zutaten – an heißen Tagen anstelle einer kleinen Mahlzeit. Ice-Cream-Frappés werden in großen Bechergläsern mit Barlöffel und Trinkhalm serviert.

Himbeer-Ice-Cream-Frappé

2 gehäufte EL Himbeereis,
4 cl Milch,
1 cl Himbeergeist,
2 BL Himbeersirup.

Alle Zutaten in den Shaker geben und schütteln oder im Mixer mischen. Dann in einen Sektkelch oder eine Sektschale füllen und mit einem Trinkhalm servieren.

Pfirsich-Ice-Cream-Frappé

2 gehäufte EL Vanilleeis,
2 cl Weinbrand,
4 cl Milch,
2 Pfirsichhälften aus der Dose,
1 Pfirsichspalte.

Vanilleeis, Weinbrand, Milch und die Pfirsichhälften in den Mixer geben und alles gut mixen. In einen Sektkelch oder in eine Sektschale gießen. Mit der Pfirsichspalte garnieren und mit einem Trinkhalm servieren.

Ice-Cream-Soda, abgekürzt ICS, gibt es mit und ohne Alkohol.

Zitronen-Ice-Cream-Frappé

2 gehäufte EL Zitroneneis,
1 cl Wodka,
4 cl Milch,
Saft einer halben Zitrone,
1 BL Puderzucker,
1 Zitronenscheibe.

Eis, Wodka, Milch, Zitronensaft und Puderzucker in einen Shaker oder in einen Mixer geben. Alles gut schütteln oder mixen. In einen Sektkelch oder in eine Sektschale füllen und mit einer Zitronenscheibe garnieren. Mit einem Trinkhalm servieren.

ICS Cheerio

2 cl Orangensirup,
2 cl Gin,
1 gehäufter EL Vanilleeis,
2 cl Dosenmilch, Soda,
1 gehäufter EL Orangeneis,
2 EL geschlagene Sahne,
1 große Orangenscheibe.

»ICS« heißt Ice-Cream-Soda. Das Grundrezept ist immer gleich. Geschmackszutaten ins Glas geben, dann die erste Eisportion und Dosenmilch. Mit Sodawasser auffüllen, die zweite Eisportion zugeben und mit Schlagsahne und Früchten garnieren.

Imperial-Crusta

2 Eiswürfel,
Saft einer Mandarine,
5 cl Kirschwasser,
1 BL Zuckersirup,
Saft einer halben Orange,
2 EL Zucker,
1 Orangenschalenspirale.

Auftakt zu einer Gartenparty, zu einer kleinen Festlichkeit oder auch als After-Dinner-Drink. Eis in den Shaker geben. Mandarinensaft, Kirschwasser und Zuckersirup drübergießen, gut schütteln und in ein Glas mit Crustarand seihen. Orangenschalenspirale einhängen.

Indischer Tee

Siehe Tee.

Ingwer-Drink

⅛ l durchgeseihter Apfelsinensaft,
2 BL Zuckersirup,
2 cl Ingwersirup,
1–2 Eiswürfel.

Alle Zutaten in einem hohen Becherglas sehr gut verrühren. Sehr kalt mit einem Trinkhalm servieren. Mit oder ohne Eiswürfel.

Ingwer Highball

3–4 Eiswürfel, 4 cl Whisky,
2–3 kleine Stückchen grüner Ingwer,
Soda oder Ginger Ale.

Eiswürfel in ein hohes Becherglas geben, den Whisky drübergießen. Ingwerstückchen dazugeben und nach Belieben auffüllen.

Ingwerlikör

Ingwerlikör ist ein Gewürzlikör von mindestens 30 Vol.-% Alkohol. Er gilt als »Rachenputzer«.

Vier würdige Vertreter einer ehrbaren Drink-Familie: Imperial-Crustas. Rezept S. 161.

Ingwertee

1 TL Tee,
1 Stückchen grüner
Ingwer,
¼ l kochendes Wasser,
2 cl Zitronensaft,
Zucker nach Belieben,
2–3 Eiswürfel,
½ Zitronenscheibe.

Dieser Tee ist sehr durst-löschend. Seine besondere Geschmacksnote bekommt er durch den Ingwer.
Tee und Ingwer in einem Topf mit dem kochenden Wasser überbrühen. 5 Minuten ziehen lassen, abgießen. Den Zitronensaft dazuseihen und mit Zucker abschmecken. In ein hohes Becherglas die Eiswürfel geben, den Tee aufgießen, die halbe Zitronenscheibe obenauflegen. Mit einem Trinkhalm servieren.

Inländerrum

Siehe Kunstrum.

Iphöfer Julius-Echter-Berg

Als Königin Elisabeth II. gekrönt wurde, wurde zum Festmenü auch eine Riesling-Beerenauslese des Iphöfer Julius-Echter-Berg serviert. Im »Wein-Gotha«, in dem die größten Weine Europas gewürdigt werden, wird der Iphöfer so beschrieben: »Ein Wein, der alle guten Eigenschaften der Frankenweine mitbringt, den Körper der Pfalz und die Finessen der besten Mosel.«

Irish Coffee

4 cl Irish Whiskey,
3 BL Zucker,
⅛ l heißer starker Kaffee,
2–3 EL leicht geschlagene Sahne.

Das Zubereiten von Irish Coffee ist in Irland eine Zeremonie. Man trinkt ihn mit einem Trinkhalm durch die Sahne. Iren und Briten verwenden dickflüssigere »Cream« statt unserer Sahne.
Ein tulpenförmiges Weinglas oder ein Irish-Coffee-Glas gut anwärmen. Whiskey und Zucker hineingeben und mit dem Kaffee auffüllen. Die Sahne über den Rücken eines Löffels auf den Kaffee laufen lassen. Mit Trinkhalm und Löffel servieren.

Irish Mist

Irish Mist ist das irische Gegenstück zum _Drambuie_, also ein Whisky-Honiglikör. Irish Mist wird statt mit Scotch mit Irish Whiskey zubereitet.

Irish Whiskey

Schon die Schreibweise Whiskey läßt erkennen, daß es sich um ein ganz eigenständiges Produkt handelt.

Lake Caragh in Irland: So sieht die Heimat des Whiskey aus.

Nach der Legende soll der Heilige Patrick aus einer mystischen Versunkenheit aufgeschreckt sein, als eine Schüssel gekochter Gerste plötzlich zu gären begann und die Dämpfe gen Himmel stiegen. In der kühlen Luft kehrten sie jedoch tröpfchenweise zur Erde zurück – genau in St. Patricks Fastenbecher hinein– und der Whiskey war entdeckt!

Das Geschichtenerzählen war schon immer eine Gabe der Iren. In Wahrheit dürfte der erste irische Whiskey eher in den Alchemistenküchen eines Mönchsordens entstanden sein, wo sich bodenständige Brau- und Destilliermethoden mit jenen Erkenntnissen mischten, die eingereiste Edelleute von England den Iren beibrachten und die von den Iren übernommen wurde. Irischem Whiskey fehlt vor allem die rauchige Note (mit Ausnahme des Paddy Old Irish Whiskey aus Cork), denn die gedarrte Gerste wird nicht wie in Schottland über schwelenden Torffeuern geräuchert. Die irischen Whiskeybrenner weisen außerdem auf ihren besonders zarten Malz hin und den Weizen, ungemälzter Gerste, Hafer und Roggen – manchmal auch Zuckerrohrmelasse – die sie ihren Grundstoffen beimischen. Sie destillieren ihren Whiskey auch nicht zwei-, sondern dreimal. Dieses Verfahren führt denn zu einem Destillat mit runden 62 Vol.-% Alkohol, der dann auf normale Trinkstärke reduziert wird.

S. Angelo auf der Insel Ischia.

Ischia

Die Insel Ischia bei Neapel hat drei Weine aufzuweisen, die sich sehen lassen können: Ischia Bianco, Ischia Rosso und Ischia Bianco Superiore. Alle drei sind D. O. C.-Weine. Der Unterschied zwischen dem Bianco und dem Bianco Superiore besteht im Mischungsverhältnis der Trauben. Beide sind trocken, harmonisch und goldfarben. Sie passen ausgezeichnet zu Fisch und Meeresfrüchten. Der Ischia Rosso ist trocken, vollmundig und hat einen ganz leichten Tannin-Geschmack.

Island Dream

3–4 Eiswürfel,
2 BL Curaçao,
2 BL Grenadine,
2 BL Zitronensaft,
2 BL Orangensaft,
Weißer Rum,
3 Cocktailkirschen,
1 Zitronenscheibe.

Ein promillereicher Cocktail für harte, nicht autofahrende Männer.
Die Eiswürfel sehr fein zerkleinern und ein Becherglas etwa bis zur Hälfte damit füllen. Curaçao, Grenadine, Zitronen- und Orangensaft dazugeben, mit dem Rum nach Belieben auffüllen, gut umrühren und mit den Cocktailkirschen und der Zitronenscheibe garnieren. Mit einem Spießchen servieren.

Island Highball

2 Eiswürfel,
1 cl Weinbrand,
1 cl Gin,
1 cl Vermouth rosso,
1 dash Orange Bitter,
Soda.

In Irland ist die Zubereitung von Irish Coffee eine richtige Zeremonie. ▶

Das starke Ingwer-Aroma setzt sich in jedem Drink durch.

Ein Cocktail und ein Highball für Leute, die auf Promille nicht zu achten brauchen. Rezepte S. 163.

Island Highball

Island Dream

hung völlig entsprechen.
3. Origine controllata e garantita: Diese Kennzeichnung ist gleichbedeutend mit besonderer Güte. Für diese Weine gelten die gleichen Vorschrift wie unter Punkt 2; sie müssen darüber hinaus aber mit einem staatlichen Siegel versehen sein.

Italienische Weine

Unter den weinherstellenden Ländern der Welt nimmt Italien den ersten Platz ein. Und das Verhältnis der Italiener zum Wein ist sehr innig: So entfiel

Weinfeld bei Siena im Anbaugebiet des Chianti Classico.

Ein Longdrink, der aus Island kommt und bei uns schon viele Freunde hat. Das Eis in ein Becherglas geben, die anderen Zutaten drübergießen und nach Belieben mit Soda auffüllen. Man serviert mit einem Trinkhalm.

Italienischer Mokka

2 BL Zucker,
1 Prise Zimt,
½ Tasse starker, heißer Kaffee,
½ Tasse heiße Schokolade.

Zucker und Zimt in die Kaffeetasse geben und nacheinander mit Kaffee und Schokolade auffüllen und umrühren. Man kann das Getränk auch in einem tulpenförmigen Glas sehr gut servieren.

Italienisches Weingesetz

Im Juli 1963 hat das italienische Parlament das bis heute gültige Weingesetz verabschiedet. Dieses Gesetz beinhaltet Normen zur Kontrolle von Weinproduktion und -handel und regelt sowohl den Anbau der

Reben als auch die Abfüllung in vorgeschriebene Flaschen.
Alle Weine werden nach dem Gesetz in drei Klassen eingeteilt:
1. Origine semplice: Weine mit dieser Kennzeichnung sind einfache Tafelweine. Vorschrift ist, daß die Trauben, aus denen diese Weine gekeltert werden, ausschließlich aus dem angegebenen Anbaugebiet stammen.
2. Origine controllata: Weine mit dieser Kennzeichnung müssen aus genau umgrenzten Anbaugebieten stammen und den gesetzlichen Herstellungsvorschriften in jeder Bezie-

zum Beispiel im Jahr 1971 auf jeden Italiener die beachtliche Menge von rund einhundertundelf konsumierten Liter Wein (Vergleich: Deutschland 18,3 Liter). Die Tradition des Weinbaus geht in Italien bereits auf das Jahr Tausend vor Christi zurück. Von den alten Römern wissen wir, daß sie schon über alles verfügten, was zur Weinalterung und -pflege erforderlich war. Sie hatten nicht nur irdene Amphoren wie die Griechen – sie hatten auch schon Fässer und Flaschen, die den heutigen recht nahe kamen. Noch heute sind die Ratschläge des Dichters

Virgil gültig, die er den römischen Weinbauern gab. Die alten Griechen bezeichneten Italien schon sechs Jahrhunderte vor Christus als Land des Weins. Heute gibt es in den vierzehn Regionen Italiens rund 2800 verschiedene Weine. Das Land ist sozusagen »von oben bis unten« mit Rebstöcken überzogen. Das gilt auch für die großen Inseln Sizilien und Sardinien und für viele kleine Inseln wie Elba, Capri und Ischia. Allerdings begünstigt das warme Mittelmeerklima oft mehr die Quantität als Qualität.

Das *italienische Weingesetz* hat in letzten Jahren allerdings zu einer wesentlichen Qualitätsverbesserung beigetragen.

Unter den italienischen Weinen sind alle Geschmacksrichtungen vertreten. Vom süßesten bis zum trockenen und herben, vom schäumenden bis zum stillen Wein. Sie können herzhaft und rauh sein und einen vollen Geschmack haben, sie können aber auch sanft und lieblich schmekken und eine frische Leichtigkeit und Zartheit besitzen.

Die am häufigsten angebauten Rebsorten sind die *Nebbiolo* (aus ihr werden die edelsten Rotweine Italiens gewonnen), die *Sangioveto* (sie ist an der klassischen Chiantimischung mit etwa fünfzig bis acht-

Italien

zig Prozent beteiligt), die *Trebbiano*-Rebe (mit ungefähr zwanzig Prozent in den berühmten Weißweinen Soave und Verdicchio vorhanden) und die *Malvasier*-Rebe.

Sehr gute Rotweine kommen aus Piemont im Nordwesten des Landes. Hier wird der berühmte *Barolo* gekeltert, der es mit dem *Châteauneuf-du-Pape* aufnehmen kann, und der *Barbera*. Aus dem Piemont stammt auch der beliebte moussierende *Asti Spumante*.

Der wohl bekannteste italienische Wein ist der *Chianti*, der ausschließlich in

der Toskana gekeltert wird. Im Nord- und Mittelabschnitt gibt es so berühmte Weißweine wie den *Soave*, den *Verdicchio* und den *Orvieto*.

Im Nordosten Italiens wird der Weinbau mit einer größeren Vielfalt von Rebsorten betrieben. Eine Spezialität der Po-Ebene ist der rote *Lambrusco*.

In Italien wollen immer mehr Winzer den gesetzlichen Forderungen gerecht werden. Die gesamte Anbaufläche Italiens beläuft sich auf rund 1,5 Millionen Hektar. Jährlich produziert das Land etwa 70 Millionen Hektoliter Wein.

Traubenverarbeitung in einem Familienbetrieb in Apulien.

Izarra

Der Izarra ist ein Kräuterlikör aus dem Baskenland. Er kommt in zwei Varianten auf den Markt: Grün – mit dem Extrakt von 48 Kräutern und Wurzeln und 60 Vol.-% Alkohol. Oder gelb (nur aus 32 Pflanzen), der süßer ist.

Jackie

2–3 Eiswürfel,
1 BL Himbeersaft,
4 cl Kondensmilch,
1 BL Marzipanmasse,
Soda.

Kinder sind begeistert, wenn man ihnen einen Drink mixt. Und Jackie schmeckt ihnen bestimmt. Die Eiswürfel grob zerkleinern, ein Becherglas bis fast zur Hälfte damit füllen. Himbeersaft, Kondensmilch und Marzipanmasse drübergeben, alles gut verrühren und nach Belieben mit Soda auffüllen.

Jägerpunsch

Für 6–8 Personen

1 Orange,
1 Zitrone,
10–15 Stücke Würfelzucker,
400 g Zucker,
½ Flasche hochprozentiger Arrak,
1 Flasche Weißwein,
½ Flasche Sherry,
½ Flasche Sekt.

Ein Punsch, den man wohl besser nach der Jagd serviert und bei leerem Magen zunächst nur ein Glas. Die Orangen- und Zitronen-

Japonaise: Ein erfrischender Longdrink mit wenig Alkohol.

schalen mit dem Würfelzucker abreiben und mit dem Zucker in einen Punschkessel geben. Den Arrak drübergießen, anzünden und brennen lassen, bis der Zucker geschmolzen ist. Weißwein, Sherry und Sekt erhitzen, keinesfalls zum Kochen bringen, und unter die Zucker-Arrak-Mischung rühren. In Punschgläsern anrichten.

Jahrgang

Der auf dem Etikett der Flasche aufgedruckte Jahrgang ist das Geburtsjahr eines Weins. Da das Wetter das Ausreifen der Trauben und damit die endgültige Qualität des Weins bestimmt, unterscheidet man zwischen großen oder sehr guten, guten, mittleren und schlechten Jahrgängen. Die geerntete Weinmenge spielt dahin keine Rolle.
Freilich kann auch ein und derselbe Jahrgang in einem Weinbaugebiet sehr gut, in

einem anderen schlecht ausfallen. 1959 zum Beispiel war ein ganz großer Jahrgang – man sprach von einem Jahrhundertwein – für alle deutschen Weinanbaugebiete, mit Ausnahme von Württemberg, wo er nur gut war. Die sehr guten Jahrgänge kann man also jeweils nur für ein begrenztes Anbaugebiet bestimmen, wobei es wegen des sogenannten Kleinklimas einer *Lage* selbst da noch beträchtliche Unterschiede geben kann.
Im großen Durchschnitt gerechnet waren in Deutschland die Jahrgänge 1911, 1919, 1921, 1936, 1945, 1949, 1953, 1959, 1964 und 1971 sehr gut.
Der Jahrgang wird im allgemeinen nur in Deutschland und Frankreich auf dem Etikett bezeichnet. In anderen Ländern, zum Beispiel in Italien oder Spanien, ist es sogar oft üblich, alle Jahrgänge mit dem neuesten zu verschneiden, also den besseren Jahr-

gang mit einem schlechteren zu »verlängern«.
Eine Ausnahme bildet noch der Portwein, der jedes Jahr von den einzelnen Firmen auf seine Alterungsfähigkeit geprüft und von Fall zu Fall zum Jahrgangswein erklärt wird. Große Port-Jahrgänge waren der 1966er und 1963er, die erst von 1980 an trinkfertig sein werden, der 1955er und 1945er, die bereist getrunken werden und bis 1982 lagerfähig bleiben. Im europäischen Durchschnitt betrachtet waren die Jahre 1937, 1945, 1947, 1949, 1955 und 1959 die besten Jahrgänge. Das Jahr 1955 brachte in ganz Europa hervorragende, an Rhein und Mosel jedoch nur gute Qualitäten.

Jamaika-Rum

Jamaika-Rum ist der aromatischste unter den Zuckerrohrbranntweinen aus der Karibik. Versuche haben ergeben, daß sein Geschmack noch bei einer Verdünnung von einem Kubikzentimeter auf 100 Liter Wasser kräftig durchschlägt. Er ist schwer, voll ausgiebig und hat »viel Körper«. Der Export von Original-Jamaika-Rum, der 74 bis 78 Vol.-% Alkohol enthält, erfolgt in *Puncheons* aus Eichenholz.

Mit schweren Macheten wird auf Jamaika das Zuckerrohr geerntet.

Japan Crusta

Saft einer
halben Zitrone,
2 EL Zucker,
3–4 Eiswürfel,
3 cl Kirschwasser,
3 cl Mandarinensaft,
1 dash Curaçao
triple sec,
1 BL Zuckersirup,
2–3 Mandarinenspalten.

In je eine flache Untertasse den Zitronensaft und den Zucker geben. Rand eines Weinglases zuerst in den Saft tauchen, kurz abtropfen lassen, dann den Rand in den Zucker stellen. Das Glas umdrehen und den Crustarand trocknen lassen. Das Eis grob zerkleinern und in den Shaker geben. Alle Zutaten, mit Ausnahme der Mandarinenspalten, drübergießen, sehr gut schütteln und vorsichtig in die Mitte des Crustaglases seihen.
Nach Möglichkeit den Rand nicht berühren. Mit den Mandarinenspalten garnieren.

Japanischer Tee

Siehe Tee.

Japonaise

2–3 Eiswürfel,
1 cl Grenadine,
2,5 cl Eiercognac,
1,5 cl Kirschwasser,
Soda zum Auffüllen.

Japonaise ist ein Longdrink, der aufmunternd und erfrischend zugleich wirkt.
Eiswürfel, Grenadine, Eiercognac und Kirschwasser in ein hohes Becherglas geben und gut verrühren. Nach Belieben mit Soda auffüllen. Mit einem Trinkhalm servieren.

Jarcebiak

Siehe
Eberschenbranntwein.

Jasmin Julep

2–3 Eiswürfel, 1 BL Zucker,
3 cl Weinbrand,
1 Jasminblüte, Sekt.

Die passenden Monate für dieses Getränk sind Mai bis August. In einer warmen Nacht auf dem Balkon oder im Garten kann man den Julep richtig genießen.
Eiswürfel fein zerkleinern. Eine Sektschale etwa zu einem Drittel mit zerkleinertem Eis füllen, Zucker und Weinbrand hineingeben, mit der Jasminblüte garnieren und vorsichtig von der Seite mit Sekt auffüllen. Mit Trinkhalm und Löffel reichen. Allein schon der Duft dieses Longdrinks wirkt berauschend.

Jasmintee

Jasmintee gehört zu den parfümierten Tees. Die Teeblätter, meist schwarzer, seltener grüner Tee, werden mit getrockneten Jasminblüten vermischt. Jasmintee wird, wie alle Teesorten in Asien, ungezuckert getrunken. Unbeschadet des süßlichen Aromas schmeckt Jasmintee bitterfrisch.

Jerez de la Frontera

Siehe Sherry.

Jerignac

Jerignac nennen die Spanier gelegentlich ihren Weinbrand, der ansonsten in Spanien Brandy oder auch Cognac heißt.

Jeune homme

1–2 Eiswürfel,
1 cl Cointreau,
1 cl Bénédictine,

Joe Collins

Zwei Drinks, mit denen man auf jeder Party bei seinen Gästen Zustimmung findet.

Jeune homme

1 cl Gin,
2 cl Vermouth dry,
1 dash Angostura.

Die Cocktail-Zusammen-
stellungen sind kaum zähl-
bar. Junge Franzosen ha-
ben sich für diese ent-
schieden.
Die Eiswürfel in den Shaker
geben, alle anderen Zuta-
ten drübergießen, kurz, aber
gut schütteln und in ein
Cocktailglas seihen.
Crackers mit aufgespießter
Olive reicht man nebenbei.

Jigger

Jigger ist ein englisches
Bar-Hohlmaß mit zwei
Hohlräumen: 40 g faßt die
eine Seite, 28 oder 56 g die
andere. Heißt es in einem
englischen Rezept »a jigger
of«, so nimmt man ein
Whiskymaß, nämlich 40 g
des betreffenden Getränks.

Jockey Skin

2 Stück Würfelzucker,
1 EL kleingeschnittene
Pfirsichstücke,
6 cl heißes Wasser,
2 cl Pfirsichlikör.

Ein fruchtiger Grog, der
nur wenig Alkohol enthält.
Pfirsiche aus der Dose eignen sich in diesem Fall besser als frische Früchte.
Den Zucker in ein vorge-
wärmtes Grogglas geben
und die Pfirsichstückchen
hinzufügen. Mit kochen-
dem Wasser auffüllen und
danach den Likör dazu-
geben. Gut umrühren und
mit einem Löffel servieren.
Dieser Grog sieht nicht nur
gut aus, er schmeckt auch
gut.
Sie können frische Früchte
oder Früchte aus der Dose
verwenden.

Joe Collins

3–4 große Eiswürfel,
Saft einer halben Zitrone,
1 BL Zuckersirup,
4 cl Wodka,
1 BL Limettensaft
(Lumiensaft),

Mit Joghurt-Zitronenshake macht sogar das Abnehmen Spaß.

1 dash Angostura,
Soda.

Die Collins haben verschie-
dene Brüder, werden mit
Gin, Weinbrand oder Whis-
ky gemixt. Der Joe Collins
hält es mit Wodka.
Das Eis in ein mittelgroßes
Becherglas geben. Zitronen-
saft drüberseihen, Zucker,
Wodka, Limettensaft und
Angostura beifügen, gut
verrühren und mit Soda
nach Belieben auffüllen.
Man serviert mit einem
Trinkhalm.

TIP

*Joghurt ist
bei Kindern sehr
beliebt. Mixen
Sie darum gut
gekühlten Joghurt
mit frischen
Früchten der
Saison, etwas
Zucker, Zitronen-
saft und eis-
kalter Milch.
Servieren Sie es
mit Löffel
und Strohhalm.*

Joghurtbier
Für 2 Personen

¼ l Starkbier,
2 Becher Joghurt,
1 BL durchgeseihter
Zitronensaft,
2 Zitronenscheiben,
1–2 BL Preiselbeer-
kompott.

Ausgezeichnet schmeckt
dieses Biergetränk.
Starkbier, Joghurt und Zitronensaft im Mixgerät mischen, in Bechergläser gießen, auf jedes Glas eine
Zitronenscheibe legen und
mit dem Preiselbeerkom-
pott garnieren.

Joghurt
Oyster

1 Eigelb,
3 EL Joghurt,
2 cl Gin,
1 Prise Paprika,
1 Prise Curry,
1 Prise weißer Pfeffer.

Nach einem kleinen Kater
serviert, hebt dieser Drink
sehr schnell die Stimmung.
Das Eigelb läßt man vor-
sichtig in die Mitte einer
Sektschale gleiten, umran-
det es mit dem Joghurt und
übergießt mit Gin. Würze
und Garnierung geben
Paprika, Curry und weißer
Pfeffer.

Joghurt-
Sorbet

175 g Joghurt,
⅛ l Apfelsaft,
2 BL Honig,
1 dash durchgeseihter
Zitronensaft.

Joghurt-Sorbet ist ein
Schlankmacher, der sehr
schnell zubereitet ist.
Alle Zutaten werden im
Mixgerät gemischt und in
einem mittelgroßen Be-
cherglas mit Trinkhalm
serviert.

Joghurt-
Zitronenshake

175 g kalter
Magermilch-Joghurt,
abgeriebene Schale und
Saft einer halben bis einer
Zitrone,
1–2 BL Honig,
1 Eigelb,
1 Zitronenscheibe.

Alle Zutaten bis auf die
Zitronenscheibe im Mix-
gerät gut mischen. In ein
hohes Becherglas füllen
und nach Belieben mit ei-
ner Zitronenscheibe gar-
nieren und mit Trinkhalm
servieren.

Johannisbeer-geist

Wie viele Beerenbrände gehört der Johannisbeergeist zu den Raritäten unter den Hochprozentigen, und es bedarf oft schon guter Beziehungen, ihn zu verkosten. Es wird vor allem die schwarze Johannisbeere mit ihrem durchdringenden Duft verarbeitet. Bekanntester Vertreter ist der *Cassis* aus Dijon. Johannisbeergeist wird durch Überziehen der Früchte mit Sprit gewonnen. Er bringt es auf 38 Vol.-% Alkohol.

Johannisbeersaft

Der Saft der Johannisbeere, besonders der schwarzen, ist der große Vitamin-C-Spender unter den Beerensäften. 100 ml Saft enthalten zwischen 15 und 50 mg Vitamin C. Auch sonst ist er ein Gesundheitsdrank, der bei Rheuma und Gicht helfen, Harn treiben, Blut reinigen, erfrischen und beleben soll.

Johannisbeer-Shake

2 gehäufte EL schwarze Johannisbeeren,
2 BL Puderzucker,
1 EL Vanilleeis,
⅛ l kalte Milch.

Anstelle der frischen Johannisbeeren können auch schwarzer Johannisbeersirup, Marmelade oder Gelee verwendet werden.
Alle Zutaten im Mixgerät mischen und in einem mittelgroßen Becherglas mit einem Trinkhalm servieren.

Johannisberger Hölle

Im Anbaugebiet Rheingau liegt der Weinort Johannisberg, über dessen Weinberge sich das Schloß Johannisberg erhebt. Die Lage Johannisberger Hölle zählt zu den besten im Rheingau. Dabei muß gesagt werden, daß anderen Lagen wie Goldatzel, Hansenberg und Vogelsang der Hölle kaum nachstehen. Nur der Ruhm der Lage Schloß Johannisberg läuft ihnen oft den Rang ab.

Jugoslawische Weine

Die jugoslawische Weinkarte ist außerordentlich umfangreich: Sie bietet Rot- und Weißweine in Fülle, darunter sehr gute Qualitäten, wenngleich wirklich erstklassige Weine recht selten sind und sich mit Spitzenweinen aus Deutschland oder Frankreich nicht messen können. Der größte Teil der rund 7 Millionen Hektoliter, die in Jugoslawien jährlich erzeugt werden, besteht aus einfachen, bekömmlichen, relativ alkoholreichen Landweinen, die an Ort und Stelle getrunken werden. Die besten Weine liefern die nördlichen Landesteile, vor allem Slowenien und bestimmte Gegenden Kroatiens. Zwischen der Halbinsel Istrien im Norden und der albanischen Grenze im Süden findet man an der dalmatinischen Küste und auf den Inseln Weiß- und sehr viel mehr Rotwein von unbeständiger Qualität. In der großen Donauebene werden vorwiegend Weißweine gekeltert. Serbien, die Provinz Kosovo und Makedonien sind auf Rotweine spezialisiert.

Auf jugoslawischen Weinetiketten steht meistens der Anbauort und die Rebsorte. In vielen Landesteilen zum Beispiel gibt es Rieslinge, die Rizling oder auch Grasevina heißen; es gibt Traminer (Traminac), Merlot, Muskat, Cabernet und Tokajer, Portugieser, Sauvignon und Burgunder. In der Umgebung des alten Städtchens Mostar mit seiner malerischen Brücke gibt es einen der besten weißen Weine des Landes, den Zilavka. An der Küste und auf den Inseln Dalmatiens werden der bekannte Grk und die sehr süßen Weine Dingac, Postup und der Prosek hergestellt. Als qualitativ überdurchschnittliche Weine muß man außerdem noch nennen: Den Fruska Gora, den Smederevka, den Morawa, den Ilvan Zelina und Okic Plesivica in Kroatien und den auch bei uns beliebten *Amselfelder* (Burgunda) in Kosovo.

Auslese heißt auf Jugoslawisch »Cuveno vino«. Auf besonders hohe Qualität wird mit dem Zungenbrecherwort »Visokokvaliteno« hingewiesen. »Stolno vino« heißt Tafelwein, »Slatko« süß und »Suho« trocken.

Nicht zuletzt durch den Tourismus wurde Jugoslawien auch bei uns als ein Weinland bekannt.

TIP

Angenehme Überraschungen erwarten den Weinfreund auf jugoslawischen Inseln.

Julep

Juleps gehören zu den American Drinks und sind durchweg Longdrinks. Die erfrischenden Mixgetränke werden mit Minze aromatisiert und meist mit Früchten garniert.

Jungbrunnen

3 cl Eierlikör,
3 cl Cherry Brandy,
3 cl Crème de Menthe grün.

Ein buntfarbiger Pousse-Café, den die Damen zum Café noir nach dem Dinner trinken.

In ein schmales hohes Stielglas gießt man zuerst den Eierlikör. Wenn er sich gesetzt hat, vorsichtig über einen Barlöffel oder Eßlöffelrücken den Cherry Brandy möglichst ohne abzusetzen eingießen. Wieder warten, bis die Oberfläche glatt ist und genau wie vorher über den Rücken eines Löffels den Crème de Menthe gießen. Die Kunst dabei ist, das Zusammenlaufen der Ingredienzien zu vermeiden. Man serviert mit einem Trinkhalm und kann so einen Likör nach dem andern genießen.

Jungfernwein

Wein aus den ersten Trauben neuangepflanzter Rebstöcke nennt man Jungfernwein. Im allgemeinen wird im dritten Jahr nach der Pflanzung zum erstenmal geerntet.

Jungfrau

3,5 cl Maraschino,
3,5 cl Cordial Médoc.

Ein Pousse-Café, bei dem es auf die Geschicklichkeit beim Einschenken ankommt, denn schmecken tut er von selbst.

In ein schmales hohes Stielglas den Maraschino eingießen. Danach vorsichtig über den Rücken eines Barlöffels in einem Zuge den Cordial Médoc einlaufen lassen. Sie werden Ihre Freude haben, wie gut das im Glase aussieht und mit dem Trinkhalm trinken Sie den einen nach dem andern.

Jura

Das einst so bedeutende französische Weinbaugebiet Jura, das auf der Höhe des Genfer Sees in Ostfrankreich liegt, ist heute nur noch erwähnenswert, weil dort außer mittelmäßigen Rot-, Rosé- und Weißweinen auch ein sogenannter Strohwein und gar ein grauer Wein produziert werden. Der strohgelbe Jura-Wein wird mindestens sechs Jahre im Faß gelagert und ähnlich behandelt wie der *Sherry*. Der graue Wein ist ein sehr blasser Rosé. Die bekanntesten Weinorte des Jura sind Château Chalon, Arbois und L'Etoile. Unter Jura-Weinen versteht man aber auch Weine des Schweizer Jura in der Umgebung des Neuenburger Sees. Ein guter Rosé dieser Gegend heißt Oeil de Perdrix (Rebhuhnauge) und wird in viele Länder exportiert.

Jungbrunnen (links) und Jungfrau sind kunstvolle Spielereien, mit denen man seine Gäste erfreuen kann.

Kaffeesträucher biegen sich unter der Last der Früchte.

In kirschenähnlichen Früchten stecken die Kaffeebohnen.

Unter tropischer Sonne trocknen die Kaffeebohnen.

K

Kabinett

Siehe Qualitätswein mit Prädikat.

Kaffee

Kaffee — das meistgetrunkene Tassengetränk. Mohammed soll nach dem Genuß von Kaffee fähig gewesen sein, 40 ausgewachsene Männer aus dem Sattel zu heben und nicht weniger als 40 Frauen die Liebe zu lehren. Das hat ihm noch kein Kaffeetrinker nachgemacht, und vielleicht ist es auch nur eine von den unzähligen Legenden, die es über den Kaffee gibt.

Die Urheimat des Kaffeebaumes ist sehr wahrscheinlich die abessinische Landschaft Kaffa, die dem Getränk ihren Namen gab. Wer zum erstenmal die weißgrauen Bohnen geröstet und dadurch erst das ganze herrliche Aroma freigesetzt hat, ist nicht bekannt. Vielleicht verdanken wir es wirklich einem Hirten, der am Lagerfeuer unter einem Kaffeebaum schlief, plötzlich durch belebenden Duft geweckt wurde und der Sache nachging: Eine Baumfrucht war ins Feuer gefallen – der erste geröstete Kaffee.

Im Jahre 1534 tauchte der Name Kaffee zum erstenmal in Schriftstücken aus Konstantinopel auf, bald darauf auch in der Handelsstadt Venedig, dem Gewürz-Umschlagplatz Europas. Von dort war es kein weiter Weg mehr nach Norden und Westen. Schon 1648 wurde in London das erste Coffee house, das Lloyd, errichtet und wenig später machten die Wiener die beste Kriegsbeute im Türkenkrieg: Sie ergatterten von den Türken ein paar Säcke Kaffee und richteten ebenfalls die ersten Kaffeehäuser ein, die bald in aller Welt berühmt wurden.

Ganz Europa duftete inzwischen nach Kaffee, und auch in unseren Landen begann man die Milchsuppe beim Frühstück durch Kaffee zu ersetzen. Bis es den Landesvätern zu bunt wür-

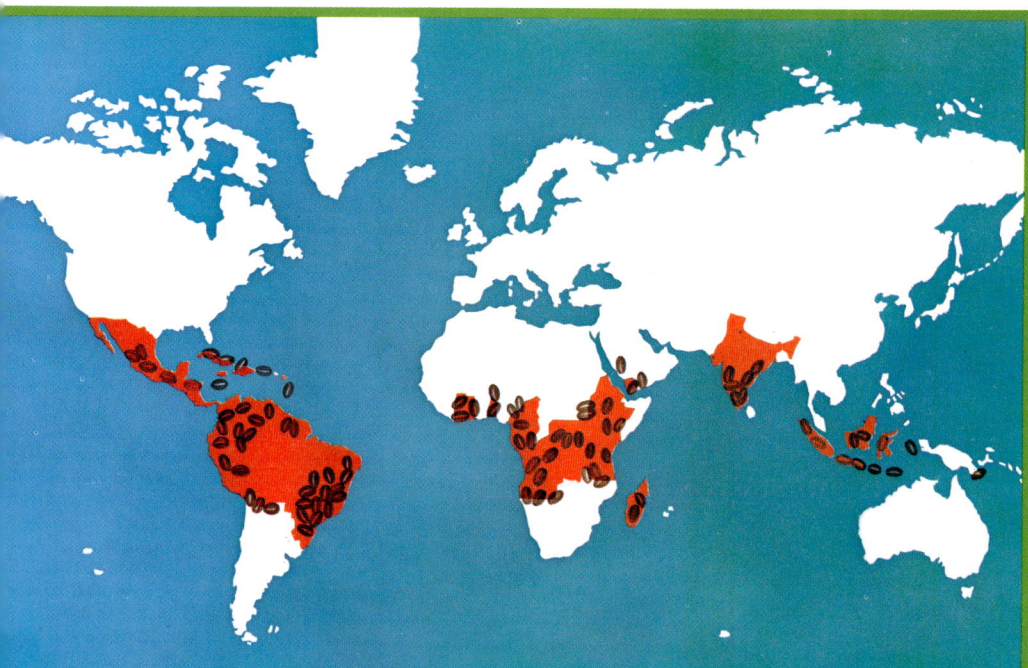

In fast allen subtropischen Ländern der Erde wird Kaffee angebaut.

de. Sie fürchteten, zuviel Geld würde ins Ausland fließen. Kaffee wurde bei Strafe verboten und Friedrich der Große schickte Kaffee-Schnüffler aus, um die sündigen Trinker zu fassen. Die Kaffeebohnen wurden damals noch zu Hause geröstet. Verbot und Strafen konnten die Kaffeetrinker nicht einschüchtern. Aber die Preise. Sie wurden durch Steuern so hoch, daß man sich nach Ersatz umsah oder den teuren Kaffee so verdünnte, daß man die Blümchen am Boden der Meißner Kaffeetassen durchschimmern sah – der berühmt-berüchtigte »Blümchenkaffee«. Kastanien, Eicheln, Korn, Nüsse, Bohnen, Erbsen und Bucheckern – alles, was sich rösten ließ, wurde zu Ersatzkaffee verarbeitet. Er schmeckte scheußlich. Erst der Zichorien-Kaffeeersatz, auch »preußischer Kaffee« genannt, der ab 1770 bei uns hergestellt wurde, erinnerte auch im Geschmack ein bißchen an Kaffee.
In der Nachkriegszeit erlebte der Kaffee Zeiten, in denen er mit Gold aufgewogen wurde — so man hatte. Heute gehört er zu unseren täglichen Genüssen.

Wir beziehen heute unseren Kaffee vorwiegend aus Süd- und Mittelamerika, aus Afrika, Abessinien und Indien. Angebaut wird er in allen subtropischen Ländern mit heißem Kilma und reichen Niederschlägen. Botanisch unterscheidet man drei Arten:
● Coffea arabica, die wertvollste Art, die etwa 90 Prozent der gesamten Welternte liefert,
● Coffea robusta, eine junge Kaffee-Neuzüchtung aus dem Kongo, die besonders widerstandsfähige und anspruchslose Pflanzen hervorbringt. Die Kaffeebohnen dieser Art sind kleiner, rundlicher als die arabische Art, und die gerösteten Bohnen färben das Kaffeewasser nur schwach.
● Coffea liberia, ein geringwertiger Kaffee mit großen Bohnen, der hauptsächlich in Liberia angebaut wird.
Alle drei Arten haben viele verschiedene Unterarten oder sogenannte »Varietäten«, zu denen zum Beispiel auch die beliebte Mocca-Bohne gehört. Diese Bohne ist besonders klein, rund wie Perlbohnen und säurereich. Dadurch entsteht der scharfe, typische Mocca-Geschmack, den Kenner lieben. Die Bohne

ist nach dem arabischen Handelshafen Mokka benannt.

Kaffee Advokat

4 cl Eierlikör,
heißer Kaffee zum Auffüllen,
2 EL geschlagene Sahne,
1 Prise gemahlener Kaffee.

Meist reicht man nach einem Essen Kaffee und Li-

kör getrennt. Werfen Sie alles in einen Topf – das schmeckt noch besser!
In eine angewärmte Tasse den Eierlikör gießen, mit Kaffee auffüllen, dann eine Schlagsahnehaube drübergeben und mit dem gemahlenen Kaffee bestreuen.

Kaffee Cobbler

2–3 Eiswürfel,
4 cl Weinbrand,
4 cl Kaffeelikör,
4 cl Zuckersirup,
kalter Kaffee zum Auffüllen.

Ein Cobbler, den manche einem üblichen Eiskaffee vorziehen.
Das Eis fein schaben. Ein Cobblerglas oder einen Sektkelch bis zu einem Drittel damit füllen. Das Eis glattstreichen, Weinbrand, Likör und Sirup darübergießen und mit Kaffee auffüllen. Mit einem Trinkhalm servieren.

Kaffee-Eierpunsch
Für 2–3 Personen

250 g Zucker,
5 Eigelb,
½ l starker heißer Kaffee.

Eine äußerst empfehlenswerte Spezialität: Kaffee Advokat.

Eine Leckerei, die köstlich schmeckt, aber kalorienreich ist.
Zucker und Eigelb schaumig rühren und mit dem Kaffee in einem Topf vermengen. Bei milder Hitze und unter leichtem Schlagen mit dem Schneebesen bis zum Aufsteigen erhitzen. In gut angewärmten Henkelgläsern mit einem Löffel servieren.

Kaffee-Flip

1 Eigelb,
2 TL Extrakt-Kaffee,
1 EL Sahne,
1 Glas (2 cl) Cognac oder Weinbrand,
½ Glas (1 cl) Maraschino,
2 Eiswürfel,
1 TL geschlagene Sahne,
1 Prise gemahlener Kaffee.

Eigelb und Extrakt-Kaffee, Sahne, Cognac oder Weinbrand und Maraschino in den Shaker geben. Sehr gut schütteln. In ein gekühltes Flip- oder Cocktailglas gießen. Eiswürfel reingeben, Sahnetuff draufsetzen. Etwas Kaffee drüberstreuen. Sofort mit Strohhalm servieren.

Kaffee Kopenhagen

½ l Wasser,
5 gehäufte TL gemahlener Kaffee (50 g),
40 g Zucker,
1 Messerspitze Zimt,

Der Kaffee-Eierpunsch ist ein heißes Stärkungsmittel, das jederzeit schnell zubereitet ist.

4 Gewürznelken,
4 Glas (je 2 cl) Rum.

Wasser sprudelnd aufkochen. Kaffee im Filter aufbrühen und in 4 Groggläser oder in Tassen verteilen, zuckern und eine Messerspitze Zimt zugeben. In jedes Glas eine Nelke geben. Je 1 Glas Rum vorsichtig drübergießen. Nicht mischen, heiß servieren.

Kaffeeliköre

Kaffeeliköre sind oft unter dem Namen Mokkaliköre im Handel. Sie haben einen Alkoholgehalt von mindestens 25 Vol.-% und werden aus frisch geröstetem und gemahlenem Kaffee hergestellt.
Ein bekannter Kaffee-Emulsionslikör ist Mokka mit Ei.

Kaffee-Punsch
Für 2–3 Personen

½ l starker, frisch gebrühter Kaffee,
½ l weißer Portwein,
½ l Rum,
etwa 100 g brauner Kandiszucker.

Zum kleinen Plausch nach dem Abendessen frischt ein Kaffee-Punsch die Lebensgeister auf.
Kaffee in einen Topf geben, Portwein und Rum dazugießen, die Mischung bis kurz vor dem Siedepunkt erhitzen, keinesfalls zum Kochen bringen. Den Kandiszucker nach und nach beifügen und zwischendurch ein Pröbchen nehmen. Mancher liebt es süß, andere mögen nur geringe Zuckerbeigaben.
Serviert wird erst, wenn sich der Zucker gelöst hat, in rustikalen Gläsern mit kurzem Stiel. Sie können auch Punschgläser oder Kaffeebecher nehmen.

TIP

Noch anregender wird der Kaffee-Eierpunsch, wenn man ihn alkoholisiert: Zum Schluß zwei bis drei Glas Weinbrand, Kaffeelikör oder Kirschwasser zufügen und gut mit dem Punsch verschlagen.

172

Dieser Kaffee-Punsch ist mit großer Vorsicht zu genießen.

Champagner macht die Kaiser-Bowle zu einem edlen Getränk.

Kagor

Siehe Russische Weine.

Kaiser-Bowle

Für 6–8 Personen

Saft von 5 Orangen,
Saft von 3 Zitronen,
dünne Orangenscheiben,

Schale einer Zitrone,
5 cl Arrak,
Zucker nach Geschmack,
3 Flaschen gekühlter
Champagner.

Fürstlich muß der Anlaß
sein, wenn Sie die Kaiser-
Bowle servieren: Gehalts-
erhöhung, sechs Richtige

im Lotto. Oder weil Sie
ganz einfach Lust auf
Champagner haben.
Orangen- und Zitronensaft,
Orangenscheiben und Zitronenschale mit Arrak in eine
Schüssel geben. Nach Ge-
schmack mit Zucker ver-
rühren und alles zugedeckt
10 Minuten im Kühl-
schrank ziehen lassen. In
ein Bowlengefäß seihen.
Vor dem Servieren mit
Champagner auffüllen.

Kaiser-Melange

⅛ l starker heißer Kaffee,
⅛ l heiße Milch,
1 Eigelb,
1 dash Weinbrand,
Zucker.

Aus dem alten Wien stammt
die Kaiser-Melange, ein
Milchkaffee mit Pfiff, der
auch heute noch in jedem
Wiener Kaffeehaus serviert
wird.
Kaffee und Milch in einen
Becher geben. Mischen. Eigelb reinquirlen. Wein-
brand zufügen und mit
Zucker abschmecken.

Kaiserpunsch

Für 5–6 Personen

350 g Kandiszucker,
½ l Wasser,
1½ l Weißwein,
½ l Arrak,
abgeriebene Schale und
Saft von zwei Orangen
und einer Zitrone.

»Nur wenn er glühet, labt
der Quell.« Das sagte schon
Schiller. Vielleicht hat er
den Kaiserpunsch nie kalt

*25 bis 50 Kakaobohnen sind
in jeder ausgereiften Frucht.*

probiert, was ebenfalls
schmeckt. Doch meist fin-
det er vor dem Abkühlen
schon reichlich Abnehmer.
Den Kandiszucker zerklei-
nern und in einen Topf
geben. Wasser zufügen und
den Zucker bei schwacher
Hitze darin auflösen. Alle
übrigen Zutaten dazugeben
und den Punsch bis kurz
vor dem Siedepunkt erhit-
zen. In angewärmte Punschgläser seihen.

Kaiserstuhl-Tuniberg

Der Vulkankegel Kaiser-
stuhl in der oberrheinischen
Tiefebene ist Mittelpunkt
des Bereichs Kaiserstuhl-
Tuniberg im Weinbauge-
biet *Baden*. Die beiden
Großlagen dieses Bereiches
sind Attilafelsen und Vul-
kanfelsen. Siehe auch Ba-
den.

Kakao

Die Spanier raubten bei
den Azteken nicht nur
große Mengen Gold, son-
dern auch Kakao, den pulv-
rig-zermahlenen Samen
des Kakaobaums, der bei
den Wissenschaftlern noch
heute einen aztekischen
Namen hat: Theobroma
cacao. Der bedeutete bei
den Azteken soviel wie
Götterspeise.
Inzwischen ist der Kakao
nicht nur in seiner Heimat
Mittel- und Südamerika
ein Kinder- und Volksge-
tränk. Auch die Anbau-
gebiete haben sich vergrößert: Am bekanntesten sind
die Kakao-Plantagen von
Ekuador, Kolumbien, Ve-
nezuela und Mexiko, die
mittelamerikanischen Ka-
kao-Anbaugebiete und auch
die afrikanischen, beson-
ders die von Ghana.
Die Früchte des Kakao-
Baums sind gurkenähnli-
che Gebilde mit hervorste-
henden Kanten. In den
Früchten liegen die Kakao-
Bohnen, ca. 25 bis 50 Sa-
men pro Frucht. Der Baum
blüht während des ganzen
Jahres. Man kennt zwar
zwei Haupternten, aber

man kann praktisch alle zwei Wochen ernten.

Die Früchte werden aufgeschlagen, die Samen entfernt und einige Tage fermentiert. Durch Oxydation zersetzen sich Bitterstoffe und bildet sich Aroma. Dabei entsteht auch die rotbraune Farbe, das Kakaorot. Die fermentierten und dann gewaschenen Bohnen werden an der Sonne getrocknet, nach Sorten sortiert und für den Export verpackt. Vor dem Zermahlen werden die Bohnen geröstet und das Kakaofett abgepreßt.

Übrigens: In manchen Ländern trinkt man den Kakao nicht süß, sondern mit Pfeffer und Salz.

Neben dem Kakaotrunk findet Kakao Verwendung in der Süßwarenindustrie und bei der Herstellung von *Kakaolikör*.

Kakaoflip

⅛ l gekühlte Sahne,
1 Eigelb,
3 BL kaltlöslicher Kakao,
4 cl Crème de Cacao.

Alle Zutaten im Mixgerät mischen und gut gekühlt in einem Becherglas servieren. Pikanter wird der Flip, wenn man statt Crème de Cacao Curaçao verwendet. Trinkhalm reichen.

Kakao-Likör

Siehe Crème de Cacao.

Kakao Vital

2 BL kaltlöslicher gezuckerter Kakao,
⅛ l kochendes Wasser,
durchgeseihter Saft einer Apfelsine.

Den gezuckerten Kakao in das kochende Wasser rühren und den Apfelsinensaft dazugeben. In einer Tasse oder im Becher servieren.

Kakteenlikör

Zahlreiche Kakteenfrüchte wie die Kaktusfeigen, die Garbados-Stachelbeeren

Kakao läßt sich heiß und kalt, mit oder ohne Alkohol, zu köstlichen Getränken verarbeiten.

und die Früchte des Heidelbeerkaktus werden zur Herstellung alkoholischer Getränke verwendet, besonders in Mittelamerika. Die Produkte haben aber kaum Bedeutung gewonnen. Anders der Kakteenlikör aus den rotfleischigen Früchten der im Orient wachsenden Sabra-Kakteen. Sabra-Likör wird in Israel hergestellt und schmeckt erfrischend süß.

Kalorien

Alles was Sie trinken, enthält Kalorien. Die einzige Ausnahme: Reines Wasser. Einer der größten Kalorienspender ist der Alkohol. Jedes Gramm reiner Alkohol hat 7 Kalorien. Alkohol-Kalorien bieten im Gegensatz etwa zu Fett- oder Kohlenhydrat-Kalorien nichts, was der Organismus verwerten könnte. Wir verbrennen die Alkohol-Kalorien ohne Rückstände, und normalerweise würde man vom Alkohol-Trinken nicht ansetzen, wenn es nicht den unangenehmen Spareffekt gäbe.

Alkohol wird vom Körper sofort verbrannt, während die anderen Nährstoffe, die man zu sich nimmt, auf Eis gelegt und später verbrannt werden.

Kalte Ente
Für 3–4 Personen

1 Flasche gekühlter Moselwein,
1 Zitronenschalenspirale,
½ Flasche gekühlter Sekt,
Zucker nach Geschmack,
Eiswürfel zum Kühlen.

Des Deutschen liebstes Ballgetränk ist die Kalte Ente. Man hat ihr sogar ein Ballkleid maßgeschneidert: Einen Kristallkrug mit Silberdeckel und Einsatz für die Eiswürfel, denn Kalte Ente wird immer eiskalt getrunken.

Dann sollten Sie alle Zutaten besonders gut kühlen und das Gefäß eventuell noch in eine Schale mit Eiswürfeln stellen.

Den Moselwein in eine Glaskanne gießen, die Zitronenschalenspirale hineinhängen und den Sekt kurz vor dem Servieren dazugeben. Zucker nur mäßig – besser gar nicht – verwenden, denn er macht einen schweren Kopf. Die Kalte Ente in Bowlengläsern oder Bechergläsern servieren.

Die Zitronenschale sollten Sie nicht länger als 10 Minuten in der Bowle ziehen lassen, sonst wird der Geschmack zu intensiv.

Kalterer See

Der Kalterer See, der dem bekannten Südtiroler Rotwein seinen Namen gibt, liegt etwa fünfzehn Kilometer südlich von Bozen. Der Kalterer See wird aus der in Südtirol viel angebauten Traubensorte Schiava Grossa, die dort auch Groß-Vernatsch und in Deutschland *Trollinger* heißt, gewonnen. Der weiche, harmonische Wein erinnert im Geschmack an Mandeln. Wird der Kalterer See aus ausgelesenen Trauben gekeltert, darf er die Prädikate »Scelto« oder »Selezionato« tragen.

Das Weinmuseum in Kaltern lockt manchen weininteressierten Reisenden an.

Etwa 15 Kilometer südlich von Bozen liegt in Südtirol der Kalterer See.

Nach wie vor zählt die Kalte Ente zu den beliebtesten Sommerbowlen.

Kamelmilch

Die Lieblingsfrauen der arabischen Ölscheichs sollen angeblich – so kann man aus den Aufzeichnungen von Harems-Ärzten erfahren – früher ihrer Schönheit zuliebe nicht in Eselsmilch, sondern in der blendend-weißen, stark eiweißhaltigen, fetten Milch von Kamelen gebadet haben. Sie hat einen angenehmen, reinen Geruch und wirkt, wie Kenner erklären, offensichtlich erotisierend. Für die Beduinen der Wüste ist Kamelmilch jedoch eines der wichtigsten Nahrungsmittel. Sie trinken die süße Milch frisch gemolken, essen sie feinflockig geronnen als eine Art Joghurt und verwenden sie bei vielen Brei-Gerichten. Vergorene Kamelmilch wird in Nordafrika und bei Nomadenvölkern Asiens auch als Milchbranntwein angeboten.

Kampanien

Die süditalienische Region Kampanien bringt eine große Skala verschiedener Rot- und Weißweine hervor, die ihren Charakter dem vorwiegend vulkanischen Boden verdanken. Groß ist auch die Zahl der angebauten Rebsorten. Es ist historisch belegt, daß schon die alten Griechen sechshundert Jahre vor Christus in Kampanien den Weinbau betrieben. Rebsorten wie Aglianico und Greco kamen mit den griechischen Eroberern ins Land. Im Küstengebiet und auf den Inseln *Ischia*, Capri und Procida halten sich Rot- und Weißweine etwa die Waage, während im Landesinneren die Rotweine dominieren. Die weißen Inselweine gelten als ideale Begleiter von Fisch und Meeresfrüchten. Sagenumwoben ist der *Lacrima Christi* von den Hügeln des Vesuvs. Feurige Rote wie der *Taurasi* kommen aus der Gegend von Avellino und Benevento.

Kanadischer Whisky

Siehe Canadian Whisky.

Kangaroo

2–3 Eiswürfel,
4 cl Wodka,
1 cl trockener französischer Vermouth,
1 Stück Zitronenschale.

Eiswürfel mit Wodka und Vermouth im Mixbecher gut verrühren. In ein Kelchglas seihen. Mit Zitronenschale abspritzen. Einen Trinkhalm dazu reichen.

Kanzem

Der Weinort Kanzem im Bereich Saar-Ruwer hat vier Einzellagen – Altenberg, Hörecker, Schloßberg und Sonnenberg –, die in guten Jahren Riesling-Weine von unverkennbarer Frische und feinem Bukett liefern.

Kao-Liang-Branntwein

Die Chinesen sind seit alters her geschickte Brenner, vielleicht sogar die ältesten überhaupt. Der Kao-Liang, ein wohlschmeckendes und erfrischendes Destillat aus der Mohrenhirse Sorghum, hat auch außerhalb Chinas einen guten Ruf.

Kap Kennedy

2 Eiswürfel,
2 cl Zitronensaft,
2 cl Orangensaft,
1 BL Zuckersirup,
1 BL Whisky,
1 BL Bénédictine,
1 BL Rum.

Ein origineller, in der Mischung beinahe mutiger Cocktail, der aus Amerika zu uns kam.
Die Eiswürfel in den Shaker geben. Alle übrigen Zutaten darübergießen, gut schütteln und in ein Cocktailglas oder in eine Sektschale seihen.

Karambolen Cocktail

1–2 Stück Würfelzucker,
1–2 dashes Angostura,
$\frac{1}{8}$ l Sekt,
$\frac{1}{2}$ Karambole (Baumstachelbeere), in Scheiben geschnitten.

Karambolen, auch Baumstachelbeeren genannt, sind Früchte aus den Tropen. Sie werden von Dezember bis Mai vor allem aus Brasilien nach Deutschland importiert. Die Frucht wird bis zu 10 cm lang und hat fünf Längsrippen. Die Farbe ist grünlich bis gelb, je nach Reifegrad, der Geschmack ist säuerlich und die Wirkung erfrischend. Wenn Sie beim Trinken Sterne sehen, so liegt das zunächst nur an der exotischen Frucht: Denn in Scheiben geschnitten haben sie' Ähnlichkeit mit kleinen Sternen.
Würfelzucker in eine Sektschale geben und mit Angostura beträufeln. Mit Sekt auffüllen. Einige Karambolenscheiben in den Sekt geben.
Variante:
Sie können in den Sekt 1 BL Grenadine geben und mit Karambolensternchen garnieren. Eine noch einfachere Variante: Sekt mit Karambolensternchen.

Ein Drink, so rasant wie ein Raketenstart: Kap Kennedy.

Ein Longdrink wirklich exotischer Art: Karambolen Cocktail.

Karamel-punsch

Für 3–4 Personen

300 g Zucker,
½ l starker Tee,
¾ l Traubensaft,
Saft einer Zitrone.

Ein alkoholfreies Abendgetränk für die ganze Familie. Den Zucker in der Pfanne karamelisieren und mit dem Tee ablöschen. Erhitzen, bis sich der Zucker aufgelöst hat. Den Traubensaft dazugießen. Den Zitronensaft durchseihen und beifügen, den Punsch etwa 10 bis 15 Minuten ziehen lassen. Kurz vor dem Servieren nochmals vorsichtig erhitzen, aber nicht kochen lassen. Man serviert ihn in Punschgläsern.

Karamel Shake

2 cl Karamelsirup,
1 gehäufter EL Vanilleeis,

⅛ l Milch,
2 EL geschlagene Sahne.

Karamelsirup, Vanilleeis und Milch im Mixglas mischen. In ein Becherglas geben. Mit Schlagsahne garniert servieren. Dazu sollten Sie Löffel und Trinkhalm reichen.

Kardinal

Für 5–6 Personen

½ Flasche Rotwein,
2 Flaschen Weißwein,
125–150 g Zucker,
abgeriebene Schale einer Pomeranze.

Das Gewürz für dieses Getränk ist der Wein. Wählen Sie ihn daher besonders sorgfältig aus.
Alle Zutaten nacheinander in einen Topf geben und bis kurz vor dem Siedepunkt erhitzen. Nicht kochen lassen. In eine angewärmte Punschterrine seihen und in Punschgläsern servieren.
Dieser Kardinal schmeckt

auch kalt zubereitet ganz ausgezeichnet. Sie können dann noch Ananas-, Melonen- oder Pfirsichstückchen dazugeben und Löffel dazu reichen.

Kartoffelsaft

Da die Kartoffel meist gekocht wird, gehen die Vitamine C, B_1, B_2 und B_6, die im Rohzustand reichlich enthalten sind, weitgehend verloren. Wer dagegen die frischen, geschälten Knollen preßt, kann mit dem Saft aus etwa 250 Gramm Kartoffeln seinen Tagesbedarf an den genannten Vitaminen decken.
Freilich schmeckt der Saft, der sofort nach dem Pressen getrunken werden sollte, nicht sehr gut. Er wird trotzdem als Heilmittel verwendet, weil er Alkaloide, Gerbstoff und organische Säuren enthält, die krampflösend auf Magen und Darm wirken. Auch eine Magenübersäuerung kann mit Kartoffelsaft erfolgreich bekämpft werden.

Katergetränke

»Kater« nannte man früher das »Stadter Bier«, weil »es den Menschen morgens kratzet wie ein Kater, so man sein zuviel getrunken«. Das ist der Ursprung des Namens »Kater« für die Nachwehen feuchtfröhlicher Abende. Der Volksmund nennt so etwas auch »Katzenjammer«.
Zu seiner Beseitigung haben erfahrene Zecher immer eine ganze Reihe wirksamer Mittelchen und Rezepte in der Küche, im Bar- und Apothekenschrank. Was wem wann am besten hilft, darüber läßt sich streiten. Beliebt jedenfalls ist so ein richtiger Katerkaffee:
Vor dem Aufbrühen eines kräftigen Mokkas gibt man zwei bis drei Zitronenscheiben zu dem gemahlenen Kaffee.
Wer einen empfindlichen Magen hat, sollte allerdings lieber auf Kaffee verzichten. Mit Hilfe der folgenden Rezepte dürfte das nicht schwerfallen.

Löschversuch

10 cl Pale Ale,
10 cl Soda, 3–4 Eisstücke.

Wenn der Kopf heiß und der Hals trocken ist, dieser Löschversuch hilft garantiert.
Das Bier (Pale Ale) und Soda in ein großes Becherglas geben. Die Eisstücke zuletzt einlegen.

Tomato Cocktail

2–3 Eiswürfel,
1 dash Tomatenketchup,
1 dash Worcestersoße,
1 Prise Selleriesalz,
2 Tropfen Zitronensaft,
5 cl Tomatensaft.

Alle Zutaten in einen Shaker geben. Kräftig schütteln. In ein Weinglas oder einen Sektkelch seihen und mit Trinkhalm servieren. Wer mag, kann diesen Drink mit etwas Pfeffer oder auch Tabascosauce verschärfen.

Löschversuch
Tomato Cocktail
Vampir-Killer

Für den Morgen danach: Drei Katergetränke, die den Kopf klar machen. Mit und ohne Alkohol.

Vampir-Killer

3–4 Eiswürfel,
1 cl Fernet Branca,
1 cl Vermouth rosso,
3 cl Gin.

Eiswürfel, Fernet Branca, Vermouth und Gin in einen Shaker geben. Kräftig schütteln. In ein Cocktailglas oder ein mittelgroßes Becherglas seihen.

Katergift

2 Eiswürfel,
1 BL Zucker,
4 cl Sherry,
1 dash Angostura,
1 Ei.

Es gibt viele Anti-Kater-Getränke. Manche helfen sogar. Dies ist eines davon. Die Eiswürfel in den Shaker geben. Alle anderen Zutaten hinzufügen, kräftig schütteln und in ein kleines Becherglas seihen.

Kefir

Kefir, in manchen Ländern des Orient auch Kapir oder Kyppe genannt, ist ein Milchgetränk, das ursprünglich aus Stutenmilch, heute meist aus Kuhmilch hergestellt wird.

Die Milch wird durch den Zusatz von Kefirknollen – weiße, schwammartige Gebilde – zur Gärung angeregt. Der Milchzucker wird dabei zum Teil in Alkohol und Kohlensäure, zum Teil in Hefe, Milch- und Buttersäure aufgespalten.

Das Getränk schmeckt leicht säuerlich und ist – auch mit Mineralwasser verdünnt – ein vor allem auf dem Balkan und im Orient weit verbreitetes Erfrischungsgetränk. Kefir regt die Verdauung an und kann auch mit Früchten und Fruchtsäften vermischt gereicht werden. Kefir sollte nicht lange offen stehen, sonst wird er ranzig.

Keka

Der nur einfach destillierte südslawische Zwetschenschnaps Sliwowitz wird Keka genannt.

Keltern

Siehe Weinherstellung.

Kernobst-branntwein

Brännte aus Kernobst sind eine »klare Sache« für Liebhaber rustikaler Genüsse. Sie passen eher auf einen blankgescheuerten Bauerntisch im Schwarzwald als an die Bar eines Luxushotels.

Wer allerdings diese klaren Hochprozentigen der *Obstler*, Obstwasser, Apfelwasser und Birnenbrännte durchprobieren will, muß sich schon nach Süddeutschland, nach Tirol oder ins Elsaß begeben und zu den Bauern gute Beziehungen pflegen. Wer Glück hat, kommt auf solchen alkoholischen Wünschelrutengängen vielleicht auch an so seltene Kernobstbranntweine wie Quitten- oder Mispelbrännte.

Oft werden Kernobstbranntweine aus Birnen und Äpfeln zusammengebrannt, da die Birne über die Destillation hinweg ihr Aroma beibehält, während der Apfel viel davon verliert. So treten Apfelbrännte meist unter dem Namen »Obstbranntwein« auf (obwohl solche aus jedem Abfallobst gebrannt sein können). Nennt er sich dagegen »Obstwasser«, darf er nur aus sortenreinen Früchten gebrannt sein.

Zu den berühmtesten Kernobstbranntweinen gehören der *Calvados* und der *Williamsbirnenbrannt*. Eine Seltenheit ist der *Ebereschen-branntwein*.

Ketchup Cup

4 cl Tomatenketchup,
1 Eigelb,
2 BL abgeseihter Zitronensaft,
1 Prise Zucker,
2 BL Sahne,
frisch gemahlener weißer Pfeffer.

Diesen alkoholfreien Würz-Drink können Sie mal zwischendurch einer feucht-fröhlichen Runde anbieten. Er stimmt den Magen freundlich für weitere Taten.

Tomatenketchup, Eigelb, Zitronensaft und Zucker in ein Mischglas geben. Mit einem Barlöffel gut verrühren. In eine Cocktailschale gießen. Sahne in die Mitte des Getränks geben. Mit dem Barlöffel einmal kurz umrühren. Pfeffer darübermahlen.

Kiedricher Sandgrub

Der Weinort Kiedrich im Anbaugebiet *Rheingau* hat von Weinliebhabern geschätzte Lagen aufzuwei-

Der Ketchup Cup ist eine liebliche Schwester der Bloody Mary.

Zwei frische Longdrinks, die jeden Kater bald vertreiben.

178

sen. Die bekannteste dürfte wohl die Kiedricher Sandgrub sein. Die übrigen Lagen sind Gräfenberg, Klosterberg und Wasseros.

Kikeriki

4 Eiswürfel,
⅛ l Moselwein,
⅛ l Portwein,
2 cl Soda.

Der Weintrinker schwört auf ein Katergetränk mit Wein. Hier ist eins.
Die Eiswürfel zerkleinern und in den Shaker geben. Alle Zutaten darübergießen und kräftig schütteln. In ein Becherglas seihen und mit Trinkhalm servieren.

Kiku Kiku

2 Eiswürfel,
6 cl Reiswein,
1 cl Gin,
3 cl Ananassaft.

Eine etwas gewagte Mischung aus Fernost, die in einem flachen Stielglas serviert wird.
Die Eiswürfel fein schaben und das Glas zu zwei Dritteln damit füllen.
Die anderen Zutaten darübergießen und vorsichtig vermischen. Mit Trinkhalm servieren.

Kirsch Cobbler heißt dieser bei Damen beliebte Longdrink. Rezept S. 180.

Kirsch-branntwein

Kirschbranntwein gehört zu den Obstbranntweinen und muß mindestens 40 Vol.-% Alkohol enthalten. Der bekannteste ist das *Kirschwasser*.

Kirsch Cobbler

3 Eiswürfel,
4 cl Kirschwasser,
4 cl Kirschsirup,
Soda zum Auffüllen,
6–8 entsteinte Kirschen.

Ein im Geschmack ausgewogener Cobbler, der beim Bridge in einer Spielpause serviert werden sollte. Sie dürfen den Cobbler auch trinken, wenn Sie Skat oder gar nichts spielen.
Die Eiswürfel fein schaben – wie immer beim Cobbler – und ein Cobblerglas oder einen Sektkelch bis knapp zur Hälfte mit dem Eis füllen. Kirschwasser und Kirschsirup drübergießen, vorsichtig umrühren, mit Soda nach Belieben auffüllen, mit den entsteinten Kirschen garnieren und mit Trinkhalm und Löffel servieren.

Kirschensaft

Der Kirschensaft wird wegen seines Wohlgeschmacks als »König der Fruchtsäfte« bezeichnet. Er regt den Appetit an, belebt die Nierenfunktion und entlastet Kreislauf und Herz.

Kirschgrog

1 EL entkernte Weinbrandkirschen,
1 EL weißer Kandiszucker,
3,5 cl heißes Wasser,
2 cl Weinbrand.

Die Weinbrandkirschen und den Kandis in ein vorgewärmtes Grogglas geben. Zuerst das heiße Wasser und dann den Weinbrand in das Glas gießen. Sofort mit Cocktailspieß oder Löffel (für die Kirschen) servieren.

Saftige Schattenmorellen.

Kirschkaffee

2–3 EL geschabtes Eis,
2 dashes Maraschino,
1 Prise Zucker,
2,5 cl kalter Mokka,
2,5 cl Kirschwasser.

Der Kirschkaffee ist eigentlich ein Mokka, der so lange mit Kirschwasser verdünnt wird, bis er wie Blümchenkaffee aussieht. Doch auch hier trügt der Schein.
Cocktailglas zu einem Viertel mit Eis füllen. Maraschino drüberträufeln. Mit Zucker bestreuen. Mokka und Kirschwasser draufgießen. Mit einem Barlöffel umrühren. Den Kirschkaffee mit Untertasse, Löffel und Trinkhalm servieren.

Kirschlikör

Kirschlikör gehört zu den Fruchtsaftlikören, die nach den gesetzlichen Bestimmungen in der Bundesrepublik mindestens 25 Vol.-Prozent Alkohol enthalten müssen, oft ist es mehr. Spezielle Kirschliköre sind Kirsch mit Rum und Kirsch mit Whisky, sowie Cherry Brandy. Kirschliköre werden meistens mit Nelken- und Zimtaroma verfeinert.

Kirschwasser

Klar wie Wasser und aromatisch wie der Speck, zu dem es getrunken wird, muß Kirschwasser sein. Es hat Tiefgang und einen ausgeprägten Charakter.
Gewonnen werden darf es nur aus einer Maische aus vollreifen Kirschen, der kein anderer Alkohol und kein Zucker zugesetzt werden dürfen.
Es hat sich von allen Edelbränden deutscher Herkunft in der Welt am stärksten durchgesetzt. Als Ausgangs-»Material« werden in Deutschland vor allem die in höheren Lagen des Schwarzwaldes wachsenden Kirschen bevorzugt. Die Granit- und Porphyrböden sollen – ähnlich wie beim Wein – eine Rolle bei der Eignung der Kirschen für das Brennen spielen. Wild- und Plantagenkirschen – übrigens lieber von älteren Bäumen – werden für die Maische verwendet.
Kirschwasser kommt wasserhell aus dem Kühler. Da es auch so gehandelt wird, verwendet man für die Lagerung zur Reife und Bukettbildung entweder die Eschenholzfässer, die kaum Farbe abgeben, oder Gefäße aus Steingut. Gutes Kirschwasser hat einen blumigen, durchdringenden Kirschengeschmack, unterlegt von einem leichten Bittermandelaroma. Es hat 40 Vol.-% Alkohol.
Kirschwasser heißt in der Schweiz Chriesiwasser, das kommt von la cérise, französisch Kirsche. In Dalmatien wachsen die Maraska-

Kirschgrog wärmt nicht nur. Feiner Weinbrand und aromatische Kirschen machen ihn zum Genuß.

sische Klare sind *Korn* und *Wodka*.

Kleine Feuerzangenbowle

Etwa 8 cl heißes Wasser,
4 cl heißer Rotwein,
2 Gewürznelken,
1 Stückchen
Zitronenschale,
1 Grapefruitscheibe,
3 Stück Würfelzucker,
1 cl Rum.

Auch Paare oder Junggesellen können ihre Feuerzangenbowle genießen. Versuchen Sie es!
In ein vorgewärmtes, feuerfestes Punschglas das Wasser und den Rotwein geben, Nelken und Zitronenschale ebenfalls. Die Grapefruitscheibe über das Glas legen, darauf den Würfelzucker. Den Zucker mit Rum begießen, anzünden und abbrennen lassen.
Es ist anzuraten, das Glas auf eine Asbestplatte zu stellen.

Klekowatsch

Klekowatsch, auch Klekovac geschrieben, ist ein deftiger jugoslawischer Wacholderbranntwein.

Faustregel zum Servieren:
Klare Schnäpse sollten immer gut gekühlt sein. Manche dürfen sogar vorher geeist werden. Und wenn es ganz schnell gehen soll, kann man nicht nur die Flasche, sondern auch die Gläser ins Tiefkühlfach stellen.

Diese kleine Feuerzangenbowle ist ein angenehmer Zeitvertreib für Paare und Junggesellen.

Heißer Kirschwasserpunsch belebt, wenn Sie ihn mit Tee auffüllen. Die Vitamine tun ein übriges zur Erfrischung.

kirschen, aus denen ebenfalls ein hervorragendes Kirschwasser gewonnen wird.

Kirschwasserpunsch

Für 4–5 Personen

2 EL Zucker,
¼ l Kirschwasser,
¼ l Kirschsaft,
1 BL Maraschino,
20 Cocktailkirschen.

Alle Zutaten, bis auf die Kirschen, in eine Kasserole geben. Bis kurz vor dem Siedepunkt erhitzen. In vorgewärmte Punschgläser geben. Die Kirschen auf Cocktailspieße stecken und in die Gläser stellen. Mit einem Löffel servieren.
Sie können den Punsch auch noch mit heißem, schwarzem Tee auffüllen.

Klarer

Farbloser, schwach oder gar nicht aromatisierter Branntwein wird als Klarer bezeichnet, ein Name, der in den 20er Jahren in Deutschland aufkam. Klas-

Klondyke

3 Eiswürfel,
3,5 cl Calvados,
1,5 cl französischer
Vermouth dry,
1 dash Angostura,
1 Olive,
1 Stück Zitronenschale

Diesen Before-Dinner-Cocktail können Sie an der Bar auch als »Star-Cocktail« bestellen. Pate war, wie beim Klondyke-Cooler, das Goldgräbergebiet im Yukon. Eiswürfel, Calvados, Vermouth dry und Angostura in ein Mixglas geben und mit dem Barlöffel gut verrühren. In ein Cocktailglas seihen. Mit einer Olive garnieren und mit Zitrone abspritzen. Ein Spießchen für die Olive dazu reichen.

Klondyke-Cooler

3–4 Eiswürfel,

2,5 cl Zitronensaft,
2,5 cl französischer
Vermouth dry,
2,5 cl Vermouth rosso,
2 BL Zucker,
Ginger Ale zum
Auffüllen.

Nach dem Goldgräbergebiet am Klondyke in Ka-

Klondyke-Cooler

Der Fluß Klondyke in Kanada war einst berühmt des Goldes wegen. Heute sind es die nach ihm benannten Drinks.

Klondyke

nada ist dieser Cooler benannt. Vielleicht haben ihn die Goldgräber erfunden. In dem feucht-warmen Klima konnte man ihn jedenfalls gebrauchen. Eiswürfel, Zitronensaft, Vermouth und Zucker in einen Shaker geben. Den Becher mit einer Serviette umwickeln und sehr kräftig und lange schütteln. In ein mittelgroßes Becherglas seihen und mit eiskaltem Ginger Ale auffüllen. Mit Trinkhalm servieren.

Klosterlikör

Siehe Abteilikör.

Knickebein

Cherry Brandy, 1 Eigelb, Scotch Whisky.

In den Stengel eines Knickebeinglases gießt man den Cherry Brandy. Ein Eigelb ohne Eiweißreste gibt man als Öffnungsabschluß darüber und füllt das Glas mit Scotch Whisky auf. Mit einem Löffel und Trinkhalm servieren.

Knock out

2 Eiswürfel,
2 BL Zuckersirup,
2 cl Scotch Whisky,
1 Eigelb, Sekt.

Ein Sektcocktail, der nährt und den Kreislauf ankurbelt.
Die Eiswürfel in den Shaker geben. Die übrigen Zutaten bis auf den Sekt darüberfüllen, kräftig schütteln und in ein Cocktailglas oder in einen Sektkelch seihen. Mit Sekt auffüllen und mit Trinkhalm reichen.

Koffeinhaltige Erfrischungsgetränke

Siehe Kola-Getränke.

Kognak

Trotz aller Schutzbestimmungen für den Weinbrand aus der Charente bedienen

Für den Knickebein braucht man ein Spezialglas und Geschick.

Mit dem Knock out gehen Sie nicht zu Boden. Im Gegenteil.

sich sowjetische Weinbrenner der Bezeichnung »Kognak« für ihr Destillat aus Krimweinen und Erzeugnissen vom Kaukasus. Die Flaschen dieser östlichen Verwandten des *Cognacs* präsentieren sich in wahrer russischer Generalspracht mit Sternen. Dieser gibt aber nicht das Alter, sondern den Alkoholgehalt an. Und zwar drei Sterne für einen mit 40 Vol.-%. Nur ein Prozent mehr an Alkohol läßt ihn zum Viersterne-General werden, ein weiteres Prozent sogar zu einem mit fünf Sternen.

Kokosmilch

Wer beim Öffnen einer Kokosnuß eine milchig-trübe Flüssigkeit erwartet, wird enttäuscht. Die in den Kokosnüssen eingeschlossene Milch ist klar wie klarer Schnaps, durch Gehalt an Kohlensäure erfrischend wie Sekt, fettfrei, aber eiweißhaltig. Vor allem in tropischen Ländern wird frische Kokosmilch gern zum Mixen mit Alkohol verwendet. In Brasilien kommt sie schon sterilisiert in kleinen Flaschen auf den Markt. Nach längerer Lagerzeit trocknet die Milch in den Kokosnüssen ein und macht das Kernfleisch seifig im Geschmack. Daher achten Sie beim Einkauf von Kokosnüssen immer darauf, daß die Milch noch in flüssiger Form enthalten ist. Ganz einfach durch Schütteln festzustellen. Geöffnet wird die Kokosnuß, indem Sie einen Nagel in zwei der drei »Augen« schlagen, die Milch ausgießen und dann die Nuß durch einen kräftigen Schlag mit dem Hammer zertrümmern. Falls Sie die Kokosnuß – etwa als Windlicht – verwenden wollen, sägen Sie sie in Höhe der Augen durch, da geht es am leichtesten.

Kola-Getränke

Sie gehören zu der großen Familie der Limonaden und

enthalten neben Zucker, Tafelwasser und anderen Geschmacksstoffen einen belebenden Zusatz von Koffein. Dieses anregende Gift, das auch in der Kaffeebohne enthalten ist, stammt aus den Samen der Kolanüsse. Der Kolabaum ist in Westafrika heimisch. Vermutlich haben die Eingeborenen dort das erste Kola-Getränk gemixt. Sie vermischen noch heute geriebene Kolanüsse mit heißem Wasser zu einem Erfrischungsgetränk. Der amerikanische Drogist Pemperton fabrizierte im Jahre 1886 nach einem ähnlichen Rezept aus Kolanüssen und Kokablättern das erfrischende braune Getränk, das als »Cola« die Welt eroberte. Die Kola-Getränke müssen als koffeinhaltig gekennzeichnet sein und dürfen nicht mehr als 25 Milligramm Koffein in 100 Milliliter enthalten.

Kölsch

Kölsch ist ein stark gehopftes, obergäriges Vollbier (zwischen 11 und 14 Prozent Stammwürze) mit wenig Kohlensäure. Es wird aus schlanken Kölsch-Gläsern getrunken, es schmeckt etwas bitter. Ebenso wie *Alt*, das ebenfalls im Rheinland zu Hause ist, kann Kölsch schnell gezapft werden, weil es kaum treibt.

Ein Knickebeinglas gehört unbedingt zum Kommissar.

Köm

Köm ist die plattdeutsche Bezeichnung für *Kümmel* und der Name eines Hamburger Kümmelbranntweins, der zur Gruppe der aromatisierten Branntweine gehört.

Kommissar

1 cl Cordial Médoc,
1 Eigelb,
etwa 2 cl Kirschwasser.

Zu diesem Drink braucht man unbedingt ein Knickebeinglas mit hohem Stengel, und beim Eingießen den feinen Spürsinn eines Kommissars für schwere und leichtere Sachen.
Den hohlen Stengel des Knickebeinglases mit Cordial Médoc füllen. Das Eigelb vorsichtig reingleiten lassen. Dann behutsam das Kirschwasser drübergießen. Die Spirituosen dürfen sich nicht vermischen – das Eigelb dient als Trennmittel. Nur so ist es ein echtes Knickebein. Man serviert ihn mit Löffel und Trinkhalm.

Kondensmilch

Kondensmilch ist frische Milch, die durch Wasserentzug eingedickt oder kondensiert wurde. Dabei wird die Milch bis zu einem bestimmten Grad erhitzt, der Fettgehalt steigt. Für den Handel schreibt der Gesetzgeber den Fettgehalt vor. Er reicht von 7,5 bis zu 10 Prozent Milchfett und muß auf dem Dosenetikett angegeben sein. Die fettfreie Trockenmasse muß zwischen 17,5 und 23 Prozent liegen. Im Handel sind ungezuckerte Kondens- oder Dosenmilch, die durch Sterilisieren haltbar gemacht wird, und gezukkerte Kondensmilch, die höchstens 42,7 % Zucker enthalten darf. Gezuckerte Kondensmilch wird pasteurisiert, also bei geringeren Temperaturen erhitzt und haltbar gemacht,

Ein Kaffeegrog, der mit Sicherheit die Temperamente

Kon-Tiki ist ein Sorbet, der mit Cola aufgefüllt wird.

da der Zuckeranteil konserviert und bei höheren Temperaturen sich in Karamel verwandeln und die Milch braun färben würde. Kondensmilch eignet sich durch die hohe Konzentration nicht nur als Weichmacher zum Kaffee, sondern auch zum Mixen, ist aber auf Dauer kein Ersatz für Frischmilch.

Konsumwein

Im Weinhandel wird die Bezeichnung Konsumwein nur mit Zurückhaltung gebraucht. Gemeint sind zum raschen Verbrauch bestimmte, qualitativ durchschnittliche Weine. Bei den oder »Kellertraum« sind ebenfalls Hinweise darauf, daß es sich um Konsumweine handelt.

Kon-Tiki

⅛ l Milch,
2 cl Ananassirup,
1 gehäufter EL Orangeneis,
1 Prise Vanillinzucker,
Cola zum Auffüllen.

Schon lange, bevor die Spanier kamen, kannten die Inkas erfrischende Eisgetränke. Dieser Drink ist nach dem alten Gott der Inkas, Kon-Tiki, benannt. Er erfrischt und macht munter.
Alle Zutaten, mit Ausnahme der Cola, in ein Mixgerät geben, kräftig mischen, in ein hohes Becherglas gießen und mit Cola auffüllen. Man serviert mit einem Trinkhalm.

anheizt: Das Kosaken-Blut.

in Zweiliterflaschen aus südeuropäischen Ländern eingeführten Weinen handelt es sich in den meisten Fällen um Konsumqualitäten. Auch viele relativ preiswerte Schoppenweine, die in Restaurants ausgeschenkt werden, kann man als solche bezeichnen. In Frankreich nennt man die zum Massenverbrauch bestimmten Qualitäten vin ordinaire. Auch wenn auf einer Weinkarte Landwein aufgeführt ist, darf man keine hohe Qualität erwarten. Grundsätzlich gilt, daß fehlende Lagennamen auf geringere Qualität hindeuten. Phantasiebezeichnungen wie »Winzerfreude«, »Köstlicher Moseltropfen«

Rinden von der Korkeiche.

Korken

Aus der Rinde der vor allem im westlichen Mittelmeergebiet verbreiteten Korkeiche werden etwa seit dem Jahre 1700 n. Chr. Korken zu Flaschenverschlüssen verarbeitet. Sie lösten die bis dahin üblichen Wachs- und Wergverschlüsse ab.
Kork, ein Hautgewebe der Pflanzen, ist sehr elastisch und dehnbar, kaum durchlässig für Wasser, Alkohol, Fett und Luft und kann leicht bearbeitet werden.
Wegen der geringen Luftdurchlässigkeit eignet sich Kork vorzüglich als Verschluß von Flaschen mit reifendem Wein. Da aus-

gereifter Wein, um eine Oxydation zu vermeiden, absolut luftdicht abgeschlossen sein sollte, braucht er völlig intakte Korken. Fehlerhafte Korken lassen Luft und damit Sauerstoff in die Flasche, was zu einem Fäulnisprozeß an dem Korken und zu chemischen Veränderungen des Weines führt. Der Wein wird meist ungenießbar, er »korkelt«. Kellner in guten Lokalen lassen den Gast daher vor dem Einschenken am Weinkorken riechen. Unschädlich ist Schimmel an der äußeren Korkseite.
Moderne Korken aus Plastik sind in ihrer Qualität ohne Unterschied zu guten echten Korken. Im Gegenteil, hier ist ein »Korkeln« nicht möglich. Die Hauptsache ist ja das luftdichte Verschließen der Flasche. Korkbrand – er nennt oft Jahrgang, Lage, Erzeuger und Abfüller des Weines – ist keine Garantie für die Qualität des Weines. Er darf nicht mehr auf den Etiketten angegeben werden. Man verläßt sich besser auf das *Etikett* der Flasche, dessen Angaben nach den Vorschriften des *Deutschen Weingesetzes* abgefaßt sein müssen.

Korn

Als Korn, auch Kornbrand oder Kornbranntwein, darf nach den gesetzlichen Bestimmungen nur Branntwein bezeichnet werden, der ausschließlich aus Roggen, Weizen, Buchweizen, Hafer oder Gerste hergestellt ist und mit keinen anderen Erzeugnissen vermischt wurde. Er muß mindestens 32 Vol.-% Alkohol enthalten.
Korn gehört zu den klassischen *Klaren*, der sehr kalt zum Bier getrunken wird. (Lütt und Lütt.) Reiner Korn schmeckt etwas einfach nur nach Getreide. Die meisten Kornschnäpse erhalten daher geringe Zusätze an Aromaspendern: Zimt, Nelken, Koriander oder Anis. Ähnlich wie dem Wodka, der ebenfalls ein Korn ist, werden dem vor

allem in Norddeutschland gebrannten Korn geringe Mengen Salz beigegeben. Einige Korn-Marken sind keine »Klaren« im eigentlichen Sinn des Wortes mehr. Durch die Lagerung in Holzfässern haben sie eine leichte Gelb-Färbung.

Körper

Wenn in Zusammenhang mit Wein der Ausdruck Körper gebraucht wird, dann ist damit der Extraktgehalt gemeint. Unter Extrakt versteht man alle im Wein gelösten Stoffe wie Zucker, Säure, Salze und Glyzerin. Der Alkohol zählt nicht dazu. Weine mit hohem Extraktgehalt gelten als körperreich. Durchgegorene Weine haben durchschnittlich 25 bis 30 Gramm Extrakt pro Liter.

Korsika

Auf der französischen Mittelmeerinsel Korsika hat der Weinbau in den letzten Jahren erheblich an Bedeutung zugenommen. Die Rebflächen sind etwa um das Vierfache vergrößert worden. Das ist vor allem darauf zurückzuführen, daß viele französische Weinbauern aus Algerien sich nach der Loslösung des Landes von Frankreich auf Korsika niederließen.
Der bekannteste korsische Wein ist der Patrimonio, der zu den *A.O.C.*-Weinen gehört. Er wird im Nordwesten der Insel als Rosé, Rot- und Weißwein gekeltert. Die Gegend um Cap Corse ganz im Norden liefert Dessertweine. Rund um die Hauptstadt Ajaccio werden Rot- und Roséweine hergestellt. Die geschätzten Rotweine des Bezirks Sartène im Südwesten dürfen das Prädikat *V.D.Q.S.* tragen.

Kosaken-Blut

⅛ l gesüßter Kaffee,
⅛ l Rotwein,
2 cl Wodka.

Ein wahres Feuerwerk
gibt es, wenn der Krambambuli
richtig »zelebriert« wird.

Diese Mischung sorgt für wärmere Füße und feurige Tänzer.

Kaffee und Rotwein in einen Topf geben und bis kurz vor dem Siedepunkt erhitzen. In ein feuerfestes Henkelglas füllen und den Wodka zugießen.

Krambambuli

Für 6–8 Personen

1 EL Rosinen,
1 EL entkernte Datteln,
1 EL kandierte Früchte,
1 EL Trockenobst,
1 Zuckerhut (500 g),
20 cl erwärmter Rum,
2 l Weißwein,
1 l starker Tee,
Saft von je 2 Orangen und Zitronen.

Am Anfang war es nur ein Studentenulk. Danziger Studenten verballhornten das einheimische Wort »Kranatbaum« – so heißt der Wacholder in Danzig – in »Krambambuli«. Die berühmte Likörfirma Lachs aus Danzig mixte einen Gewürzlikör aus dem Extrakt von Citrusschalen, Kamille, Piment, Pfirsichkern, Wermutkraut, Angelikawurzel und Wacholderbeeren und nannte ihn »Krambambuli«. Seine blaue Farbe stammt von einem Zusatz von Heidelbeeren. Heute finden Sie den Likör nur noch selten. Häufiger dagegen wird der heiße Krambambuli serviert, eine Art Feuerzangenbowle, die ebenfalls Danziger Studenten erfunden haben sollen. Ein schweres, süß-würziges Getränk, bei dem höchstens die blauzüngelnden Flammen beim Abbrennen des Rums noch an den alten blauen Krambambuli-Likör erinnern.

Die Früchte alle in einen Kupferkessel geben und ein Drahtgitter darüberlegen. Den zerkleinerten Zuckerhut drauflegen, mit dem Rum beträufeln und das Ganze anzünden. Nach und nach den restlichen Rum darüberträufeln. Wenn Zucker und Rum ausgebrannt und in

den Kessel getropft sind, Wein, Tee, Orangen- und Zitronensaft in einem Topf mischen, bis kurz vor dem Siedepunkt erhitzen und in den Kessel gießen. Die Früchte werden normalerweise nicht mitgegessen.

Kranewitter

Kranewitter, Kranawitter oder Kranebitter ist der Beitrag Tirols zur artenreichen Sorte der Wacholderbrännte. Man kann fast sagen – war, denn heute muß man schon lange in den Kramerläden und Jausestüberl zwischen Kufstein und Innsbruck stöbern, wenn man den geheimnisvollen Namen auf dem altertümlichen Etikett lesen will.

Der Name des alpenländischen Schnapses ist nicht eindeutig geklärt. Eigentlich bedeutet er »Kranichholz«; die Kraniche sollen gern von den blauen Beeren des Wacholders genascht haben.

Krätzer

»Der Krätzer brennt, er raubt mir den Verstand« heißt es in einem alten Lied. Ein Krätzer ist ein qualitativ schlechter Wein, der »kratzt«, weil er zu viel Säure hat.

Kräuterbier

In alten Zeiten, als Medizin noch in den Hinterzimmern von Apotheken und Küchen von Kräuterweiblein zusammengebraut wurde, waren Kräuterbiere beliebte Mittelchen gegen allerlei Gebrechen. So wurde Farnbier gegen

Kloster Einsiedeln: Mönchen waren die Erfinder der Liköre.

Beschwerden von Galle und Leber verschrieben. Bier, zusammen mit Sauerkirschen einschließlich den blausäurehaltigen Kirschkernen »angesetzt«, galt als blutreinigend und Lavendelbier, ebenfalls ein Kräuterbier, wurde als Mittel zur Hebung des Kreislaufes angesehen.

Kräuterbuttermilch

¼ l Buttermilch,
1 EL gewiegte Kräuter (Schnittlauch, Petersilie, Sauerampfer, Dill),
1 Prise Salz,
1 Prise Zucker,
1 cl Zitronensaft.

Sie suchen nach einem würzigen und vitaminreichen Schlankheits-Cocktail? Hier ist er:

Alle Zutaten in ein Mixgerät geben, gut durchmischen und in ein Becherglas seihen. Sofort servieren, denn nach längerem Stehen wird der Trunk unansehnlich.

Kräuterflip

⅛ l Milch,
125 g gewiegte Kräuter, (Petersilie, Schnittlauch, Dill),
1 Eigelb, ⅛ l Sahne,
2 cl Gin,
je 1 Prise Salz und Pfeffer,
1 cl Tomatenketchup.

Den Kräuterflip können Sie als Aufwecker, Kraftmacher, Gesundheitsdrink oder als »flüssige« Vorspeise servieren. Er versorgt Sie auf angenehme Art mit reichlich Vitaminen und Wertstoffen.

Milch, Kräuter, Eigelb und Sahne im Mixgerät kräftig durchmischen, in einen Krug seihen, Gin beifügen und mit Salz, Pfeffer und Ketchup abschmecken. Man serviert im hohen Becherglas.

Kräuterliköre

Der spanische Leibarzt mehrerer Päpste, Doktor Arnoldus Villanovanus, soll der erste gewesen sein, der im 13. Jahrhundert das Aroma und die Heilstoffe der schon damals seit Jahrtausenden bekannten Kräuter zur Herstellung von Likören verwendete.

Blüten, Samen, Stengel und Wurzeln von Kräutern werden – oftmals mehrere Dutzend Kräutersorten in einem Verfahren – in Alkohol »eingelegt«, wodurch Aroma und Wirkstoffe in den Alkohol eindringen, der dann meist nur noch gesüßt und auf Trinkstärke herabgesetzt werden muß.

Kräuterliköre müssen mindestens 30 Vol.-% Alkohol enthalten. Nach oben werden nur durch die Trinkfähigkeit Grenzen gesetzt. Die besten Kräuterliköre kommen aus Frankreich, wo vor allem Mönchsorden sich schon seit Jahrhunderten mit der Herstellung hochwertiger Kräuterliköre stetig fließende Einnahmequellen erschlossen haben.

Kräutertee

Kräuter-Tees – wußten Sie das – sind nur »teeähnliche Erzeugnisse«, die mit der Tee-Pflanze namens Thea nur das Aufgießen gemeinsam haben. Sie dürfen, laut Gesetz, nur als Tee bezeichnet werden, wenn die Pflanzenart angegeben ist. Der bekannteste Kräutertee ist der Pfefferminztee, als Allheilmittel heiß geliebt und getrunken, dicht gefolgt vom Kamillentee, der bei verschnupften Nasen, unreinem Teint und Leibschmerzen Hilfe bringt. Die meisten Kräutertees sind alte Hausmittel, die auch von der modernen Medizin nicht verachtet und oft sogar als Arzneimittel in der Apotheke gehandelt werden. Gibt der Hersteller auf der Packung Hinweise auf Heilwirkungen oder -erfolge, unterliegt der Kräutertee automatisch nicht mehr der Teeverordnung, sondern dem strengeren Arzneimittelgesetz.

Nur wenn Sie kräuterkundig sind, sollten Sie den Tee selbst im Wald und auf der Heide sammeln und trocknen. Die Tee-Zubereitung ist einfach: Die getrockneten Kräuter mit kochendem Wasser überbrühen und ziehen lassen, bis das Wasser kräftig Farbe angenommen hat. Man rechnet mit einem Kaffeelöffel Tee auf eine Tasse Wasser. Baldrian, Wermut und Salbei sollten Sie am Abend vorher mit kaltem Wasser übergießen und ziehen lassen. Den Extrakt dann zum Tee-Aufguß verwenden. Praktisch sind auch die löslichen Tee-Extrakte, Pasten oder Cremes, die einfach in heißem Wasser aufgelöst werden.

So wirken die einzelnen Kräutertees:

— Blutreinigend: Löwenzahn, Brennessel, Schafgarbe, Spitzwegerich, Tausendgüldenkraut und Faulbaumrinde.

— Appetitanregend: Wermut und Tausendgüldenkraut.

— Harntreibend (Vorsicht bei Nierenleiden!): Bärentraubenblätter, Birkenblätter, Zinnkraut.

— Schweißtreibend: Linden- und Holunderblüten.

— Schweißdämpfend: Salbei.

— Beruhigend: Baldrian, Hopfen, Melisse.

— Schleimlösend: Spitzwegerich, Huflattich, Eibisch, Isländisch Moos, Lungenkraut.

— Gegen Blähungen: Fenchel, Kümmel, Kalmus.

— Verdauungsfördernd: Faulbaumrinde, Rhabarber, Dornschlehblüten.

Kräuterweiblein

½ Bund Dill,
½ Bund Petersilie,
½ Bund Pimpernelle,
4 Bl Orangensaft,
1 BL Zitronensaft,
¼ l kalte Milch,
Salz, weißer Pfeffer,
1 Messerspitze Zucker oder 1 TL Honig,
1 Stengel Petersilie zum Garnieren.

Die Kräuterweiblein sterben langsam aus. Aber mit ihren Rezepten können Sie auch heute noch Zaubertränke mixen, die aus mü-

den Zeitgenossen nette Menschen machen.

Die Kräuter waschen und im Mixgerät pürieren. Orangen-, Zitronensaft und Milch dazugeben. Mit Salz und Pfeffer würzen. Nach Belieben mit Zucker oder Honig abschmecken und noch einmal durchmixen. In ein hohes Becherglas gießen und mit Petersilie garniert servieren.

Krems

Die Stadt Krems an der Donau gilt als Mittelpunkt des Weinbaus in der Wachau. Kremser Weine werden viel nach Deutschland exportiert und haben sich

Kräuterweiblein sieht nicht nur sehr gesund aus, sondern schmeckt auch überraschend gut.

wegen ihres Alkoholreichtums und ihrer Würze viele Freunde gewonnen. Bei den angebauten Reben dominieren die Sorten *Silvaner* und *Grüner Veltiner*. In zunehmendem Maße werden aber neuerdings *Riesling*-Reben angebaut. Die aus Riesling-Trauben hergestellten Weine sind besonders geschätzt.

Kreuznacher Hinkelstein

Die Lage Kreuznacher Hinkelstein zählt zu den besten des Anbaugebietes *Nahe*. Allerdings stehen ihr die

Lagen Kreuznacher Brükkes und Kreuznacher Narrenkappe kaum nach. Die Spitzenweine dieser Lagen sind Rieslinge, die sich durch besondere Blume und Fruchtigkeit auszeichnen.

Krupnik

Der Krupnik ist ein polnischer Verwandter des *Bärenfangs*, dem Honiglikör aus Ostpreußen.

Kullerpfirsich

1 Pfirsich,
Sekt zum Auffüllen.

Der Pfirsich wird 20- bis 30mal rundum mit einem Cocktailspießchen oder einer Gabel eingestochen und in ein bauchiges Glas gelegt. (Es gibt spezielle Kullerpfirsich-Gläser zu kaufen.) Mit Sekt auffüllen und abwarten, bis der Pfirsich kullert. Er tut es gewiß. Wenn Sie sich am Kullern satt gesehen haben, dürfen Sie den Pfirsich zerschneiden. Mit Messer und Gabel, wie sie immer zum Kullerpfirsich serviert werden.

Kümmel

Spricht man davon, sich »einen anzukümmeln«, so ist im ursprünglichen Sinn

Schon die Steinzeitmenschen kannten Kümmel als Gewürz.

der Kümmelschnaps gemeint gewesen. Der Samen der Kümmelstaude hat vor allem die Brenner in Nordeuropa, wo das Gewürz reichlich wächst, zu allerlei kümmelaromatischen Spirituosen inspiriert.
In nobelster Form als Aquavit der skandinavischen Länder. Ebenfalls ein beliebter Tropfen ist der Kümmelschnaps Norddeutschlands, ein mit Kümmel aromatisierter Trinkbranntwein.

Kümmel-Liköre

Danzig, Breslau und Rostock waren einst die Hochburgen feiner Kümmel-Liköre, die zu den *Gewürzlikören* gehören. Sie bilden einen feinen Abschluß zu fetten Essen, denn sie wirken verdauungsfördernd.

Kumquatbowle

Für 8 Personen

200–250 g Kumquats aus der Dose,
1 EL Zuckersirup,
5 cl Madeira,
1 cl Weinbrand,
1 Flasche Rheinwein,
2 Flaschen Sekt.

Die Kumquat, auch Zwergzitrone oder Zwergpomeranze genannt, stammt aus China. Bekannt ist die Verwendung der Kumquats als Cocktailfrucht zu Gin, Wodka und Whisky. Aber auch für eine Bowle eignen

Die perlende Kohlensäure des Sektes bringt den Pfirsich in seine amüsanten Kullerbewegungen.

Statt frischer Kumquats eignen sich auch Dosenfrüchte gut für diese Bowle. Rezept S. 189.

Lacrima Christi del Vesuvio

sich die Früchte ausgezeichnet.

Kumquats abtropfen lassen und in Scheiben schneiden. In ein Bowlengefäß legen und Zuckersirup, Madeira, Weinbrand und eine Flasche Rheinwein dazugeben. Diesen Ansatz etwa zwei Stunden zugedeckt im Kühlschrank ziehen lassen. Vor dem Servieren mit zwei Flaschen Sekt aufgießen. In Bowlengläsern mit Löffeln servieren.

Kumyß

Schon Marco Polo berichtete 1297 von einem geheimnisvollen, berauschenden Getränk der Mongolen: dem Kumyß, einem Trank aus der vergorenen Milch der Stuten.

Er bringt es durch Abbau des Milchzuckers nur auf schwache zwei Prozent Alkohol. Wird Kumyß aber destilliert, erhält man ein hochprozentiges Getränk, das nach Reiterhorden und Steppensturm schmeckt. In dieser Form heißt der Mongolentrank dann Karakumyß und soll, wie Reisende berichteten, geradezu fürchterliche Räusche erzeugen. Die Destillation geschieht noch heute auf die gleiche primitive Weise wie zu des Dschingis Khans Zeiten. Als Brennblase dient ein Kessel über dem Feuer, dem man einen Helm aus

Holz oder Leder, mit Hanf abgedichtet, aufsetzt.

Als Geistrohr dient ein ausgehöhlter Ast oder Darm, der laufend mit Wasser begossen oder im Winter in Schnee gepackt wird.

Kunstrum

Kunstrum, von den Österreichern auch Inländerrum genannt, sind rumaromatische Produkte, die mindestens 32 Vol.-% Alkohol enthalten müssen und unter Verwendung von künstlichen Zusätzen (Ester, Aromastoffe) hergestellt werden. Sie sind in Deutschland nach einer kurzen Unterbrechung wieder im Handel zugelassen.

Kvo Tsje'U

Kvo Tsje'U ist der Sammelbegriff für eine Reihe von chinesischen Obstbranntweinen, die alle besonders weich und lieblich sind.

Kwass

In Rußland trinkt man, entgegen unausrottbarer Vorurteile, weit weniger Wodka und Krimsekt als Tee und Kwass. Kwass ist das (fast) alkoholfreie Volkserfrischungsgetränk Nummer eins in der UdSSR. Es wird aus Roggenmehlteig oder gebackenem und gerös-

tetem Brotteig durch Milchsäuregärung (Hefen geringfügig beteiligt) gewonnen. Besonders feinem, in Flaschen abgefülltem Kwass werden Rosinen, Pfefferminzblätter oder Sauerkrautsaft beigegeben. Der Alkoholgehalt des Getränks übersteigt normalerweise nicht 0,5 Vol.-%.

Auf den vulkanischen Böden am Fuße des Vesuvs reifen die Trauben für den bekannten Lacrima Christi, um dessen Namen sich verschiedene Legenden ranken. In einer Legende heißt es, daß der Teufel, als er aus dem Paradies vertrieben wurde, ein Stück des Paradieses mit auf die Erde nahm und daraus den Golf von Neapel schuf. Gott Va-

Die Lady Mary ist ein derbes, aber sehr gesundes Katergetränk.

ter habe über den Verlust geweint. An der Stelle, wo eine Träne niederfiel, wuchs die erste Weinrebe. In Italien gibt es inzwischen viele verschiedene Weine mit dem Namen Lacrima Christi. Der echte aber kommt nur aus Torre del Greco, Ercolano und den umliegenden Gebieten in der Provinz Neapel. Weißer Lacrima Christi wird aus Fiano- und Greco-Trauben gekeltert. Der trockene Wein hat einen Alkoholgehalt von 12 Vol.-% und paßt, nicht zu kalt serviert, zu Fisch und Meeresfrüchten.

Der süße ist ein geschätzter Dessertwein. Den rubinroten Lacrima Christi gewinnt man aus den Traubensorten Aglianico und Piedi Rosso. Er muß zwei Jahre gelagert werden und hält sich in der Flasche etwa sechs Jahre. Die ideale Trinktemperatur liegt bei 20 Grad. Der Lacrima Christi ist als D.O.C.-Wein noch nicht anerkannt, was seiner Qualität aber keinen Abbruch tut.

Lady Mary

⅓ geschälte Salatgurke,
5–6 frische Basilikumblätter,
1 Scheibe Zwiebel,
2–3 Eiswürfel,
Salz und Pfeffer nach Geschmack,
Tomatensaft,
2 cl Zitronenkorn,
2 Perlzwiebeln aus dem Glas.

Die Lady Mary hat eine bekanntere Schwester, die Bloody Mary. Beide gehören zu den Nothelferinnen bei schwerem Kopf und flauem Magen.
Im Mixgerät Gurke, Basilikumblätter und Zwiebelscheibe pürieren. In ein hohes Becherglas die Eiswürfel geben. Das Püree mit Salz und Pfeffer abschmecken, auf die Eiswürfel gießen und mit Tomatensaft und Zitronenkorn auffüllen. Mit den Perlzwiebeln garnieren. Dazu einen Trinkhalm reichen.

Lady's Beer Cup

Für 2 Personen

2 cl Rum,
⅛ l Sahne,
2 cl Kirschsaft,
½ l Bockbier.

Wer es immer noch nicht glauben will, daß gemixtes Bier auch den Herren gut und den Damen oft viel besser schmeckt, der sollte dies Rezept ausprobieren. Es reicht für einen Drink zu zweit.
Rum, Sahne und Kirschsaft in einem Krug mischen, das Bier aufgießen, vorsichtig umrühren, in 2 hohe Bechergläser füllen und sofort servieren.

Lady's Crusta

Saft einer halben Orange,
2 EL Zucker,
1 Eiswürfel,
5 cl Portwein,

Saft einer Orange,
1 BL Zuckersirup,
1 Orangenschalen-Spirale.

Ein glitzernder Crustarand erinnert an Hochkaräter. Vermutlich trinken deshalb Ladies so gerne Crustas. Hier ein besonders süßes Exemplar:
In je eine flache Untertasse den Orangensaft und den Zucker geben. Ein Weinglas zuerst mit dem Rand in den Saft tauchen, kurz abtropfen lassen und dann den Rand in dem Zucker drehen und den Crustarand trocknen lassen. Den Eiswürfel in den Shaker geben. Portwein, Orangensaft und Zuckersirup drübergießen, schütteln und in das Crustaglas seihen. Die Orangenschalen-Spirale einhängen.

Lage

Lage nennt man einen in der Weinbergrolle eingetragenen Weinberg oder

Lady's Beer Cup wird sicher auch Männern gut schmecken.

Lady's Crusta, ein süßer Longdrink, beendet ein gutes Essen.

Weingarten einer bestimmten Gemeinde oder Gemarkung. Der Lagenname »Alsheimer Goldberg« sagt zum Beispiel, daß der Wein aus dem Ort Alsheim im Anbaugebiet *Rheinhessen* von einem unter dem Namen Goldberg eingetragenen Weinberg stammt.

Da jeder Wein sowohl vom Boden, auf dem der Rebstock wächst, als auch vom Klima der Gegend und dem sogenannten Kleinklima jedes einzelnen Weinbergs abhängig ist, gibt es zwischen den Lagen himmelweite Unterschiede. Das neue *Deutsche Weingesetz* schreibt vor, daß bei *Qualitätsweinen* mit *Prädikat* und bei *Qualitätsweinen* 75 Prozent des Flascheninhalts von der auf dem Etikett genannten Lage stammen muß.

In Frankreich entsprechen beispielsweise *Climat* (Burgund) und *Château* (Bordeaux) der deutschen Bezeichnung Lage.

Lagerbier

Nach den gesetzlichen Bestimmungen in der Bundesrepublik ist Lagerbier ein Vollbier – hell oder dunkel – mit mindestens 11 Prozent Stammwürze.

Unter »Lager« oder »German Lager« versteht man in Großbritannien ein untergäriges helles, unserer Brauart ähnliches Bier. Für Englandreisende: Es ist das einzige Bier, das auch gut gekühlt auf den Tisch kommt.

Lagrein-kretzer

Auf vielen Weinkarten in Österreich und Italien steht der Lagreinkretzer unter den empfehlenswerten Rotweinen. Er hat seinen Namen von der Rebsorte Lagrein, die in den Südtiroler Provinzen Bozen und Trient angebaut wird. Aus Lagrein-Trauben werden schwere, harmonische, vollmundige Rosé- und Rotweine gekeltert. Kretzer heißt der Wein nach einem

Sieb in Korbform, durch das der Most in Bottiche gepreßt wird.

Lambrusco

Die italienische Region Emilia hat eine Weinspezialität aufzuweisen, die in Italien als Getränk zu vielen Gerichten der Bologneser Küche geschätzt wird: Den roten moussierenden Lambrusco. Leider kommen vorwiegend Konsumqualitäten in Zwei-Liter-Flaschen in den Handel, die oft zu süß und manchmal auch verfälscht sind. Wer Wert auf Qualität legt, sollte sich an dem Lambrusco Grasparossa di Castelvetro halten. Dabei handelt es sich um einen *D.O.C.*-Wein, der den Bestimmungen des *italienischen Weingesetzes* unterliegt. Er wird in der Provinz Modena gekeltert. Von diesem Qualitätswein gibt es eine trockene und eine leicht süße Version.

Lánchid-Brandy

Die Lánchid-Kettenbrücke über die Donau, eines der Wahrzeichen Budapests, hat einem aus ungarischen Weinen gebrannten Brandy den Namen gegeben. Er wird in den uralten Wein-

Lara ist nicht zu Unrecht ein viel gelobter Longdrink.

Leo's Special sorgt für Stimmung. Das macht der schäumende

kellereien von Budafók mindestens acht bis zehn Jahre gelagert.

Landwein

Siehe Konsumwein.

Lara

Saft einer halben Zitrone,
2 EL Zucker,
3 Eiswürfel,
3 cl Wodka,
1 cl Curaçao triple sec,
3 cl Zitronensaft,
1 dash Grenadine,
Ginger Ale zum Auffüllen,
½ Orangenscheibe,
2 Cocktailkirschen.

Lara gehört nicht nur zu den Drinks, an denen man lange Freude hat, sondern auch zu den preisgekrönten Longdrinks. Bei einem Wettbewerb wurde er aus der Taufe gehoben. Der Geburtsort: Wiesbaden.

Zuerst einen Crustarand herstellen. Dafür in je eine flache Untertasse den Zitronensaft und den Zucker füllen. Den Rand eines hohen Becherglases zuerst in den Zitronensaft tauchen, etwas abtropfen lassen, dann den Glasrand in dem Zucker drehen und den Crustarand trocknen lassen. Eiswürfel, Wodka, Curaçao triple sec, Zitronensaft und Grenadine in ein Mix-

Man könnte ihn eigentlich schon zum Frühstück trinken, den würzigen Last not Least mit frischer Sahne und Tomatensaft.

Sekt. Weinbrand, Curaçao und triple sec tragen mit dazu bei.

glas geben und gut verrühren. Die Mischung in das Becherglas seihen. Mit Ginger Ale auffüllen und mit der Orangenscheibe und den Cocktailkirschen garnieren. Mit einem Trinkhalm und langem Löffel für die Kirschen servieren.

Last not least

2 Eiswürfel,
4 cl Scotch Whisky,
2 EL Tomatensaft,
3 EL Sahne,
2 dashes Tabascosauce,
Salz und Paprika,
1 Olive ohne Stein.

Ein aparter und würziger Drink, den noch nicht jeder kennt und den Sie sicherlich nicht nur einmal mixen. Die Eiswürfel in den Shaker geben. Whisky, Tomatensaft, Sahne und Tabascosauce drübergießen, schütteln und in ein Becherglas seihen. Mit etwas Salz und Paprika bestreuen. Die Olive auf ein Cocktailspießchen stecken und über das Glas legen. Halten Sie Salz und Paprika griffbereit, falls Ihre Gäste den Drink noch schärfer wollen. Man serviert mit Trinkhalm.

Leányka
Siehe Ungarische Weine.

Lebén

Ein in Nordafrika und im Vorderen Orient weit verbreitetes Getränk aus Milch, dem *Kefir* verwandt, ist Lebén. Durch Vergärung des Milchzuckers entstehen geringe Mengen Alkohol und Kohlensäure, die das Getränk sehr erfrischend machen. Lebén wird vorwiegend aus Ziegen- und Büffelmilch gemacht.

Lemon

Lemon ist die englische oder amerikanische Bezeichnung für Zitrone. In der internationalen Barkeeper-Sprache gibt es ein paar Lemon-Begriffe, die Sie kennen sollten.
— Lemon-Gin ist ein Gin mit Zitronengeschmack.
— Lemongras ist ein wildwachsendes Gras mit leichtem Zitronengeschmack, aus dem man einen erfrischenden Tee zubereiten kann.
— Lemonpeel nennt man das kleine Stück Zitronenschale, das man über einem fertig gemixten Cocktail ausdrückt, um ihm mit dem ausgepreßten ätherischen Öl die letzte Würze zu geben.
— Lemonjuice ist frisch ausgepreßter oder in Flaschen abgefüllter Zitronensaft, den man zum Mixen verwendet.

— Lemon Bitter, besser: Bitter Lemon, eine Zitronensaftlimonade mit einem Zusatz von Bitterstoffen. Es ist leicht trüb.
— Lemonsquash heißt ein Mischgetränk aus Zitronensaft, Zucker und Selters- oder Mineralwasser.
Siehe auch: Zitronensaft.

Leo's Special

2–3 Eiswürfel,
2 cl Weinbrand,
2 cl Curaçao triple sec,
1 cl Orangensaft,
1 cl Grapefruitsaft,
Sekt,
1 Cocktailkirsche.

Eiswürfel, Weinbrand, Curaçao triple sec und die Fruchtsäfte in den Shaker geben. Kurz und kräftig schütteln und in eine Sektschale seihen. Mit Sekt auffüllen und mit einer Cocktailkirsche garnieren. Dazu ein Cocktailspießchen für die Kirsche reichen.

Lichtblick

3–4 Eiswürfel,
1 BL Zitronensaft,
1 BL Zucker,
1 BL Himbeersaft,
4 cl Weinbrand,
1 Prise Cayennepfeffer.

Ohne Cayenne wäre der Lichtblick kein Lichtblick.

Hier der einzige Lichtblick an einem frühen Katermorgen:
Die Eiswürfel in den Shaker geben. Alle übrigen Zutaten zufügen, kräftig schütteln und in ein Cocktailglas seihen.

Liebfrauenmilch

Der Name Liebfrauenmilch stammt ursprünglich vom Liebfrauenstift in Worms. Daraus wurde die allgemeine Bezeichnung für einen milden, lieblichen Weintyp aus Rheinhessen, der besonders in den Exportländern USA und Großbritannien einen hohen Bekanntheitsgrad erreichte. Das neue Weinrecht von 1971 schreibt für einen Wein mit der Bezeichnung Liebfrauenmilch vor, daß dieser Wein aus den bestimmten Anbaugebieten Rheinhessen, Rheinpfalz oder Nahe kommen darf, den Anforderungen eines Qualitätsweines entsprechen und von lieblicher Art sein muß. Er muß überwiegend aus Trauben der Rebsorten Riesling, Silvaner oder Müller-Thurgau hergestellt und in der Geschmacksart auch von diesen Rebsorten beeinflußt sein. Dazu muß er noch ein bestimmtes Alkohol-Restzuckerverhältnis (3 : 1, beim Riesling 2,5 : 1) aufweisen. Eine Rebsortenangabe ist bei der Liebfrauenmilch nicht zulässig. Liebfrauenmilch hat auf dem Inlandsmarkt kaum eine Bedeutung.

Lieutenant Cocktail

2 Eiswürfel,
3 cl Whiskey,
1 cl Apricot Brandy,
1 cl Grapefruitsaft,
1 BL Zuckersirup,
1 Cocktailkirsche.

Nehmen Sie beim Mixen am besten Bourbon Whiskey. Er paßt sich den anderen Zutaten am besten an und verdrängt ihren Eigengeschmack nicht.

Die Eiswürfel in den Shaker geben. Die anderen Zutaten, mit Ausnahme der Cocktailkirsche, beifügen, schütteln und in ein Cocktailglas seihen. Mit der Cocktailkirsche garnieren. Ein Cocktailspießchen dazureichen.

Liköre

Liköre bringen Farbe und Vielfalt in die lange Reihe der Spirituosen. Mönche und Mediziner des Mittelalters waren es, die auf der Suche nach heilwirksamen Tränklein die ersten Liköre komponiert haben. Kräuter, Samen und Wurzeln gab es in der Umgebung der Klöster und Einsiedeleien ja im Überfluß.

Liköre sind – so der Gesetzgeber – Spirituosen mit Zusätzen von Zucker und aromatischen Stoffen, Pflanzen- und Fruchtauszügen (oder Destillaten), Fruchtsäften oder ätherischen Ölen. Auch dürfen Stärkesirups den Zucker zum Teil ersetzen. Das Gesetz schreibt einen Extraktgehalt von mindestens 10 g, in der Regel aber 22 g auf 100 ml vor und einen Alkoholgehalt von mindestens 32 Vol.-%, wobei Emulsionsliköre mit mindestens 20 Vol.-% eine Ausnahme machen dürfen.

Wichtiger als alle Prozente ist jedoch, das rechte Maß zwischen Süßem und Alkoholischem zu finden, eine Spirituose von Harmonie zu komponieren. Die Herstellung unterteilt sich in die Bereitung des Grundlikörs – der Mischung zwischen Alkohol und Zucker – und die Aromatisierung durch ätherische Öle, Tinkturen oder Essenzen.

Man unterscheidet zwischen *Fruchtsaft-Likören*, den *Fruchtaroma-Likören*, *Kräuter-*, *Gewürz-* und *Bitterlikören*, *Emulsions-* und *Honig*-Likören. Frankreich liefert wohl die edelsten Liköre, Italien die vielfältigsten, Deutschland mit dem Allasch einen der

hochprozentigsten und China die exotischsten.

Lilly's Smile

Saft einer halben Zitrone,
2 EL roter
Einmachzucker,
2–3 Eiswürfel,
5 cl Birnensaft,
2,5 cl weißer Rum,
2,5 cl Apricot Brandy,
Rosé-Sekt zum Auffüllen.

Dieser Drink wird in einem Sektkelch mit Crustarand serviert. Er sieht so hübsch aus wie Lilly, wenn sie lacht.

In je eine flache Untertasse Zitronensaft und den Zucker füllen. Den Sektkelch mit dem Rand zuerst in den Zitronensaft tauchen, kurz abtropfen lassen, dann den Glasrand in dem Zucker drehen und den Rand trocknen lassen.

Eiswürfel, Birnensaft, Rum und Apricot Brandy in einen Shaker geben Kurz und kräftig schütteln und in das Sektglas seihen. Mit Rosé-Sekt auffüllen. Mit einem Trinkhalm servieren.

Limberger

Aus Limberger Trauben werden Rotweine gekeltert,

denen Fachleute die Eigenschaften von Moselweinen zuschreiben.

Die Rebsorte Limberger wird vor allem in Niederösterreich, im Burgenland und in Württemberg angebaut. Limberger heißt in manchen Gegenden auch Lemberger oder Blaufränkisch.

Limettensaft

Manche nennen die Limetten Limonen. Das ist falsch. Richtig dagegen, wenn auch ungebräuchlich, ist »Limonellen«. Es gibt saure und süße Limetten. Die süßen finden bei uns keine

Der Lieutenant Cocktail ist trotz seines Namens nicht militärisch streng, sondern eher lieblich. Rezept S. 193.

Freunde. Doch die sauren, die dann auch Lumien oder »sour lime« genannt werden, sind ganz groß im Rennen. Denn die grünen kleinen Dinger, die wie unreife Zitronen aussehen, haben es faustdick hinter der Schale: Reichlich Saft und ein unvergleichliches Aroma, das ein bißchen an Karibik und Tropensonne erinnert. Zitronen sind zwar durch Limetten oder Lumien zu ersetzen, nicht aber umgekehrt, vor allem dann nicht, wenn Sie einem tropischen Drink (Daiquiri) das gewisse Etwas geben wollen. Limetten finden Sie heute in jedem Supermarkt. Als »Lime-Cordial«, einer Art konzentriertem Limettensaft, wird diese ausgezeichnete Mixzutat aus England in unsere Bars importiert.

Limonade

Limonaden sind vor allem bei Kindern beliebte Erfrischungsgetränke. Im Gegensatz zu Fruchtsäften oder Süßmosten brauchen sie nur Essenzen natürlicher Herkunft, das heißt: Fruchtauszüge zu enthalten, können aber auch mit Fruchtsaft hergestellt sein. Außerdem finden Sie in der Limonade reinen Zucker – er kann das Getränk recht kalorienschwer machen –, Genußsäuren und kohlensäurehaltiges Wasser oder Tafelwasser. Der Gehalt an reinem Zucker muß mindestens 7 Prozent des Gesamtgewichts ausmachen. Wenn Sie auf dem Etikett den Hinweis finden »mit natürlichem Fruchtauszug«, braucht Sie das nicht zu beeindrucken. Andere Auszüge dürfen ohnehin nicht verwendet werden. Beim Hersteller-Hinweis »mit reinem Fruchtsaft« muß der Saftanteil tatsächlich zwischen 4 (bei Citrussäften) und 15 (bei Kernobstsäften) Prozent liegen, genau der Hälfte des für Fruchtsaftgetränke vorgeschriebenen Saftanteils.
Andere beliebte Zusätze

Ein Prosit auf die Gesundheit mit Lindenblütentee.

wie Koffein, Chinin oder natürliche Farbstoffe müssen kenntlich gemacht werden. Normalerweise wird Limonade, der besseren Haltbarkeit wegen, mit kohlensäurehaltigem Wasser zubereitet. Andernfalls muß es auf dem Etikett vermerkt sein. Limonade sollte man immer gut, wenn nicht eisgekühlt trinken. Sonst schmeckt sie süß und flau.

Lindenblütentee

10 g getrocknete oder frische Lindenblüten,
2–3 Tassen kochendes Wasser,
2–3 BL Honig.

Die getrockneten Blüten der Stein- und Sommerlinde haben so gute therapeutische Eigenschaften, daß man sie ständig in der Hausapotheke vorrätig haben sollte: Ihr wohlriechendes ätherisches Öl, bestimmte Gerbstoffe und viel Pflanzenbalsam stillen Hustenreiz und lösen Krämpfe. Lindenblütentee ist deshalb ein wirksames Mittel bei Erkältungskrankheiten und Katarrhen der Luftwege, das schon unsere Vorfahren schätzten.
Die Lindenblüten mit kochendem Wasser überbrühen und 5 Minuten ziehen lassen. Dann durch ein Sieb in Tassen gießen und nach Belieben mit Honig süßen. Die angegebene Menge er-

Lissy's Mandelkakao: Viele Kinder lieben ihn über alles.

gibt 2 Tassen – eine ausreichende Tages-Portion als Heilmittel.

Lissy's Mandelkakao

10 g süße Mandeln,
1 Tropfen Bittermandelöl,
¼ l Milch,
1 EL gesüßtes Kakaopulver.

Kinder lieben Lissy's Mandelkakao – auch, wenn sie sonst keine Milch mögen. Die Mandeln überbrühen, abziehen und mahlen, in der Milch aufkochen, ½ Stunde ziehen lassen, dabei ab und zu die Milch umrühren, damit sich keine Haut bildet. Bittermandelöl dazugeben und noch einmal erhitzen. In ein Kelchglas oder einen Becher seihen und mit dem Kakaopulver vermischen. Gut verquirlen und servieren.

TIP

Lindenblütentee kann man, mit Eis und statt Zucker mit Zitrone gewürzt, als köstliches Erfrischungsgetränk im Sommer servieren.

An rote Lippen erinnert der Crusta-Rand von Lilly's Smile.

Litschi-Wein

Aus der pflaumenähnlichen Litschi-Frucht (auch Lychee geschrieben) bereiten die Chinesen den Litschiwein, der nach europäischem Geschmack eher einem Likör ähnelt. Er schmeckt stark süß und ist ockerfarben.

Little Devil

2–3 Eiswürfel,
1 cl Zitronensaft,
1 cl Cointreau,
1,5 cl Gin,
1,5 cl weißer
Rum.

Wenn Sie den Cocktail getrunken haben, wissen Sie, warum er »Little Devil« – (Kleiner Teufel) heißt. Eiswürfel mit allen Zutaten in einen Shaker geben und kräftig schütteln. In ein Cocktailglas seihen und mit einem Trinkhalm servieren.

Ljuta

Zweimal destillierter *Slibowitz* wird Ljuta genannt. Er hat meist ebenfalls 40 Vol.-% Alkohol, schmeckt aber besonders fein und fruchtig.

Locorotondo

Aus der Region Apulien kommt der im Geschmack trockene und zarte D.O.C.-Wein Locorotondo. Vorgeschrieben sind die Rebsorten Verdeca und Bianco d'Alesano. Auf den Etiketten dürfen keine Vermerke wie »Scelto« oder »Selezionato« angegeben werden. Der Alkoholgehalt beträgt 11 Vol.-Prozent.

TIP

Locorotondo paßt zu italienischen Fischgerichten. Er wird immer kühl getrunken.

Der Lone Tree Cooler ist ein sehr aromatischer Longdrink für gemütliche Stunden am Abend.

Little Devil, kleiner Teufel, heißt dieser Drink und das ganz gewiß nicht grundlos.

Lone Tree Cooler

2–3 Eiswürfel,
4 cl Apricot Brandy,
Saft je einer Zitrone und Limette (Lumie),
Je 1 dash
Grenadine und Angostura,
Soda.

Eis zerkleinern, mit allen Zutaten in einen Shaker geben. Kräftig schütteln. In ein hohes Kelchglas abseihen. Sodawasser auffüllen. Mit einem Trinkhalm servieren. Statt mit Soda können Sie diesen Drink auch mit Sekt auffüllen.

Longdrinks

Alle klassischen Mixgetränke mit mehr als 5 cl Flüssigkeit werden Longdrinks genannt. Die Skalen dieser »langen Getränke« reicht vom alkoholfreien Milchmix über einen Whisky Soda bis zum eiskalten Cobbler mit Früchten. Vor allem die originellen und phantasievollen Longdrinks mit wenig Alkohol werden immer beliebter. Dabei ist es durchaus erlaubt, die klassischen Mixregeln zu vernachlässigen. Bei Alkoholdrinks sollte man aber die Maße unbedingt einhalten. Siehe auch American Drinks.

Love-Love: Ein Drink aus Eis, Alkohol und Sahne.

Fischerhafen in Desenzano am Südende des Gardasees. Hier lernen viele Besucher den weißen Lugana kennen und schätzen.

Hierbei schlägt das Herz der Whisky-Freunde höher.

Love-Love

4 cl Schokoladenlikör,
4 cl Weinbrand,
1 gehäufter EL Vanilleeis,
2 EL geschlagene Sahne.

Love-Love, das klingt wie ein Schlager. Es ist auch einer. Vielleicht mögen Sie den aus dem Glas ebenso gern wie den von der Schallplatte.
Alle Zutaten, mit Ausnahme der Schlagsahne, im Shaker schütteln und in ein Becherglas gießen. Die Schlagsahne aufspritzen und mit einem Trinkhalm sofort servieren.

Löwenzahntee

Als hartnäckiges Unkraut ist der Löwenzahn bei uns bekannter denn als Tee. Aber er hat als Heilmittel Tradition. Die Ärzte im alten Griechenland priesen die heilsame Wirkung des Löwenzahns bei Gallenleiden und Wassersucht und seinen lindernden Einfluß auf Lebererkrankungen. Darüber hinaus wirkt er anregend auf den Stoffwechsel, er hilft, den Blutdruck zu regulieren und die Verdauung zu meistern. Löwenzahntee besteht aus den Wurzeln, Blättern und Blütenknospen der Pflanze. Man kann ihn in Apotheken und Reformhäusern kaufen. Oder selber sammeln und trocknen. Frische junge Löwenzahn-

blätter sind, nebenbei, als Salat oder Gemüse zubereitet eine vitaminhaltige Feinschmeckerei.
Den Tee bereiten Sie so zu: Einen Eßlöffel Löwenzahntee mit zwei Tassen kaltem Wasser übergießen und zwei Stunden ziehen lassen. Den Aufguß kurz aufkochen und kräftig mit Honig oder Kandis süßen, damit der Bitterstoff nicht vorschmeckt.

Lowlands Whisky

Whisky aus den schottischen Lowlands, dem Gebiet südlich der Linie von Grannock im Westen bis Dundee im Osten, ist vornehmlich Grainwhisky, also Kornwhisky, im Gegensatz zum Maltwhisky der *Highlands*. In den Lowlands ist die Kunst des Blending, also des Mischens von Whisky verschiedener Herkunft und Grundsubstanzen, entwickelt worden.
Aber auch in den Lowlands gibt es, was Whiskytrinker oft verwirrt, Maltwhisky. Er wird fast nur zum Blending verwendet.

Lugana

Gardasee-Urlauber lernen außer dem bekannten roten *Bardolino* meistens auch den weißen Lugana kennen, der am Südende des Sees zwischen Desenzano und Peschiera gekeltert wird. Ein frischer, harmonischer

Wein aus *Trebbiano-Trauben*, den man bei einer Temperatur von 10 Grad trinkt; vor allem zu Spezialitäten der lombardischen Küche wie Risotto und Süßwasserfischen in allen Varianten.

Lustige Witwe

2 cl Whisky,
2 cl Cherry Brandy,

4 cl Dosenmilch,
1 EL Erdbeereis.

Wenn zwei Seelen in Ihrer Brust wohnen und Sie sich nie für Whisky oder gegen Erdbeereis entscheiden können – die Lustige Witwe kredenzt Ihnen beides in einer glücklichen Mischung.
Alle Zutaten werden in einem Mixgerät gut gemischt und im Ballonglas mit einem Trinkhalm serviert.

Diese lustige Witwe ist eiskalt und immer willkommen.

Lutter

Lutter heißt der Rauhbrand vor allem bei der Herstellung von Wacholderbranntweinen. Lutter enthält noch Fuselöle und ist daher kaum genießbar.

Machandel

Nur mit Wehmut sprechen gebürtige Ostpreußen vom Machandel, dem Wacholderschnaps aus der urigen Seenlandschaft Masurens. Der hochprozentige Ostpreuße wurde aus Korn, Kartoffel und Wacholder meist von Bauern und kleinen Familienunternehmen gebrannt. Machandel heißt auch ein hochprozentiges Dessert Masurens: Backpflaumen werden zusammen mit Wacholder im Machandelschnaps mehrere Stunden eingeweicht und dann in geselliger Runde genüßlich ausgelöffelt.

Mâconnais

Siehe Burgunder.

Madeira

Wie Port und Sherry wurden die Dessertweine der vulkanischen Insel Madeira einst von britischen Handelsleuten entdeckt und zu Weltgeltung gebracht. Es gibt vier verschiedene Sorten mit verschiedenen Süßegraden, die nach der verwendeten Traubensorte benannt sind: Sercial, Verdelho, Bual und Malvasier. Der Bual und der Malvasier, den die Engländer Malmsey nennen, sind besonders volle und schwere Dessertweine. Sie werden nach alter Tradition »von Hand« gemacht. Von weither bringen die »borracheiros« den frischen Most in ledernen Säcken zur Inselhauptstadt Funchal, wo er zwei bis vier Wochen lang in offenen Behältern gärt. In dieser Zeit verwandelt er sich in den sogenannten vinho claro, den jungen Wein. Dieser wird mit hochprozentigem Weindestillat versetzt, um die Gärung zu stoppen und ihm dadurch die gewünschte Süße zu geben. Danach kommt er in die »estufa«, einen auf 54º C temperierten Raum, in dem er drei bis vier Monate bleibt, um den Reifeprozeß zu beschleunigen. Früher packte man die Fässer in Schiffe mit Indienkurs: Die tropische Hitze in den

TIP

Madeira sollte man immer in breiten Gläsern servieren, damit sich das Bukett ganz entfalten kann.

Laderäumen sorgte dafür, daß die »East India Madeiras« bei der Rückkehr aus den Tropen um etliche »Jahre« gereift waren. Nach der Wärmebehandlung ruht der Wein zwei bis drei Jahre, ehe er nach dem für *Sherry* typischen *Solera-Verfahren* verschnitten und nochmals mit hochprozentigem Alkohol versetzt wird. Jetzt ist er ein »vinho generoso«, ein kräftiger, voller Wein, der aber erst viele Jahre lagern muß, um Güte zu bekommen. Madeiras, die 150 Jahre in Faß oder Flasche gelagert haben, sind keine Seltenheit. Meistens aber erreicht nur der Wein des Mutterfasses ein hohes Alter. Um den nicht unerheblichen Faßschwund auszugleichen, werden die Fässer nämlich jedes Jahr mit neuem Wein wieder aufgefüllt. Allerdings gibt es auch Fässer (bezeichnenderweise in England), die nie aufgefüllt werden! Winston Churchill, der gern auf der portugiesi-

schen Blumeninsel weilte, wurde einmal von Fremden ein Malvasier »Solera 1792« kredenzt.

Nach dem ersten Schluck hielt er inne und meinte: »Man muß sich dessen mal bewußt werden: Als dieser Wein wuchs, war Marie Antoinette noch am Leben. . .«

Madeira-Cobbler

4 Eiswürfel,
2 Pfirsichachtel,
2 Weintrauben,
2 Kirschen,
3 Ananasstücke,
2 BL Grenadine,
1 dash Kirschwasser,
1 dash Curaçao,
1 dash Maraschino,
Madeira.

Eiswürfel fein zerkleinern und ein Kelchglas zu zwei Dritteln damit füllen. Mit den Früchten garnieren. Mit Grenadine, Kirschwasser, Curaçao und Maraschino übergießen. Mit Madeira auffüllen. Dazu Löffel und Trinkhalm reichen.

Madeira-Flip

2–3 Eiswürfel,
1 Eigelb,
2 BL Zuckersirup,
5 cl Madeira,
Muskatnuß.

Aus Masuren in Ostpreußen kam einstmals der Machandel.

Der Hafen von Funchal auf der portugiesischen Insel Madeira.

Madeira Flip

Madeira-Cobbler

Zwei von vielen Möglichkeiten, wie man mit dem berühmten Madeira gute Drinks mixen kann.

Der Madeira-Flip ist ein wohlschmeckender Stärkungstrank, der kleine Konditionsschwächen schnell behebt.
Eiswürfel mit allen Zutaten – bis auf die Muskatnuß – in den Shaker geben. Kurz und kräftig schütteln. In ein Becherglas seihen. Etwas Muskatnuß drüberreiben. Mit Trinkhalm sofort servieren.

Magenbitter

Sowohl bei den Bitterbranntweinen als auch bei den Bitterlikören gibt es einige Spirituosen, die wegen ihrer appetit- und verdauungsfördernden Wirkung Magenbitter genannt werden. Sie werden aus Kräuterauszügen (Arnika, Baldrian, Chinarinde, Kardamom, Nelken usw.) hergestellt und sind meist von scharfem und bitter-brennendem Geschmack.
Wenn es sich um Bitterbranntweine handelt, haben sie – so will es das Gesetz in der Bundesrepublik – mindestens 40 Vol.-% Alkohol. Bei Bitterlikören darf der Alkoholgehalt 32 Vol.-% nicht unterschreiten.
Das Gesetz verbietet es, auf eine Heilwirkung der Magenbitter hinzuweisen.
Auch Namen, die – wie Doktor, Medicus, Kurtropfen usw. – den Eindruck einer medizinischen Wirkung beim Kunden oder Konsumenten erwecken könnten, sind durch Gesetz verboten.

Magermilch

Entgegen landläufiger Meinung ist Magermilch kein minderwertiges Produkt, sondern enthält alle Bestandteile der Vollmilch, mit Ausnahme des Fettes, das bis auf 0,1 Prozent reduziert wurde. Eiweiß, Milchzucker und Salze sind im gleichen Maße wie bei Vollmilch vorhanden. Hat Magermilch eine leicht bläuliche Färbung, so entspricht sie nicht mehr ganz den gesetzlichen Bestimmungen.

Magnolia Blossom Cocktail

2–3 Eiswürfel,
2,5 cl Gin,
1,5 cl Sahne,
1 cl Zitronensaft,
2 dashes Grenadinesirup.

Eiswürfel und alle übrigen Zutaten in den Shaker geben. Kurz und kräftig schütteln. In ein Cocktailglas seihen und sofort servieren.

Magnum

Wein- oder Sektflaschen mit dem doppelten Inhalt einer normalen Flasche werden als Magnum bezeichnet.

Maibock

In Bayern gibt es zwei traditionelle Bockbierzeiten. Einmal nach dem Fasching, in der Fastenzeit, und dann noch einmal Ende April und Anfang Mai, wenn der Maibock kredenzt wird. Er ist ein Starkbier mit mindestens 16 Prozent Stammwürze.

Mai-Bowle

2 Büschel Waldmeister,
1 l leichter Weißwein,
Scheiben einer Orange,
1½ l Roséwein,
½ l Sekt,
eventuell
1 großer Eisblock.

Den Waldmeister besorgt man sich am vorhergehenden Tag. Er darf noch nicht blühen. Man wäscht ihn gut und läßt ihn über Nacht trocknen. Einen Liter Weißwein in ein Bowlengefäß gießen. Eine Orangenscheibe dazugeben. Waldmeister an einem Bindfaden in den Wein hängen. Die Stiele dürfen den Wein nicht berühren; das Aroma steckt nur in den Blättern. 30

Die rosarote Farbe gab diesem Cocktail seinen romantischen Namen: Magnolia Blossom Cocktail.

Minuten zugedeckt in den Kühlschrank stellen. Waldmeister entfernen. Restlichen Weißwein und Roséwein zugießen. Nach Belieben noch weitere Orangenscheiben hineingeben. Vor dem Servieren mit Sekt auffüllen. Den Eisblock in das Bowlengefäß geben, wenn kein Kühleinsatz vorhanden ist.

Maienfelder

Siehe Schweizer Weine.

Mainz

Als Deutschlands Weinmetropole gilt die Stadt Mainz. Sie ist Regierungsstadt der drei größten Anbaugebiete *Mosel-Saar-Ruwer*, *Rheinpfalz* und *Rheinhessen* und Sitz des größten Weinbauministeriums. Das Deutsche Weininstitut und der Stabilisierungsfond für Wein vertreten die Interessen des deutschen Weines. Und wer sich durch die Vielfalt deutscher Weine hindurchprobieren möchte, findet im Haus des Deutschen Weins mehr als 300 Sorten aus allen elf Anbaugebieten: Eine Fundgrube von Kostbarkeiten.

Maische

Siehe Weinbereitung.

Mai Tai

2–3 Eiswürfel,
2,5 cl Limettensaft (Lumiensaft),
2,5 cl Orangensaft,
5 cl weißer Rum,
3 Cocktail- oder Maraschinokirschen,
3 Ananasstückchen,
2 Orangenscheiben.

Mai Tai reimt sich auf Hawaii, und genau dort ist die Heimat dieses fruchtigen Rum-Drinks. Man serviert den Mai Tai auf Hawaii immer vor dem traditionellen »luau«, einem Schlemmerfest, bei dem Hühner und

Schweine in einer Erdgrube gebraten werden.
Eiswürfel wie für Cobbler fein schaben. Limettensaft, Orangensaft und weißen Rum in ein kleines Becherglas geben und gut umrühren. Mit dem zerkleinerten Eis auffüllen. Dann mit den Kirschen, Ananasstückchen und Orangenscheiben garnieren. Dazu Löffel und Trinkhalm reichen.

Malaga

Der bekannte spanische Dessertwein Malaga wird im Weinbaugebiet rund um die südspanische Hafenstadt Malaga hergestellt. Einst war der Malaga so begehrt wie Sherry, ist aber inzwischen aus der Mode gekommen. Die aufgespriteten, goldfarbenen bis braunen Malaga-Weine mit unterschiedlichen Süßegraden werden aus Pedro-Ximenez- und *Muskateller-Trauben* gekeltert.

Mallorca

3 Eiswürfel,
2 cl Rum, 1 cl Drambuie,
1 cl Vermouth dry,
1 cl Bananenlikör,
1 Stück Zitronenschale.

Sollten Sie einmal nach Madrid ins »La Boite« kom-

Mai Tai ist ein Rum-Drink mit Säften und Früchten.

men, dann lassen Sie sich von Enrique Bastante einen Cocktail »Mallorca« mixen. Auf diese Schöpfung ist der Spanier – zu Recht – besonders stolz. Er gewann damit den ersten Preis in einer »International Cocktail Competition«, an der sich berühmte Barkeeper aus zwanzig Ländern beteiligten. Wenn Sie nicht zufällig nach Madrid reisen, mixen Sie sich zu Hause einen »Mallorca«.
Eiswürfel, Rum, Vermouth dry, Bananenlikör und

Eine Empfehlung aus Omas Rezept-Sammlung: Mai-Bowle.

Der Spanier Enrique Bastante hat den Mallorca zuerst gemixt. Und er ist ganz zu Recht sehr stolz auf seinen Drink.

Drambuie in ein Mixglas geben. Mit einem Barlöffel eine halbe Minute rühren. Ohne Eiswürfel in ein Cocktailglas seihen. Mit Zitronenschale garnieren.

Malmsey
Siehe Madeira.

Maltwhisky

Vor allem aus den schottischen *Highlands* stammt der Maltwhisky, der aus bloßer Gerstenmaische gewonnen wird, also keinerlei Zusätze von Whisky aus Korn (Roggen) oder Mais enthält. Reiner Maltwhisky ist auf dem Markt nicht sehr häufig anzutreffen, da der Verbrauchergeschmack mehr auf *Blended* Whisky ausgerichtet ist.

Malvasier-Traube

Weiße Malvasier-Trauben spielen vor allem in der Weinherstellung Italiens eine große Rolle. Die Rebsorte, die ursprünglich aus Griechenland in andere europäische Länder kam, wird in Italien von Piemont bis Sizilien in verschiedenen Spielarten angebaut. Der Malvasier-Traubenmost wird größtenteils mit dem

Most anderer Traubensorten verschnitten. Malvasier ist beispielsweise auch mit einem gewissen Prozentsatz am *Chianti* beteiligt. Reine Malvasier kommen vorwiegend aus Süditalien.
Ein sehr bekanntes Anbaugebiet von weißem Malvasier ist die Insel *Madeira*. Auch in Deutschland gibt es eine Malvasier-Sorte, den frühen roten Malvasier, der auch frühroter Veltliner heißt. Man findet diese Sorte aber nur noch in geringen Mengen in ganz alten Weinbergen.

Malvasier-Wein

Der Malvasier-Wein spielte schon in der griechischen Mythologie eine Rolle. Danach tranken ihn die Götter des Olymps. Im 18. und 19. Jahrhundert dagegen erfreute er sich in fast allen europäischen Herrscherhäusern großer Beliebtheit. Der Malvasier-Wein ist ein stark alkoholhaltiger Dessertwein, der auf der portugiesischen Insel *Madeira* hergestellt wird. Englische Kaufleute waren es, die als erste mit dem Malvasier-Wein Handel trieben. Sie nannten ihn Malmsey. In England und in vielen anderen Teilen der Welt heißt

Ob mit oder ohne Alkohol: Der Malventee-Punsch hat seinen guten Ruf als großer Durstlöscher wirklich verdient.

er heute noch so. Gekeltert wird er aus weißen *Malvasier-Trauben*.

Malventee

Bei uns kennt man den Malventee fast nur als erlösendes Mittelchen gegen Schnupfen und Husten-

reiz. Im Vorderen Orient, der Heimat der Malve, ist der eisgekühlte Tee der Malvenblüten seit alten Zeiten ein beliebtes Erfrischungsgetränk. Der zitronensaure, frische Geschmack und der Gehalt an Vitamin C machen den sattroten Malventee zu einem guten Durstlöscher.

Malventee schmeckt heiß und mit Eis. Er wird mit Citrusfrüchten und Scheiben von sauren Äpfeln vermischt, mit wenig Zucker gesüßt oder mit Likör oder einem neutralen Schnaps wie Wodka zu einem kalten Sommerpunsch verarbeitet. Malventee ist in Aufgußbeuteln oder als lösliches

Konzentrat im Handel. In Apotheken und Drogerien auch als getrocknete rote Blüten.

Der grüne Malventee stammt von den Blättern der gleichen Pflanze und hat ausschließlich heilende Wirkung.

Malvenblüten, auch Hibiskusblüten genannt, stammen von der Wilden Malve (Malva silvestris), die von Juni bis September blüht. Sie wächst vor allem in den wärmeren Gebieten Nordafrikas, Vorderindiens, in Nord- und Südamerika, in Australien und im Vorderen Orient. Früher wurde der intensive rote Farbstoff der Malve zum Färben von Wein, Essig und Likör verwendet.

Ein altes Hausrezept empfiehlt den roten Malventee-Aufguß als Schönheits- und als Beruhigungsmittel für überanstrengte Augen.

Malventee-Punsch

Für 4–6 Personen

4–6 Beutel Malventee,
¾ l kochendes Wasser,
Saft von einer Zitrone,
Saft von zwei Apfelsinen,
5 cl Weinbrand,
10 cl Bananenlikör,
dünne Scheiben einer
Apfelsine,
2 Zitronenscheiben,
Scheiben von einem
kleinen Apfel,
5 große Eiswürfel,
Ginger Ale nach Belieben.

Malventee mit kochendem Wasser übergießen und 10 bis 15 Minuten ziehen lassen. Die Beutel entfernen. Tee erkalten lassen. Zitronen- und Apfelsinensaft durchseihen. Mit Weinbrand, Bananenlikör, Apfelsinen-, Zitronen- und Apfelscheiben zum Tee geben. Eiswürfel zufügen und servieren. Nach Belieben können Sie diesen Malventee-Punsch auch mit Ginger Ale auffüllen.

Malz

Zusammen mit dem *Hopfen* ist Malz einer der Rohstoffe der Bierherstellung.
Malz besteht aus Getreidekörnern – meist Gerste, aber auch Weizen – die mit Wasser zum Keimen gebracht wurden und dann getrocknet, im Fachausdruck gedarrt, wurden. Dabei wurde der Keimprozeß gestoppt, bei dem die Stär-

ke des Getreidekornes durch Fermente zu Zucker umgewandelt wird. Aus diesem Zucker wiederum wird im Gärprozeß Alkohol und Kohlensäure.

Je dunkler das Malz gedarrt, d. h. geröstet wird, um so dunkler ist das aus ihm gebraute Bier. Die Farbe des Malzes hat aber keinen Einfluß auf den Alkoholgehalt des Bieres.

Malzbier

Malzbiere sind dunkle, süße und schwach gehopfte Vollbiere, deren Stammwürzgehalt mindestens zur Hälfte – in Bayern und Württemberg ausschließlich – aus Gersten- oder Weizenmalz stammt. Nach Beendigung der Gärung setzt man ihnen Zucker zu. Die Nachgärung in Flaschen und Tanks wird, sobald sich genügend Kohlensäure gebildet hat, durch Pasteurisation oder Filtration unterbrochen. Malzbiere haben einen Alkoholgehalt von nur 0,7 bis 1,4 % und sind reich an Kalorien.

Malzkaffee

Aus gemälztem und anschließend gedörrtem und geröstetem Getreide – vor allem Gerste, aber auch Roggen und Weizen – wird Malzkaffee bereitet.
Bei 70 Prozent der Getreidekörner muß vor dem Rösten der Blattkeim bis zur Hälfte der Kornlänge entwickelt gewesen sein. Das garantiert eine weitgehende Umwandlung der Getreidestärke in Zucker. Der Zusatz von Zuckerrübensubstanz darf ein Viertel der Gesamtmenge an Malzkaffee nach den gesetzlichen Bestimmungen in der BRD nicht übersteigen.

Mamertino

Der goldgelbe Mamertino aus Sizilien gehört zu jenen Weinen, die in die Geschichte eingegangen sind. Julius Cäsar soll mit Mamertino angestoßen haben,

als er in Rom zum drittenmal zum Konsul gewählt wurde. Und in einer Aufstellung von 195 Weinen der Antike räumte Plinius dem Mamertino den vierten Platz ein. In jüngster Zeit ist viel zur Verbesserung des Mamertinos getan worden. Er wird vorwiegend aus Cataratto- und Insolia-Trauben gekeltert und muß mindestens zwei Jahre im Faß lagern, bevor er in Flaschen abgefüllt wird. Trockener alter Mamertino hat viel Ähnlichkeit mit gutem Portwein.

Mandarinen-likör

Ein Fruchtlikör aus der Gruppe der Citrusliköre ist der Mandarinenlikör, der mindestens 32 Vol.-% Alkohol haben muß, aber meist mit höherem Alkoholgehalt auf den Markt kommt.
Die aus dem Indischen Ozean stammende Citrusfrucht Mandarine wird im Gegensatz zu anderen Citrusfrüchten mit ihrer Schale, die keine unangenehmen Geschmacksstoffe enthält, zur *Mazeration* und *Destillation* verwendet.

TIP

Wie alle Fruchtsäfte eignet sich Mandarinensaft ganz ausgezeichnet zur Herstellung von Eiswürfeln. Sie werden zum Kühlen und Aromatisieren von Mixgetränken verwendet. Sehr lustig sehen auch Eiswürfel mit Mandarinen aus: Dazu Mandarinenschnitze in die Eisschale geben und mit Wasser aufgefüllt einfrieren.

Mandarinen-saft

Mandarinensaft entsteht aus den ganz gepreßten kleinen und dünnschaligen Früchten, die zum ersten Mal auf der Insel Mauritius angebaut und von den Einheimischen »Mauritius-Apfel«, in der Landessprache »Mandara« genannt wurden. Aus diesem Wort wurde bei uns »Mandarine«. Der Name stammt also nicht von den gleichnamigen Staatsbeamten im chinesischen Kaiserreich.
Inzwischen wird die Frucht vor allem in den Mittelmeerländern Spanien, Italien, Nordafrika und Griechenland angebaut. Die kleine Mandarine hat viele Kerne, aber dafür den Vorteil, daß sie leicht zu schälen ist. Um 1900 züchtete ein französischer Pater Clement in Algier die ersten kernlosen Mandarinen. Sie wurden ihm zu Ehren Clementinen genannt.
Saison für alle Mandarinenfrüchte ist von Oktober bis März. Sie sind süßer als Apfelsinen und sehr saftreich. Dem Mandarinensaft fehlt der hohe Gehalt an Fruchtsäure, den Apfelsinen und Zitronen haben. Dafür ist der Zuckergehalt größer.

Mandel-Flip

Für 4 Personen

120 g geschälte Mandeln,
½ Päckchen
Vanillinzucker,
2 EL Zucker, 2 Eigelb,
¼ l Milch, ⅛ l Sahne,
1 TL Zucker,
4 EL Schokoladensirup.

Köstlich und kalorienreich ist der Mandel-Flip. Servieren Sie ihn bitte nie als Aperitif – es sei denn, das Menü wäre damit beendet. Als gehaltvolle Zwischenmahlzeit ist der Flip zu empfehlen.
Mandeln im Mixer zerkleinern. Vanillinzucker, Zucker, Eigelb und Milch zugeben und alles durchmixen. In mittelgroße Be-

chergläser füllen. Sahne mit dem Zucker steifschlagen. Auf jedes Glas einen Sahnetupfer spritzen und den Schokoladensirup drüberlaufen lassen. Mit Trinkhalm servieren.

Mango Glory

2–3 Eiswürfel,
1 Eiweiß,
2 cl Mangosirup,
1 BL Angostura,
1 BL Pernod,
3 cl Scotch Whisky,
Sodawasser zum Auffüllen.

Ein schaumig-erfrischender Longdrink, den Sie an einem warmen Sommerabend mixen können. Er gehört zu den raffinierten Mischungen, die noch nicht jeder kennt.
Eiswürfel in einen Shaker geben. Eiweiß, Mangosirup, Angostura, Pernod und Whisky zugeben. Alles kurz und kräftig schütteln und in ein kleines Becherglas seihen. Mit Sodawasser auffüllen. Umrühren und mit Trinkhalm servieren.

Mangosaft

Mangosaft ist eine beliebte Zutat für exotische Drinks, der in Dosen und Flaschen, aber auch als Sirup auf dem Markt ist. Er wird aus dem saftreichen, bitter-weichen Fleisch der Frucht gepreßt. Die Mangofrüchte stammen aus dem Himalaja und sollen bereits vor 4000 Jahren die Tafel der Inder geschmückt haben. Bei uns heißen die Früchte des Mangobaumes auch Pflaumen, weil sie eine pflaumenähnliche Form haben. Sie sind aber größer und können bis zu 2 kg schwer werden.
Mangos gehören zu den Steinfrüchten. Ihr Stein ist platt und groß und läßt sich nur aus sehr reifen Früchten leicht herauslösen. Die Schale reifer Mangos ist gelb bis rot, das Fruchtfleisch gelb bis orange.
Mangofrüchte haben einen sehr hohen Gehalt an Vitaminen A, der B-Gruppe und vor allem C, der ähnlich hoch ist wie bei der Pampelmuse.

Der Mandel-Flip ist für schlanke Leute ein echter Genuß.

Manhattan Cocktail Dry

2–3 Eiswürfel,
4 cl Canadian Whisky,
1 cl französischer Vermouth dry,
1 dash Angostura,
1 Stück Zitronenschale oder eine Cocktailkirsche.

Eiswürfel, Whisky, Vermouth und Angostura in ein Mixglas geben. Gut verrühren und in ein Cocktailglas seihen. Mit einem Stück Zitronenschale oder einer Kirsche garnieren. Reichen Sie ein Cocktailspießchen dazu, wenn Sie mit einer Kirsche garnieren.

Manhattan Cocktail Sweet

2–3 Eiswürfel,
2,5 cl Canadian Whisky,
1,5 cl Vermouth bianco,
1 cl französischer Vermouth dry,
1 dash Angostura,
1 Cocktailkirsche.

Eiswürfel, Whisky, Vermouth und Angostura in ein Mixglas geben. Gut verrühren und in ein Cocktailglas seihen. Nach Belieben mit einer Kirsche garnieren. Reichen Sie ein Cocktailspießchen dazu.

Manhattan Cooler

3–4 Eiswürfel,
8 cl junger roter Bordeauxwein,
3 dashes Rum,
1,5 cl Zitronensaft,
2 BL Puderzucker,
nach Belieben Ginger Ale,
1 EL Früchte der Saison.

Eiswürfel zerkleinern und in den Shaker geben. Wein, Rum, Zitronensaft und Puderzucker hinzugeben. Shaker mit einer Serviette um-

wickeln und sehr kräftig und lange schütteln. Den Inhalt in ein Becherglas seihen und nach Belieben mit Ginger Ale auffüllen. Mit den Früchten garnieren. Dazu Trinkhalm und Löffel reichen.

Manhattan Latin Cocktail

2–3 Eiswürfel,
3,5 cl weißer Rum,
1,5 cl Vermouth rosso,
1 Cocktailkirsche.

Eiswürfel, Rum und Vermouth in ein Mixglas geben und gut verrühren. In ein Cocktailglas seihen und mit einer Cocktailkirsche garnieren. Dazu ein Cocktailspießchen für die Kirsche reichen.

Männerfrühstück

2–3 Eiswürfel,
1 ganzes Ei,
2,5 cl Weinbrand,
2,5 cl Curaçao,
1 BL Zuckersirup,
20 cl kalte Milch.

Wer so frühstückt, sieht dem Tag voll fröhlichem Tatendrang entgegen. Auch als Damengedeck zu empfehlen.
Eiswürfel in einen Shaker geben. Ei, Weinbrand, Curaçao und Zuckersirup zugeben. Alles kurz und kräftig schütteln und in ein hohes Becherglas seihen. Mit Milch aufgießen und mit Trinkhalm servieren.

Manzanilla

Der Manzanilla ist ein *Sherry*, aber einer mit ganz eigenem Charakter. Er schmeckt leicht nach Salz, was darauf zurückzuführen sein soll, daß die Trauben, aus denen er gekeltert wird, auf den Kalkdünen von Sanlúcar de Barrameda an der spanischen Atlantikküste reifen.

**Manhattan
Latin Cocktail**

**Manhattan
Cooler**

**Manhattan
Sweet**

**Manhattan
Dry**

Manhattan Drinks werden fast immer mit Rum oder Whisky gemixt: Vier prominente Vertreter einer prominenten Drink-Familie.

Karneval in Rio: Maracuya sorgt für ausgelassene Stimmung.

Mao-Tai

Mao-Tai ist eine chinesische Spirituose von Arrak-Charakter, die seit dem 18. Jahrhundert in Europa bekannt ist.

In der chinesischen Provinz Kweichow, in der noch heute dieses stark berauschende Getränk aus Zuckerrohrmelasse hergestellt wird, behauptet man, daß das Herstellungsrezept schon über tausend Jahre alt sei. Die Zubereitung dauert fast ein Jahr; drei Jahre Lagerung folgen.

Maracuya

Was den Carneval in Rio so heiß macht, ist die Mi-schung aus mitreißender Musik und dem brasilianischen Nationalgetränk Maracuya.

Kenner behaupten, der Maracuya gehöre zu den guten Geistern, zur sogenannten »weißen Magie«. Er wird aus der Passionsfrucht gewonnen, die mit reinem Alkohol getränkt wird. Man serviert Maracuya mit Pfefferschoten und meist mit Reis, der dazu beiträgt, den Gewürzcharakter des Maracuyas zu modifizieren und die Schwere zu kompensieren.

Maraschino

Aus der vor allem in Dalmatien wachsenden Maras-

Die jugoslawische Stadt Zadar ist die Heimat des Maraschino.

kakirsche wird der Maraschino-Likör bereitet, der als Duft- und Aromaspender vor allem zu Obstsalaten und in der Konditorei viel Verwendung findet.
Die ursprüngliche Heimat des Maraschinos ist die Stadt Zara, die heute Zadar heißt und in Jugoslawien liegt. Seit Ende des zweiten Weltkrieges liegt das Hauptgebiet der Maraschino-Herstellung in Italien.

Maraschino Hit

1 Eigelb,
1 gestrichener EL Puderzucker,
4 cl Maraschino,
1/8 l heiße Milch.

Eigelb und Puderzucker schaumig rühren. Maraschino dazugeben und in ein Becherglas gießen. Mit der heißen Milch auffüllen, dann umrühren und servieren.

Marc

Marc ist ein zu Unrecht außerhalb Frankreichs unbekannter Tresterbranntwein, der aus den vergorenen Rückständen der Traubenschalen destilliert wird. Alter Marc bekommt einen feinen Geschmack nach Leder (Goût di cuire), den Kenner schätzen.

Margarita

Saft einer halben Zitrone,
2 EL Salz,
2–3 Eiswürfel,
5 cl Tequila,
2,5 cl Curaçao triple sec,
2,5 cl Limettensaft (Lumiensaft).

In je eine Untertasse Zitronensaft und Salz geben. Ein Cocktailglas zuerst mit dem Rand in den Zitronensaft tauchen, kurz abtropfen lassen, dann den Glasrand in das Salz stellen. Rand trocknen lassen. Eiswürfel grob zerkleinern und mit Tequila, Curaçao und Limettensaft in den Mixer geben. 30 Sekunden mixen und in das Cocktailglas seihen. Dazu einen Trinkhalm servieren. Natürlich können Sie diesen Drink auch im Shaker zubereiten.

Maria Mexicana

3–4 Eiswürfel,
15 cl Sangrita Picante,
5 cl Tequila,
2 dashes Angostura.

Alle Zutaten in ein Mixglas geben. Sehr gut rühren und in ein kleines Becherglas seihen.

Er ist genauso kräftig wie er aussieht, der Maraschino Hit.

Marillenlikör

Der Marillenlikör ist ein aromatischer Fruchtlikör aus den in der österreichischen Wachau Marillen genannten Aprikosen. Auch in Ungarn wird Marillenlikör, mehr aber *Barack Palinka*, aus den Marillen zubereitet.

Markenweine

Für Markenweine typisch sind eingängige Namen, wie zum Beispiel »Goldener Oktober«, »Pfälzer Krischer« oder »Kellergeister«. Die zum Massenkonsum bestimmten Marken sind süffige Verschnittweine, oft ohne nähere Herkunftsangaben, die von Großfirmen oder Genossenschaften in großen Mengen und annähernd gleichbleibender Qualität hergestellt werden.
Um Spitzenweine handelt es sich dabei allerdings meistens nicht.

Markenspirituosen

Weinbrände, Obst-, Korn- und Kartoffelbrände waren bei uns bis zur Jahrhundertwende Hausbrände. Dank ihrer Qualität gewannen einzelne Spirituosen zunehmend an Bedeutung. Die Geburtsstunde der deutschen Markenspirituosen war 1908 die Eintragung des ersten Weinbrandes beim kaiserlichen Patentamt. Namhafte Hersteller verpflichten sich seither zu gleichbleibender Güte ihrer Spirituosen.

Markgräfler

Markgräfler ist eine Art »Spitzname« der *Gutedel-Traube*, sofern sie im Bereich Markgräflerland des Anbaugebietes *Baden* wächst. Markgräfler nennt man allerdings auch die Weine dieses Bereichs.

Drinks, die es in sich haben: Maria Mexicana und Margarita.

In riesigen Fässern wird der berühmte Marsala gelagert.

Marsala

Der Marsala gilt als der König der italienischen Dessertweine. Zweifellos ist er der bekannteste. Pro Jahr werden durchschnittlich eine halbe Million Hektoliter produziert. Die Hafenstadt Marsala in der westsizilianischen Provinz Trapani gab ihm den Namen. Sie ist gleichzeitig Mittelpunkt des Anbaugebietes und des Weinhandels. International bekannt wurde der Marsala im 18. Jahrhundert, als sich der englische Kaufmann John Woodhouse für den sizilianischen Wein begeisterte und behauptete, er stünde dem Port, dem Sherry und dem Madeira qualitativ nicht nach.

Im Jahre 1796 gründete er ein eigenes Weinunternehmen in Marsala und belieferte bald die Flotte von Admiral Nelson.

Im *italienischen Weingesetz* gibt es auch für den Marsala heute genaue Vorschriften. Als Produktionszonen sind die Provinzen Trapani, Palermo und Agrigent zugelassen. Nur die Traubensorten Cataratto, Grillo und wahlweise maximal 15 Prozent Inzolia dürfen verwendet werden.

Es gibt vier Marsala-Qualitäten: Den vollen, leicht bitteren Marsala Fine, den süßen Marsala Superiore, den trockenen Marsala Vergine und den aromatisierten Marsala Speciale. Die vorgeschriebenen Mindestlagerzeiten für die ersten drei Qualitäten sind vier Monate, zwei Jahre und fünf Jahre. Die Qualität Fine ist die Basis für den Marsala Speciale.

Martini Dry

2–3 Eiswürfel,
0,5 cl französischer
Vermouth dry,
4 cl Gin,
2 dashes Orange
Bitter,
1 grüne Olive.

Der Martini ist der Cocktail der Superlative. Er ist der bekannteste, der am meisten getrunkene, der erfrischendste (Geschmackssache) und angeblich reinste aller Cocktails, nicht zu verwechseln mit dem gleichnamigen Vermouth. Er ist der Vater der American Drinks und wird in den USA so selbstverständlich

TIP

Zur Gruppe der Martinis gehört auch der Matador, der erstmals in Spanien gemixt wurde. Und zwar so: 4 cl Gin mit Eis und je 1 dash trockenem Sherry und Campari im Shaker gut schütteln, in ein Cocktailglas abseihen und mit etwas Zitronenschale abspritzen. Mit einer spanischen Olive (am Spießchen) garnieren.

getrunken wie bei uns Bier oder Wein.

Ein Rezept für den Martini gibt es nicht. Es gibt viele Rezepte, und wer etwas auf sich hält, hat sein eigenes. Wie James Bond zum Beispiel, der den supertrockenen, den Martini Dry, in Mode brachte. Trocken nennt man einen Martini, wenn er mehr Gin als Vermouth enthält, sehr trocken oder »Very Dry«, wenn er, wie Spaßvögel sagen, neben einer Vermouthflasche gestanden hat und praktisch nur noch aus Gin besteht. Aber das ist langweilig. Ein paar Spritzer muß auch der »Very Dry Martini« abbekommen. In England besteht man hartnäckig auf der klassischen Mischung von gleichen Teilen Vermouth und Gin. In Amerika beherrscht der »Very Dry« die Bartheken (siehe Rezept). Bei uns auf dem Kontinent wählt man meist die goldene Mitte: Trocken, aber noch soviel Vermouth, daß der Cocktail sein spezifisches Aroma erhält. Wichtig: Martini wird nie geschüttelt, sondern lange und ausdauernd mit Eis gerührt, bis alle Zutaten fein vermischt und eiskalt sind.

Warmer Martini schmeckt scheußlich. Manche servieren ihn »on the rocks«, aber die Eiswürfel können die gute Mischung verwässern. Und so wird der Martini Dry gemixt: Eiswürfel, Vermouth dry, Gin und Orange Bitter in ein Mixglas geben. Alles gut verrühren und in ein Cocktailglas seihen. Mit einer Olive garnieren.

Martini Medium

2–3 Eiswürfel,
1 cl französischer
Vermouth dry,
1 cl Vermouth rosso,
3 cl Gin,
1 Stück Orangenschale.

Martini Medium ist die leichtere Ausgabe des Martinis.

Eiswürfel, Vermouth dry, Vermouth rosso und Gin in ein Mixglas geben. Alles gut verrühren und in ein Cocktailglas seihen. Mit einem Stück Orangenschale garnieren.

Martini on the rocks

2–3 Eiswürfel,
5 cl Dry Gin,
1 dash Vermouth extra dry,
1 Zitronenscheibe.

Eiswürfel in ein kleines Becherglas geben. Gin und Vermouth zufügen und mit einer Zitronenscheibe garnieren.

Martini Sweet

2–3 Eiswürfel,
1 BL Zuckersirup oder
Grenadine,
1,5 cl Vermouth rosso,
3,5 cl Gin,
1 Cocktailkirsche.

Martini Sweet ist der leichteste Martini.

Eiswürfel, Zuckersirup oder Grenadine, Vermouth und Gin in ein Mixglas geben. Alles gut verrühren und in ein Cocktailglas seihen. Mit einer Kirsche garnieren. Dazu ein Cocktailspießchen reichen.

Martini Very Dry

2–3 Eiswürfel,
2 dashes französischer
Vermouth dry,
5 cl Gin,

In allen guten Bars dieser Welt werden Martini-Cocktails gemixt.

Martini Sweet

Martini Medium

Martini on the rocks

Martini Very Dry

Mary of Scotland ist ein Cocktail mit schottischem Whisky.

Die Griechen verwenden Pistazienharz für den Mastika-Likör.

Die geernteten Mate-Teeblätter kommen in den Trockenofen.

1 dash Zitronensaft,
1 grüne Olive.

Eiswürfel, Vermouth dry, Gin und Zitronensaft in ein Mixglas geben. Alles gut verrühren und ohne Eiswürfel in ein Cocktailglas gießen. Eine Olive einlegen.

Mary of Scotland

Saft einer halben Zitrone,
2 EL Zucker,
3–4 Eiswürfel,
2 cl Scotch Whisky,
1,5 cl Drambuie,
1,5 cl grüner Chartreuse,
1 Cocktailkirsche.

In je eine flache Untertasse den Zitronensaft und den Zucker geben. Ein Cocktailglas mit dem Rand zuerst in den Saft tauchen, kurz abtropfen lassen, dann den Glasrand in den Zucker stellen. Glas umdrehen und den Zuckerrand trocknen lassen.
Alle Zutaten bis auf die Cocktailkirsche in den Shaker geben. Kurz und kräftig schütteln und in das Crustaglas seihen. Mit einer Kirsche garnieren. Dazu sollten Sie ein Cocktailspießchen für die Kirsche reichen.

Märzenbier

»O'zapft iss« – ein Signal für die Münchner, die in Scharen zum Nockherberg geströmt sind, ihren Durst mit »Salvator«, dem berühmtesten Märzenbier, zu löschen. Münchens Oberbürgermeister hat das erste Faß persönlich angezapft. Märzen schenken indes im März auch Münchens andere Brauereien als Maximator, Triumphator, Animator, Optimator und Delikator aus.
Märzen ist aus Gerstenmalz gebraut und hat eine Stammwürze von 13 Prozent. Somit also ein ganz normales *Vollbier* und nicht ein *Starkbier*, wie jenseits der blauweißen Grenzpfähle oft angenommen wird.

Die Herkunft des Namens ist nicht ganz geklärt. Man nimmt an, daß Münchens Brauereien zu einer Zeit, wo es noch keine Kühlanlagen gab, die das Bier über den Sommer hinweg lagerfähig gemacht hätten, schnell noch im März ein kräftiges, starkes Bier brauen wollten.

Mastika

Mastika ist ein griechischer Likör, der seinen Namen von dem Mastix-Harz des Pistazienbusches hat. Dieses wird zusammen mit Anis, Fenchel und anderen Samen destilliert und mit Wasser auf Trinkstärke (35 Vol.-%) herabgesetzt. Der Geruch des Harzes, der auch dem Retsina den eigenartigen Harzcharakter gibt, bleibt über die Destillation erhalten.

Mate-Tee

Als Getränk der Hippies und Hascher geriet der Mate-Tee eine Zeitlang ins Zwielicht. Tatsächlich macht der rauchig schmekkende Tee munter, aber keineswegs »high«. Er ist in seiner Wirkung sehr erfrischend und enthält neben dem anregenden Coffein Gerbsäure, ätherische Öle, Vanillin und sogar Vitamine A, der B-Gruppe und C. Der Tee wirkt fördernd auf Stoffwechsel, Nieren und Magensaft. In Südamerika ist der Mate-Tee schon lange ein Volksgetränk. Seinen Namen hat er von den Inkas. Sie tranken ihn aus den »Mate«, den ausgehöhlten Flaschenkürbissen.
Der Tee wird aus den getrockneten Blättern des Erva-Mate-Baums gewonnen. Dieser Baum, der so groß wie eine Eiche werden kann, ist in den Hochländern Südamerikas beheimatet. Inzwischen hat man den Anbau der Mate-Bäume kultiviert. Die frischen grünen Blätter werden über Feuer getrocknet, fast geröstet – eine Methode, die dem Tee das rauchige Aroma verleiht.

Mauerwein

Der Mauerwein, ein Riesling aus der Gemeinde Neuweier im Anbaugebiet *Baden*, nimmt eine Sonderstellung ein, weil er auch als nichtfränkischer Wein in *Bocksbeutelflaschen* abgefüllt werden darf.

Maulbronner Eilfingerberg

Im Mittelalter pflegten die Mönche der berühmten Zisterzienser-Abtei Maulbronn die Weinberge der Umgebung. Um den Namen der Maulbronner Lage Eilfingerberg rankt sich eine Legende: Während der Fastenzeit war es den Mönchen nicht erlaubt, Wein zu trinken. Sie durften nur ihre Finger in Wein tauchen und ablecken. Da die Mönche ihrem Wein sehr zugetan waren, sollen sie sich elf Finger gewünscht haben.
Angeblich gehörte der Eilfinger auch zu den bevorzugten Weinen der deutschen Kaiser des Mittelalters. Der Maulbronner Eilfingerberg ist heute eine der bekanntesten Weißweinlagen im Anbaugebiet *Württemberg*.

Maulesel

2,5 cl Zitronensaft,
2,5 cl Gin,
helles Bier zum Auffüllen.

Wenn Sie Pferd und Esel kreuzen, haben Sie einen Maulesel. Und wenn Sie Gin und Bier mischen, erhalten Sie aus den so gegensätzlichen Zutaten den Maulesel-Drink, zusammen mit Zitronensaft eine schnelle, anspruchslose, aber erfrischende Mischung.
Zitronensaft und Gin in einen Bierkelch gießen und mit Bier auffüllen.
Der Maulesel hat noch einen Bruder, eine Art Bowle: 2 geröstete Schwarzbrotscheiben werden mit Muskatpulver bestreut, zerbröckelt und mit 3 l hellem Weizenbier und 1 Flasche

Der Mazzagran ist eine eiskalte und anregende Kaffee-Spezialität für sehr heiße Sommertage.

Weißwein übergossen. Dazu gibt man 300 g Zucker und zwei in Scheiben geschnittene Zitronen. Alles über Nacht ziehen lassen, dann durchseihen und kalt servieren.

Mavrodaphne

Zu den bekannten griechischen Dessertweinen gehört der schwere rote Mavrodaphne. Der nach der gleichnamigen Rebsorte benannte Wein ist sehr süß und alkoholreich (bis zu 18 Prozent). Er wird aus kleinen Gläsern getrunken. Der griechische Rakia, ein beliebter Weinbrand, wird aus dem Mavrodaphne destilliert. Siehe auch Griechische Weine.

May Blossom Fizz

2–3 Eiswürfel,
2 BL Grenadine,
1 cl Zitronensaft,
5 cl Schwedenpunsch,
Sodawasser zum Auffüllen.

Ein recht bekannter Long-

drink, leicht und freundlich wie eine Maiblüte. Früher wurde er einmal von den Damen bevorzugt. Aber das ist lange her.
Eiswürfel in einen Shaker geben. Grenadine, Zitronensaft und Schwedenpunsch zugeben. Kurz und kräftig schütteln. In ein mittelgroßes Becherglas seihen und mit Sodawasser auffüllen. Mit Trinkhalm sofort servieren.

Mazzagran

3 Eiswürfel,
2 cl Weinbrand,
2 cl Maraschino,
1 dash Angostura,
2 BL Zuckersirup,
kalter Kaffee zum Auffüllen,
gemahlene Nelken zum Bestreuen.

Ausnahmsweise stammt diese Kaffee-Spezialität nicht aus Wien. Der Mazzagran ist eine Erfindung französischer Soldaten. Als sie den gleichnamigen Ort in Afrika gegen die Araber verteidigten, war der eiskalte Kaffee mit einem Schuß Weinbrand oder Maraschino oft das einzige Angenehme, das der Tag zu bieten hatte.
Eiswürfel in ein hohes Becherglas geben. Weinbrand. Maraschino, Angostura und Zuckersirup zugießen und mit Kaffee auffüllen.
Mit einem langen Löffel umrühren. Einen Hauch Nelkenpulver drüberstreuen und mit Trinkhalm servieren.

Mazeration

Die Branntwein- und Likörindustrie hat vier verschiedene Verfahren entwickelt, um die Aromastoffe aus den Drogen zu gewinnen.
Die Mazeration, auch Kaltextraktion genannt, erfolgt, indem die gegebenenfalls zerkleinerte Droge mit Sprit oder einem Sprit-Wasser-Gemisch im Mazerationstopf angesetzt wird.

TIP

Auch wenn es nicht der klassischen Version entspricht, kann man den Mazzagran mit Sahnehaube servieren. Die Sahne sollte aber nicht gesüßt werden, sonst wäre diese Kaffee-Spezialität nicht so erfrischend.

So gelangen die löslichen Aromastoffe in die Flüssigkeit, die entweder als Mazeratlikör direkt in den Handel geht oder weiter verarbeitet wird.
Mazeration wird von den Branntwein- und Likörherstellern nicht nur benützt, um die Spirituose mit Aromastoffen anzureichern, sondern auch, um sie zu färben. So läßt sich beispielsweise das Blattgrün – Chlorophyll – durch Mazeration von Kräutern in die Spirituose übertragen.

Mazun

Mazun ist eine Milch-Spezialität aus Armenien, die dem *Joghurt* oder *Kumys* ähnelt. Sie wird aus der Milch von Schafen, Ziegen oder Büffeln hergestellt und ist alkoholhaltig. Die Armenier nennen das Milchgetränk Mazun, die Grusiner Mazoni und die Tataren Katych.

Medium-Drinks
Siehe American Drinks.

Medizinalweine

Medizinalweine sind nicht zu verwechseln mit medizinischen Weinen. Medizinalweine dürfen keine Hin-

weise auf heilende und stärkende Wirkung führen. Medizinalwein, Krankenwein, Stärkungswein, blutroter Wein sind als Bezeichnung verboten; es gibt jedoch Medizinalweine ohne Zusatz von Medikamenten, denen Förderung der Blutbildung und Stärkung zugestanden wird.

Medizinische Weine

Medizinische Weine sind Arzneizubereitungen, bei denen Arzneimittel entweder in Wein gelöst oder mit Wein vermischt werden.

Médoc

Der Bereich Médoc liegt im Nordwesten des größten zusammenhängenden Qualitätsweinbaugebietes *Bordeaux*.

Meerrettich-Schnaps

Schon beim Gedanken an ihn muß man kräftig Luft holen. Es gibt ihn wirklich, den Meerrettich-Schnaps. Er wird nach alten Apotheker-Rezepten gebrannt. Kenner schätzen seinen Geschmack. In punkto Alkohol bringt er es auf 33 Vol.-%. Übrigens: Eisgekühlt sollte er sein. Er schließt vorzüglich ein schweres Essen ab.

Meerwasser

Meerwasser enthält auf der ganzen Welt, nur geringfügig beeinflußt durch Temperaturunterschiede und

Aus Meerrettich-Wurzeln wird nicht nur ein gutes Gewürz, sondern auch ein origineller Schnaps gemacht.

unterschiedliche Niederschlagsmengen, pro Liter 35 Gramm gelöste Salze, wobei Kochsalz mit gut drei Vierteln an der Spitze steht. Obwohl Meerwasser die Grenze von 14 Gramm Salz pro Liter weit überschreitet, gilt es dennoch nach der deutschen Verordnung über *Tafelwasser* nicht als *Sole*.
Meerwasser spielt – entsalzt und gesäubert – eine zunehmend größere Rolle in der Getränkeindustrie.

Melasse

Melasse ist die dickflüssige Mutterlauge, die bei der Zuckergewinnung zurückbleibt. Ihr Zuckergehalt (50 Prozent) wird zu Alkohol verarbeitet.

Melissengeist

Melissengeist ist ein aromatisierter Trinkbranntwein mit mindestens 32 Vol.-%, der zur Gruppe der Kräutergeiste gehört.
Die Blätter der Zitronenmelisse und Zitronenschale geben ihm das Aroma. Melissengeist wird nicht nur getrunken, sondern von alters her als Einreibungsmittel bei Muskel- und Sehnenschmerzen und bei Rheumatismus verwendet.

Zucker- und Wassermelonen sind für die Zubereitung von Bowlen gleichermaßen gut geeignet.

Melonenbowle

Für 6–8 Personen

1 kg Wassermelone,
1 kg Honig- oder
Netzmelone,
1 EL Zucker,
2 Flaschen Weißwein,
1 Flasche Sekt.

Von den Melonen die Kerne entfernen. Mit einem Kartoffelausstecher kleine Bällchen formen. In ein Bowlengefäß geben. Mit Zucker und einer halben Flasche Weißwein ansetzen. Zwei Stunden ziehen lassen. Vor dem Servieren den restlichen Weißwein und den Sekt dazugießen.

Melonen-Cobbler

4 Eiswürfel,
je 3 Kugeln von Netz-
und Wassermelonen,
1 dash Curaçao Orange,
1 dash Cointreau,
1 dash Cognac,
Champagner.

Eiswürfel fein zerkleinern und ein Kelchglas zu zwei Dritteln damit füllen. Mit den Früchten garnieren.

Mit Curaçao Orange, Cointreau und Cognac begießen. Mit Champagner auffüllen. Mit einem Löffel und Trinkhalm servieren.

Melonen-Drink

Für 6–8 Personen

1 kleine Netz-, Honig-
oder Wassermelone,
1/8 l Rum, Sekt.

Von der Melone einen Deckel abschneiden und das Fruchtfleisch aus beiden Melonenteilen herausholen, würfeln und die Kerne entfernen. Den Rand der Melone zackenförmig einschneiden. Melonenwürfel in die Frucht füllen, Rum drübergießen und das Ganze etwa 2 Stunden zugedeckt in den Kühlschrank stellen. Vor dem Servieren mit Sekt auffüllen und Löffel und Trinkhalme dazu reichen.

Mendoza

Das Weinanbaugebiet von Mendoza ist das größte in Südamerika. Siehe auch Argentinischer Wein.

Menthe

Siehe Crème de Menthe.

Meran

Die von Bergen umschlossene malerische Südtiroler Stadt Meran ist nicht nur ein Kurort, sondern auch ein Weinort mit vielen Weinkellern und Weinstuben, in denen man Südtiroler Gewächse studieren kann. Als Besonderheit haben die Meraner ihre Traubenkur zu bieten. Kurtraube ist die Sorte Groß-Vernatsch. Meist wird die Traubenkur mit vergorenem Traubensaft »ergänzt«. Das spricht zweifellos für die Südtiroler Weine.

> **TIP**
>
> *Melonenbowle kann man auch im Winter genießen, wenn man dazu die tiefgekühlten Melonenkugeln verwendet und sie im Wein auftauen läßt. Dadurch bildet sich ein sehr intensives Aroma, und die Bowle wird gleichzeitig gut gekühlt.*

Merlot di Aprilia

Aus dem urbar gemachten Gebiet der ehemaligen pontinischen Sümpfe und aus der Umgebung von Aprilia, Latina, Cisterna und Nettuno in der Region Latium kommt der granatrote Merlot di Aprilia. Er wird zu 95 Prozent aus *Merlot-Trauben* gekeltert. Der volle, harmonische tanninhaltige Rotwein wird bei einer Temperatur von 18 Grad getrunken.

Merlot-Traube

Hauptanbaugebiet der Merlot-Traube ist Frankreich. Besonders bei Bordeaux-Weinen spielt sie eine erhebliche Rolle. Weitere bedeutende Anbaugebiete sind Italien, Jugoslawien, Argentinien, Chile und die Schweiz. Aus den mittelgroßen, schwarzblauen Beeren werden körperreiche, vollmundige, milde Rotweine gekeltert.

Merry Husband

2–3 Eiswürfel,
2,5 cl Curaçao blau,
2,5 cl Wacholderkorn,
Schaumwein zum
Auffüllen,
eventuell 2 Stückchen
Ananas und eine
Maraschinokirsche.

Wenn Sie Ihren Mann glücklich machen wollen, dann mixen Sie ihm einmal »Merry Husband«, das blaue – und (falls er ein paarmal nachfaßt) blaumachende Mixgetränk. Eiswürfel, Curaçao blau und Wacholderkorn in einen Shaker geben. Kurz und kräftig schütteln und in eine Sektschale oder einen Sektkelch seihen. Mit Schaumwein auffüllen. Wer möchte, kann noch 2 Stückchen Ananas und eine Maraschinokirsche in das Getränk geben.

Melonen – sie sind
übrigens ein Gemüse
und kein Obst –
dienen vielen Drinks
als ein fruchtiger
Schmuck.

Melonen
Cobbler

Melonendrink

Merry Widow I

2–3 Eiswürfel,
2,5 cl Dry Gin,
2,5 cl französischer
Vermouth dry,
2 dashes Bénédictine,
2 dashes Pernod,
1 dash Pfirsich Bitter,
1 Stückchen
Zitronenschale.

Es gibt erstaunlich viele »Merry widows« oder glückliche Witwen, zumindest unter den internationalen Cocktail-Rezepten. Hier sind zwei der besten. Eiswürfel und alle anderen Zutaten bis auf die Zitronenschale in ein Mixglas geben. Mit einem Barlöffel gut verrühren. In ein Cocktailglas seihen. Ein Stückchen Zitronenschale einlegen.

Merry Widow II

2–3 Eiswürfel,
2,5 cl Cherry Brandy,
2,5 cl Maraschino,
1 Maraschinokirsche mit Stiel.

Dieser Merry Widow Cocktail wird im Gegensatz zum Rezept I geschüttelt und nicht gerührt. Eiswürfel, Cherry Brandy und Maraschino in den Shaker geben. Kurz und kräftig schütteln. In ein Cocktailglas seihen. Mit einer Maraschinokirsche garnieren. Dazu einen Cocktailspieß reichen.

Mesec

Mesec ist der jüdische Name für Wein, der meist mit Wasser verdünnt getrunken wird.

Mesimarja

Aus der arktischen Brombeere, die unter dem Schnee erst ihre Süße voll entwickelt, wird ein hocharomatischer Likör bereitet,

Macht so blau, wie er aussieht: Merry Husband. Rezept S. 212.

Merry Widow, glückliche Witwe: 2 Cocktails gleichen Namens.

den die Finnen Mesimarja nennen.

Meßwein

In deutschen Kirchen dürfen seit 1972 Qualitätsweine mit und ohne Prädikat als Meßweine verwendet werden. Vorher durften Meßweine nur von anerkannten Meßweinherstellern bezogen werden. Für ausländische Meßweine werden immer noch Leumundszeugnis und amtliche Prüfung in Deutschland verlangt.

Met

Met, der Labetrank der alten Germanen, war kein Bier, sondern eine Art Wein. Er wurde nämlich aus abgekochtem Honigwasser bereitet, das mit Wein und Kräuterzusätzen geschmacklich abgerundet wurde.

Met wird heute noch in skandinavischen Ländern, teilweise auch noch in Österreich, getrunken, wo es sogar eigene »Metstuben« gibt. Nach dem Vorbild alter Kulturvölker dürfen nur allerfeinste Honigsorten verwendet werden. Eigens gezüchtete Hefen bringen die Gärung in Gang, die 18 Monate dauert. Der Vergärung folgt eine Lagerzeit von drei bis vier Jahren. Das Endprodukt ist ein wohlschmeckender Trank, der sowohl in seiner Beschaffenheit als auch im Geschmack an süßen Wein erinnert.

Methusalem

Eine übergroße Champagner-Flasche, die oft zu Werbe- oder Geschenkzwecken verwendet wird, hat den Namen Methusalem. Die Riesenflasche faßt den Inhalt von acht normalen 0,7-Liter-Flaschen.

Meursault

Der Meursault gilt als einer der edelsten Weißweine Frankreichs. Er wird von Experten weit über den *Chablis* gesetzt. Seinen Namen verdankt er dem Ort Meursault in *Burgund*, in dessen Umgebung er hergestellt wird. Typisch für diesen Wein sind grünliche Farbe und nuancenreiche Herbheit. Er wird hauptsächlich aus *Chardonnay-Trauben* gekeltert. Besonders empfehlenswerte Lagen sind Perrières, Charmes, Le Poruzot und Les Cras.

Der britische Wein-Experte Hugh Johnson behauptet sogar: »...an der Grenze zur Gemarkung Puligny gedeiht der beste Weißwein Burgunds, wenn nicht der Welt. Der Grand Cru Montrachet verdankt seinen Ruf einer fast unglaublichen Konzentration der Eigenschaften eines weißen Burgunders. Er hat ein stärkeres Bukett, ein strahlenderes Gold, einen längeren Abgang und ein Höchstmaß von Rasse und Finesse – alles ist bei ihm intensiv ausgebildet, und er ist der Inbegriff eines wirklich großen Weins.«

Auch die Rotweine von Meursault sind bekannt für ihr feines Aroma.

Mezcal

Mezcal, der Schnaps mit dem aztekischen Namen, stammt aus Mexiko und wird, wie der Tequila, aus dem Saft der Agave gebrannt. Unkundige seien gewarnt, Mezcal, auch unter dem Namen Mexikal im Handel, ist auf mexikanische Kehlen geeicht. Das heißt, er ist mit Vorsicht zu genießen.

Von hoher Qualität sind die Weine aus Meursault in Burgund.

Milch

Das erste Getränk, das der Mensch zu sich nimmt, ist ein raffinierter Milch-Cocktail, die Muttermilch. Dieses Milchrezept der Natur wurde oft kopiert, doch nie erreicht. Sobald diese Quelle versiegt, gibt's Ersatz für den Säugling, die Kuhmilch, die in ihrer Zusammensetzung der Muttermilch noch am ähnlichsten ist. In irgendeiner Form, ob im Pudding oder im Kartoffelpüree begleitet sie uns das ganze Leben hindurch. Milch ist in aller Welt das wichtigste Nahrungsmittel.

Milch ist ein Naturwunder. Sie allein kann uns mit allen lebenswichtigen Stoffen versorgen. Theoretisch könnten wir allein von der Milch leben. Praktisch tun wir es auch eine ganze Weile in den ersten Lebensmonaten. Später nehmen wir jeden Tag Milch oder Milchprodukte zu uns. Quark, Käse, Joghurt, saure oder süße Sahne, Butter – alles hat Milch als Ausgangsstoff und selbst Menschen, die Milch als Getränk verabscheuen, können ihr nicht entgehen.

Mit einem Liter Milch kann man den Tagesbedarf eines erwachsenen Menschen an Eiweiß völlig decken. Milcheiweiß ist das wertvollste. Es enthält alle Aminosäuren, die sogenannten »Bausteine des Lebens«, die unseren gesamten Stoffwechsel steuern. Vor allem Lysin, eine der lebenswichtigen Aminosäuren ist in der Milch enthalten und macht sie dadurch dem pflanzlichen Eiweiß des Getreides überlegen. Die Milch enthält noch unzählige andere Wertstoffe. Nur die wichtigsten können hier genannt werden. Milchfett (etwa 3,5 %): Es enthält Fettsäuren wie Buttersäure oder Linolsäure und Lipoide (fettähnliche Stoffe wie Lezithin).

Eiweiß (etwa 3,5 %): Das sind Proteine wie Kasein, Lactalbumin oder Lactoglobulin.

Kohlenhydrate (etwa 4,8 Prozent): Hauptsächlich Milchzucker (Lactose) und in geringen Mengen andere Zuckerarten.

Milchsalze (etwa 1 %): Ihre Bestandteile sind als Mineralsalze an Eiweiß gebunden.

Spurenelemente: Eisen, Kupfer, Fluor.

Vitamine: Fettlösliche Vitamine A, D und E und wasserlösliche Vitamine C und B_2 sowie Pantothensäure.

Eine Milchkuh liefert durchschnittlich im Jahr rund 4000 Liter Milch. Das bedeutet eine Tagesleistung von mehr als 10 Liter.

Der Verkauf von Milch direkt vom Bauernhof ist verboten: Milch muß in die Molkerei geliefert werden. Jeder, der Milch verkaufen will, braucht eine Erlaubnis der zuständigen Behörde. Sie wird nur erteilt, wenn eine Reihe von Vorschriften über Fachkenntnisse, Gesundheit der Händler, die Sauberkeit der Verkaufsräume und Geräte eingehalten werden. Jede Milch, die in den Verkauf kommt, muß vorher bearbeitet, das heißt in jedem Fall gereinigt und gekühlt werden. In der Molkerei wird durch bestimmte Erhitzungsverfahren (Pasteurisierung) die Milch von pathogenen Keimen befreit und haltbarer gemacht, und auf einen immer gleichen Fettgehalt eingestellt. Von den Molkereien werden verschiedene Milcharten und -sorten angeboten. Vollmilch, eine Trinkmilch, die standardisiert oder auf mindestens 2,8 % Fett eingestellt wird. Eben die normale Milch zum Trinken oder Kochen. Die einzelnen Bundesländer setzen den jeweiligen Fettgehalt der Vollmilch fest. Daneben gibt es noch die fettarme Milch mit 0,5 bis 1,8 % Fettgehalt und die entrahmte oder teilentrahmte Milch. Das ist Magermilch, die nach dem Entrahmen der Milch für die Butter-, Käse- oder

Sahneherstellung zurückbleibt. Normalerweise wird die Trinkmilch nicht nur pasteurisiert, sondern sie wird auch homogenisiert. Durch die Homogenisierung werden die Fettkügelchen so zerkleinert, daß sie frei in der Milch schweben – es setzt sich oben kein Rahm mehr ab, zumindest nicht in den ersten 24 Stunden. Vorzugsmilch ist eine von den Molkereien weitgehend unbehandelte, also nicht haltbar gemachte Kuhmilch. Natürlich unterliegen die Bauernhöfe, die ihre Milch als Vorzugsmilch abliefern, strengsten Vorschriften und Kontrollen. Das betrifft: Gesundheit und Pflege der Kühe, Fütterung, Sauberkeit der Ställe – selbst die Melker werden gesundheitlich von amtswegen überwacht.

Magermilch: Für diese Milchsorte werden – ähnlich wie bei der Vorzugsmilch – ebenfalls besondere Anforderungen gestellt. Siehe Stichwort Magermilch.

Trinkmilch darf im Gegensatz zur Markenmilch auch lose verkauft werden. Sie muß ähnliche Bedingungen erfüllen wie die Markenmilch. Ihr Fettgehalt muß bei mindestens 3 % liegen. Saure Milcherzeugnisse, wie Sauerrahm, *Joghurt* u. ä., werden durch Ansäuerung der Milch hergestellt und zeichnen sich durch besondere Bekömmlichkeit aus. Joghurt kann aus Vollmilch und aus entrahmter Milch (Magermilch-Joghurt) hergestellt werden. *Kefir*, eine Sauermilch-Spezialität aus dem Kaukasus, wird aus Vollmilch gewonnen, die mit sogenannten Kefir-Pilzen zum Gären gebracht wird. Dickmilch entsteht durch Zugabe von Milchsäurebakterien aus normaler Vollmilch. Sie wird »dickgelegt« und kann so gelöffelt werden. Im Prinzip ist es die Vorstufe zur Käseherstellung, so daß Dickmilch eigentlich als Zwischenstufe zwischen Milch und Speisequark bezeichnet werden kann. Die Herstellung von Dickmilch stieg in den letzten Jahren

stark an: Sie wurde ähnlich wie Joghurt zu einem beliebten »Zwischenimbiß«. *Sauermilch* wird aus Magermilch oder sehr fettarmer Milch durch Zugabe von Buttereisäureweckern und nach einem besonderen Verfahren hergestellt. *Buttermilch* entsteht beim Butterherstellen aus Milch oder Sahne. Dabei wird das Milchfett fast völlig abgeschieden. Zurück bleibt eine magere, erfrischendsäuerlich schmeckende Milch mit vielen Wertstoffen und Vitaminen: Die Buttermilch. Siehe Stichwort Buttermilch.

Milch ist in jedem Fall sehr empfindlich, wenn es um ihre Aufbewahrung geht. So wurden verschiedene Verfahren entwickelt, um die Milch so haltbar zu machen, daß sie immer vorrätig und verwendbar ist.

Sterilmilch: Durch Erhitzen über 100 Grad wird Milch länger haltbar. Sie wird in Glasflaschen angeboten.

H-Milch ist die Kurzbezeichnung für Milch, die mit einer Ultra-Hocherhitzung behandelt wurde. Während bei der normalen Pasteurisierung die Milch auf 71 bis 74° C während einer halben Minute erhitzt wird, geht es beim H-Verfahren heißer und schneller zu. Siehe Stichwort H-Milch.

Kondensierte Milch: Siehe Kondensmilch.

Milch mit Ingwer

¼ l Milch,
1 EL kandierter, geschnittener Ingwer,

TIP

Für Milch mit Ingwer kann man statt der karamelisierten Bananen auch karamelisierte Weintrauben verwenden.

Zwei Drinks, die – kühl serviert – jedes Dessert ersetzen:

Zucker nach Geschmack,
½ Banane,
1–2 EL Zucker,
Öl zum Einfetten,
1–2 EL geschlagene Sahne.

Viel raffinierter noch als es der Titel verspricht, schmeckt dieser mit Ingwer gewürzte Milchmix. Die karamelisierte Bananenscheibe gibt dem Ingwer-Aroma den Pfiff.

Milch und Ingwer zum Kochen bringen, nach Geschmack süßen und abkühlen lassen. Dabei ab und zu umrühren, damit sich keine Haut bildet. Die geschälte halbe Banane in Scheiben schneiden. Zucker in einer Pfanne schmelzen und bräunen. Die Bananenscheiben in dem karamelisierten Zucker wenden. Die Bananenscheiben auf gefettetem Pergamentpapier trocknen lassen. Die Milch in ein Becherglas füllen, Sahne aufspritzen und mit den Bananenscheiben garnieren. Man serviert mit Trinkhalm und langem Löffel.

Milchmix mit Aprikosen
Für 4 Personen

200 g Aprikosen aus der Dose,
4 EL Zucker (80 g),
½ l Milch,
4 cl Cointreau,
⅛ l Sodawasser.

Aprikosen, Zucker, Milch und Cointreau in einen Mixer geben. Alles gut mischen und in die Gläser gießen. Mit Sodawasser auffüllen. Dazu Trinkhalme reichen.

Milchmix mit Kirschen
Für 4 Personen

250 g entsteinte Kirschen,
40 g Marzipanrohmasse,
½ l Milch, 4 cl Rum,
⅛ l Sodawasser,
4 EL geschlagene Sahne,
gehackte Pistazien.

Milchmix mit Kirschen (links) und Milchmix mit Aprikosen.

Kirschen, Marzipanrohmasse, Milch und Rum in einen Mixer geben. Alles gut mischen und in die Gläser füllen. Mit Sodawasser auffüllen. Sahne in einen Spritzbeutel mit Sterntülle geben und auf jedes Glas einen Tupfer spritzen. Mit gehackten Pistazien bestreuen. Zum Milchmix mit Kirschen werden Trinkhalme und lange Löffel gereicht.

Milchpunsch

2–3 Eiswürfel,
2 cl Rum,
2 cl Weinbrand,
2–3 BL Zuckersirup oder Grenadine,
20 cl kalte Milch (200 ccm),
Muskatnuß.

Wenn Sie Milch pur nicht mögen – hier ist ein vorzügliches Rezept, um Milchtrinker zu werden. Eiswürfel zerkleinern und in einen Shaker geben. Die flüssigen Zutaten der Reihe nach zugeben. Alles kurz und kräftig schütteln und in ein hohes Becherglas seihen. Etwas Muskatnuß drüberreiben. Mit Trinkhalm servieren.

Der Milchpunsch wird normalerweise kalt getrunken. Sie können ihn aber auch heiß trinken. Dann verrühren Sie die Zutaten ohne Eis im Glas und füllen mit heißer Milch auf.

Milchsekt

Milchsekt ist ein Gemisch aus Vollmilch und entrahmter Milch, die mit Kohlensäure und Fruchtaroma angereichert ist. Milchsekt ist alkoholfrei und hat also nur die Kohlensäure mit richtigem Sekt gemeinsam.

Mimöschen heißt dieser Longdrink, doch der niedliche Name trügt: Es ist ein stark alkoholisches Getränk. ▶

Mimöschen

3–4 Eiswürfel,
2,5 cl Brombeerlikör,
2,5 cl Himbeergeist,
2,5 cl gelber Chartreuse,
1 cl Zitronensaft,
1,5 cl Orangensaft.

Eiswürfel und alle anderen Zutaten in den Shaker geben. Kurz und kräftig schütteln. In einen Sektkelch oder aber in eine Sektschale seihen.

Mineral-wasser

Mineralwasser gehört zur großen Gruppe der Tafelwasser. Sie werden immer beliebter, je ungenießbarer unser Leitungswasser wird. Mineralwasser muß, wie der Name sagt, Mineralstoffe enthalten und aus einer natürlich sprudelnden oder künstlich erschlossenen Quelle stammen und am Quellort abgefüllt sein.
Der Gesetzgeber schreibt vor, was enthalten sein muß: Pro Liter Wasser mindestens 100 mg gelöste Salze (Mineralstoffe) oder 250 mg freies Kohlendioxyd. Auf dem Etikett steht die Analyse des Wassers, die regelmäßig überprüft wird. Je nach Anteil der Mineralstoffe wird unterschieden nach alkalischen, sauren, kochsalzhaltigen, bitteren, eisen- und schwefelhaltigen und glaubersalzhaltigen Wassern und außerdem solchen mit radioaktiven Bestandteilen. Fremd- und Geschmacksstoffe dürfen dem Mineralwasser nicht zugesetzt werden. Nur ein Zusatz von Kohlensäure ist erlaubt. Wer Kohlensäure nicht verträgt, kann kohlensäurearmes oder freies Mineralwasser wählen. Es ist entsprechend gekennzeichnet. Mineralwasser sind kalorienfrei und – je nach Zusammensetzung – entschlackend und anregend.
Wasser, die dank ihrer Zusammensetzung besondere

Mint Julep: Ein Longdrink, vom Aroma des Bourbon geprägt.

1 Zweig
Minze.

»Bourbon und Minze sind wie ein Liebespaar«, sagt der Dichter Judge S. Smith. Die Amerikaner wissen, wie prächtig beide zusammenpassen. Der Mint Julep ist ein Erfrischungsgetränk mit alter Tradition. Klassisch wird er in eisgekühlten Silberbechern serviert. Man kann ihn aber auch aus Bechergläsern trinken. Sie sollen vorgekühlt sein, so daß sie eine Eisschicht haben.

Eiswürfel fein zerkleinern und die Hälfte davon in ein hohes, kaltes Becherglas geben. Die Minze in Zuckersirup und Angostura zerreiben und zerdrücken. Mit Bourbon mischen und auf das Eis geben. Restliches Eis darüber verteilen. Mit Minze garniert servieren.

Minztee

Die frischen oder getrockneten Blätter der Pfefferminze geben aufgebrüht einen bei Darmerkrankungen wirksamen Tee. In Nordafrika wird Minztee aus frischen Blättern jedem Gast als Erfrischung kredenzt.

Mirabellengeist

In Lothringen wächst eine Mirabellensorte von beson-

Heilwirkung zeigen, dürfen sich »Heilwasser« nennen. Sie unterliegen der Arzneimittelverordnung, alle anderen der »Tafelwasserverordnung«.

Es gibt auch künstliche Mineralwasser. Das sind Zubereitungen aus Wasser, Salzen, Solen und Kohlensäure, zusammengesetzt nach natürlichem Vorbild. Sie müssen als »künstliches Mineralwasser« gekennzeichnet sein. Zum Mixen sollten Sie ein ausgewogenes Mineralwasser nehmen.

Mint Cocktail

2-3 Eiswürfel,
2 Zweige frische Minze,
5 cl Whisky,
1 dash Orange Bitter,
1 dash Angostura,
1 dash Anisette,
1 BL Zucker.

Eiswürfel und alle anderen Zutaten in den Shaker geben. Gut schütteln. In ein Cocktailglas seihen.

Mint Julep

4–5 Eiswürfel,
10 junge, zarte Minzeblättchen (Krauseminze),
1 BL Zuckersirup,
2–3 dashes Angostura,
5 cl Bourbon Whiskey,

Mississippi-Cocktail: Ein harter Longdrink aus Rum und Rye-Whisky. Nur für geeichte Trinker.

Zum Miss Yugoslavia Cocktail brauchen Sie Creme de Noyau.

Mississippi Cocktail

2–3 Eiswürfel,
2,5 cl Rye Whiskey,
2,5 cl Rum,
2 dashes Zuckersirup,
Saft einer Zitrone,
1 Zitronenschalenspirale.

Der aus Roggen gebrannte amerikanische Rye Whiskey gibt diesem Cocktail den kräftigen Geschmack. Ein ausgesprochen männlicher Cocktail; den »Whiskey trinken alle, Rye aber«, so der Volksmund, »trinken nur Helden.«
Eiswürfel, Rye Whiskey, Rum, Zuckersirup und Zitronensaft in den Shaker geben. Kurz und kräftig schütteln und in ein Stengelglas seihen. Mit einer Zitronenschalenspirale garnieren.
Die Zitronenschalenspirale kann (wie beim Grundrezept »Crusta«) ganz in das Glas dressiert werden. Origineller sieht es aus, wenn man die Schale – wie auf unserem Foto – um einen hölzernen Schaschlik-Stab windet und diese Dekoration in das Glas stellt.
Wer ein noch intensiveres Zitronenschalenaroma mag, kann den Mississippi Cocktail auch vor dem Servieren zusätzlich mit etwas Zitronenschale abspritzen.

Miss Yugoslavia Cocktail

2–3 Eiswürfel,
1,5 cl Cherry Brandy,
1,5 cl Sahne,
1 cl Crème de Cacao,
1 cl Crème de Noyau,
geriebene Schokolade.

Eiswürfel und die anderen vier Zutaten in den Shaker geben. Kurz und kräftig schütteln und in ein Cocktailglas seihen. Mit etwas geriebener Schokolade bestreuen.

TIP

Wer keinen Rye Whiskey im Hause hat, kann den Mississippi Cocktail auch mit Canadian Whisky mixen. Und zur Not geht es auch einmal mit einem guten Bourbon.

Miss Whiff

4 Eiswürfel,
2 cl Zitronensaft,
4 cl Gin,
1 cl Pernod,
1 cl Crème de Menthe grün,
2 BL Zuckersirup,
Sodawasser zum Auffüllen,
1 Minzezweig.

Miss Whiff hat eine Schwäche für Juleps. Daher dürfen in ihrem Longdrink weder der Pfefferminzlikör noch der frische grüne Minzezweig fehlen.
In ein hohes Becherglas die Eiswürfel geben und nacheinander die angegebenen Zutaten einfüllen. Mit einem Barlöffel umrühren. Mit Sodawasser auffüllen und mit einem Minzezweig garnieren. Dazu einen Trinkhalm reichen.

Mittelrhein

Das Weinanbaugebiet Mittelrhein ist das drittkleinste in Deutschland und zusammen mit dem Anbaugebiet *Ahr* das nördlichste. Es schließt sich nordwestlich an den Rheingau an. Die Grenze liegt auf der rechten Rheinseite bei *Aßmannshausen* und bei Bingen auf der linken Seite des Rheins. Durch das *Deutsche Weingesetz* wurde das Gebiet in die beiden Bereiche Bacharach und Rheinburgengau eingeteilt. Zu den bekanntesten Weinorten kann man Bacharach,

derem Duftreichtum, großer Zartheit und Süße. Werden diese Mirabellen mit geringen Anteilen gemahlener Kerne in großen Bottichen eingemaischt, destilliert und in großen Ballonflaschen ausgereift, erhält man das »Metzer Mirabellchen«, den wohl edelsten Brannt aus Mirabellen. Mirabellen werden freilich auch in Österreich, in Südtirol, im Badischen und in der Schweiz »vergeistigt«. Dieser Steinobstbranntwein ist meist mit 50 Vol.-% Alkohol auf dem Markt.

Mispelbranntwein

Die Mispel muß schon zu faulen beginnen, ehe sie überhaupt genießbar wird – und zur Destillation geeignet ist.
Mispelbranntwein ist eine ausgesprochene Rarität, die man nur mit Glück und Beziehungen zu Brennern in süddeutschen, österreichischen und Schweizer Einöden finden kann. Mispeln werden oft zu *Obstler* mitverbrannt.

Weinanbaugebiet
MITTEL-RHEIN

KÖNIGSWINTER

ROLANDSBOGEN

AHR

BAD HÖNNINGEN

LEUTESDORF

BEREICH RHEINBURGENGAU

MOSEL

RHEIN

BAD EMS

LAHN

BRAUBACH

BOPPARD

ST. GOARSHAUSEN

ST. GOAR

OBERWESEL

KAUB

BACHARACH

BEREICH BACHARACH

BURG SOONECK

Kaub, Oberwesel, Boppard, Steeg, St. Goar, St. Goarshausen und Braubach zählen.

Die erzeugte Weinmenge beträgt durchschnittlich etwa 80000 Hektoliter pro Jahr. Dabei handelt es sich in erster Linie um Rieslinge. Von der rund 900 Hektar großen Rebfläche sind nur vier Prozent mit *Silvaner* und zwölf mit *Müller-Thurgau* bepflanzt.

Alljährlich bekommen Riesling-Weine vom Mittelrhein bei den Bundesweinprämierungen der DLG große Preise. Die Tonschieferböden mit Lößeinlagen sorgen dafür, daß die Weine charaktervoll und herzhaft sind. Sie haben in ihrer rassigen Art viel Ähnlichkeit mit guten Moselweinen. Die

Riesling-Weine bevorzugter Lagen und guter Jahrgänge sind besonders feinblumig und fruchtig. Lagennamen wie Bacharacher Posten, Steeger St. Jost oder Oberdiebacher Bischifsbub und viele andere, die im einzelnen nicht alle genannt werden können, lassen das Herz des Weinliebhabers höher schlagen. Wer von Bonn, wo gegenüber dem Bundeshaus der nördlichste Weinstock Deutschlands steht, bis Bingerbrück rheinaufwärts reist, kann sich in den zahlreichen gemütlichen Wirtshäusern der reizvollen

Die Attraktion des mittelrheinischen Weinortes Braubach ist die Marksburg.

Weinorte durch die Fülle mittelrheinischer Weine hindurchprobieren.

Jahr für Jahr zieht der mit Burgen gespickte Landstrich Touristen aus aller Welt an. Die steilen Rebenterrassen, die zum Teil fast senkrecht zum Rhein abfallen, geben der Landschaft einen eigenwilligen Charakter. Die hohe Besucherzahl ist auch der Grund dafür, daß ein ganz großer Teil der am Mittelrhein gekelterten Weine an Ort und Stelle getrunken wird.

Mixen

Mixgetränke werden in der Regel auf der Basis einer »Hauptspirituose« komponiert. Dabei kann es sich z. B. um Gin oder Weinbrand, Rum oder Kirschwasser handeln.

Ihr Geschmack soll nicht abgewandelt oder überdeckt werden. Er soll im fertigen Getränk noch gut zu erkennen sein. Sie werden ergänzt durch Beigaben, die den Geschmack verbessern, ergänzen oder abrunden. Einige der Geschmackswandler können gleichzeitig Aromaträger sein, sonst verwendet man winzige Mengen ausdrucksstarker Spirituosen. Bei vielen Cocktails spritzt man zur Aromaverbesserung auch einen Hauch Citrusaroma aus einer Zitronenschale auf das fertige Getränk.

Das Mixen in der Hausbar beginnt mit dem Abmessen. Wenn größere Mengen von Cocktails auf einmal gemischt werden sollen, müssen die Maßangaben entsprechend vervielfacht werden. Normalerweise sollten nicht mehr als sechs Cocktails auf einmal gemixt werden.

Einfache Mixturen werden gleich im Glas gemischt. Auch das Eis kommt von vornherein ins Glas.

Der Shaker dient nicht nur dem schnellen Mischen, sondern auch dem blitzartigen Kühlen eines Getränks. Deshalb soll nur wenige Sekunden geschüttelt und das Eis sofort abgesiebt werden. Nicht nach Minuten, sindern ebenfalls nur nach Sekunden bemißt sich die Umrührzeit bei Getränken, die im Mischbecher (mit Eis!) hergestellt werden.

Zutaten wie Oliven, Cocktailkirschen, Orangenscheiben oder Mandarinenspalten kommen ganz zum Schluß ins Glas. Eis gehört in den meisten Fällen nur in den Shaker bzw. das Mischglas.

Heiße Getränke aller Art sind keine Angelegenheit der Hausbar, sie werden normalerweise in der Küche hergestellt. Die Grundgesetze der Mixerei gelten aber auch hier: Frische und gute Zutaten, sorgfältige und dem Rezept entsprechende Zubereitung, schnelles Servieren.

Mobby

Süße Kartoffeln liefern mit ihrem Reichtum an Stärke und Zucker die Grundlage zu einem stark berauschenden Getränk Westindiens.

Es heißt »Mobby« oder »Marmoda«, hat aber mit dem in den Südstaaten der USA aus Pfirsichen und Äpfeln bereiteten »Mobby« oder »Mobby Punsch« nur den Namen gemein und die Eigenschaft, rasch in den Kopf zu steigen.

Mog

Mog reimt sich auf Grog, Es ist auch einer. Er stammt aus Schleswig und wird im Henkelkrug aus Rum, Wasser und Zucker kalt angesetzt, auf dem Herd erhitzt und ständig warm gehalten. Man trinkt ihn heiß.

Moi Kwai-Lo

Moi Kwai-Lo, manchmal auch als Mai Kwai-Lo aus dem Chinesischen übersetzt, ist ein süßer, stark duftender Rosenlikör.

Mojito

5 cl weißer Rum,
1 BL Zucker,

Mojito: Aus Rum und Limettensaft wird ein frischer Drink.

Saft einer halben Limette (Lumie),
4 Eiswürfel, Sodawasser,
1 Limettenscheibe,
Minzeblätter.

Rum, Zucker und Limettensaft in ein hohes Becherglas gießen. Eiswürfel fein zerkleinern und das Glas zu zwei Drittel damit füllen. Mit Sodawasser auffüllen und mit einem langen Löffel gut verrühren. Mit einer Limettenscheibe und Minzeblättern garnieren. Dazu Löffel und Trinkhalm reichen.

Mokka

1 l Wasser,
100 g fein gemahlener Kaffee.

Seinen Namen hat er von der Stadt Mokka am Roten Meer, die im 15. Jahrhundert Ausfuhrhafen des besonders aromatischen Kaffees des Jemens war.

Unter Mokka versteht man heute einen besonders starken Kaffee aus besonders fein gemahlenem Pulver.

Man braucht dazu eine spezielle Mokkamühle. Aber die meisten Fachgeschäfte mahlen Kaffee auf Wunsch besonders fein.

Mokka wird in einer kleinen Kanne serviert und aus kleinen Tassen getrunken. (Dafür gibt es spezielle Mokka-Service.) Man gibt nur Zucker, aber keine Milch dazu.

Wasser sprudelnd aufkochen lassen. Kaffee in einen Filter geben. Wasser ganz langsam durchlaufen lassen. Mokka sehr heiß servieren.

Mokka italienische Art

2 BL Zucker, 1 Prise Zimt,
½ Tasse heißer, starker Kaffee (Mokka),
½ Tasse heiße Schokolade.

Ein Mokka-Milch-Shake nach dem Essen ersetzt Dessert und Kaffee zugleich. Doch Vorsicht: Viele Kalorien.

Der italienische Mokka ist ein köstliches, würziges Gemisch aus Kaffee und Schokolade. Nehmen Sie mit Milch zubereitete Schokolade, wenn Sie den Mokka vollmundiger haben wollen. Obwohl er heiß getrunken wird, erfrischt er auch an Sommertagen – das wissen die Italiener am besten.
Zucker und Zimt in die Kaffeetasse geben und nacheinander mit Kaffee und Schokolade auffüllen und umrühren. Man kann das Getränk auch in einem tulpenförmigen Glas servieren. Dazu passen ausgezeichnet Löffelbiskuits.

Mokka-Milch-Shake

Für 4 Personen

10 gehäufte BL Instant-Kaffeepulver,
2 BL Kakao,
2 EL Zucker,
½ l Milch,
⅛ l Sahne,
Kakaopulver zum Bestreuen.

Nehmen Sie das mit dem Mokka nicht allzu wörtlich. Mokka ist hier eine Mischung aus normalem Kaffee und Kakao.
Kaffeepulver, Kakao, Zucker in einer Schüssel mit wenig Milch glattrühren, restliche Milch drunterrühren. In Sektkelche oder in hohe Bechergläser füllen. Sahne steif schlagen und je einen gehäuften Eßlöffel davon als Haube daraufsetzen. Mit Kakaopulver bestreuen. Mit Trinkhalm und Löffel servieren.

Mokkalikör

Die als Mokkaliköre gehandelten Produkte sind in Wahrheit Kaffeeliköre und gehören zu den Emulsionslikören.
Ein bekannter Mokka-Likör ist »Mokka mit Sahne«, der – ebenso wie der Eierlikör – nur einen Alkoholgehalt von 20 Vol.-% haben muß.

Molke

Die bei der Quark- und Käsebereitung aus der Milch anfallende Molke ist stark eiweißhaltig und wird besonders als Mastmittel verwendet. Sie ist auch für den menschlichen Verzehr geeignet.

Mona Lisa

Saft einer halben Zitrone,
2 EL Zucker,
2–3 Eiswürfel,
3,5 cl Crème de Cacao,
1,5 cl französischer Vermouth dry,
1 Cocktailkirsche.

Vielleicht gelingt es Ihnen, nach diesem Cocktail ebenso geheimnisvoll zu lächeln wie die bekannte Dame im Louvre.
In je eine flache Untertasse den Zitronensaft und den Zucker füllen. Ein Cocktailglas mit dem Rand zuerst in den Zitronensaft tauchen, kurz abtropfen lassen, dann den Glasrand in dem Zucker drehen und den Crustarand trocknen lassen. Eiswürfel, Crème de Cacao und Vermouth in den Shaker geben. Kurz und kräftig schütteln und in das Cocktailglas seihen. Mit einer Kirsche garnieren und ein Cocktailspießchen dazu reichen.

TIP

Der Mona Lisa wird fast immer als Aperitif serviert. Er ist aber auch ein idealer Begrüßungstrunk für liebe Gäste. Dazu die Gläser vorbereiten und den Drink erst mixen, wenn die Gäste da sind.

Monbazillac

Der goldfarbene Monbazillac hat viel Ähnlichkeit mit dem Sauternes und macht ihm Konkurenz. Die Appelation (s. *A.O.C.*) Château Monbazillac gilt als die beste im Bezirk Bergerac des Départements Dordogne. Der Monbazillac hat einen leichten Muskateller-Geschmack.

Mont Blanc Cocktail

2–3 Eiswürfel,
1,5 cl Dry Gin,
1,5 cl Cointreau,
1,5 cl süße Sahne,
1 BL Zucker.

Eiswürfel und alle anderen Zutaten in den Shaker geben. Kurz und kräftig schütteln. In ein Cocktailglas seihen. Mit Trinkhalm servieren.

Monte Carlo Cocktail

2–3 Eiswürfel,
4 cl Canadian Whisky,

Mont Blanc Cocktail: Ein eisiger Drink aus Gin, Likör, Sahne und Zucker, den vor allem Damen schätzen.

1 cl Bénédictine,
2 dashes Angostura.

Eiswürfel mit den übrigen Zutaten in einen Shaker geben. Kurz und kräftig schütteln und in eine Sektschale seihen.

Monte Carlo Imperial

2–3 Eiswürfel,
2,5 cl Dry Gin,
1,5 cl Crème de Menthe weiß,
2 BL Limettensaft (Lumiensaft),
Champagner zum Auffüllen.

Wenn Sie Drinks auf Gin-Basis bevorzugen, wählen Sie Monte Carlo Imperial. Eiswürfel, Gin, Crème de Menthe und Limettensaft in einen Shaker geben. Kurz und kräftig schütteln und in eine Sektschale seihen. Mit Champagner auffüllen.

Montepulciano di Abruzzo

Rubinrot, trocken und weich ist der Montepulciano di Abruzzo, ein *D.O.C.*-Rotwein aus der mittelitalienischen Region Abruz-

Ob man danach besser spielt, ist offen: Monte Carlo Cocktail (vorn) und Monte Carlo Imperial.

Montepulciano ist ein traditionsreicher Weinort in Italien

zen. In den Provinzen Chieti, Aquila und Pescara im Küstengebiet des Adriatischen Meeres wachsen die Montepulciano-Reben, die dem Wein den Namen gaben. Nach zweijähriger Lagerung darf er das Prädikat »Vecchio« tragen. Werden bei der Weinbereitung die Beerenschalen mit vergoren, ist das Prädikat »Cerasuolo« erlaubt.

Montilla

Ein herb-trockener, unter Kennern geschätzter spanischer Wein aus dem Bezirk Cordoba heißt Montilla. Er hat im Geschmack viel Ähnlichkeit mit *Sherry* und wird gelegentlich unzutreffend auch als Sherry bezeichnet. Der Montilla ist aber durchaus kein Sherry, denn erstens wird er nicht aufgespritet und zweitens ist das Anbaugebiet zu weit von Jerez de la Fontera entfernt, als daß er sich Sherry nennen dürfte.

TIP

Montilla wird meistens als Aperitif serviert. Am besten mit einer Trinktemperatur von 12 Grad.

Moonlight

3–4 Eiswürfel,
1.5 cl Birnengeist,
3,5 cl Vermouth bianco.

Wenn Sie bereits einen Martini gemixt haben, wird Ihnen auch das Mixen des Moonlight-Cocktails leicht von der Hand gehen. Bei diesem neuen Drink wählt man einen etwas weicheren Vermouth, den »bianco«, der Gin wird durch einen Birnengeist ersetzt. Sie erleben eine feine Überraschung, denn statt des starken Wacholdergeschmacks rundet nun das zarte Birnenaroma diesen Longdrink ab.
Eiswürfel mit den Zutaten in ein Mixglas geben und mit dem Barlöffel gut um-

Birnengeist gibt dem Moonlight die verträumte Note.

rühren. Ohne Eiswürfel in ein Cocktailglas seihen. Wer Lust zum Experimentieren hat, kann diese Vermouth-Mischung auch mit anderem Obstbranntwein probieren.

Moonshine

Als in Amerika der zwanziger Jahre strikt darüber gewacht wurde, daß »Gottes eigenes Land« absolut trokken blieb, also die *Prohibition* in voller Blüte war, blühten natürlich auch die Schwarzbrennereien. Die heimlich bei Nacht und Nebel entstehenden Branntweine und Liköre wurden als Moonshine (Mondschein) bezeichnet.

Morning Glory

2–3 Eiswürfel,
2 cl Whiskey,
2 cl Weinbrand,
1 dash Pernod,
2 dashes Curaçao,
2 BL Zuckersirup,
Sodawasser,
Puderzucker,
1 Zitronenschalenspirale.

Für diesen Drink sollten Sie Rye- oder Bourbon-Whiskey verwenden. Eiswürfel, Whiskey, Weinbrand, Pernod, Curaçao und Zuckersirup in ein Mixglas geben. Gut umrühren und in ein großes Cocktailglas, ein Ballon- oder Becherglas seihen. Mit So-

dawasser auffüllen und mit einem in Puderzucker gewendeten Barlöffel umrühren. Mit der Zitronenschalenspirale garnieren.

Morning Glory Fizz

2–3 Eiswürfel,
2 BL Zucker,
Saft einer Zitrone,
1 BL Pernod,
5 cl Bourbon Whiskey,
1 Eiweiß,
Sodawasser zum Auffüllen.

Wenn Ihnen dieser Longdrink mit Pernod zu »hart« ist, nehmen Sie stattdessen den lieblicheren Anisette-Likör.

Eiswürfel in haselnußgroße Stücke zerkleinern und in den Shaker geben. Zucker, Zitronensaft, Pernod, Whiskey und Eiweiß dazugeben. Den Shaker mit einer Serviette umwickeln und ein bis zwei Minuten kräftig schütteln. Den Inhalt in ein hohes Becherglas oder ein Ballonglas seihen. Mit Sodawasser auffüllen. Dazu sollten Sie einen Trinkhalm reichen.

Moscato

In Italien heißt die *Muskateller-Traube* und der daraus gekelterte Wein Moscato. Und in keinem anderen Land der Welt gibt es so viel davon wie in Italien. Die Reben werden vor allem im Norden und im Süden angebaut. Zu den be-

Morning Glory

Morning Glory Fizz

Wenn der Abend lang geworden ist, erleichtern diese Drinks den Entschluß, ins Bett zu gehen.

Weinanbaugebiet

MOSEL
-SAAR
-RUWER

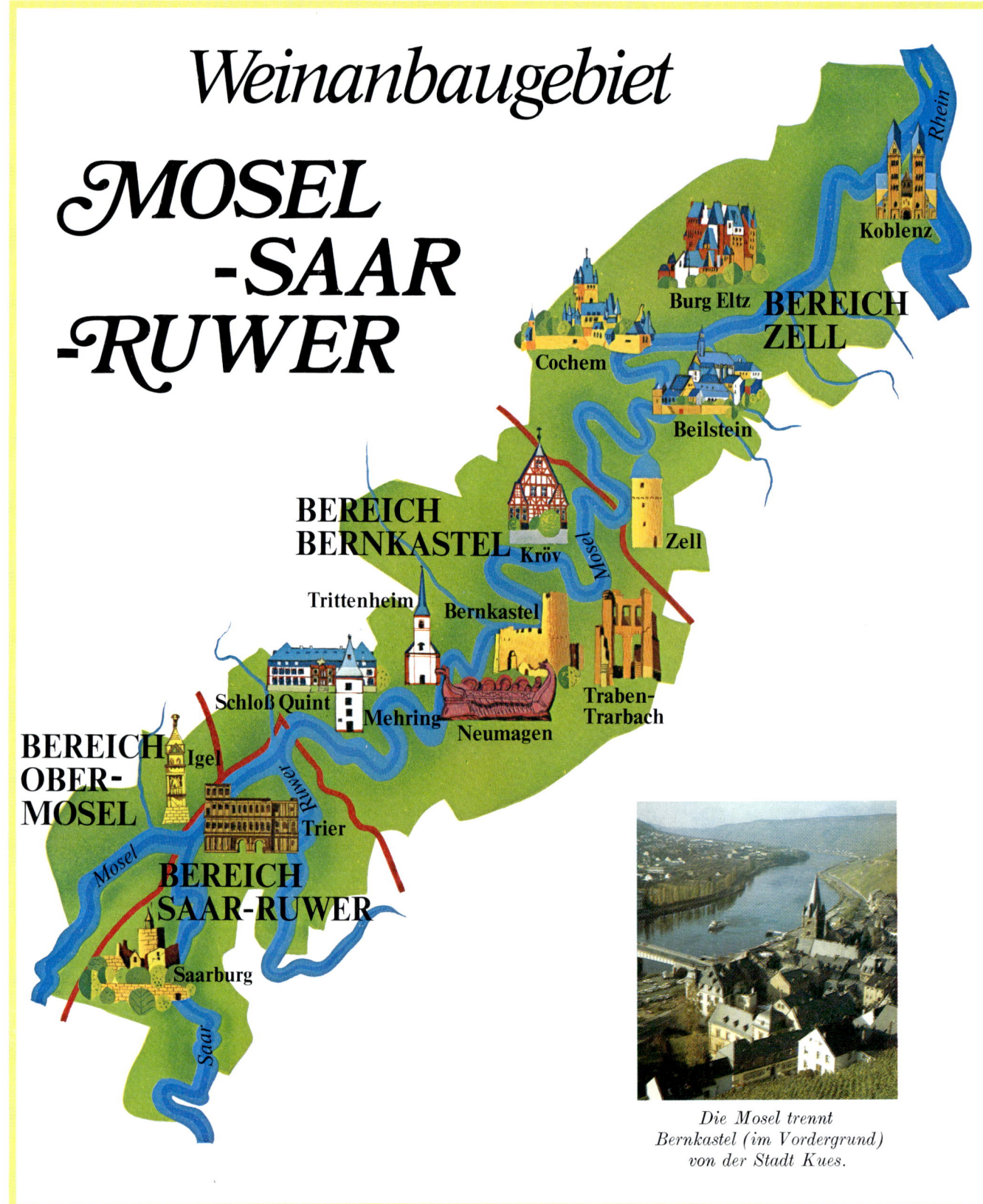

Rhein

Koblenz

Burg Eltz **BEREICH
ZELL**

Cochem

Beilstein

**BEREICH
BERNKASTEL**

Kröv

Mosel

Zell

Trittenheim

Bernkastel

Schloß Quint

Mehring

Neumagen

Traben-
Trabach

**BEREICH
OBER-
MOSEL**

Igel

Ruwer

Trier

**BEREICH
SAAR-RUWER**

Mosel

Saarburg

Saar

*Die Mosel trennt
Bernkastel (im Vordergrund)
von der Stadt Kues.*

---

sten Weinen zählen der Moscato Naturale d'Asti aus der Region Piemont und die beiden sizilianischen Weine Moscato di Noto und Moscato di Siracusa. Alle drei sind sehr aromatische, samtige Dessertweine, die zu hundert Prozent aus gelben Muskateller-Trauben gekeltert werden.

Mosel-Saar-Ruwer

Mit über 10 000 Hektar Rebfläche ist das Anbaugebiet Mosel mit den Flußtälern von Saar und Ruwer das drittgrößte in Deutschland. Ob einst die Römer den Weinbau dorthin brachten,

oder ob er schon in vorrömischer Zeit dort zuhause war, darüber streiten sich noch die Gelehrten. Zahlreiche Ausgrabungen von weinbaulichen Geräten und Motiven – das bekannteste ist wohl das Weinschiff von Neumagen – zeugen jedenfalls von einer uralten Weinbautradition.

Hervorragende Tropfen reifen hier – in guten Jahren die anerkannt elegantesten und rassigsten Weißweine der Welt. Ideale Voraussetzungen für den Riesling, der etwa ¾ der Rebfläche ausmacht, bietet der Schieferboden, der die Feuchtigkeit zurückhält und somit ein Austrocknen des Bodens verhindert. Nachts strahlt er die aufgespeicherte Sonnenwärme wieder aus. Große Schwankungen des für die Reife der Trauben so entscheidenden Kleinklimas werden dadurch verhindert.

Das Ergebnis sind Weine mit ausdrucksvoller, dezenter Blume, anregend und erfrischend durch eine feine Säure und nicht zu hoch im Alkohol. Kenner behaupten sogar, man würde einen gewissen Schieferton durchschmecken. Jedenfalls sind die Weine von Mosel-Saar-Ruwer an spritziger Eleganz nicht zu überbieten.

Neben dem Riesling wird auch Müller-Thurgau angebaut, sowie versuchsweise einige Neuzüchtungen. An der Obermosel findet man außerdem noch die Rebsorte Elbling. Die Elbling-Weine werden in der Hauptsache als Sektgrundwein verwendet.

Von Trier bis Koblenz erstrecken sich eine Unzahl von Weinorten und Lagen, die den Moselwein in aller Welt berühmt gemacht haben. Stellvertretend für alle anderen stehen Namen wie Bernkasteler Doctor, Wehlener Sonnenuhr, Erdener Treppchen, Brauneberger Juffer, Trittenheimer Altärchen, Klüsserather Bruderschaft und natürlich auch solche wie Zeller Schwarze Katz und Kröver Nacktarsch. Letztere sind in der Regel als süffige *Konsumweine* bekannt. Bedingt durch den Einfluß des Massentourismus (und der Moral der meisten davon gut lebenden Gastronomen) findet man in vielen Weinorten leider auch Weine, die durch ihre vordergründige Süße die typischen Eigenschaften der Moselweine oft vermissen lassen. Der Weinfreund sollte deshalb in den vielen Genossenschaften und guten Weingütern probieren. Eine Besonderheit stellen die Weine der Moselnebenflüsse Saar und Ruwer dar. Sie unterscheiden sich von den Moselweinen durch noch mehr Zartheit und rassige Art. Es gibt genug Leute, die behaupten, die Saar- und Ruwer-Weine seien die besten Moselweine. Auf den Weinkarten renommierter Häuser findet man sie mit klangvollen Namen wie beispielsweise Scharzhofberger, Ayler Kupp, Ockfener Bockstein, Serriger Vogelsang und Eitelsbacher Karthäuserhofberg.

Die Weine von Mosel-Saar-Ruwer trinkt man aus dem sogenannten Treviris-Glas, einem geschliffenen, langstieligen Weinglas, dessen Facetten am Kelch den Blick auf den Wein nicht trüben, sondern durch ihr Funkeln und Blitzen die Lebendigkeit dieser Gewächse noch betonen.

Wer mehr über den Moselwein wissen will, dem empfiehlt sich der Besuch des Trierer Weinseminars.

Nicht nur »aus Liebeskummer« sollte man eine Moselfahrt machen, wie es im Titel des bekannten Romans von Binding heißt. Grund genug sollte der Wein sein, den man laut Peter Kremer um fünf Ursachen willen trinken kann: Erstens um eines Festtags willen, zweitens um den Durst zu stillen, drittens Künftiges abzuwehren, viertens dem guten Wein zu Ehren und fünftens um jeder Ursache willen.

Most
Siehe Weinbereitung.

Mostgewicht
Siehe Öchsle.

Moulin Rouge

2–3 Eiswürfel,
2 cl Apricot Brandy,
2 cl Zitronensaft,
1 BL Grenadine,
2,5 cl Gin,
Sekt zum Auffüllen,
1 Orangenscheibe.

Eiswürfel, Apricot Brandy, Zitronensaft, Grenadine und Gin in den Shaker geben. Kurz und kräftig schütteln und in eine Sektschale seihen. Mit Sekt auffüllen und mit der Orangenscheibe garnieren.

Moulin Rouge, ein Drink auf der Basis der White Lady, wird vom Apricot Brandy geprägt.

Moutwijn

Moutwijn nennen die Holländer einen reinen Kornbrannt von 46 Vol.-% Alkohol. Aus ihm wird unter Zusatz von Wacholderbeeren und Kräutern der *Genever* destilliert.

Mule Hind Leg

2–3 Eiswürfel,
1 cl Dry Gin,
1 cl Apfelbranntwein,
1 cl Bénédictine,
2 BL Ahornsirup,
1 cl Aprikosenlikör.

So gut dieser Cocktail auch schmeckt, der Name warnt vor zu großem Zuspruch, sonst fühlt man sich wie vom Hinterbein eines Maultieres getreten.
Eiswürfel und alle anderen Zutaten in ein Mixglas geben. Gut verrühren und in ein Cocktailglas seihen.

Müller-Thurgau

Im deutschen Weinbau steht die Müller-Thurgau-Traube heute gleich hinter der *Riesling-Traube* auf Platz zwei.
Ende des 19. Jahrhunderts züchtete der Schweizer Professor Dr. Müller aus dem Kanton Thurgau die nach ihm benannte Rebsorte. Sie konnte sich nur ganz langsam im Weinbau durchsetzen. In süddeutschen Weinbaugebieten wird sie vielfach als »Riesling Silvaner« bezeichnet, was darauf zurückzuführen ist, daß man die Müller-Thurgau für eine Kreuzung aus den Sorten Riesling und Silvaner hielt. Die Ansicht ist allerdings in Fachkreisen sehr umstritten. Die Bezeichnung Riesling Silvaner auf dem Flaschenetikett führt oft zu Mißverständnissen: Manche Weintrinker denken an einen Verschnittwein aus Riesling und Silvaner.

Aus Müller-Thurgau-Trauben werden vorwiegend leichte, fruchtige Weine gekeltert, die jung am besten schmecken. Sie sind als Schoppenweine beliebt und besonders belebend, wenn sie mit einem Rest natürlicher Kohlensäure in die Flasche kommen. In allen elf deutschen Anbaugebieten findet man Müller-Thurgau-Reben. Rheinhessen steht mit fast 8000 Hektar an erster Stelle, gefolgt von Rheinpfalz und Baden.

Mumme

Als die Kühltechnik noch nicht auf der heutigen Höhe war, wurde die Braunschweiger Mumme, ein dickes, dunkles Bier, wegen ihrer besonders großen Haltbarkeit nach Übersee exportiert. Christian Mumme soll sie 1492 erstmals gebraut haben.
Heute ist Mumme nur noch ein ungehopfter und unvergorener konzentrierter Malzextrakt, der in Braunschweig gelegentlich – mit Bier vom Faß vermischt – als Spezialität gereicht wird.

Münchner Bier

Ursprünglich war Münchner (auch Münchener) Bier ein ganz leicht gehopftes, süß-malziges, meist dunkles Bier.
Heute ist Münchner Bier, so wie *Dortmunder Bier*, nicht das spezielle Bier einer besonderen Brauweise, sondern der Werbename eines Produktes, das von den sieben Münchner Großbrauereien zusammen propagiert wird. Tatsächlich profitiert das Münchner Bier von dem extrem harten Wasser, das aus den Tiefbrunnen der Münchner Brauereien fließt. Spezielle Münchner Biere sind die *Starkbiere* in der Fastenzeit, die alle mit den Endsilben -ator schließen und der helle Maibock, ebenfalls ein Starkbier mit mindestens 16 Prozent Stamm-

Auf dem Oktoberfest fließt das Münchner Bier stets in Strömen.

würze, der Ende April und Anfang Mai – zu Beginn der Münchner Biergartensaison – gern getrunken wird. Eine weitere Spezialität aus den Brauereien der Bayerischen Landeshauptstadt ist das Märzenbier, das im März gebraut und zum Oktoberfest fertig ist.

Muscadet

Nicht international bekannt, aber von Kennern geschätzt ist der Muscadet, ein trockener und zugleich weicher, bukettreicher Weißwein aus dem Loire-Tal in Frankreich. Er wird in der Umgebung der Stadt Nantes gekeltert und hat

Mule Hind Leg: Tückisch wie die Hinterhand eines Maultiers.

Ottonel-Reben weit verbreitet. Sie werden auch in Deutschland und im Elsaß angebaut. Die Verbreitung hält sich in Grenzen, weil die Sorte warmes, windarmes Klima braucht. Kenner schätzen das kräftige, aber doch sehr feine Muskatbukett der aus Muskat-Ottonel-Trauben gekelterten Weine und halten es für das Vornehmste von allen Muskatellerarten.

Myra Cocktail

2–3 Eiswürfel,
2,5 cl Rotwein,
1,5 cl Wodka,
1 cl Vermouth dry.

Diesen Cocktail können Sie als Before-Dinner- oder Medium-Drink reichen. Eiswürfel, Rotwein, Wodka und Vermouth dry in ein Mixglas geben. Gut verrühren und in ein Cocktailglas seihen.

TIP

Muskatellerwein hat ein stark ausgeprägtes Bukett, das nicht zu verwechseln ist. Seine Würze und seine Süße machen ihn zu einem idealen Dessertwein. Man trinkt ihn im allgemeinen bei einer Temperatur von 12 Grad. Er paßt besonders gut zu süßem Gebäck und Cremes. Oder auch zu Flammeri und Kompott.

Der Rotwein für den Myra Cocktail sollte möglichst herb sein: Ein idealer Before-Dinner-Drink.

sich als idealer Begleiter von Fisch und Meeresfrüchten nicht nur in Frankreich einen Namen gemacht.

Muskateller-Traube

Aus Muskateller-Trauben werden Weine mit unverwechselbarem, kräftigem Bukett gekeltert, die großenteils als Dessertweine getrunken oder zum Ver-schnitt verwendet werden. Es gibt gelbe, rote und schwarzblaue Muskateller. Am weitesten verbreitet ist die gelbe Sorte. Im deutschen Weinbau spielt Muskateller eine untergeordnete Rolle, während die Rebsorte in den Mittelmeerländern weit verbreitet ist.

Beim Muskateller handelt es sich um eine der ältesten Rebsorten der Welt. Schon Kaiser Barbarossa und Karl der Große sollen Muskateller-Wein getrunken haben. Über das Ursprungsgebiet sind sich die Experten nicht einig. Die einen verlegen es nach Kleinasien, die anderen in das Gebiet der Pyrenäen.

Muskat-Ottonel

Im Burgenland und in der Steiermark sind Muskat-

229

Nahe

So klein das Weinanbaugebiet Nahe mit seinen 4500 Hektar Rebland längs dem kleinen Fluß, der bei Bingen in den Rhein mündet, auch ist, so vielfältig sind doch die Weine, die dort reifen. »Probierstübchen der deutschen Weinlande« wird der Nahegau oft genannt, und tatsächlich ist die Verschiedenheit der einzelnen Rebsorten – allen voran der Riesling – zusammen mit dem Einfluß der einzelnen Bodenarten wie Lehm, Rotsandstein, Porphyr, Mergel und Schiefer so interessant, wie man sie in kaum einem anderen der deutschen Weinanbaugebiete findet. Trotz aller Verschiedenheiten, die jedoch fast jeder Weinzunge gerecht werden, ist den Naheweinen eines gemeinsam: Ihre besonders fruchtige Art, die Geschmackskomponenten von Rheingau, Mosel und der rheinhessischen Gegend um Nierstein und Oppenheim in sich vereint.

Das sonnenreiche, regenarme Klima begünstigt das Wachstum und ermöglicht den Trauben volle Entwicklung durch eine ungestörte und lange Reifezeit.

Besondes die ausdrucksvollen fruchtigen Riesling-Weine aus dem Raum der Kurstadt Bad Kreuznach haben die Nahe über ihre Grenzen hinaus bekannt gemacht. Namen wie Kreuznacher Narrenkappe, Kreuznacher Brückes und Kreuznacher Hinkelstein sind dem passionierten Weinfreund ein geläufiger Begriff.

Andere bekannte Weinorte sind Schloßböckelheim. Niederhausen, Burg Layen und Bad Münster am Stein. Allein die Rebsorte Ries-

Weinanbaugebiet NAHE

BEREICH KREUZNACH

Münster Sarnsheim

Rhein

Nahe

Burg Layen

Wallhausen

Guldental

Langenlonsheim

Burgsponheim

Bad Kreuznach

BEREICH SCHLOSS BÖCKELHEIM

Niederhausen

Monzingen

Bad Münster a. St. Ebernburg

Nahe

Meddersheim

Odernheim

Alsenz

Glan

Obermoschel

Aus Bad Kreuznach kommen die berühmten Weine Narrenkappe, Brückes und Hinkelstein.

ling würde die Bezeichnung »Probierstübchen« allerdings nicht rechtfertigen. Wie überall in Deutschland ist auch an der Nahe der Müller-Thurgau wegen seiner weinbaulichen Problemlosigkeit, wie frühe Reife und hoher Ertrag, im Vormarsch begriffen. Er erbringt Weine von mundiger Art und duftiger Blume, die den Silvaner auch an der Nahe mehr und mehr verdrängen. Für den Riesling stellt er allerdings auch dort keine ernsthafte Konkurrenz dar.

Auch Rebsorten wie Ruländer, der füllige, teils wuchtige Weine bringt, und die würzigen Traminer findet man neben Neuzüchtungen in der Palette der Naheweine.

Für Weintouristen gibt es die Nahe-Weinstraße, die durch alle Weinorte dieses Gebiets führt. Dazu noch eine Besonderheit: Ihr Weinfest feiern alle Orte zur gleichen Zeit, das »Weinfest rund um die Nahe-Weinstraße«, Ende August.

Nährbier

Nicht ohne Grund sprechen Biertrinker von »flüssigem Brot«. Denn Bier mit seinen großen Mengen Vitamin B, phosphorsauren Salzen und Aminosäuren ist nahrhaft. Ein wahrer Kraftquell und Kalorienspender ist daher

das 1922 erstmals in München hergestellte Nährbier. Wird bei der üblichen Bierherstellung viel Zucker erzeugt, um viel Alkohol zu erzielen, beschreitet die Nährbierherstellung den umgekehrten Weg: Nämlich geringe Mengen vergärbaren Zuckers bei gleichzeitig niedrigem Vergärungsgrad.

Die Bestandteile der nahrhaften Extrakte – vor allem die wertvollen Nährstoffe des Gerstenkorns – bleiben im Endprodukt in großem Maß erhalten.

Normales Vollbier bringt es bei einem Alkoholgehalt von 3,5 bis 5 Prozent auf 420 bis 430 Kalorien pro Liter. 470 Kalorien sind es beim Nährbier mit 1,43 Prozent Alkohol, aber 10,7 Prozent Malzextrakt.

Nalewka

Nalewka oder auch Naliwka werden in Osteuropa verschiedene Branntweine und Liköre zum Teil ganz verschiedener Herkunft genannt. Der bekannteste Nalewka stammt aus der UdSSR und ist ein Kirschlikör von etwa 40 Vol.-% Alkohol, in dem auch Pflaumen, Quitten und Äpfel mit zu einem angenehm säuerlichen Geschmack beitragen. Diesem *Fruchtsaftlikör* werden meist auch etwas Nelken- und Bittermandelöl als Aromastoff beigegeben.

Auch Himbeersaft wird zur Verfeinerung benutzt.

In Finnland versteht man unter Nalewka einen Likör aus der nordischen Sumpfbrombeere, der sehr süß ist und honigfarben ins Glas fließt.

Napoléon

Nach ihrem korsischen Kaiser benennen die Franzosen einen Cognac, der mindestens fünf Jahre im Faß gelagert haben muß. Nur *Cognac*, nicht irgendwelcher anderer Weinbrand mit gleicher Lagerzeit darf diesen Namen führen.

Napoléon Cocktail

2–3 Eiswürfel,
1 BL Zuckersirup,
3 dashes Zitronensaft,
2,5 cl Gin,
2,5 cl Whisky,
1 Zitronenschalenspirale.

Eiswürfel mit allen anderen Zutaten in ein Mixglas geben. Mit dem Barlöffel umrühren. Getränk in ein Stengelglas seihen. Mit einer Zitronenschalenspirale garniert servieren.

Nasco di Cagliari

Sardinien-Reisende begegnen auf der italienischen Insel dem Nasco di Cagliari, einem goldgelben, leicht süßen Wein mit feinem Bukett. Er gehört zu den *D.O.C.* Weinen. Vorschrift ist, daß er nur in der Provinz Cagliari und zu hundert Prozent aus Nasco-Trauben gewonnen wird.

Natascha-Cocktail

1,5 cl Apricot Brandy,
1,5 cl Birnengeist,
1,5 cl Vermouth rosso,

Natascha: Ein lieblicher Damen-Cocktail.

1 dash Orange Bitter,
2 Eiswürfel,
1 Cocktailkirsche mit Stiel.

Alle Zutaten mit Eiswürfeln in ein Mixglas geben. Mit einem Barlöffel umrühren. In ein Cocktailglas seihen und mit einer Kirsche garniert servieren.

Naturrein

Früher wurden nicht verbesserte deutsche Weine als naturrein bezeichnet. Diese Bezeichnung ist seit dem Inkrafttreten des neuen *Deutschen Weingesetzes* nicht mehr erlaubt. Für nicht verbesserte Weine gibt es nur noch eine Prädikatsbezeichnung. Siehe auch Qualitätswein mit Prädikat.

Navy Punch
Für 6–8 Personen

---

2 ganze Ananas,
Zucker nach Belieben,
¼ l Rum,

Der Navy Punch ist ein harter Drink für trinkfeste Leute.

¼ l Cognac,
¼ l Pfirsichlikör,
Saft von zwei Zitronen,
1 Eisblock (von etwa ¼ l Wasser bereitet),
1 Glas (200 g) Cocktailkirschen,
3 l Champagner.

Diesen kalten Punsch sollten Sie nur mäßig und mit guter Grundlage genießen. Durch seinen hohen Gehalt an Spirituosen und Likör ist er eigentlich in die Gruppe der Cups einzuordnen.
Die beiden Ananas schälen, vierteln und die Herzsegmente abschneiden. Die Fruchtviertel in Würfel schneiden und nach Belieben zuckern. In einer Schüssel mit Rum, Cognac, Pfirsichlikör und Zitronensaft begießen. Zugedeckt 30 Minuten in den Kühlschrank stellen. Zusammen mit den Kirschen und dem Eisblock in ein Bowlengefäß geben. Vor dem Servieren mit eisgekühltem Champagner auffüllen. Dazu sollten Sie

Löffel reichen. Natürlich können Sie statt des Champagners auch trockenen Sekt verwenden.

Nebbiolo-Traube

Man kann die Nebbiolo-Trauben fast als norditalienische Spezialität bezeichnen. Die Reben werden vorwiegend in der Region Piemont angebaut. So bekannte Rotweine wie der Barolo, der Barbaresco nnd der Gattinara werden aus Nebbiolo gekeltert.

Nebukadnezar

Den Namen Nebukadnezar trugen nicht nur einige babylonische Herrscher, sondern so nennt man auch eine riesige Sektflasche, in die der Inhalt von 20,5 normalen Sektflaschen paßt.

Negro Mix

---

2 BL kaltlöslicher Kakao,
4 cl Weinbrand,
½ BL Pulverkaffee,
2 BL Sahne, ¼ l Milch,
2–3 Eiswürfel.

Ein leichtes Milchgetränk, das auch Männer mögen. Nur muß es frisch gemixt serviert werden, sonst wird es unansehnlich, weil das Eiweiß in der Milch durch den Alkohol schnell gerinnt.
Alle Zutaten im Mixgerät gut durcharbeiten. Die Eiswürfel in ein hohes Becherglas geben. Milch-Mix darübergießen und mit einem Trinkhalm sofort servieren.

Negroni

---

3 Eiswürfel,
2 cl Gin, 2 BL Campari,
2 BL roter Vermouth,
Soda,
1 Orangenscheibe.

In ein hohes Becherglas die Eiswürfel geben. Gin, Campari und Vermouth darübergießen und mit Sodawasser auffüllen. Die Orangenscheibe dazugeben und mit einem Trinkhalm servieren.

Negus
Für 3–4 Personen

---

1 Flasche Portwein,
½ l Wasser,
60 g Zucker,
1 Stück Zitronenschale,
½ Zimtstange,
1 Prise geriebene Muskatnuß.

Alle Zutaten werden in einem Topf bis kurz vor dem Siedepunkt erhitzt. 10 Minuten ziehen lassen und sofort in Henkelgläser oder in eine vorgewärmte Punschterrine seihen. Sind die Gläser nicht feuerfest, besser einen Löffel reinstellen.

Nektar

In alten Zeiten soll Nektar ausschließlich den Göttern des Olymps vorbehalten gewesen sein. Heute können Sie Nektar beim Kaufmann erstehen. Ob Sie aber dabei einen Göttertrank erworben haben, ist nicht garantiert; denn Nektar ist eine reine Phantasiebezeichnung der Hersteller und hat mit dem ursprünglichen Nektar, dem Honigseim der Bienen, nichts mehr zu tun. Als Nektar werden dickflüssige, fast breiige Obstdrinks bezeichnet, die dem Süßmost ähnlich sind. Fruchtnektar enthält aber – im Gegensatz zum Süßmost – neben dem Saft noch püriertes Fruchtfleisch. Ein Zusatz von Wasser – um den Brei trinkbar zu machen – von Zitronensäure und Zucker ist erlaubt.

Negroni heißt dieser im Glas gemixte, erfrischende Longdrink mit Gin, Campari, Vermouth und Soda.

Nelkenlikör

Der Nelkenlikör ist ein kaum noch hergestellter Gewürzlikör, der als Aromaträger gelegentlich bei der Herstellung anderer Liköre eine Rolle spielt.

New Orleans Fizz

3–4 Eiswürfel,
1 Eiweiß,
2 BL Zuckersirup,
2,5 cl Zitronensaft,
5 cl Dry Gin,
2 BL frische Sahne,
Sodawasser zum Auffüllen.

Wie bei allen Fizzes ist es auch bei diesem Drink wichtig, daß er eiskalt und ohne jede Verzögerung serviert wird. Dann werden Sie für diesen Drink, den ungeteilten Beifall Ihrer Gäste finden.
Eiswürfel zu haselnußgroßen Stücken zerkleinern. Eisstücke, Eiweiß, Zuckersirup und Zitronensaft in den Shaker geben. Verrühren. Dann Gin und Sahne zugeben. Den Shaker mit einer Serviette umwickeln und 1–2 Minuten kräftig schütteln. Inhalt in ein mittelgroßes Becher-

Eisgekühlt und originell ist er, der New Orleans Fizz.

glas seihen. Mit Sodawasser auffüllen. Sofort mit einem Trinkhalm servieren.

Newskij Prospekt

2–3 Eiswürfel,
2 cl Wodka,
1 cl Cointreau,
1 BL Zitronensaft,
Soda zum Auffüllen,
1 Orangenscheibe.

Die große, breite Prachtstraße in Leningrad gab diesem Longdrink den Namen.
Die Eiswürfel zerkleinern und in den Shaker geben. Wodka, Cointreau und Zitronensaft darübergießen, schütteln und in ein hohes Becherglas seihen. Mit Sodawasser auffüllen. Die Orangenscheibe einschneiden und an den Glasrand stecken. Mit einem Trinkhalm servieren.

New Yorker

2 Eiswürfel,
3,5 cl Bourbon Whiskey,
1 cl Zitronensaft,
1 BL Grenadine,
1 Stück Orangenschale.

Der Amerikaner bevorzugt den Whiskey-Cocktail und zwar den mit Bourbon oder Canadian Whisky gemixten, weil diese Whiskies sich zum Mixen wegen ihres Aromas besser eignen. Ein typisches Beispiel ist der New Yorker, dem Zitronensaft und das Quentchen Öl aus der Orangenschale die Würze geben.
Die Eiswürfel zerkleinern, in den Shaker geben. Alle Zutaten, mit Ausnahme der Orangenschale, darübergießen, schütteln und in ein Cocktailglas seihen. Mit der Orangenschale abspritzen.

Ng Ka Py Likör

Der chinesische Likör mit dem für europäische Zun-

Night Cap aus Ale, Weinbrand, Zucker und Muskat wird so

gen mühsamen Namen Ng Ka Py wird aus zehn verschiedenen asiatischen Kräutern gewonnen und soll gut für die Blutbildung und gegen Rheumatismus und Brustleiden sein.

Nierstein

Der rheinhessische Weinort Nierstein ist vor allem für seine charaktervollen Riesling-Weine bekannt. Zu den geschätzten Qualitätslagen gehören Niersteiner Glöck und Niersteiner Hipping.

Night Cap

½ l Ale,
2 BL Zucker,
2 cl Weinbrand,

1 Prise geriebene Muskatnuß.

Caps sind heiße Schlafgetränke. Sie müssen frisch zubereitet serviert werden, aber möglichst nicht während der Bürostunden.
Ale bis kurz vor dem Siedepunkt erhitzen, mit Zucker, Weinbrand und geriebener Muskatnuß vermischen. In ein hohes, angewärmtes Becher- oder Grogglas einen Löffel oder Glasstab stellen und den Night Cap einfüllen. Statt des Weinbrands können Sie auch andere Spirituosen, Whisky oder Cherry, verwenden.

Nikolaschka

Siehe Pillkaller.

heiß wie möglich getrunken und sorgt für richtige Bettschwere.

Noisette

Noisette ist ein Nußbrannt aus geraspelten Hasel- und Walnüssen, der anschließend zu einem Likör angesetzt wird.

Der Nußbrannt wird zweimal aus einer Maische aus zerkleinerten Nüssen gewonnen, der Piment, Muskat und Zitronenschale beigemischt worden ist.

Noisette hat einen Alkoholanteil von 30 Vol.-% und einen Zuckeranteil von 40 Prozent, wodurch er süß-sämig wird. Noisette ist nicht zu verwechseln mit dem vor allem im Elsaß beliebten Nußwasser, einem reinen Nußbrannt.

Nordafrikanischer Tee

Für 4 Personen

¾ l Wasser, 150 g Zucker,
16 BL Grüner Tee,
4 Zweiglein frische Minze.

Dieser Tee wird in Nordafrika serviert und dort Atai B-Nana genannt. So heiß wie möglich getrunken ist er eine herrliche Erfrischung für warme Sommertage. Eine Jasminblüte auf dem Tee soll in Marokko angeblich bedeuten, daß dem Gast auch das Nachtlager der Teeköchin offensteht. Man sollte sich darauf aber nicht unbedingt verlassen.

Das Wasser zum Kochen bringen und den Zucker darin auflösen. Den Topf vom Feuer nehmen und den Tee dazugeben. Tee 3–4 Minuten ziehen lassen. In vier Teegläser abseihen und in jedes Glas ein Zweiglein frische Minze geben. Atai B-Nana sofort servieren.
Wenn Ihnen der Tee zu süß ist, dann können Sie natürlich die Zuckermenge reduzieren.

Nordhäuser Korn

In der Stadt Nordhausen am Harz hat die Kornbrennerei eine große Tradition. Der Nordhäuser Korn wird mit etwas Nelken, Zimt und Pomeranzenschale aromatisiert.

Noyau-Likör

Der Noyaulikör, meist als Crème de Noyau im Handel, ist ein aus Frankreich

Nikolauswein

Als Nikolauswein bezeichnete man früher den Wein, der aus am Nikolaustag gelesenen Trauben gekeltert wurde. Seit der Reform des *Deutschen Weingesetzes* im Jahre 1971 ist die Bezeichnung Nikolauswein nicht mehr zugelassen.

Noddy

---

2 Eiswürfel,
2,5 cl Gin,
1,5 cl Bourbon Whiskey,
1 cl Pernod.

Ein After-Dinner-Cocktail, dessen Alkoholstärke Vorsicht geboten macht.
Die Eiswürfel zerkleinern und in den Shaker geben. Alle übrigen Zutaten darübergießen, schütteln und in ein Cocktailglas seihen.

Auch aus Haselnüssen wird Alkohol gebrannt: Noisette.

Atai B-Nana oder die nordafrikanische Art, Tee zu servieren. Das Originalrezept wird mit grünem Tee zubereitet.

Nuß-ICS

Nuß-Malz-Shake

Nahrhafte alkoholfreie Drinks, die aus den USA stammen: Wie geschaffen für ein Kinderfest.

bis kurz vor dem Siedepunkt erhitzen und sofort servieren.

Nuß-ICS

2 cl Mokka-Nuß-Likör,
2 cl Dosenmilch,
1 gehäufter EL Vanilleeis,
Soda zum Auffüllen,
1 gehäufter EL Nußeis,
1–2 EL Schlagsahne,
1–2 BL geriebene Nüsse.

Der Nuß-ICS ist nicht nur ein kühler Longdrink, mit dem Sie in einer sommerlichen Gartenparty Ihre Gäste erfrischen können, sondern auch gut als flüssiges Dessert geeignet.
In ein hohes Becherglas den Likör, die Dosenmilch und das Vanilleeis geben. Mit Soda auffüllen, das Nußeis dazugeben, die Schlagsahne aufspritzen und mit den geriebenen Nüssen bestreuen. Mit langem Löffel und Trinkhalm servieren.

Nuß-Malz-Shake

1 gehäufter
EL Vanilleeis,
1 BL süße Nußpaste,
1 BL Malzpulver,
½ BL Karamelsirup,
⅛ l Milch.

Das Ursprungsland dieses nahrhaften Shakes sind die USA. Diesen Drink mögen Kinder besonders gern.
Alle Zutaten im Mixgerät gut mischen und im hohen Becherglas mit Trinkhalm servieren.

stammender Fruchtlikör von weißer oder auch leicht rosiger Farbe, der ein ausgeprägtes Mandelaroma hat. Er wird aus Aprikosen hergestellt, wobei in der Maische auch Aprikosen-, Pfirsich- und Kirschkerne enthalten sind, die dem Noyaulikör seinen bitterwürzigen Geschmack geben.

Nuragus di Cagliari

Aus der Jungsteinzeit und der Bronzezeit stammen die für Sardinien typi-

schen kegelförmigen Wehrtürme, die Nuragen. Ihnen verdankt der Nuragus di Cagliari, ein strohgelber, trockener, harmonischer Weißwein, seinen Namen. Er ist als *D.O.C.*-Wein anerkannt. Er schmeckt nirgendwo besser als auf Sardinien selbst, wenn man ihn zu den Spezialitäten der einheimischen Küche trinkt.

Nürnberger Punsch

Für 4–6 Personen

4 Stück Würfelzucker,
2 Apfelsinen,

300 g Zucker,
1 Flasche kräftiger Rotwein,
¼ l Arrak.

Zum richtigen Punsch gehören fünf Zutaten, abgeleitet vom indischen Wort »pantscha« (fünf). Die fünfte Zutat, die Säure, wird hier durch das Aroma der abgeriebenen Apfelsinenschale ersetzt.
Mit den Zuckerwürfeln die Schale einer Apfelsine abreiben. Saft von 2 Apfelsinen mit den Zuckerwürfeln und dem Zucker in einen Topf geben. Rotwein und Arrak auffüllen, alles

TIP

Im Nürnberger Punsch schmecken auch Apfelsinenscheiben, Orangenlikör (5 bis 10 cl), Nelken, Zimt und Muskat.

Obergärig

Obergärig bezeichnet die Brauart eines *Bieres*, das mit obergärigen Hefen gebraut wurde. Am bekanntesten sind das im Rheinischen getrunkene *Kölsch*, das *Alt* und das bayerische *Weizenbier*. Obergärig sind heute auch noch die meisten Biere der britischen Insel. Zu den obergärigen Bieren gehören noch die Rauchbiere und die Süßbiere, wie Malz- und Karamelbiere.

Obstbranntwein

Seit die Menschen gelernt haben, aus Zucker Alkohol zu gewinnen und dabei die Brennkunst entwickelten, gibt es wohl keine Obstsorte auf dieser Erde, die nicht zur Gewinnung von Branntwein benützt worden wäre: Seien es die erst unter dem Schnee der Arktis reifenden Beeren oder die unter tropischer Sonne gedeihenden Kakteenfrüchte.
Nicht jede Obstsorte ist gleich gut für die Branntweinherstellung geeignet: Es kommt auf den Zuckergehalt der Früchte an.
So unterscheidet auch in der Bundesrepublik das Branntweinmonopolgesetz zwischen Obstbranntwein (Obstwasser) aus Steinobst und Beeren, Obstbranntwein (Obstgeist) aus zuckerarmen Früchten und Kernobstbranntwein.
Während der Obstbranntwein mindestens 40 Vol.-% Alkohol enthalten muß, darf Kernobstbranntwein

auch eine Alkoholstärke von nur 38 Vol.-% besitzen.
Die Obstwässer dürfen nicht unter Zusatz von Zucker und Alkohol hergestellt werden und auch keine Farbzusätze enthalten.
Die Obstgeiste hingegen werden unter Zusatz von Alkohol destilliert, aber ebenfalls nicht gezuckert und gefärbt.
Ungezuckert und ohne Alkoholzusatz entstehen auch die Kernobstbranntweine, deren bekannteste der *Calvados* und der *Williamsbirnenschnaps* sind.

Obstdessertwein

Siehe Fruchtdessertwein.

Obstdicksaft

Obstdicksaft ist ein Saftkonzentrat, das früher vorwiegend durch Eindampfen von Obstsaft gewonnen wurde. Heute kennt man neben dem Eindampfen das sogenannte Ausfrieren, ein Verfahren, bei dem Vitamine und Aroma besonders schonend behandelt werden und besser erhalten bleiben. Die Konzentrate oder Dicksäfte werden vor allem zum Zubereiten von Fruchtsaftgetränken verwendet.
Erzeugnisse, die durch Rückverdünnen der Konzentrate hergestellt wurden, dürfen allerdings nicht die Bezeichnung »Fruchtsaft« tragen.

Obstgetränke

Obstgetränke gehören zu der großen Gruppe der Fruchtsaftgetränke. Es sind Mischungen aus natürlichem oder eingedicktem, das heißt konzentriertem Obstsaft mit reinem Trink- oder Tafelwasser, das kohlensäurehaltig sein darf, und mit Zucker.
Der reine Saftanteil bei Kernobstsaft-Getränken und Traubensaft-Getränken muß mindestens 30 Prozent betragen. Getränke aus dem Saft von Steinoder Beerenobst müssen 10 Prozent Saft enthalten.
Der niedrigste Saftanteil

ist mit 6 Prozent bei Getränken aus Citrussäften vorgeschrieben.
Werden die Obstgetränke stärker verdünnt, gehören sie zu den *Limonaden*.

Obstler

Wo im süddeutschen und alpenländischen Raum Bauernbrot und geräucherter Speck auf den Tisch kommen, darf der Obstler nicht fehlen: Ein Obstbranntwein, oft von Hausbrennereien destilliert, der meist eine Mischung von Apfel- und Birnenbrant ist. Die Obstsorten werden von den Brennern zusammen vermaischt und gebrannt. Aber auch Pflaumen und Zwetschen kommen mit in die Maische, wenn sie der Jahreszeit nach gerade auf den Bäumen hängen. Obstler werden meist auf eine Trinkstärke zwischen 40 und 50 Vol.-% herabgesetzt.

Obstmost

Obstmost ist der aus frischem Obst gepreßte, noch nicht vergorene und somit alkoholfreie Saft.
Im Unterschied zum Süßmost enthält er noch keine Zugaben von Wasser und Zucker. Obstmost ist auch Rohstoff für den Obstwein.

Obstsaft-Mixgetränke

Obstsäfte sind unentbehrliche Bestandteile in jeder Bar. Sie strecken nicht nur die stark-alkoholischen Getränke, sondern geben vielen das richtige Aroma.

Frucht-Nußmix

1/8 l kalte Milch,
1/8 l Orangensaft,
1–2 BL Haselnußpastete.

Alle Zutaten in den Mixer geben und gut mischen. In ein Becherglas seihen, mit Trinkhalm servieren.

Kanadischer Holzfällertrank

1/8 l Apfelsaft,
2–3 BL brauner Zucker,
1–2 Gewürznelken,
1/2 Stange Zimt,
1 Stück Zitronenschale,
5 cl Whisky.

Apfelsaft, braunen Zucker, Gewürznelken, Zimt und Zitronenschale in einem Topf bis zum Siedepunkt erhitzen. Den Whisky erwärmen, ins Punschglas gießen. Apfelsaft-Gewürzmischung in das Glas seihen. Mit Löffel servieren.

Durch Vereisung schützen Südtiroler Bauern ihre Obstgärten.

Pflaumenmix

⅛ l Pflaumensaft,
Saft einer halben Orange,
1 BL Honig,
¼ l kalte Milch.

Alle Zutaten im Mixer gut mischen und in ein hohes Becherglas seihen und sofort mit einem Trinkhalm servieren.

Obstsekt

Siehe Fruchtschaumwein.

Obstsirup

Obstdicksaft, der mit reinem, weißem Verbraucherzucker vermischt wird, heißt Obstsirup.

Sirup kann auf kaltem Wege – die schonendste Art – zubereitet werden oder das Saftkonzentrat wird mit dem Zucker zusammen kurz aufgekocht.

Obstsirup darf immer nur aus einer Obstsorte hergestellt werden. Der Zucker-

anteil darf nicht mehr als 65 Prozent betragen. Das Erzeugnis muß dickflüssig sein.

Zusätze von Farben und Aromastoffen sind verboten, mit ein paar Ausnahmen: Himbeersirup, der leicht bräunlich wird, darf mit 10 Prozent Kirschsaft gefärbt werden. Außerdem sind Zugaben von Wein- oder Milchsäure bis zu einem Prozent erlaubt.

Obstsüßmost

Mit dem schäumenden Most gepreßter Trauben hat der Obstsüßmost nichts zu tun. Im Gegenteil: Süßmoste müssen aus unvergorenem, frischem Fruchtsaft zubereitet werden und alkoholfrei sein.

Obstsüßmoste unterscheiden sich von den Fruchtsäften vor allem durch die Herstellung. Die frisch gepreßten Säfte einiger Obstarten wie Pfirsiche, Kirschen, Aprikosen oder Johannisbeeren, die soge-

nannten »Muttersäfte«, sind oft zu dickflüssig, zu sauer, zu konzentriert. Man muß sie trinkbar machen. Das geschieht durch das Verdünnen mit Wasser auf die Stärke von natürlichem Fruchtsaft und durch Süßen mit Zucker bei stark säurehaltigen Früchten.

Durch diese Zugaben verliert dieser Saft die vom Gesetzgeber verlangte natürliche Reinheit und wird zum Süßmost. Die Zugaben von Wasser und Zucker – sie allein sind zulässig – sind genau vorgeschrieben. Wird auf dem Etikett mit dem hohen Gehalt an Vitamin C geworben, so müssen im Süßmost pro Liter mindestens 250 g Vitamin C enthalten sein. Süßmoste können auch aus mehreren Obstsäften gemischt werden. Das Etikett muß dann die Obstarten nennen oder die Bezeichnung» Mehrfruchtsüßmost« tragen.

Obstwein

Siehe Beerenwein.

Ochsenauge

1 ganzes Eigelb,
5 cl Portwein.

Diesen Drink können Sie auch als »Katerkiller« servieren.

In eine flache Cocktailschale zunächst das unzerlaufene Eigelb geben. Den Portwein darübergießen. Mit Löffel und Trinkhalm servieren.

Öchsle

Ferdinand Öchsle (1774-1852) aus Pforzheim scheint ein Allround-Genie seiner Zeit gewesen zu sein. Einmal wird er als Goldschmied, ein anderes Mal als Physiker, manchmal auch als Apotheker bezeichnet. Egal was stimmt, jedenfalls ist er der Erfinder der Öchslewaage, die auch Mostwaage genannt wird. Sie dient zur Bestimmung des Zuckergehaltes des Traubenmostes. Aus

Mit dem Ochsenauge können Sie Gästen nach einem alkoholreichen Fest einen ernüchternden Drink auf den Heimweg mitgeben.

dem Zuckergehalt läßt sich die wahrscheinliche Qualität des Weines voraussagen. Das ermittelte Mostgewicht gibt man in Grad Öchsle an.

Da man für die Mostgewichtsermittlung mit Hilfe der Öchslewaage eine gewisse Menge Trauben auspressen muß, benutzt man heutzutage für die Stichprobenkontrolle im Weinberg den sogenannten Refraktometer, ein optisches Meßinstrument, das sich die verschiedene Lichtbrechung von Flüssigkeiten zunutze macht und lediglich einen Teil des Saftes einer zerquetschten Traube braucht. Der Fachmann kann aus den Öchslegraden den Gesamtalkoholgehalt des Weines berechnen, wie er umgekehrt aus dem Gesamtalkoholwert auf den Öchslegrad des verwendeten Mostes rückschließen kann. Die Öchslezahlen spielen im Weinrecht bei der Festsetzung der Güteklassen und Qualitätsstufen eine große Rolle.

Aus Zuckerrohr wird auf Hawaii der Okelehao gebrannt.

Oeszi Barack

In Ungarn, der Heimat des *Barack Palinka*, der aus Aprikosen gebrannt wird, ist auch der Oeszi Barack, der Pfirsichgeist, zu Hause. Er ist etwas lieblicher als der Aprikosengeist, hat aber dafür nicht das starke Aroma der Aprikose. Um überhaupt das leicht flüchtige Aroma des Pfirsichs zu retten, werden meist nur voll- bis überreife Pfirsiche vermaischt.

Der Sektcocktail Ohio wird zwischen den Mahlzeiten gereicht.

Ohio

2–3 Eiswürfel,
2 cl roter Vermouth,
1,5 cl Weinbrand,
1,5 cl Cordial Médoc,
1 dash Angostura,
Sekt zum Auffüllen,
1 Maraschinokirsche,
½ Orangenscheibe.

Der amerikanische Bundesstaat Ohio hat einer ganzen Familie von Bargetränken seinen Namen gegeben. Man spricht von einer »Ohio-Richtung«. Das bedeutet, daß der Cocktail mit Sekt aufgefüllt wird. Eiswürfel in den Shaker geben. Vermouth, Weinbrand, Cordial Médoc und Angostura zugeben. Kurz und kräftig schütteln und in eine Sektschale seihen. Mit Sekt auffüllen. Mit einer Maraschinokirsche und Orangenscheibe garnieren.

Ohm

Ohm ist ein Weinmaß, das in den deutschen Weinbaugebieten unterschiedlich groß ist. So bedeutet ein Ohm in Rheinhessen, Rheingau, Rheinpfalz, Franken und Baden 150 Liter, an Mosel, Saar und Ruwer hingegen 160 Liter.

Ojen

Ojen ist einer der spanischen Anisados, jener langen Reihe anisaromatischer Branntweine. Er ist mit dem Absinth verwandt,

ohne aber dessen hohen Alkoholgehalt und schädliche Stoffe zu besitzen.

Okelehao

Okelehao ist der Schnaps der Südsee mit Zentrum Hawaii. Von dort gelangt er in großen Mengen in die USA, wo er recht unpoetisch »Oke« genannt wird. Auf Hawaii wird Okelehao nach alten Rezepten aus Zuckerrohrmelasse, *Koji* und dem Saft der tropischen Tarowurzel gebrannt.

Er bringt es auf einen Alkoholgehalt von 40–50 Vol.-%.

Old East India

Siehe Madeira.

Old Fashioned Cocktail

Bild Seite 240/241

1 BL Zucker,
2 dashes Angostura,
1 BL Wasser,
2–3 Eiswürfel,
5 cl Bourbon Whiskey,
1 Orangenscheibe,
1 Cocktailkirsche mit Stiel.

Dieser Cocktail gehört ebenso wie der Old Pale Cocktail und der Old Time Appetizer zu den Before-Dinner-Drinks. Alle drei Drinks werden auf Whiskey-Basis komponiert. Da der Eigengeschmack des Whiskeys sehr intensiv ist, kann er oft etwas sparsamer verwendet werden, als zum Beispiel bei Cocktails mit Gin-Basis. Wie bei vielen Mix-Getränken bevorzugt man auch in diesen drei Drinks den Bourbon-Whiskey, weil er sich besser mit anderen Alkoholika verbindet.

Zucker, Angostura und Wasser in einem breiten Becherglas (Old-Fashioned-Glas) gut verrühren. Eiswürfel und Whiskey zugeben. Umrühren und mit Orangenscheibe und Kirsche garnieren. Dazu einen Löffel reichen.

Old Pale Cocktail

Old Time Appetizer

Old Fashioned Cocktail

Old Pale Cocktail

2–3 Eiswürfel,
1 cl Campari,
1 cl französischer
Vermouth dry,
3 cl Bourbon Whiskey,
1 Stück Zitronenschale.

Eiswürfel, Campari, Vermouth und Whiskey in ein Mixglas geben. Gut verrühren und in ein Cocktailglas seihen. Mit Zitronenschale abspritzen. Wer mag, kann das Stück Zitronenschale auch in das Glas hineinlegen.

Old Time Appetizer

2–3 Eiswürfel,
2 cl Bourbon Whiskey,
2 cl Dubonnet,
2 dashes Curaçao,
2 dashes Pernod,
1 dash Angostura,
2 Orangenscheiben,
½ Ananasscheibe,
1 Stück Zitronenschale.

Eiswürfel, Whiskey, Dubonnet, Curaçao, Pernod und Angostura in ein mittelgroßes Kelch- oder Becherglas geben. Gut umrühren. Orangenscheiben,

die halbe Ananasscheibe und die Zitronenschale zugeben und mit einem Löffel servieren.

Old Tom Gin

Aus Plymouth stammt der Old Tom Gin, eine Variante des Gins mit mindestens 38 Vol.-% Alkohol, der durch Zuckersirup leicht gesüßt wird.

Oliven-Bowle
Für 6–8 Personen

250 g grüne, mit Paprika gefüllte Oliven,

⅛ l trockener Sherry,
3 l Roséwein.

Diese Bowle beweist Ihnen, daß Oliven nicht nur im Martini ausgezeichnet schmecken. Sie geben diesem Getränk sein ungewöhnliches und sicherlich etwas fremd anmutendes Aroma, denn meist sind bei uns mit dem Begriff Bowle Früchte wie Erdbeeren und Pfirsiche verbunden.
Oliven in Scheiben schneiden, in eine Schüssel geben und mit Sherry übergießen. 30 Minuten zugedeckt in den Kühlschrank stellen. In ein Bowlengefäß gießen und mit Roséwein auffüllen.

Whiskey heißt der gemeinsame Nenner dieser drei appetitanregenden Drinks.

Olivette

2–3 Eiswürfel,
5 cl Dry Gin,
2 dashes Zuckersirup,
2 dashes Orange Bitter,
1 Zitronenschalenpirale,
1 grüne gefüllte Olive.

Eiswürfel, Gin, Zuckersirup und Orange Bitter in ein Mixglas geben. Gut verrühren und in ein Cocktailglas seihen. Mit der Zitronenschalenspirale und der Olive garnieren. Dazu ein Spießchen für die Olive reichen. Eine interessante Abwandlung: Nehmen Sie 2 cl Pernod und 3 cl Gin für den Cocktail. Die Zubereitung bleibt gleich.

One Exciting Night

Saft einer
halben Zitrone,
2 EL Puderzucker,
2–3 Eiswürfel,
1,5 cl Dry Gin,
1,5 cl französischer
Vermouth dry,
1,5 cl Vermouth bianco,
1 BL Orangensaft,
1 Zitronenschalenspirale.

Dieser Cocktail auf Gin-Basis verspricht sicher, wie auch sein Name schon sagt, eine aufregende Nacht. Oder besser gesagt: Kenner sagen diesem Cocktail eine seinem Namen entsprechende Wirkung nach.
Für den Crustarand in je eine Untertasse Zitronensaft und – in diesem Falle – Puderzucker geben. Ein Cocktailglas zuerst mit dem Rand in den Saft tauchen, kurz abtropfen lassen, dann in den Zucker stellen. Glas umdrehen und den Crustarand trocknen lassen. Eiswürfel, Gin, Vermouth und Orangensaft in den Shaker geben. Kurz und kräftig schütteln und in das Crustaglas seihen. Mit der Zitronenschalenspirale garnieren.

Oliven schmecken auch in der Bowle und nicht nur im Martini.

Exciting Night hält, was der verlockende Name verspricht.

241

Opera

2–3 Eiswürfel,
1 cl Dubonnet,
1 cl Mandarinenlikör,
3 cl Gin,
1 kleine
Orangenschale,
eventuell 1 Kumquat.

Eiswürfel und alle anderen Zutaten in einen Shaker geben. Kräftig schütteln. Inhalt in ein Cocktailglas seihen. Mit Orangenschale abspritzen. Nach Belieben können Sie noch eine Kumquat dazugeben. Dann sollten Sie einen Löffel dazureichen.

Oppenheim

Die Riesling-Weine des rheinhessischen Ortes Oppenheim verdanken ihren charakteristischen erdigen Geschmack besonderen Bodenverhältnissen. Die Lage Oppenheimer Sackträger zählt zu den bekanntesten Qualitätslagen.

Orangeade

Orangeade ist nicht zu verwechseln mit der kandierten Schale von Orangen und Pomeranzen, die man als Orangeat zum Kuchenbacken verwendet. Orangeade ist ein *Fruchtsaftgetränk* aus Orangeadesirup und Wasser. Der Zuckergehalt soll 7 Prozent betragen.

Orangeadesirup

Orangeadesirup wird vor allem von der Industrie zur Herstellung von alkoholfreien Erfrischungsgetränken und Eiskrem verwendet. Der Sirup wird aus Orangen- und Zitronensaft oder aus dem Dicksaft beider Früchte gewonnen. Der Anteil an Zitronensaft darf den des Orangensaftes nicht übersteigen – sonst handelt es sich um Zitronade. Der Anteil an Zucker muß bei 60 bis 68 Prozent liegen.

Orange Bitter

Orange Bitter gehört zu den Aroma-Trägern bei Cocktails. Er wird gern zu Longdrinks mit Gin, Wodka und klaren Schnäpsen gemischt. Orange Bitter wird aus den Schalen von Pomeranzen hergestellt.

Orange Bloom

2–3 Eiswürfel,
3 cl Dry Gin,
1 cl Vermouth bianco,
1 cl Cointreau,
1 Cocktailkirsche.

Dieser Cocktail auf Gin-Basis mit seinem zarten Orangenaroma wird sicher den Damen gut gefallen. Eiswürfel, Gin, Vermouth und Cointreau in ein Mixglas geben. Mit einem Barlöffel gut verrühren und in ein Cocktailglas seihen. Mit einer Kirsche garnieren. Ein Cocktailspießchen für die Kirsche zum Orange Bloom reichen.

Orange Cooler

3–4 Eiswürfel,
2 BL Zucker,
10 cl durchgeseihter Orangensaft,
Ginger Ale zum Auffüllen.

Dieser Cooler wird schnell zu den beliebtesten Drinks Ihrer Party gehören, denn er erfrischt und schmeckt nicht nur den Autofahrern unter den Gästen. Eiswürfel, Zucker und Orangensaft in ein großes Becherglas geben. Umrühren. Mit Ginger Ale auffüllen.

Orange-County Julep

2–3 Eiswürfel,
5 cl Cointreau,

Die Kumquat, eine Zwergorange, überdeckt im Opera Cocktail den Wacholdergeschmack des Gin.

242

Orange Cooler

Orange Martini

Orange Bloom

Orange-County Julep

Von den Citrusgetränken ist der Orangensaft der mit Abstand beliebteste. Frisch gepreßt darf er in keiner gut geführten Bar fehlen.

1 dash Zitronen- oder Grapefruitsaft,
1 dash Grenadine,
2 halbe Orangenscheiben,
1 Zweig frische Minze.

Juleps sollten Sie vor allem in den Sommermonaten mixen. Diese Drinks sind besonders in England und Amerika beliebt. Die frische Minze können Sie übrigens gut in einem Blumentopf züchten, damit Sie diese wichtige Grundzutat immer vorrätig haben. Eiswürfel zerkleinern und in ein mittelgroßes Becherglas geben, Cointreau, Zitronen- oder Grapefruitsaft und Grenadine zufül-

len und gut umrühren. Mit den halben Orangenscheiben und der Minze garnieren. Dazu einen langen Löffel und einen Trinkhalm reichen.

Orange Martini
Für 6 Personen

20 cl Dry Gin,
12 cl französischer Vermouth dry,
8 cl Vermouth bianco,
Schale einer Orange,
4–6 Eiswürfel,
1 BL Orange Bitter.

Der Orange Martini ist der richtige Auftakt zu Beginn

Ihrer nächsten Party. Er eignet sich auch ausgezeichnet als Before-Dinner-Drink.
Gin und Vermouth mischen. Orangenschale darin zugedeckt 2 Stunden ziehen lassen. Schale herausnehmen. Eiswürfel, Gin-Vermouth-Mischung und Orange Bitter in den Shaker geben. Kurz und kräftig schütteln und in die Cocktailgläser seihen.

Orangenlikör

Der Orangenlikör gehört wie die meisten Citrusliköre zu den *Fruchtaromalikören*. Er wird aus der Schale der Orange (Goldorangenlikör)

und nur zum geringen Teil aus den Säften der Orangen hergestellt. Eine Ausnahme bildete früher der Blutorangenlikör, der zu den Fruchtsaftlikören rechnete. Orangenlikör – dazu gehören auch der *Pomeranzenlikör* und die Curaçaoliköre – haben als Damenliköre einen Alkoholgehalt zwischen 30 und 40 Vol.-%.

Orangen-Milchshake
Für 4 Personen

¼ l Orangensaft,
abgeriebene Schale von 1½ Orangen,

2 cl Maraschino,
4 gehäufte EL Vanilleeis,
2 EL Puderzucker,
3/8 l Milch,
8 BL geriebene
Schokolade.

Alle Zutaten, bis auf die Schokolade, in einen Mixer geben. Gut mischen und in Sektschalen füllen. Auf jedes Glas zwei Teelöffel geriebene Schokolade geben.

Orangen-punsch

Für 4–6 Personen

1/2 l starker Tee,
1/2 l Rum,
1/4 l Orangensirup,
1/8 l Curaçao Orange,
4–6 Orangenscheiben.

Den Orangenpunsch sollten Sie sich für einen gemütlichen Abend in der kühleren Jahreszeit vormerken. Tee, Rum, Orangensirup und Curaçao in einem Topf bis kurz vor dem Siedepunkt erhitzen. In die vorgewärmten Gläser füllen. Jedes

Glas mit einer Orangenscheibe garnieren.

Orangensaft

Der Saft der als Orangen oder Apfelsinen bekannten Citrusfrucht dürfte der meistgetrunkene Fruchtsaft auf der Welt sein. Auf der Erde sind etwa 400 verschiedene Apfelsinensorten bekannt.

Ursprünglich kam die Apfelsine oder Orange aus Süd-China, ehe sie von den Arabern in den Mittelmeerraum gebracht wurde. Orangensaft enthält ungewöhnlich viele für den menschlichen Organismus wichtige Bestandteile. Neben drei Zuckerarten – Rohr-, Trauben- und Fruchtzucker – enthält Orangensaft fünf verschiedene Fruchtsäuren, 13 Mineralstoffe bzw. Spurenelemente – vor allem Phosphor und Eisen, sowie Vitamine.

In einem Kilo Orangen sind zwischen 400 und 800 Milligramm Vitamin C, dazu Vitamin D, E und P.

Orange Smile: Orangensaft mit Ei, Eis und Grenadine.

Wegen der Fruchtsäuren und der Aromastoffe wird Orangensaft zu zahlreichen Fruchtsäften und Sirups verarbeitet und ist beim Mixen sehr beliebt.

Die Industrie bietet eine Reihe von fertigen Orangensäften an, die in der Qualität recht unterschiedlich sind. Die einen schmecken nach Schale – dann enthalten sie eventuell mehr ätherisches Öl, das bekanntlich in der Schale der Citrusfrüchte enthalten ist, als der Gesetzgeber er-

laubt. Andere Säfte, vor allem, wenn sie als »hot pack« heiß und konzentriert in Dosen abgefüllt wurden, haben einen Geschmack nach Blech.

Die Hersteller haben immer wieder neue Verfahren entwickelt, um den Geschmack und das Frische-Aroma des Orangensaftes zu verbessern. So wird den durch Vakuum eingedickten Orangensaft-Konzentraten beim Abfüllen frisch gepreßter Orangensaft beigemischt und damit die geschmackliche Qualität verbessert.

Nach einer neuen Methode, dem Ausfrieren, wird der Saft auf unter Null Grad gekühlt.

Das Ergebnis: Ein hochwertiges aromatisches Saftkonzentrat mit fast naturfrischem Aroma.

Orangen-süßmost

Orangensüßmost darf – im Gegensatz zum Orangensaft – Wasser und Zucker enthalten. Er wird aus kon-

Milch und Orangensaft vertragen sich: Orangen-Milchshake.

Zum Aufwärmen und zum Einheizen ist der Orangenpunsch.

Orange Sorbet oder wie man aus Fruchteis und Sekt einen wohlschmeckenden Drink macht.

zentriertem Orangensaft gewonnen, mit Wasser auf Trinkstärke verdünnt und mit Zucker gesüßt und ist immer trübe. Die Trübstoffe, es sind Fruchtfleischteilchen, dürfen sich nicht am Boden absetzen, sondern müssen fein verteilt im Saft schwimmen.

Orange Pekoe

Siehe Tee.

Orange Smile

2–3 Eiswürfel, 1 Ei,
2 BL Grenadine,
10 cl Orangensaft.

Dieser Drink erfrischt und schmeckt auch Kindern. Wer auf einen Schuß Alkohol nicht verzichten möchte, kann etwas Gin dazugeben.
Eiswürfel und die anderen Zutaten in den Shaker geben und kräftig schütteln. In ein kleines Becherglas

seihen. Mit einem Trinkhalm servieren.

Orange Sorbet

2 gehäufte EL
Orangeneis,

Orchidee heißt dieser alkoholfreie Milchshake aus Milch und Speiseeis. Auch Kinder trinken solche Mixgetränke sehr gern.

würz zu kommen, stahlen Holländer und Franzosen auf abenteuerliche Weise Vanillepflanzen, um sie mit ins Ausland zu nehmen.

Alle Zutaten in einen Mixer geben. Gut durchmixen und in ein hohes Becherglas füllen. Mit einem Trinkhalm servieren. Wer mag, kann den Vanillesirup durch Vanillelikör ersetzen.

Original-abfüllung

Die Bezeichnung Originalabfüllung darf seit der Reform des Weingesetzes im Jahre 1971 auf Flaschenetiketten deutscher Weine nicht mehr erscheinen.

Orvieto

Der weiße Orvieto-Wein aus der mittelitalienischen Region Umbrien hat wie der Chianti seine eigene charakteristische bastumflochtene Flasche.

Trockener Orvieto wird gern zu Fisch getrunken. Ein leicht bitterer Nachgeschmack ist typisch für ihn. Neben dem trockenen Orvieto gibt es auch einen leicht süßen (amabile). Die Beliebtheit des Orvieto hat zu einer Erweiterung des Anbaugebietes geführt. Weine aus dem ursprünglichen Anbaugebiet rund um die Stadt Orvieto tragen deshalb auf dem Etikett den Zusatz Classico.

Österreichisches Weingesetz

Die Österreicher haben ihr Weingesetz von 1961 im Jahr 1971 verbessert. Das neue Gesetz entspricht den Bestimmungen der EWG-Länder und ist dem *Deutschen Weingesetz* sehr ähnlich. Anbau, Ausbau, Produktion und Klassifizierung sind streng geregelt.

Österreichische Weine

»Ja, ja der Wein ist gut…« in Österreich. So gut, daß jeder Österreicher annähernd 40 Liter pro Jahr trinkt. Da Österreich durchschnittlich nur 2,8 Millionen Hektoliter Wein erzeugt, muß viel Wein aus den Nachbarländern importiert werden. Vor allem aus Italien, Ungarn, Jugoslawien und Deutschland.

Die österreichischen Weinbaugebiete liegen alle im Osten des Landes. Das Anbaugebiet Niederösterreich erstreckt sich von der Wachau westlich von Wien bis Baden und Vöslau im Süden der Hauptstadt. Die großen Weingärten reichen bis in die Vororte von Wien hinein. Grinzing, Neustift, Nußdorf, Sievering und Kahlenberg tragen viel zum Lebensstil der alten Donau-

2 BL Orange Bitter,
Sekt zum Auffüllen,
1 Cocktailkirsche.

Sorbets haben die größte Tradition unter den Eisgetränken. Sie gehören übrigens zu den Lieblingsgetränken der Orientalen und können, wenn sie noch mit Likör aromatisiert werden, einen recht beachtlichen Alkoholgehalt aufweisen. Orangeneis in einen Sektkelch geben. Orange Bitter dazugeben und mit Sekt auffüllen. Cocktailkirsche hinzufügen. Zu fast allen Sorbets reicht man Trinkhalm und Löffel.

Oranjebitter

Oranjebitter ist ein hellroter holländischer Bitterlikör.

Orchidee

1 EL Vanilleeis,
2 cl Vanillesirup,
1 BL Malzsirup, 1/8 l Milch.

Dieser Cocktail wurde wegen seines starken Vanillearomas Orchidee getauft. Denn die Vanille-Pflanze ist eine Orchidee, die ursprünglich in Mexiko wuchs. Um an das wertvolle Ge-

Der Dom von Orvieto, der schönen Bischofsstadt in Umbrien. Weine dieser Region haben einen sehr guten Ruf.

*Die Weinanbaugebiete
in Österreich*

Donau

Linz

Traun

Salzburg

Salzach

ÖSTERREICH

Enns

Mur

Drau

RETZ

FALKEN-
STEIN

LANGENLOIS
KREMS

WACHAU

Wien

WIEN

TRAISMAUER

CARNUNTUM

BADEN

VÖSLAU

RUST-
NEUSIEDLER-
SEE

KLÖCH-
OST-
STEIERMARK

EISENBERG

Graz

WEST-
STEIERMARK

SÜD-
STEIERMARK

metropole bei. In den Weinschenken geht es das ganze Jahr über hoch her. Dort hat einst Beethoven beim *Heurigen* Konzerte komponiert, dort saßen und sitzen die »Weinbeißer« an blankgescheuerten Tischen. Der rund um Wien vorwiegend aus grünem Veltliner, Rheinriesling, Müller-Thurgau und Neuburger gekelterte Weißwein wird zum Teil jung als Heuriger getrunken. Die verschiedenen Traubensorten und die unterschiedlichen Bodenverhältnisse sorgen für ein vielfältiges Weinangebot. Das Anbaugebiet *Burgenland* erstreckt sich rund um

den Neusiedler See und über einen schmalen Landstrich entlang der ungarischen Grenze bis zum Weinort Heiligenbrunn. Das Burgenland nimmt mit rund 16000 Hektar über ein Drittel der gesamten österreichischen Rebfläche ein. Laut Gesetz sind elf Weißwein- und fünf Rotwein-Traubensorten zugelassen. Vom zart herben Riesling mit feiner Blume bis zum samtig milden Rotwein reicht die Skala. Warme sonnige Spätherbste tragen dazu bei, daß Jahr für Jahr im Burgenland Weine von besonderer Reife entstehen. Die große

Wasserfläche des Neusiedlersees wirkt sich als Wärmeregulator positiv aus. Das dritte Weinanbaugebiet ist die Steiermark. Die Rebfläche ist aber im Vergleich mit Niederösterreich und dem Burgenland mit etwa 1300 Hektar relativ klein. So abwechslungsreich wie die Landschaft sind die steiermärkischen Weine. Während in der Süd- und Oststeiermark die Weißweine dominieren, gibt es im Westen mehr Rotweine. Heute bemüht sich Österreich mehr um die Herstellung international anerkannter Qualitätsweine.

Für jede Tageszeit: Östliche Nächte. Rezept Seite 248.

Östliche Nächte

2–3 Eiswürfel,
2 cl Wodka,
2 cl Cointreau,
2 cl Grapefruitsaft,
1 ausgehöhlte
Grapefruit,
Sekt zum Auffüllen.

Eiswürfel, Wodka, Cointreau und Grapefruitsaft in den Shaker geben. Kurz und kräftig schütteln und in die Grapefruit gießen. Mit Sekt auffüllen. Mit einem Trinkhalm servieren.

Ostwind

2–3 Eiswürfel,
3 cl Wodka,
1 cl Vermouth rosso,
1 cl französischer
Vermouth dry,
2–3 dashes
Rum.

Wahrscheinlich hat dieser Drink seinen Namen durch den Wodka-Anteil bekommen. Sicher wärmt er auch dann, wenn der Wind aus anderer Himmelsrichtung weht.
Eiswürfel und die anderen Zutaten in einen Shaker geben. Kurz und kräftig schütteln und in ein Cocktailglas seihen.

TIP

Je besser ein Genever ist, umso weniger stark schmeckt er nach Wacholder. Oude Genever zeichnen sich durch eine malzig-kornige Note aus. Natürlich wird Ouder Genever immer nur aus eiskalten Gläsern getrunken - möglichst mit einem Eisrand.

Oude Klare

Liebevoll nennen die Holländer ihren Genever einen alten Klaren, eben Oude Klare. Aber auch als Gattungsbezeichnung ist der oude Genever wichtig: Im Gegensatz zum jonge Genever, der in etwa einem leicht aromatisierten »Klaren« entspricht, ist die Herstellung des oude Genever komplizierter.

Ouzo

Ouzo, der Anisbranntwein, gehört zu Griechenland wie der scharf gewürzte Feta-Käse und die Oliven, die ihn beim Trinken begleiten. Dabei ist er ein Abkömmling des türkischen *Raki*.
Das mit Anis und Gewürzen versetzte Weindestillat ähnelt dem Absinth, ohne jedoch dessen hohen Alkoholgehalt und das schädliche Thujon zu besitzen. Er wird mit Wasser verdünnt, was ihn milchig weiß werden läßt.

Oxhoft

Oxhoft, die niederdeutsche Bezeichnung für Ochsenhaupt, war ein altes deutsches Weinmaß von regional unterschiedlicher Größe. Meist anderthalb Ohm, das sind 200 bis 300 Liter.

Oyster

Als Anti-Kater-Mittel haben sich Oysters einen Namen gemacht. Ein echtes Getränk ist der klassische Oyster Cocktail allerdings kaum. Denn er wird aus Tomatenketchup, Mayonnaise, Essig, Salz, Pfeffer, Rahm und Austern zubereitet. Daher auch der Name Oyster (Auster). Andere Oysters – Prärie Oyster zum Beispiel – sind richtige Mixgetränke. Allerdings enthalten sie im Gegensatz zum Oyster Cocktail meist keine Austern. Trotzdem sind sie nach einer ausgedehnten Feier oder zum Frühstück danach zu empfehlen.

Paddy

Page Court

Longdrinks mit Whisky sollte man stets mit Vorsicht genießen.

Die Sahne verdeckt die Gefährlichkeit von Pasha's Pleasure.

Paddy Cocktail

2–3 Eiswürfel,
1 dash Angostura,
2,5 cl Vermouth rosso,
2,5 cl Irish Whiskey.

Diesen Cocktail sollten Sie als Before-Dinner-Drink servieren.
Eiswürfel in ein Mixglas geben. Angostura, Vermouth und Whiskey dazugießen. Mit einem Barlöffel umrühren. In ein Kelchglas seihen.

Page Court Cocktail

2–3 Eiswürfel,
1 dash Pfirsich Bitter,
5 cl Orangensaft,
1,5 cl weißer Rum,
1,5 cl Gin,
1,5 cl Canadian Whisky.

Dieser Drink ist eine aufmunternde Erfrischung zwischen den Mahlzeiten. Eiswürfel mit Pfirsich Bitter, Orangensaft, Rum, Gin und Whisky in einen Shaker geben. Gut schütteln. In ein großes Cocktailglas seihen.

Pale-ale

Pale-ale (blasses Ale) ist ein helles obergäriges englisches Bier mit einem Stammwürzgehalt zwischen 13 und 16 Prozent, also et-
was stärker als das deutsche Vollbier. Es ist stark gehopft, daher angenehm bitter, aber arm an Kohlensäure. Deshalb bekommt man auf der britischen Insel auch nie eine Schaumkrone auf dem Bier serviert.

Palmwein

Der Koran, die »Bibel der Mohammedaner«, erlaubt nur ein einziges alkoholisches Getränk, den Lagmi oder Palmwein.
Palmwein wird aus dem Saft von Zuckerpalmen und aus dem Saft der Blütenstände von Palmen, und zwar von Dattel-, Zucker- und Kokospalmen, gewonnen.
Das Verfahren ist mehr als 6000 Jahre alt: Schon die alten Babylonier und Ägypter haben Palmwein hergestellt. Der Alkoholgehalt liegt bei 3 bis 4 Prozent, was etwa der Stärke von Bier entspricht.

Pampelmusensaft

Pampelmusensaft wird immer wieder der *Grapefruitsaft* genannt, obwohl Pampemuse und Grapefruit zwei völlig verschiedene Früchte sind, die nichts miteinander gemeinsam haben. Pampelmusensaft aus den bis zu 6 Kilogramm schweren Pampelmusen schmeckt süß und etwas pappig.

Pantelleria

Unter Urlaubsreisenden, die Stille und unverdorbene Landschaft suchen, ist die kleine Insel Pantelleria auf halbem Wege zwischen Sizilien und der afrikanischen Küste immer noch ein Geheimtip.
Für Weinliebhaber ebenfalls. Die Insel hat einen Dessertwein zu bieten, der nirgendwo seinesgleichen findet. Er wird aus einer besonders großbeerigen, für Pantelleria typischen Muskatellersorte gekeltert. Den weichen Muscato di Pantelleria mit seinem charakteristischen Bukett gibt es in zwei Versionen: Als »naturale« mit einem Alkoholgehalt von mindestens 12,5 Prozent und als »passito« mit einem Alkoholgehalt von mindestens 14 Prozent. Für den »passito« werden die Trauben vor der Kelterung kurz getrocknet.

Panther's Sweat

2–3 Eiswürfel,
1 dash Angostura,
2 dashes Zitronensaft,
2 dashes Curaçao triple sec,
2,5 cl Vermouth dry,
2,5 cl Gin.

Diesen Cocktail sollten Sie sich als Before-Dinner-Drink mixen.
Eiswürfel und alle Zutaten in den Shaker geben. Kräftig schütteln. In ein großes Cocktailglas abseihen.

Paprika Cocktail

2–3 Eiswürfel,
1 cl Cognac,
1 cl Grand Marnier,
3 cl Curaçao triple sec,
Paprika rosenscharf.

Mit diesem Getränk können Sie alle erfreuen, die schärfere Drinks lieben.
Eiswürfel in einen Shaker geben. Cognac, Grand Marnier und Curaçao triple sec dazugeben. Kräftig schütteln. In ein Cocktailglas seihen. Mit Paprika bestäubt servieren.

Paprika-schnaps

Die Ungarn stellen aus dem Edelpaprika einen Branntwein von 42 Vol.-%, den Paprikaschnaps her. Er ist bei uns kaum bekannt.

Paradies-Bowle

Für 6–8 Personen.

3 Pfirsiche,
250 g Ananas,
je 125 g Melonenfleisch,
Johannisbeeren und Himbeeren,
½ Flasche Weißwein,
150–200 g Zucker,
250 g Erdbeeren,
Saft einer Zitrone,
2 Flaschen Weißwein,
1 Flasche Sekt.

Die Paradies-Bowle: Ein Sommergetränk für Freunde von Obst.

Kokosnüsse für Palmwein.

Pfirsiche, Ananas und Melonen in kleine Würfel schneiden, mit den Johannisbeeren und den Himbeeren in ein Bowlengefäß geben. Eine halbe Flasche Weißwein und den Zucker bis vor dem Siedepunkt erhitzen und über die Früchte gießen. Erkalten lassen. Die Erdbeeren mit dem Zitronensaft im Mixer pürieren und dazugeben. Vor dem Servieren mit gut gekühltem Weißwein und Sekt auffüllen.

Parfait Amour

Veilchenlila ist er, und der Name ist vielversprechend: Parfait Amour.
Dabei ist dieser süße Likör durchaus harmlos, wenn man auch seinen Ingredienzien von Muskat, Feigen, Citrusfrüchten und den veilchen-aromatischen Auszügen der Iriswurzel früher potenzsteigernde Wirkung nachsagte.

Pasha's Pleasure

2–3 Eiswürfel,
2,5 cl Sahne,
2,5 cl Kaffee-Likör,
2,5 cl Weinbrand,
2,5 cl Wodka.

Eiswürfel mit allen Zutaten in einen Shaker geben. Kräftig schütteln. In ein großes Cocktailglas seihen. Mit einem Trinkhalm servieren.

Passionsfruchtsaft

Der Saft der Passionsfrucht oder Granadilla kommt bei uns trinkfertig zubereitet in den Handel. Er ist reich an wasserlöslichen Vitaminen und Fruchtsäuren und eignet sich pur als Erfrischungsdrink, aber auch zum Mixen von Longdrinks mit Alkohol und als Zugabe zum Punsch.

Pastis

Der Pastis ist der Nationaltrank der Korsen. Eine Abart des Absinths, der mit Wasser verdünnt getrunken wird und ein wenig nach Lakritz schmeckt.

Peach and Honey

4–5 Eiswürfel,
5 cl Pfirsichlikör,
1 EL Honig,
Sodawasser zum Auffüllen.

»Pfirsich und Honig« heißt dieser Drink zu deutsch, aber der englische Titel klingt viel eleganter. Eiswürfel, Pfirsichlikör und Honig in den Shaker geben. Sehr gut schütteln und in ein Becherglas seihen. Mit Sodawasser auffüllen. Mit Trinkhalm servieren.

Peach Brandy

Der Peach Brandy ist – wie auch der *Persico* – ein Pfirsichlikör, dessen Sirup jedoch aus frischen Pfirsichen gewonnen wird. Zu seiner Herstellung wird Pfirsichgeist – meist der ungarische Oeszi-Barack – und Bittermandelöl verwendet.

Pendennis Egg-Nogg
Für 4–6 Personen

3/8 l Bourbon Whiskey,
250 g Puderzucker,
6 Eier, 1 l Sahne.

Dieser Egg-Nogg ist ausgesprochen nahrhaft und ersetzt eine Zwischenmahlzeit.
Whiskey mit Puderzucker in einer Schüssel verrühren. Die Eier trennen. Eigelb schaumig schlagen. Eßlöffelweise unter den gesüßten Whiskey ziehen. Sahne und Eiweiß getrennt steif schlagen. Sechs Eßlöffel geschlagene Sahne und vier Eßlöffel Eischnee abnehmen, mischen und beiseite stellen. Erst die Sahne, dann den

Ein guter, durstlöschender Longdrink findet immer seine Freunde. Der Peach and Honey macht da keine Ausnahme.

Eischnee unter die Schaummasse ziehen. 10 Minuten kühl stellen. In Henkelgläser füllen. In jedes Glas als Abschluß eine Portion der Sahne-Eischnee-Mischung geben und servieren. Dazu sollten Sie Trinkhalme servieren.

Pendennis Toddy

2 BL Honig, 2 BL Wasser, Eiswürfel
2 BL Kirschwasser,
5 cl Bourbon Whiskey,

Auch als Dessert ist der Pendennis Egg-Nogg zu empfehlen.

⅛ l dünner schwarzer Tee zum Auffüllen,
1 Cocktailkirsche,
1 Orangenscheibe,
1 Zitronenscheibe.

Honig mit Wasser im Ballonglas auflösen. Eiswürfel in haselnußgroße Stücke zerkleinern und ins Glas geben. Kirschwasser und Whiskey darübergießen. Mit einem Barlöffel verrühren. Tee auffüllen. Mit Kirsche, Orangen- und Zitronenscheibe garniert servieren. Dazu einen Trinkhalm reichen.

Peppermint-Frappé

3 Eiswürfel,
5 cl Crème de Menthe grün.

Ein einfacher, aber sehr erfrischender Drink für heiße Tage.
Eiswürfel fein zerkleinern und in einen Sektkelch geben. Mit Crème de Menthe

Zur Tee- und zur Kaffeestunde: Peppermint-Frappé.

grün auffüllen. Umrühren und mit Trinkhalm servieren.

Pepsinwein

Pepsinwein regt die Magenverdauung an. Er wird auf der Basis von Sherry oder anderen Dessertweinen hergestellt und entsprechend den Vorschriften des Deutschen Arzneibuches mit Pepsin, einem Verdauungsferment, das die Magenschleimhaut absondert, angereichert. Außerdem kommen in den Pepsinwein noch bestimmte Mengen Glyzerin, Wasser, Salzsäure, Zuckersirup und Pomeranzentinktur.

Perlwein

Enthalten Tafelweine natürliche oder künstlich zugesetzte Kohlensäure, werden sie als Perlwein bezeichnet. Vorschrift ist, daß der Überdruck bei einer Temperatur von 20 Grad Celsius zwischen 1 und 2,5 Atmosphären liegt.

Pernod Fizz

2–3 Eiswürfel,
3 cl Pernod,
1,5 cl Zitronensaft,
2 BL Anisette weiß,
1 BL Grenadine,
1 Eiweiß,
Sodawasser zum Auffüllen.

Pernod als Aperitif ist hinreichend bekannt. Meistens wird ein Teil Pernod mit der fünffachen Menge an kaltem Wasser aufgefüllt. Eiswürfel und die anderen Zutaten, bis auf das Sodawasser, der Reihe nach in den Shaker geben. Shaker mit einer Serviette umwickeln, gut und kräftig schütteln. Den Inhalt in ein großes Becherglas seihen. Bis zur Hälfte mit Sodawasser auffüllen. Mit einem Trinkhalm reichen.

Persico

Persico ist ein Pfirsichlikör, der nicht aus frischen Pfirsichen (*Peach Brandy*), sondern aus Pfirsichöl und anderen Ingredienzien hergestellt wird. Persico hat ein etwas aufdringliches Bittermandelaroma.

Ein attraktiver Drink, der schnell fertig ist: Pendennis Toddy.

Wenn die nächste Tanzparty bei Ihnen stattfindet: Pernod Fizz.

Wenn Sie den Peruano Flip ohne die Eiswürfel im Mixer schlagen und dann kalt stellen, bekommen Sie einen guten Nachtisch.

Peruano Flip

2–3 Eiswürfel,
2,5 cl Crème de Mocca,
2,5 cl süße Sahne,
5 cl Weinbrand,
1 Eigelb,
1 Prise Zimt zum
Bestäuben.

Dieser Drink bekam seinen Namen durch einen südamerikanischen Weinbrand, Pisco Peruano, der in seiner Heimat Peru häufig zum Mixen verwendet wird.
Eiswürfel mit den übrigen Zutaten in den Shaker geben. Kurz und kräftig schütteln und den Inhalt in einen Sektkelch seihen. Mit etwas Zimt bestäuben und mit einem Trinkhalm servieren.

Peter Pan

2–3 Eiswürfel,
1,5 cl Dry Gin,
1,5 cl französischer Vermouth dry,
1 cl Orangensaft,
1 cl Pfirsich Bitter.

Eiswürfel und die Zutaten in den Shaker geben. Kurz

Peter Pan heißt der rasch gemixte Before-Dinner-Drink.

und kräftig schütteln und in ein Cocktailglas seihen.

Pfefferminzlikör

Wegen der kühlenden und erfrischenden Wirkung des Pfefferminzöles gilt der Pfefferminzlikör mit einer Alkoholstärke von 30 bis 32 Vol.-% als bewährtes Hausmittel gegen Magen- und Darmverstimmungen. Er wird unter geringen Zusätzen von Himbeergeist, Rosenwasser und Wermut hergestellt.

252

Pfirsich Bitter

Der Pfirsich Bitter (oft als Peach Bitter im Handel) ist – ähnlich wie Angostura – ein bitterer Würzlikör, der vor allem in Bars Verwendung findet.

Pfirsichbowle

Für 4–6 Personen

8–10 frische Pfirsiche,
200 g Puderzucker,
5 cl roter Portwein,
5 cl Pfirsichlikör,
3 l leichter Weißwein,
½ l Roséwein,
¾ l Sekt.

Die Pfirsiche nach Belieben häuten. Dann die Kerne entfernen, die Früchte vierteln und in ein Bowlen-Gefäß geben. Zucker drüberstreuen. Mit Portwein und Pfirsichlikör übergießen und 60 Minuten zugedeckt im Kühlschrank ruhen lassen. Weißwein und Roséwein zugießen. Vorsichtig umrühren und abschmekken. Vor dem Servieren den Sekt zugeben. In Bowlengläsern servieren. Löffel dazu reichen.

Pfirsichflip

1–2 Pfirsichhälften aus der Dose,
1 BL Sanddornsirup,
2 cl Kondensmilch,
1 Ei,
¼ l kalte Milch.

Dieser nahrhafte Flip schmeckt auch Kindern. Alle Zutaten im Mixgerät gut mischen. In einem hohen Becherglas servieren.

Pfirsichsaft

Pfirsichsaft enthält, wie die Frucht, aus der er gewonnen wird, sehr viel Calcium, Eisen und Vitamin A, das Augenkräftigungs- und Schönheits-Vitamin. Falls er als Grundlage für *Pfirsichlikör* verwendet wird, zertrümmert man die Kerne in der Presse, damit das wertvolle Bittermandelaroma in den Saft eintreten kann.

Pflümliwasser

Pflümliwasser ist der Schweizer Beitrag zur Familie der Pflaumenbranntweine. In seiner nobelsten Form kommt der klare Hochprozentige aus dem schwyzerischen Waadtland. Dort wachsen kleine, aber hocharomatische »Pflümli«, die dem Schnaps seine besondere Note verleihen.

Pharisäer

5 cl brauner Rum,
3–4 BL Zucker,
starker, heißer Kaffee zum Auffüllen,
1–2 EL leicht geschlagene Sahne.

Heißer Kaffee mit Rum und Sahne: Pharisäer hat es in sich.

Seinen Namen verdankt dieses an der ganzen Nordseeküste gegen die Unbilden der Witterung hoch geschätzte Getränk einer hübschen kleinen Geschichte: Da gab es in einer friesischen Gemeinde einmal einen Pastor, der unentwegt von der Kanzel gegen den allzu großen Rumkonsum seiner Gemeinde, biedere Bauern und Fischer, wetterte. Als sie die ewige Miesmacherei ihres Lieblingsgetränks durch ihren Hirten satt hatten, griffen sie zur List. Auf Hochzeiten und Kindstaufen tranken sie den Rum nur noch im Kaffee, der mit einer dikken Schicht Schlagsahne bedeckt war, damit der verräterische Duft nicht durchdrang. Herr Pastor bekam selbstverständlich nur den schlichten Kaffee serviert. Und konnte sich nicht genug wundern, wie schnell um ihn herum die Stimmung stieg – während er als einziger stocknüchtern blieb. Bis man ihm eines Tages versehentlich auch eine Tasse hochprozentigen Kaffee servierte. Er trank, rief entrüstet »Ihr Pharisäer!« und das Getränk hatte seinen Namen.
In eine gut vorgewärmte Tasse oder ein feuerfestes Kaffeeglas den vorgewärmten Rum gießen. Zucker zugeben und verrühren. Mit heißem Kaffee zu drei Viertel auffüllen und obenauf eine dicke Sahnehaube geben. Sofort servieren, damit der Kaffee nicht kalt wird.

Pick me up

Man tut den Briten wohl nicht Unrecht, wenn man ihnen neben einer gewissen Trinkfreudigkeit auch viel Nächstenliebe und einen nüchternen Sinn für das Notwendige nachsagt. So haben sie mit dem Pick me up ein geradezu klassisches Mittel gegen das gefunden, was sie »hang-over«, also »Kater«, nennen.
Der Pick me up ist ein Longdrink, der mit Sekt oder Champagner aufgefüllt wird. Die Zutaten sind verschieden. Hier ein beliebtes Rezept: 2 bis 3 Eiswürfel mit einem Barlöffel Zitronensaft, einem BL Crème de Menthe weiß und einem BL Calvados übergießen, gut verrühren und mit Sekt auffüllen.

Piemontesische Weine

Die Region Piemont im Nordwesten Italiens ist uraltes Weinland. Das ist historisch belegt. Und heute werden mehr und bessere Weine denn je erzeugt.
Als schützende Mauer erheben sich im Westen die Alpen entlang der französischen Grenze und im Norden entlang der schweizerischen Grenze. Die Weinberge ziehen sich zum Teil bis zu einer Höhe von 1000 m. Von dort kommen ausgezeichnete Weißweine. Von

Pillkaller oder Deckel-Drinks: Das ist zweifellos eine sehr . . .

. . . originelle und nette Art, Schnäpse oder Liköre zu servieren.

den Ausläufern der Alpen und vor allem aus dem Hügelland im Südosten von Piemont kommen vorwiegend Rotweine, die unter den italienischen Weinen eine Spitzenposition einnehmen. Unter den Rotwein-Trauben beherrscht die vorzügliche, für Piemont typische Sorte Nebbiolo das Feld. Die Hauptstadt Turin hat sich durch die Herstellung von Wermut-Weinen einen Namen gemacht.

Pillkaller

2 cl eisgekühlter klarer Getreidekorn,
1 Scheibe grobe Hausmacher Leberwurst,
Senf.

Ein Spottvers sagt: »Es trinkt der Mensch, es säuft das Pferd – in Pillkallen ist es umgekehrt«. Aber so ist es in Ostpreußen nicht gewesen. Dort aß man mit Genuß und so war es selbstverständlich mit den Getränken auch.

Probieren Sie mal diese Art, den Getreidekorn zu trinken:
Getreidekorn in ein kleines Kelchglas gießen. Eine Leberwurstscheibe ohne Haut auf das Glas legen. Obenauf einen Klecks Senf tun. Man kann die Wurst auf die Zunge nehmen und den Klaren drübertrinken und dann die Wurst kauen. Oder man kann es umgekehrt machen.

Pillkaller Flensburger Art

2 cl eisgekühlter Aquavit,
1 halbes hartgekochtes Ei,
1 Scheibe Räucherlachs,
1 Zweiglein Dill.

Aquavit in ein geeistes Kelchglas geben. Auf das Glas eine Eihälfte und darauf eine gerollte Scheibe Räucherlachs legen. Dillzweig als Garnierung in die Lachsrolle schieben. Man kann Lachs und Eihälfte

auf die Zunge nehmen und den Aquavit drübertrinken, dann kauen, oder man verfährt umgekehrt.

Pillkaller Kräuterbissen

2 cl Kräuterlikör,
1 dünne Scheibe Pfeffersalami,
1 gefüllte grüne Olive.

Ein kleines Kelchglas mit würzigem Kräuterlikör füllen. Pfeffersalami und Olive auf ein Spießchen stecken und auf das Glas legen.

Pillkaller mit Kirschen

2 cl Weinbrand,
2 Cocktailkirschen,
1–2 BL Kokosraspel.

Weinbrand in ein kleines Kelchglas gießen. Cocktailkirschen in den Kokosraspeln wälzen, auf ein Cocktailspießchen stecken und über den Glasrand legen.

Pillkaller Nikolaschka

3 cl Weinbrand,
1 ungespritzte Zitronenscheibe,
½ BL Zucker,
1 Prise gemahlener Kaffee.

Weinbrand in einen Cognacschwenker gießen. Auf das Glas eine Zitronenscheibe legen. Zucker und Kaffee miteinander mischen und auf die Zitronenscheibe häufen. Man nimmt zuerst die Zitronenscheibe in den Mund, lutscht sie mitsamt ihrer Fracht aus und spült anschließend mit dem Weinbrand nach.

TIP

Bei Pillkaller-Rezepten sind der Phantasie keine Grenzen gesetzt: Erlaubt ist, was schmeckt.

Pillkaller Piroschka

2 cl Barack Palinka,
1 Scheibe echte Salami,
1 Perlzwiebel.

Barack Palinka in ein kleines Kelchglas gießen. Salamischeibe ohne Haut auf das Glas legen. Obenauf eine Perlzwiebel legen. Durch die Wurstscheibe einen Spieß stecken. Man nimmt zuerst die Salamischeibe und die Zwiebel in den Mund, zerkaut beides und trinkt dann den Barack Palinka darüber.

Pilsener

Das Original Pilsener aus der tschechischen Braustadt Pilsen mit dem guten Brauwasser und dem großen Hopfenzusatz hat dieser Bierart den Namen gegeben.
Pilsener oder Pils ist ein untergäriges, in Bayern mit 12,5 Prozent Stammwürze, sonst nur mit 11 Prozent Stammwürze gebrautes, stark gehopftes Vollbier von hellgelber Färbung. Wegen des starken Hopfenzusatzes schmeckt Pilsener bitter und herb.

Pimento

Unter dem Namen »Pimento« verbirgt sich ein roter, südamerikanischer Likör, der unter Kennern als rechter »Kehlkopfschinder« gilt. Seinen feurigen Geschmack verdankt er den »pimentos«, den Beeren des Nelkenpfefferbaumes, die bei uns ein bekanntes Gewürz sind. Die Gundlage des Pimento ist Jamaika-Rum mit seinem kräftigen Aroma.

Pimlet

3–4 Eiswürfel,
2,5 cl Pimm's No. 1 Cup,
Ginger Ale zum Auffüllen,
je eine Zitronen- und
Orangenscheibe.

Pimlet ist ein frischer Longdrink, der sich vor allem in Großbritannien als Partygetränk großer Beliebtheit erfreut.
Eis fein zerkleinern und in ein kleines Becherglas geben. Pimm's reingeben. Mit Ginger Ale auffüllen. Zitronen- und Orangenscheibe dazugeben. Dazu Löffel und Trinkhalm reichen.

Pimm's No. 1 Cup

2–3 Eiswürfel,
3 cl Pimm's No. 1 Cup,
1 Orangenscheibe,
1 Zitronenscheibe,
1 Gurkenschalenspirale,
etwa 12 cl Zitronen- oder Orangenlimonade zum Auffüllen.

Dieses Getränk auf Ginbasis, einem Sling sehr ähnlich, ist ein erfrischender Longdrink, für den es viele Variationsmöglichkeiten gibt. Sie können zum Auffüllen auch Ginger Ale oder Sodawasser mit Zitronensaft verwenden. Außerdem passen dünne Apfelstücke und frische Minze als Garnierung dazu. Wichtig ist bei diesem Drink, daß die Limonade nicht zu süß ist. Eiswürfel in ein hohes Becherglas geben. Pimm's No. 1, Orangen- und Zitronenscheibe und die Gurkenschalenspirale in das Glas geben. Mit Limonade auffüllen. Dazu einen Trinkhalm und Löffel servieren.

Für heiße Sommertage:
Zwei erfrischende Drinks
mit wenig Alkohol.

Pimlet

Pimm's
No. 1 Cup

Pineau de Charente

Eine Mischung aus frischem Traubenmost und echtem Cognac von 17 Vol.-% Alkohol, die mindestens ein Jahr in Eichenfässern lagert, darf sich Pineau de Charente nennen. Das Getränk unterliegt strengen Vorschriften.

Pink Gin

3–4 Eiswürfel,
3 dashes Angostura,
5 cl Gin.

Diesen bekannten Before-Dinner-Drink können Sie variieren, indem Sie ihn nach Geschmack mit Grenadine oder Curaçao triple sec süßen, oder noch einen Schuß Sodawasser dazugeben.
Eiswürfel und die übrigen Zutaten in ein Mixglas geben. Mit einem Barlöffel umrühren und in ein Cocktailglas seihen.

Pink Lady Fizz

2–3 EL haselnußgroße Eiswürfel,
1 Eiweiß,
2 BL Grenadine,
2,5–5 cl Zitronensaft,
5 cl Dry Gin,
Sodawasser zum Auffüllen.

Alle Zutaten bis auf Sodawasser in der angegebenen Reihenfolge in den Shaker geben. Shaker mit einer Serviette umwickeln und

TIP

Statt mit Gin kann man die meisten Pink Drinks auch mit Rum oder Wodka mixen.

Vom Cocktail bis zum Longdrink reicht die Skala der auf Gin-Basis gemixten Pink Drinks.

mindestens 1–2 Minuten kräftig schütteln. Inhalt in ein mittelgroßes Becherglas seihen und mit Sodawasser auffüllen. Dazu einen Trinkhalm reichen.

Pink Pearl
Siehe Citrus-Mixgetränke.

Pinky Cocktail

2–3 Eiswürfel,
4 cl Dry Gin,
1 cl Grenadine, ½ Eiweiß.

Der Pincky Cocktail ist ein Before-Dinner-Drink. Eiswürfel grob zerkleinern

und in den Shaker füllen. Alle anderen Zutaten drübergeben. Gut schütteln und in ein großes Cocktailglas seihen. Sofort servieren.

Pinot blanc

In keinem anderen Weinbauland der Welt spielt die Rebsorte Pinot blanc eine so große Rolle, wie in Frankreich. In 35 Départments gehört sie zu den empfohlenen Sorten. Im Elsaß ist sie ebenso zu finden, wie in Burgund, in der Champagne und an der Rhône. Sie ergibt füllige Weine, die zum Teil mit bukettreicheren Weinen verschnitten werden. Pinot

blanc ist mit weißem Burgunder identisch.

Pinot noir

Unter den roten Traubensorten steht die Pinot noir auf einer hohen Qualitätsstufe. Besonders in den nördlichen Weinbaugebieten gilt sie als die beste rote Sorte überhaupt. Ihr Hauptanbaugebiet ist Frankreich. Dort zählt sie in fünfzig Départements zu den empfohlenen Sorten; allen voran Burgund und die Côte de Beaune. Die Pinot noir hat von Burgund aus ihren Siegeszug angetreten. Siehe auch Blauburgunder und Spätburgunder.

Pink Gin

Angostura oder Grenadine gibt ihnen allen die Färbung.

Planter's Punch: Klassischer Drink aus Rum und Früchten.

Pipe

Pipe ist eine Maßeinheit für die Größe von Portweinfässern. Eine Pipe faßt 574 Liter.

Pisangwasser

Pisang ist der malaysische Name für Banane. Aus Pisang wird in Polynesien ein alkoholisches Getränk, eine Art Bananenwein, das Pisangwasser hergestellt, das bei den Eingeborenen als Liebestrunk gilt.

Pisco

Der peruanische Schnaps Pisco wird aus Muskateller-Trauben gebrannt, die im Ica-Tal, nahe der peruanischen Hafenstadt Pisco wachsen. Sein Geschmack erinnert ein wenig an *Grappa*. Er wird pur getrunken oder mit Eis und Zitronensaft als Cocktail oder Aperitif gereicht. Am besten schmeckt er aus den typischen Tontöpfen, die an alte Indio-Keramiken erinnern.

Planter's Punch

2–3 Eiswürfel,
2 BL Zuckersirup,
Saft einer
halben Zitrone,
5 cl weißer Rum,
2–3 Eiswürfel,
1 EL Früchte der Saison.

Eiswürfel grob zerkleinern und mit Zuckersirup, Zitronensaft und Rum in einem Shaker kräftig schütteln. Eisstücke zerkleinern, in ein hohes Becherglas geben. Den Inhalt des Shakers drübergießen. Mit einem Barlöffel so lange umrühren, bis das Glas beschlägt. Mit Früchten garnieren. Dazu Trinkhalm und Löffel reichen.

Plum-Wine

Plum-Wine ist ein Fruchtdessertwein mit einem Alkoholgehalt von 14 Vol.-%, der unter Zusatz von Zucker und Alkohol gebrannt wird. Mehr Aperitif als Wein, wird er entweder pur oder »on the rocks« getrunken. Japanischer Pflaumenwein ist so hocharomatisch, daß er fast schon ein wenig parfümiert schmeckt. Geschmacklich dominieren Pflaumen und ein Hauch von Bittermandeln.

Pombe

Aus Hirse, Mais und Maniokwurzeln wird in Ostafrika Pombe gebraut, ein alkoholisches, bier-ähnliches Getränk.
Es wird von den Eingeborenen sehr geschätzt, ist Europäern aber nicht zu empfehlen.

Pomeranzen-likör

Pomeranzenlikör ist ein Fruchtlikör, der vor allem aus den Schalen der Pomeranzen, einer grünlich-gelben Zitrusfrucht, sein Aroma bezieht. Er hat 30 bis 45 Vol.-% Alkohol und ist süß-bitter. Er ist mit dem *Curaçao* verwandt.

Pomorie

Ein nach der nördlich von Burgas gelegenen Stadt Pomorie am Schwarzen Meer genannter Weißwein Bulgariens gehört zu den Spitzenprodukten des Landes. Er wird aus der im Osten des Landes am weitesten verbreiteten Rebsorte Dimiat gekeltert. Die führende Rotwein-Rebe Bulgariens ist die Gamza, deren Wein unter diesem Namen nach Westdeutschland exportiert wird.

Ponche français

Für 6–8 Personen

750 g Zucker,
1 l Rum,
¾ l heißer, schwarzer Tee,
durchgeseihter Saft von 5 Zitronen,
durchgeseihter Saft von 5 Orangen.

Zucker in einen Kupferkessel geben und mit Rum übergießen. Anzünden und so lange brennen lassen, bis der Zucker braun geworden und auf ein Drittel zusammengeschmolzen ist. Nun den sehr heißen schwarzen Tee und den Saft der Citrusfrüchte dazugießen. Umrühren und in Punschgläsern servieren.
Damit der Punsch lange heiß bleibt, stellen Sie ihn auf ein Rechaud.

Port Egg-Nogg

1 Eigelb,
2 BL Puderzucker,
5 cl Portwein,
⅛ l Milch, Muskatnuß.

Dieser Egg-Nogg mit Port ist nahrhaft und ersetzt eine Zwischenmahlzeit.
Alle Zutaten der Reihe nach in den Shaker geben. Gut schütteln und in ein hohes Becherglas gießen. Mit einem Trinkhalm servieren.

Ponche français ist ein Teepunsch nach klassischem Rezept.

Porter

Londoner Lastenträger, die Porters, sollen eine Vorliebe für dieses dunkelfarbige, obergärige britische Bier entwickelt haben, das deshalb seinen Namen bekam. Porter wird in Großbritannien, was in Deutschland unmöglich ist, teilweise aus Reis und Stärkezucker gebraut.

Portugiesische Weine

Außer den traditionellen Dessertweinen *Port* und *Madeira* erzeugt Portugal eine Reihe hervorragender Tischweine, die auch über die Grenzen des Landes hinaus bekannt geworden sind.
Unterschiedliche geogra-

phische und klimatische Zonen und Rebstocksorten sorgen für eine große Vielfalt an Weinen. Typisch für Portugal – und auch nur dort erhältlich – sind die »Vinhos verdes«, die »grünen« Weine. Nicht die Farbe, sondern der Zustand – sie sind jung, leicht, reich an organischen Säuren, von geringem Alkoholgehalt und angenehm prickelndem Geschmack – ist hiermit gemeint.

Liebhaber von Burgunder werden sicherlich auch am roten Dao ihre Freude haben. Rote und weiße Daos kommen aus der klimatisch günstigen Region zwischen dem Estrela- und dem Caramulogebirge und zählen zu den Edelweinen des Landes.

Schwer sind die roten, feurig und von wunderbarer Rubinfärbung; frisch, leicht, aromatisch und leicht zitronenfarben die weißen Sorten. Auch der rote Evel vom Duoro und der rote Sanguinhal sind würzige und volle Weine. Rassig im Geschmack sind auch einige Weißweine Portugals. So der Serradayres. Blumig und fein schmeckt der Grandjó branco vom Douro, der Grao Vasco branco vom Dao. Wer sich zwischen all

Ausschließlich in Porto darf Portwein aufbereitet werden.

den grünen, roten und weißen Weinen nicht entscheiden kann, sollte es mit einem Rosé versuchen. Portugiesische Roséweine sind weltbekannt. Sie rangieren zwischen süß und herb und moussieren fast alle. Gut gekühlt schmecken sie besonders erfrischend, weil angenehm prickelnd (»agulha«).

»Vinho espumante« hingegen ist ein Verwandter des Champagners. Portugiesische Schaumweine gibt es zwischen »doce« (süß), was allerdings sehr süß heißt, bis »seco« (trocken) und »bruto« (rauh).

Neben all den bekannten Marken gibt es allerdings auch noch jene hervorragenden »Vinhos da Regiaos«, die Weine der Umgebung. Aus großen Korbflaschen in Tonkrüge gefüllt, kommen sie auf den Tisch der Adegas und der kleinen Fischerpinten.

Portwein

Er gehört zweifellos zu den berühmtesten, manchmal sogar zu den besten Weinen der Welt. Und er wird vorwiegend für den Export produziert. Port ist ein Wein, den man nicht wahllos und nicht in jeder Umgebung trinkt. Im Gegensatz zu anderen Weinen Portugals unterliegt der Portwein strengen und alten Weingesetzen: Nur aus dem oberen Dourotal darf er kommen, nur in Porto aufbereitet und exportiert, im gegenüberliegenden Vila Nova de Gaia gelagert werden. Erst nach vielen Qualitäts- und Mengenprüfungen bekommt jede Flasche vom »Instituto do Vinho do Porto« ein Staatssiegel mit fortlaufender Nummer.

Meistens werden die verlesenen Trauben noch mit den Füßen gestampft. Diese Methode ist nach wie vor die beste. Denn dabei werden zwar die Trauben, nicht aber die bitteren Kerne zerquetscht. Wenn der Most teilweise vergoren ist, kommt er in ein zum Teil mit Branntwein gefülltes Faß, damit die Restsüße des unvergorenen Traubensaftes erhalten bleibt. Denn der Branntwein stoppt die weitere Gärung. Die entstandene Mischung ist stark und süß. Früher wurde der junge Vinho dann auf malerischen »Rabelos-Seglern« den Douro hinabgeschifft. Heute sind es Tankwagen, die ihn in die Lagerhäuser

von Gaia bringen, wo er viele Jahre in Eichenfässern reifen muß. Gute Jahrgänge werden bereits nach zwei, drei Jahren der Lagerung unverschnitten auf Flaschen gezogen, in denen sie als »Vintage-Port« oder »Novidace« vollends ausreifen. Andere Sorten werden sorgfältig verschnitten, ehe sie auf Flaschen gezogen weiterreifen. Nach zehn Jahren steht dann das Wort »Velho« (alt) auf dem Etikett – eine Jahreszahl bekommen sie nicht.

Man unterscheidet lohfarbene (tawny), braune (medium) und rubinfarbene (full) Portweine, und sie können süß sein, halbtrocken oder trocken.

Portwein-punsch
Für 4–6 Personen

1 l Wasser,
abgeriebene Schale je einer Orange und Zitrone,
1 Messerspitze geriebene Muskatnuß,
1 Messerspitze Ingwer,
4 Nelken,
1 Stückchen Zimt,
Saft je einer Orange und Zitrone,

Wer einen Pousse Café richtig »aufbauen« will, muß über viel Geduld und großes Geschick verfügen.

1½ l Portwein,
4 cl Curaçao,
3 BL Zuckersirup.

In einem Topf Wasser, abgeriebene Orangen- und Zitronenschale, Muskatnuß, Ingwerpulver, Nelken und Zimt bis kurz vor den Siedepunkt erhitzen. In einen anderen Topf abseihen. Durchgeseihten Orangen- und Zitronensaft, Portwein und Curaçao dazugeben. Wieder bis kurz vor dem Siedepunkt erhitzen. Mit Zuckersirup abschmecken. Abseihen und heiß in feuerfesten Gläsern servieren.

Pousse Café

Der Name täuscht: Pousse Cafés haben mit Kaffee nichts zu tun, sie sind vielmehr eine Gruppe der *American Drinks*.

Die Besonderheit beim Pousse Café: Die Zutaten werden nicht vermischt, sondern übereinander in klar getrennten Schichten ins Glas gegossen. Der Trick dabei ist, daß die unterschiedlich großen spezifischen Gewichte der Spirituosen ausgenützt werden, um diese »Schichten-Drinks« zu zaubern. Die Herstellung von Pousse Café erfordert große Sorgfalt und viel Übung. Auf unserem Bild sind folgende Spirituosen – und Grenadine – übereinandergeschichtet: Grenadine, Maraschino, Crème de Menthe grün, Curaçao blau und Weinbrand. Schichten Sie die Sorten in der angegebenen Reihenfolge in das Glas – eingedenk der verschiedenen spezifischen Gewichte.

Prädikatswein
Siehe Qualitätswein mit Prädikat.

Prairie Oyster

2 BL Worcestersoße,
1 Eigelb,
2 BL Tomatenketchup,
Salz, schwarzer Pfeffer,
Paprika edelsüß,

2 dashes Zitronensaft,
2 dashes Olivenöl,
1 Glas frisches Wasser.

Dieser Katerdrink ist zu
recht bekannt. Er senkt
zwar nicht den Alkohol-
spiegel, beruhigt aber die
Magenwände ganz sicher.
Prairie Oyster sollten Sie
immer mit einem Schluck
hinunterkippen, ohne die
Zutaten vorher zu verrüh-
ren. Außerdem sollten Sie
immer ein Glas frisches
Wasser zum Nachspülen
dazureichen.
Worchestersoße in ein fla-
ches Cocktailglas geben.
Eigelb vorsichtig hinein-
gleiten lassen. Tomaten-
ketchup zugeben. Mit Salz,

Pfeffer und Paprika be-
streuen. Zitronensaft und
Olivenöl drübergießen und
servieren.

Preiselbeer-likör

Der Preiselbeerlikör ist ein
recht seltener Fruchtaromalikör, der mindestens 30
Vol.-% Alkohol enthalten
muß.

Prepetsche-nitza

Dieser glasklare, deftige
Pflaumenschnaps mit dem
unaussprechlichen Namen

Die Prairie Oyster ist als gutes Katergetränk weltweit bekannt.

Mit einem Presidente als Aperitif können Sie immer Staat machen.

Ein Geheimtip gegen den Kater ist President Taft's Opossum.

Prince of Wales: Ein Sektcocktail der ganz vornehmen Art.

aus Rumänien ist gewissermaßen eine Steigerungsstufe des ebenfalls rumänischen »Zuika« und des jugoslawischen Sliwowitz. Prepetschenitza ist mit 45 Vol.-% besonders stark, aber trotzdem sehr weich im Geschmack.

Presidente

3–4 Eiswürfel,
2,5 cl französischer
Vermouth dry,
7,5 cl weißer Rum,
1 Orangenschalenspirale.

Eiswürfel in ein Mixglas geben. Vermouth und Rum dazugießen. Mit einem Barlöffel sehr gut umrühren. In ein Becher- oder Stielglas gießen. Orangenschalenspirale ins Glas hängen.

President Taft's Opossum

1 BL Angostura,
1 BL Essig,
1 Eigelb,
1 dash Olivenöl,
1 dash Worcestersoße,
1–2 BL Weinbrand,
je eine Prise Paprika edelsüß, Cayennepfeffer und Salz.

Dieser Drink schlägt den Kater erfolgreich in die Flucht.
Ein Rotweinglas mit Angostura ausschwenken. Essig reingeben. Ein Eigelb vorsichtig darauf gleiten lassen. Olivenöl und Worcestersoße drüberträufeln. Weinbrand zugießen. Mit Paprika, Cayennepfeffer und Salz bestreuen. Den Drink nicht umrühren, sondern auf einmal hinunterkippen.

Preslav

Nur einige wenige Weine Bulgariens sind mehr als Tischweine. Dazu gehört der nach der Stadt Preslav benannte Weißwein, der aus der Dimiat-Traube ge-

wonnen wird. Eine weitere Rebsorte, die am Schwarzen Meer angebaut wird und einen ansprechenden Weißwein liefert, ist der Rcatzidelli, der unter dem Namen Sonnenküste auch nach Deutschland exportiert wird.

Prince of Wales

2–3 Eiswürfel,
1 dash Angostura,
1 cl Curaçao Orange,
1 cl Weinbrand,
Sekt zum Auffüllen,
eine halbe Zitronenscheibe.

Eiswürfel, Angostura, Curaçao Orange und Weinbrand in einen Shaker geben. Kräftig schütteln. In eine Sektschale seihen. Mit Sekt auffüllen. Zitronenscheibe zur Mitte einschneiden und an den Glasrand stecken.

Priorato

Priorato ist ein sehr trockener, schwerer Rotwein aus dem gleichnamigen spanischen Anbaugebiet in der Provinz Tarragona. Priorato wird gern bei der Zubereitung der spanischen Rotweinbowle Sangria verwendet.

Prohibition

13 Jahre und zehn Monate saßen die Bewohner der USA – wenigstens nach dem Willen des Gesetzgebers – auf dem Trockenen. Von 1920 bis 1933 galt die 18. Ergänzung der US-Verfassung, der Volstead Act.
Er besagte kurz und knapp: Alkoholika dürfen weder produziert noch importiert, weder gehandelt noch getrunken werden. Die Konsequenz der Prohibition, des Verbots: Es wurde in den USA mehr getrunken als vorher, das US-Gangstertum nahm sich des Alkoholgeschäfts an, überall wurde schwarz gebrannt und heimlich getrunken.

Die Strafen dafür waren drastisch. Im US-Staat Michigan etwa mußte ein Schwarzbrenner mit »Lebenslänglich« rechnen. Mit der 21. Ergänzung der US-Verfassung unter Franklin Delano Roosevelt wurde 1933 dem Spuk ein Ende gemacht.

Proof Sprit

Der Proof Sprit ist eine Alkohol-Wasser-Mischung, die dazu dient, den Alkoholgehalt einer Spirituose festzustellen. In England hat Proof Sprit 57,1 Vol.-% Alkohol, in den USA dagegen 50 Vol.-%.

Die Proofgrade an den Spirituosenflaschen bedeuten nicht etwa soviel wie die in der Bundesrepublik übliche Gradangabe in Volumen-Prozent Alkohol. Angaben auf Flaschen aus den USA müssen einfach durch 2 geteilt werden. Großbritannien hat eine Einteilung in *Sykes*-Grade.

Prosecco

Prosecco-Reben nehmen im italienischen Weinbau eine Sonderstellung ein: Sie kommen nur in der Region Venetien vor und dort vorwiegend in der Provinz Treviso. Der aus Prosecco-Trauben gekelterte Weißwein trägt den Namen der Rebsorte. Der trockene Prosecco paßt sehr gut zu Fisch und Meeresfrüchten. Den süßen Prosecco und auch den Prosecco-Schaumwein trinkt man zum Dessert. Die »Strade del Vino Bianco« verbindet die beiden Zentren des Prosecco: Conegliano und Valdobbiadene.

Provence

Die Provence, eine Landschaft im Südosten von Frankreich, ist natürlich auch ein Weinland, wenngleich nicht eines der ersten Kategorie. Nur vier (von insgesamt 250) Appellation-Controlée-Weinen

wachsen hier an der Côte d'Azur, einer der schönsten Küsten der Welt. Die vier Auserwählten der Gegend heißen: Bandol, Cassis, Bellet und Palette. Sie alle werden als Weiß-, Rot- und Roséwein gekeltert. Der Bandol, nach dem gleichnamigen Ort im Osten von Marseille benannt, ist ein solider, kerniger Wein mit ausgezeichnetem Bukett. Der rote ist am besten und am lagerfähigsten. Die erstklassigen Weiß- und Roséweine werden wegen ihrer Frische möglichst jung getrunken.

Der Cassis ist als Weißwein am beliebtesten. Er wird aus fünf Rebsorten verschnitten, ist sehr alkoholhaltig und trocken. Der rassige Bellet wächst in der Umgebung von Nizza, wo er auch fast ausnahmslos getrunken wird. Der Palette schließlich stammt aus der Hauptstadt der Gegend, Aix-en-Provence, wo er praktisch allein in der Domäne des Château-Simone produziert wird. Obwohl die Appellation auch für die Rot- und Roséweine gilt, ist der Palette als Weißwein am berühmtesten.

Wie diese vier großen Weine passen auch die Weine der zweiten Kategorie *(V. D.Q.S.)*, vor allem der bekannte Côtes-de-Provence, der in der Umgebung der berühmten Ferienorte Toulon, Hyères, Saint Tropez wächst, sehr gut zu der

Speisekarte der Gegend, zu Muscheln und Seeigeln, zu Lammkoteletts und der berühmten Bouillabaisse. Als Regel gilt, daß man die Weißen und die Rosés sehr kühl trinkt, die Roten etwas wärmer, aber nicht warm. Seit die Côte d'Azur zu einem der beliebtesten Reiseziele Europas geworden ist, werden ihre Weine, die früher ausschließlich am Ort getrunken wurden, auch versandt: Selbst nach Deutschland werden sie exportiert.

Pruneau

In Frankreich und in der französisch sprechenden Schweiz ist Pruneau der gängige Name für Zwetschenwasser.

Pruneaux à l'Armagnac

Ausgesuchte Pflaumen werden in edlem Armagnac, dem Weinbrand aus der Gascogne, eingelegt, saugen sich voll und geben dem feinen Weinbrand ein köstliches Aroma.

Prünellenbranntwein

Prünellenbranntwein ist ein Kernobstbranntwein, der entweder aus dem gelben Nektarinenpfirsich oder aus

Weingut in der Nähe von Ramatuelle im Südosten der Provence.

TIP

Die Pruneaux à l'Armagnac ergeben mit Vanillepudding ein feines Dessert.

den im Schwarzwald wild wachsenden Zipparten (auch Zibarten) – einer wilden Pflaume – gebrannt wird.

Prünellenlikör

Prünellen-Likör ist eine französische Spezialität, die auch »Crème de Prunelle« heißt. Es handelt sich um einen aus frischen Pflaumenauszügen und Weinbrand bereiteten, sehr kräftigen Likör, der auf Mildes und Süßes geeichte Likör-Liebhaberinnen heftig nach Luft schnappen läßt.

Puerto Rico Punsch

Für 6–8 Personen

200 g brauner Zucker,
1 Flasche Puerto Rico Rum,
½ Flasche Weinbrand,
5 cl Aquavit,
5 cl Bénédictine,
1 Zitronenschalenspirale,
1½ l Wasser,
Grapefruitscheiben.

Dieser Punsch ist schnell bereitet und auch für einen kühlen Sommerabend zu empfehlen.

Zucker, Rum, Weinbrand, Aquavit und Bénédictine in einen Topf geben. Zitronenschalenspirale dazugeben und zusammen mit dem Wasser bis kurz vor dem Siedepunkt erhitzen. In vorgewärmte Punschgläser abseihen. In jedes Glas eine Grapefruitscheibe geben. Dazu einen Löffel reichen.

Dieser kräftige Puerto Rico Punsch ist genau das richtige Getränk für eine sommerliche Gartenparty mit guten Freunden.

Pulque: Mit dicken Kalebassen wird der Agavensaft gewonnen.

Pulque

Lange bevor die Kunst der Destillation entwickelt wurde, kannten die Azteken, die Ureinwohner Mexikos, das Verfahren, aus dem Saft der Agaven durch Gärung Pulque zu bereiten. Es ist milchig-trüb und schmeckt leicht säuerlich. Pulque gilt in Mexiko als ordinäres Getränk und ist wegen eines Anteils von Mescalin nicht ungefährlich. Das alkoholische Getränk wird in Pulquerias, kleinen Kneipen, in Camiones genannten Gläsern ausgeschenkt. Ein Trank für geeichte Kehlen.

Punsch

Von dem Sanskrit-Wort »Pantscha« für »Fünf« hat dieses Mischgetränk Punsch seinen Namen, denn nach dem klassischen Rezept besteht der Punsch aus fünf Bestandteilen: Wein oder Tee, Zitronensaft, Zucker, Wasser und einer Spirituose wie Rum, Arrak, Brandy usw.
Punschs, durchweg Longdrinks, sind eine Untergruppe der American Drinks und werden warm oder kalt serviert. Die fünfte Zutat – Wein oder Tee – wird heute oft weggelassen. Bei kalten Punschs werden oft

Ob heiß oder kalt:
Es gibt immer
eine Gelegenheit, guten
Punsch zu servieren:
Lady's Punsch (links),
Himbeer-Punsch
(Mitte) und Cider Cup Nr. 1.

verschiedene Früchte – frisch oder aus der Dose – hinzugegeben.

Cider Cup Nr. 1

Für 4 Personen

6–8 Eiswürfel,
1 l kalter Apfelsaft,
8 cl Weinbrand,
8 cl Curaçao Orange,
8 cl Maraschino,
2 Zitronenscheiben,
8 EL frisches Obst,
Sodawasser zum Auffüllen.

Eiswürfel in ein Bowlengefäß geben. Apfelsaft, Weinbrand, Curaçao Orange und Maraschino drübergießen. Das Obst dazugeben und nach Belieben mit Sodawasser auffüllen. In Punschgläsern servieren.

Himbeerpunsch

1 EL frische Himbeeren,
2 BL Himbeersirup,
5 cl Himbeergeist,
⅛ l kochendes Wasser,
1 Zitronenscheibe.

Himbeeren waschen, abtropfen lassen und in ein Punschglas geben. Himbeersirup und Himbeergeist drübergießen. Mit kochendem Wasser auffüllen und mit der Zitronenscheibe garnieren.

Lady's Punch

5 cl Curaçao,
1 Orangenscheibe,
5 cl Rotwein,
10 cl kochendes Wasser.

Curaçao, die Orangenscheibe und Rotwein nacheinander in ein Punschglas geben. Mit kochendem Wasser auffüllen und sofort servieren.

Punsch à la Romaine

3–4 Eiswürfel,
2,5 cl Cognac,
1,5 cl Zitronensaft,
1 cl Curaçao Orange,
2 BL Zucker,

1 BL Himbeersirup,
1 dash Rum,
1 EL gemischte Früchte der Saison.

Eiswürfel fein zerkleinern. Alle anderen Zutaten bis auf die Früchte verrühren und in ein Punschglas geben. Mit Eis auffüllen und mit den Früchten garnieren. Dazu Barlöffel und Trinkhalm reichen.

Qualitätswein mit Prädikat

Nach dem neuen Deutschen Weingesetz von 1971 sind die Weine in drei Güteklassen eingeteilt und zwar nach aufsteigender Qualität vom Tafelwein über den Qualitätswein bis zum Qualitätswein mit Prädikat.
Die Eingangsstufe zum Prädikatswein heißt *Kabinett*. Die Trauben für diese Weine müssen eine höhere Reife aufweisen, als die für Qualitätswein. Sie entsprechen in etwa den früher als naturrein bezeichneten Weinen. Die nächste Stufe, die *Spätlese*, ist ausgeprägter in den Geschmacks- und Bukettstoffen, was von der Leseart herrührt.
Spätlesen werden nach der allgemeinen Weinlese geerntet und weisen daher eine höhere Reife auf. Die *Auslese* stellt eine weitere Steigerung dar. Sie entsteht, wenn nur die vollreifen und extraktreicheren Trauben ausgelesen und getrennt gekeltert werden.
Läßt man die vollreifen bis überreifen Beeren bei günstigem Wetter bis tief in

den Herbst hinein am Stock hängen, so erhält man daraus die edlen *Beerenauslesen*. Diese Weine stellen eine besondere Kostbarkeit dar durch höchste Konzentration der Extraktstoffe. Sind diese überreifen Trauben dann noch rosinenartig eingeschrumpft, keltert man daraus die *Trockenbeerenauslese*. Diese Weine sind etwas für Kenner, von Laien werden sie oft als nur vordergründig süß empfunden. Sie haben eine fast likörartige Konsistenz, sind aber im Alkoholgehalt niedriger als beispielsweise Spätleseweine. Beeren- und Trockenbeerenauslesen sind die deutschen Weine, die über Jahrzehnte gelagert werden können.
In der Aufzählung der Prädikate findet man fälschlicherweise auch manchmal den *Eiswein*. Dieser Begriff ist jedoch ein Zusatzprädikat zu einem der genannten fünf Prädikate. Ein Wein darf Eiswein genannt werden, wenn die Trauben bei der Lese und der anschließenden Kelterung gefroren waren. Dadurch tritt ebenfalls eine Konzentration der Extraktstoffe ein.

Quarter Deck No. 1

2–3 Eiswürfel,
3 cl brauner Rum,
2 cl Sherry,

Kalter Punsch mit Früchten: Der Punsch à la Romaine.

Cocktails auf Rum-Basis: Quarter Deck No. 1 und 2.

2 BL Limettensaft (Lumiensaft).

Alle Zutaten in den Shaker geben. Sehr gut schütteln und in ein Cocktailglas seihen.

Quarter Deck No. 2

2–3 Eiswürfel,
2,5 cl Jamaica Rum,
1 cl Whisky,
1,5 cl Dry Sherry,
1–2 BL Zuckersirup,
1 dash Orange Bitter.

Die Zutaten in der angegebenen Reihenfolge in den Shaker geben. Alles gut schütteln und in ein Cocktailglas seihen.

Queen Bee

2–3 Eiswürfel,
3 cl Sloe-Gin,
2 cl Curaçao Orange,
1 dash Anisette.

Diesen Cocktail auf Likörbasis können Sie als After-Dinner-Drink anbieten. Er wird sicher nicht nur der Bienen-Königin – der Queen Bee – Beifall entlocken. Eiswürfel, Gin, Curaçao und Anisette in den Shaker geben. Gut schütteln und in ein Cocktailglas seihen.

Queen Elizabeth Cocktail

2–3 Eiswürfel,
2,5 cl Gin,
1,5 cl Zitronensaft,
1 cl Cointreau,
1 dash Pernod,
1 Cocktailkirsche mit Stiel.

Dieser erfrischende Medium-Drink ist eine Abwandlung der White Lady, die ohne Pernod gemixt wird. Eiswürfel, Gin, Zitronensaft, Cointreau und Pernod in den Shaker geben. Gut schütteln und in ein Cocktailglas seihen. Mit der Kirsche garnieren. Ein Cocktailspießchen für die Kirsche dazureichen.

Queen Mary

2–3 Eiswürfel,
2,5 cl Weinbrand,
2,5 cl Cointreau,
1 dash Erdbeersirup,
1 dash Anisette,
1 Erdbeere.

Diesen Cocktail können Sie als After-Dinner-Drink servieren.
Eiswürfel, Weinbrand, Cointreau, Erdbeersirup und Anisette in der angegebenen Reihenfolge in den Shaker geben. Gut schütteln und in ein Cocktailglas seihen. Mit der Erdbeere garnieren. Ein Cocktailspießchen oder einen Löffel dazureichen.

Queen's Cocktail

2 EL Ananasstücke,
2–3 Eiswürfel,
2,5 cl Dry Gin,
1,5 cl Vermouth bianco,
1 cl französischer Vermouth dry.

Ananasstücke in ein Mischglas geben und mit dem Barlöffel etwas zerdrücken. Eiswürfel, Gin, Vermouth bianco und Vermouth dry dazugeben. Alles gut umrühren. Inhalt in ein Cocktailglas seihen.

Queen's Peg

1 großer Eiswürfel,
2,5 cl Dry Gin,
gekühlter Sekt zum Auffüllen.

An diesem Sektcocktail kommt auch eine Königin nicht vorbei. Der Name dieses Getränks jedenfalls will es so. Er schmeckt so gut wie er aussieht. Eiswürfel in ein großes Weinglas geben. Gin drübergießen und mit gekühltem Sekt auffüllen.

Quetsch

Quetsch heißt in den Vogesen die Zwetsche. Aus dieser wird ein klarer hochprozentiger gebrannt: Der Quetsch oder auch »Quetschewasser«, wie er im Elsaß und im Badischen genannt wird. Im Gegensatz zum *Sliwowitz* werden der Quetsch-Maische Pflaumenkerne beigegeben, was sie strenger werden läßt. Damit Quetschewasser keine Farbtönung annimmt, lagert es nicht in Eichenfässern, sondern vorwiegend in Ton- oder Glasbehältern.

Quittenbrannt

Mit ein wenig Glück kann man bei Abstechern in abgelegene süddeutsche, schweizerische oder Tiroler Täler und Einödhöfe gelegentlich eine seltene Hausspezialität probieren, den Quittenbrannt. Oft wird die Maische auch mit Säften von anderem Kernobst versetzt.

Queen Bee — Queen Elizabeth — Queen Mary — Queen's Peg — Queen's Cocktail

Rabbit's Revenge ist der ausgefallene Name für einen interessanten Longdrink mit Whiskey, Ananassaft, Grenadine und Tonic.

Quittenlikör

Neben dem Quittenbrannt, den vor allem in den Alpenländern kleinere Brennereien herstellen, wird der sehr aromatische Quittenlikör aus dem Saft der Quitte hergestellt. Dazu wird der Saft auf der Maische aus Fruchtfleisch und Schalen einige Zeit stehen gelassen, da er Aroma ziehen muß. Zur Geschmacksverfeinerung wird ihm Rum und Arrak zugesetzt.

Quo vadis Cocktail

2–3 Eiswürfel,
2,5 cl Dry Gin,
2,5 cl Chartreuse grün,
1 dash Bénédictine,
1 dash Orangenlikör,
1 Olive.

Eiswürfel, Gin, Chartreuse, Bénédictine und Orangenlikör in den Shaker geben. Kurz und kräftig schütteln. In ein Cocktailglas seihen. Mit einer Olive garnieren. Ein Spießchen reichen.

Rabbit's Revenge

2–3 Eiswürfel,
3 cl Bourbon Whiskey,
2 cl Ananassaft,
2–3 dashes Grenadine,
Tonic Water
zum Auffüllen,
1 Orangenscheibe
zum Garnieren.

Rache des Kaninchens, so heißt dieses Rezept. Woher der Name kommt weiß niemand so recht. Die Farbe des Getränks erinnert an Karottensaft. Die Wirkung jedoch ist ganz anders. Eiswürfel, Whiskey, Ananassaft und Grenadine in den Shaker geben. Alles gut schütteln und in ein Becherglas oder ein kleines Henkelglas gießen. Mit Tonic Water auffüllen. Als Garnierung eine Orangenscheibe an den Glasrand stecken. Dazu einen Trinkhalm reichen.

Quo vadis: Anregender Cocktail mit Gin, Likör und Olive.

R

Radlermaß

Radlermaß ist eine bayerische Spezialität, die zur Hälfte aus Bier, zur anderen Hälfte aus süßem Sprudel besteht.

Raki

Raki heißt auf türkisch nichts anders als Schnaps. Allah hat zwar den Wein verboten, aber vom Schnaps hat er nicht gesprochen. Dafür halten sich auch gläubige Anhänger des Propheten an »Raki« schadlos, den die Türken über den ganzen Vorderen Orient verbreiteten. Raki kann aus Trauben, aus in Wasser eingemaischten, mit Reinzuckerhefen vergorenen Feigen oder aus Rosinen gebrannt werden. In seinem Stammland Türkei unterscheidet man drei verschiedene Arten: Den Kulüp-Raki (50 % Alkohol), den Yeni-Raki (45 % Alkohol) und – beide werden aus Rosinen hergestellt – den Iyi-Raki aus Feigen (43 Vol.-% Alkohol).
Raki wird wie Pernod mit Wasser verdünnt und, wie bei seinem griechischen Verwandten »Ouzo«, ißt man »Meze« dazu, kleine Appetithappen wie Käse, Pistazien und Fleischstückchen, die dem scharfen Getränk erst die rechte Unterlage geben.

Ramona Cocktail

2–3 Eiswürfel,
2,5 cl Dry Gin,
2,5 cl Zitronensaft,
2 dashes Grenadine,
1 Zweig grob gehackte Minze.

Wer erinnert sich nicht an den Schlager »Ramona«. Vielleicht wird dieser Drink zu Ihrem »Lieblings-Schlager«?
Alle Zutaten der Reihe nach in den Shaker geben. Gut schütteln und in ein Cocktailglas seihen.

Ramona Fizz

Ramona Cocktail

Diese beiden Drinks, ein Cocktail und ein Fizz, können sich auf jeder Party sehen lassen.

Ramona Fizz

2–3 Eiswürfel,
5 cl Zitronensaft,
5 cl Rum,
2,5 cl Curaçao Orange,
2 BL Zucker,
Sodawasser zum Auffüllen,
1 Zitronenscheibe.

Eiswürfel grob zerkleinern. Zusammen mit Zitronensaft, Rum, Curaçao Orange und Zucker in den Shaker geben. Shaker mit einer Serviette umwickeln und 1–2 Minuten kräftig schütteln. Inhalt in ein hohes Becherglas seihen. Mit Sodawasser auffüllen. Die Zitronenscheibe einschneiden und an den Glasrand stecken. Einen Trinkhalm dazu reichen.

Ratafia

Als Ratafia wird ein Fruchtsaftlikör bezeichnet, der durch Vermischen von Zucker, Fruchtsaft und Spiritus entstanden ist. Zur Würzung werden Aromastoffe wie Kardamom, Muskat, Zimt und Pfeffer verwendet.

Rauchbier

Rauchbier wird als regionale Spezialität (Lichtenhain, Bamberg) gebraut. Dabei wird das Malz auf der Darre durch Rauch aus Eichen- oder Buchenholz präpariert, wodurch das Bier einen typischen Rauchgeschmack bekommt. Rauchbiere sind fast durchweg obergärige Vollbiere.

Rauchkorn

Hinter der Bezeichnung »Rauchkorn« verbirgt sich der Deutsche Whisky, obwohl Whisky kein geschützter Name ist. Zum Darren des Getreides wird dabei Torf aus der Lüneburger Heide verwendet.

Rauenthaler Baiken

Neben Gehrn, Langenstück, Rothenberg und Wülfen zählt der Rauenthaler Baiken zu den bekanntesten Lagen Rauenthals im Rheingau. Vor hundert Jahren galt der Rauenthaler Baiken als der beste Weißwein der Welt und erhielt Goldmedaillen auf den Weltausstellungen von London, Paris und Wien. Rauenthaler Weine werden heute besonders wegen ihrer Harmonie geschätzt. Sie zeichnen sich durch große Fruchtigkeit aus.

Ray Long

3 Eiswürfel,
2 cl Weinbrand,
3 cl Vermouth bianco,
4 dashes Pernod,
1 dash Angostura.

Dieser anregende Drink auf Weinbrandbasis ist für die Stunde nach Feierabend gut geeignet.
Eiswürfel, Weinbrand, Vermouth, Pernod und Angostura in ein Mischglas geben. Alle Zutaten mit dem Barlöffel gut verrühren. In ein mittelhohes Becherglas seihen und sofort servieren.

Raymond Hitchcocktail

3 Eiswürfel,
8 cl Vermouth bianco,
Saft einer halben Orange,
1 dash Orange Bitter,
1 Scheibe Ananas.

Dieser Drink ist schnell zubereitet. Sie können ihn also selbst während des spannendsten Wochenendkrimis noch mixen.
Eiswürfel mit Vermouth, Orangensaft und Orange Bitter in ein Mischglas geben. Umrühren. In ein hohes Becherglas seihen. Mit einer Scheibe Ananas garnieren. Dazu einen Löffel reichen.

Reblaus

Die Reblaus – 1868 aus den USA nach Frankreich eingeschleppt und inzwischen auf alle Weinbaugebiete der Erde verteilt – ist der größte Rebenschädling. Die höchstens 1,5 Millimeter großen Tiere werden seit 1881 international bekämpft, aber ohne großen Erfolg.

Rebsorten

Siehe Wein.

Gin Cocktails wie der Red Kiss sollten auch Anregung sein. Kaum eine andere Grundlage eignet sich zum Erfinden neuer Mixgetränke so gut wie Gin. Die Mix-Möglichkeiten sind fast unbegrenzt.

Recioto

Aus der Gegend von Verona und den übrigen Weinbaugebieten Venetiens kommt ein süßer Rotwein, der sich Recioto nennt. Er hat eine intensiv dunkelrote Farbe und wird gerne mit dem *Valpolicella* verglichen, der ebenfalls hier angebaut wird. Der Alkoholgehalt des Recioto ist aber ungleich höher, nämlich 14 Prozent, auch seine Herstellungsmethode ist eine andere: Er wird aus Beeren gewonnen, die bis nach Weihnachten in luftigen Speichern getrocknet und dann erst weiterverarbeitet, das heißt vermaischt und vergoren werden.
Ein weißer Recioto, der genauso wie der rote aus Trockenbeeren gekeltert wird, ist ebenfalls im Handel.

Red Kiss

2–3 Eiswürfel,
3 cl französischer Vermouth dry,
1 cl Gin,
1 cl Cherry Brandy,
1 Zitronenschalenspirale.

Der »Rote Kuß« – so die Übersetzung – wird Ihnen als Before-Dinner-Drink bestimmt gefallen.
Eiswürfel mit Vermouth, Gin und Cherry Brandy in ein Mixglas geben und alles mit einem Barlöffel gut verrühren. In ein Cocktailglas seihen und mit einer Zitronenschalenspirale garnier servieren.

Red Rose

1 Becher Joghurt (175 g),
1/8 l Tomatensaft,
2 BL gehackte Kräuter (wie Schnittlauch, Petersilie, Dill),
je 1 Prise Salz und Zucker.

Nach dem Essen ist ein Drink wie Red Shadow willkommen.

Zum Verwöhnen: Ray Long und Raymond Hitchcocktail.

Red Rose ist eines der vielen Getränke, die zeigen, daß die Milchspezialitäten aus dem Balkan in immer neuen Variationen den Schlankheits-Speiseplan bereichern können.
Alle Zutaten im Mixer sehr gut mischen. In einem hohen Becherglas servieren.

Red Shadow

2–3 Eiswürfel,
3 dashes Zitronensaft,
1 cl Apricot Brandy,
1 cl Cherry Brandy,
3 cl Whisky.

Dieser After-Dinner-Drink wird vor allem Whisky-Liebhabern zusagen.
Eiswürfel mit Zitronensaft, Apricot Brandy, Cherry Brandy und Whisky in einen Shaker geben. Kräftig schütteln. In ein Cocktailglas seihen.

Red Skin

2–3 Eiswürfel,
5 cl Rum,
2 BL Grenadine,
je 1 Prise Pfeffer, Zimt und Muskat,
1 Zitronenscheibe.

Wie für die meisten Rum-Mixgetränke sollten Sie auch für diesen Medium-Drink nur eine milde Rumsorte verwenden, weil Jamaica-Rum in der Regel zu »hart« ist. Es sind also Cuba-Sorten und weißer Rum vorzuziehen.
Eiswürfel, Rum, Grenadine und die Gewürze in den Shaker geben. Alles kurz und kräftig schütteln. In ein Cocktailglas seihen und mit der Zitronenscheibe garnieren.

Red Tonic

3 cl Grenadine,
3 cl Wodka,
1 cl Zitronensaft,
1 Eiswürfel,
1 Zitronenscheibe,
Tonicwater.

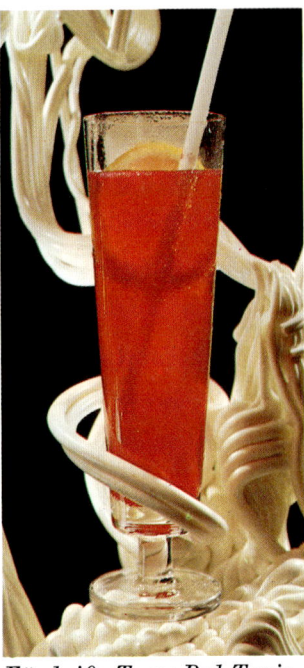

Der Red Skin ist ein harter, aber sehr aromatischer Rumdrink.

Für heiße Tage: Red Tonic.

Dieser erfrischende Longdrink ist schnell zubereitet und schmeckt sehr gut.
Grenadine, Wodka und Zitronensaft in ein Mischglas geben und mit dem Barlöffel gut verrühren. Inhalt in ein Kelchlas seihen.
Eiswürfel und Zitronenscheibe zufügen und mit Tonicwater auffüllen. Dazu einen Trinkhalm reichen.

Reisbranntwein

Reis wird vor allem von den Asiaten vielfach als Ausgangsprodukt für Spirituosen verwendet. Reiner Reisbranntwein ist der Arrak in seiner reinen Form. Allerdings gibt es auch Arrak mit anderen Zusätzen außer Reis. Aus China kommt ein dreimal gebrannter Reisbranntwein mit 52 Vol.-% Alkohol, der Samshu.
Aus der alkoholischen Gruselkammer Dr. Fu Man Chus scheint »Mo Rai« zu kommen, der mit Geflügelfleisch (!) versetzt ist (Asha) und der geheimnisvolle »Fu Kwat Muk Kwa«, der Schnaps aus Reis, Tigerknochen und Quitten. Furchtlose Zecher können sie übrigens unter den Namen »Wa-Ju-Likör« und »Hu-Ku-Likör« auch in europäischen Schnapsraritä-

Reviver, ein fruchtiges Milchmixgetränk, läßt sich statt mit

Reiswein

In Asien werden aus Reis eine Fülle stark alkoholischer Getränke zubereitet.

tenhandlungen kaufen. Der *Arrak* aber ist das Spitzenerzeugnis aller flüssigen Reisspezialitäten Asiens. Reis vermag also nicht nur Hunger zu stillen – er kann auch Durst auf recht angenehme Weise löschen . . .

Verwirrend wie das Treiben in den Straßen Hongkongs ist die lange Reihe der Alkoholika, die aus Reis, dem Brot Asiens, gewonnen werden. Reisweine sind keine Weine im Sinne des deutschen Weingesetzes, sondern Spirituosen, wenn ihnen auch der bei uns übliche Mindestalkoholgehalt fehlt. Die meisten aus Reis gewonnenen Alkoholika befriedigen jedoch auch europäische Zungen. Der japanische *Sake* wird aus stärkehaltigem Reis gewonnen. Seine Herstellung ist weniger ein Gärvorgang als vielmehr eine Folge von Fermentierungsabläufen. Er hat zwar einen fruchtigen Geschmack mit weinähnlichem Charakter, ist aber eben kein Wein, sondern ein schwach alkoholisches Getränk eigener Prägung.

Réserve

Auf den Flaschenetiketten französischer Weine findet man gelegentlich die Bezeichnung »Réserve« oder »Grande Réserve«. Dabei handelt es sich um reine Phantasiebezeichnungen seitens der Weinhersteller oder der Weinhändler. Weder die eine noch die andere Bezeichnung sind ein gesetzlich verankertes Güteprädikat. Beide Begriffe sind heute selten geworden, weil in der Vergangenheit vielfach Mißbrauch damit getrieben worden ist, um eine höhere Qualitätsstufe vorzutäuschen.

Retsina

Siehe Griechische Weine.

Restsüße

Restsüße oder Restzucker heißt der unvergorene Zukker im Wein. Man unterscheidet zwischen natürlicher Restsüße und zugesetzter Restsüße (Süßreserve).

Review

1–2 tiefgekühlte Pflaumenhälften, 2,5 cl Apricot Brandy, 2,5 cl Zitronensaft, 1 cl Cognac, eisgekühlter Sekt zum Auffüllen.

Pflaumen, Apricot Brandy, Zitronensaft und Cognac in den Shaker geben. Sehr gut schütteln und den Inhalt in einen Sektkelch seihen. Mit Sekt auffüllen.

Reviver

2–3 Eiswürfel, 5 cl Himbeersirup, 2,5 cl Weinbrand, kalte Milch zum Auffüllen.

Weinbrand natürlich auch mit anderen Spirituosen mixen.

Ohne Weinbrand ist dieses nahrhafte Getränk auch für Kinder zu empfehlen. Eiswürfel, Himbeersirup und Weinbrand in ein hohes Becherglas geben. Mit Milch auffüllen, kurz verrühren und mit Trinkhalm servieren.

Rhabarberwein

Rhabarberwein ist ein Erfrischungsgetränk, das Hausfrauen nach alten Rezepten gern selbst zubereiten. Die Herstellung ist allerdings etwas umständlich und zeitraubend, weil sich Rhabarberwein langsamer als andere Obstweine klärt und deshalb öfter umgefüllt werden muß. Die im Rhabarber enthaltene Säure reinigt das Blut und regt den Darm an. Deshalb ist eine Trinkkur mit Rhabarberwein auch hervorragend für eine Generalreinigung des ganzen Körpers geeignet. Im Rhabarberwein sind vor allem Mineralsalze und Reste von Fruchtzukker enthalten.

Rheingau

Hier haben wir sie: Die beste deutsche Weingegend, wie Kenner ihr bescheinigen. Die Traube des Rheingaus ist der Riesling und der gedeiht hier prächtig

Weinanbaugebiet

WISPER

Lorch

Assmannshausen

Schloß Vollrads

Schloß Johannisberg

Kiedrich

Hall garten

Rauenthal

BEREICH JOHANNISBERG

Neroberg

Wiesbaden

BEREICH HOCHHEIM

Walluf

Eltville

Oestrich

Mittelheim

Rüdesheim

Geisenheim

SELZ

RHEIN

Hochheim

MAIN

NAHE

RHEINGAU

bei relativ trockenem, sonnigem Klima. Hinzu kommt die Nähe des Flusses, dessen Nebel die Edelfäule der reifenden Trauben fördern. Flankiert von den beiden Städten Rüdesheim und Eltville verteilen sich rechts des Stroms auf etwa 20 km Gesamtstrecke eine Handvoll Weinorte von wahrem Weltruf.

Weltberühmtes Zentrum der Weinwissenschaft: Die Weinbauschule in Geisenheim bei Rüdesheim, in der vor allem Rebzüchtung betrieben wird.

Und weil wir schon bei den Besonderheiten sind, sei hier auch gleich Assmannshausen erwähnt: Knapp außerhalb des eigentlichen Rheingaus gelegen, ist es ausschließlich für seinen Rotwein bekannt. Darunter ein sehr gefragter Spätlese Rosé und der trockene Assmannshäuser, mit der bekannteste deutsche Rotwein. Zurück zum eigentlichen Rheingau und seinen vielen größeren und kleineren Winzerdörfern. Sie alle bringen überragende fruchtige und kräftige Weine hervor. Von Rüdesheim bis hin nach Eltville ziehen sich namhafte Orte mit

klangvollen und berühmten Lagen, die in der ganzen Welt Freunde und Bewunderer gefunden haben:
Geisenheim: Rothenberg, Kilzberg, Mönchspfad, Kläuserberg.
Johannisberg: Vogelsang, Hölle, Goldatzel, Hasensprung.
Winkel-Mittelheim: Schloßberg, Gutenberg, St. Nikolaus, Goldberg.
Hallgarten: Würzgarten, Hendelberg, Jungfer, Schönhell.
Hattenheim: Heiligenberg, Mannberg, Schützenhaus, Nußbrunnen.
Erbach: Eichberg, Honigberg, Michelmark, Hohenrain, Siegelsberg, Steinmorgen, Markobrunn, Schloßberg.
Kiedrich: Klosterberg, Wasseros, Gräfenberg, Sandgrub.
Eltville: Taubenberg, Langenstück, Sonnenberg, Rheinberg.
Oberhalb Eltville, das einen nicht besonders hochwertigen Wein – allerdings in sehr großen Mengen – erzeugt, liegt schließlich das Rheingau-Dorf der Superlative:
Rauenthal: Rothenberg, Baiken, Langenstück,

Gehrn, Wülfen, Nonnenberg sind Lagen von Weltruf, gelten als die deutschesten Weine der Deutschen und genießen wegen des Zusammenklangs von Fülle, zarter Blumigkeit und würzigem Abgang allgemein höchstes Ansehen.

Schließlich zählt auch noch der Weinort Hochheim am Main, der 10 Kilometer östlich von Eltville gelegen ist, zum Rheingau, auch wenn seine Weine einen etwas anderen Charakter haben. Fazit: Der Rheingauer kann in seiner Höchstform den edelsten Charakter aller deutschen Weine erreichen. Er vereinigt in sich die duftige Blume des Rieslings mit einer großartigen, goldeneren Geschmackstiefe, als sie der Mosel aufweist, und vermittelt ausgeprägt das Gefühl der Reife.

Das Institut für Rebzüchtung in der Stadt Geisenheim.

Rheinhessen

Das rheinhessische Anbaugebiet wird oft das Sonnendreieck genannt und tatsächlich bilden die Begrenzungsorte Bingen, Mainz und Worms ein Dreieck, in dem die Sonne die zweitgrößte Ernte unter den deutschen Anbaugebieten heranreifen läßt.

Innerhalb des Gebietes gibt es zwei generelle Unterschiede. Im rheinhessischen Hügelland, das sich linksrheinisch von Mainz bis Bingen hinzieht, wachsen Weine, die sich durch ihre liebliche Art auszeichnen. Hier ist der Müller-Thurgau Spitzenreiter und liefert ansprechende, sortentypische Weine, die zu Unrecht manchmal als Damenwein bezeichnet werden.

In Rheinhessen sind auch eine Anzahl Neuzüchtungen zuhause, die besonders in den hohen Qualitätsstufen interessante Variationen bringen und die man auf der Siegerliste jeder Weinprämierung findet. Bekannt sind dort die Lagen aus der Gegend von Gau-Bickelheim, dem Sitz der Zentralgenossenschaft rheinischer Winzergenossen-

Nierstein. Von Rhein und Wein allseits umschlossen.

schaften. Eine Besonderheit bietet Ingelheim mit den umliegenden Orten, von wo die besten Rotweine des Gebietes stammen.

Ganz anders sind die Weine von der sogenannten Rheinfront, die sich von Mainz bis Worms, über die bekannten Weinorte Nackenheim, Nierstein, Oppenheim, Dienheim, Alsheim und Guntersblum hinzieht. Besonders die Weine dieser Gegend aus der Rieslingstraube, die hier bereits im Jahre 1404 erwähnt ist, bringen charakteristische Weine hervor, die Lagen wie Niersteiner Paterberg, Nackenheimer Rothenberg, Alsheimer Goldberg, Oppenheimer Schloßberg so berühmt gemacht haben. Besonders in der Gegend um Nierstein und Oppenheim kommt der Charakter der Rotsandsteinböden im Wein zum Ausdruck.

Den südlichen Zipfel des »Sonnendreiecks« bildet der Bereich Wonnegau mit den Orten Osthofen, Dalsheim, Pfeddersheim, um nur einige zu nennen. Nicht zu vergessen Worms, dem Ursprung der Liebfrauenmilch, die als Exportschlager nach USA und England dieses Anbaugebiet auch im Ausland so bekannt gemacht hat.

Rheinpfalz

Die Rheinpfalz ist Deutschlands größtes Weinanbaugebiet, gemessen an der Rebfläche. Die Rebhügel, teilweise auch feldähnliche Weinberge, ziehen sich entlang der deutschen Weinstraße von Bockenheim im Norden bis Schwaigen an der deutsch-französischen Grenze im Elsaß hin.

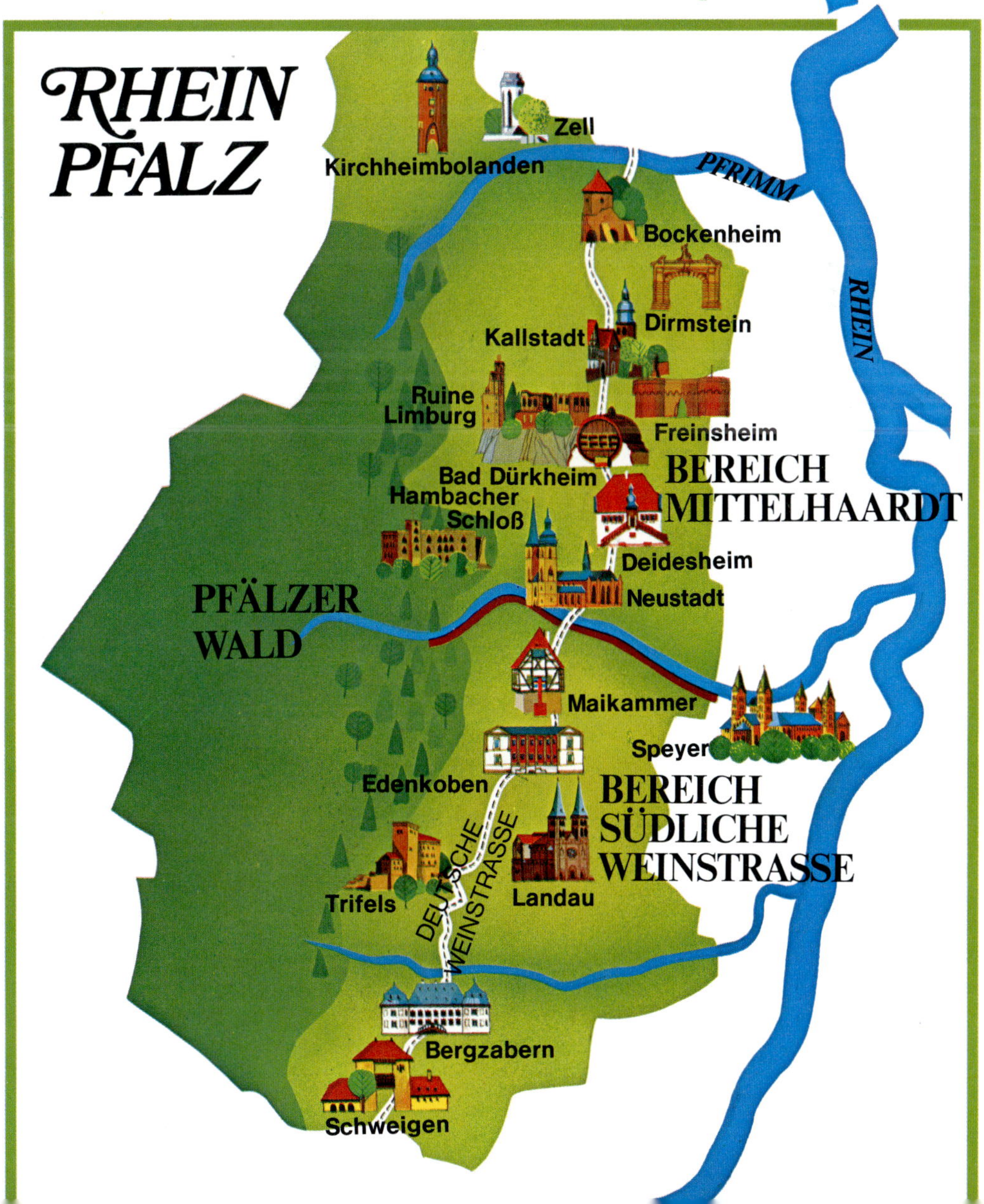

Die ausdrucksvollsten und kernigsten Weine der Rheinpfalz kommen von der Rieslingtraube, die an dritter Stelle unter den dortigen Rebsorten steht. Besonders im Gebiet der Mittelhaardt, also die Gegend von Kallstadt, Forst, Deidesheim, Neustadt, bringt hervorragende Rieslingweine hervor, die auf den regionalen Weinprämierungen jedesmal viele große Preise mit nach Hause bringen. Bekannte Namen sind der Forster Jesuitengarten, Wachenheimer Gerümpel, Deidesheimer Paradiesgarten, Ruppertsberger Gaisbühl und Forster Ungeheuer, um nur einige zu nennen. Die Hauptrebsorte der Rheinpfalz, der Silvaner, wird auch hier, wie in anderen Gebieten, immer mehr vom Müller-Thurgau verdrängt, der bereits den zweiten Platz einnimmt. Daneben findet man in der Pfalz, die mit der längsten Sonnenscheindauer pro Jahr in Deutschland ein fast subtropisches Klima aufweist, noch den ausdrucksvollen Gewürztraminer, den wuchtigen Ruländer sowie einige Neuzüchtungen mit dem bukettreichen Morio-Muskat an der Spitze. Während überall auch Rotwein zu finden ist, hat besonders der Dürkheimer Rotwein durch seine feurige Art große Bekanntheit erreicht.

Der Südpfalz, dem landschaftlich schönsten Teil der Rheinpfalz, sagte man oft nach, daß sie Weine nur mittlerer Qualität hervorbringe, die teilweise auch als relativ säurearme Verschnittweine an die Mosel gingen, um dort zu säurereichen Weinen die nötige Abrundung zu geben. Dieser sogenannte »übergebietliche Verschnitt« ist jetzt endgültig verboten und die Südpfalz zeigt in letzter Zeit starke Anstrengungen, das Image des Verschnittweinlieferanten abzubauen und sich im Qualitätsweinbau zu profilieren. Die Weine aus bekannten Orten wie beispielsweise Bergzabern, Birkweiler, Frankweiler,

Rhett Buttler aus dem Roman » Vom Winde verweht« gab diesem Whiskylikör-Cocktail den Namen.

Siebeldingen, Maikammer, Geinsweiler, Ilbesheim, Edenkoben und St. Martin beweisen, daß dort Qualitäten wachsen, die den Vergleich mit den übrigen Pfalzweinen nicht zu scheuen brauchen. Im Anbaugebiet selbst findet man auch Prädikatsweine, wie Kabinett, in Literflaschen, was beweist, daß diese nicht nur ein Erkennungsmerkmal für einfache Konsumqualitäten darstellt. Es liegt einfach daran, daß in der Pfalz der Wein zum Essen getrunken wird und der Inhalt des für die Pfalz so typischen Dubbeglases

(Dubbe werden die runden Vertiefungen der Glaswand genannt, die dort den Zweck haben sollen, zu vorgerückter Stunde dem

weinseligen Zecher mehr Halt am Glas zu verschaffen) beweist, daß man es dort gewöhnt ist, Wein in größeren Mengen zu trinken.

Der Tourist in Sachen Wein findet in den vielen kleinen an der Weinstraße liegenden Weinorten noch die Beschaulichkeit vergangener Jahrzehnte, die man anderswo vergebens sucht.

Rhett Buttler

2–3 Eiswürfel,
4 cl Whiskylikör mit

Wenn Ihnen Whisky pur auf die Dauer zu stark ist, dann mixen Sie sich doch einmal den Rickey.

Pfirsicharoma,
1 BL Limettensaft
(Lumiensaft),
1 BL Zitronensaft,
2 BL Curaçao,
1 BL Puderzucker.

Erinnern Sie sich an den Roman »Vom Winde verweht«? Margaret Mitchell's Hauptfigur – Rhett Buttler – gab diesem Drink mit dem seltenen Whiskylikör mit Pfirsicharoma den Namen.
Eiswürfel und die Zutaten der Reihe nach in den Shaker geben. Gut und kräftig schütteln. In ein großes Cocktailglas seihen.

Rhône

Siehe Côte du Rhône.

Rickey

1 kleine Zitrone,
5 cl Whisky,
Sodawasser zum Auffüllen.

Der Rickey ist ein Longdrink, den Sie abends nach dem Essen servieren können.
Zitrone waagerecht in zwei gleiche Teile schneiden. In ein großes Becherglas geben. Mit einem Barlöffel oder Stößel den Saft aus der Frucht drücken. Den Whisky zugießen. Mit kaltem Sodawasser auffüllen. Mit einem Barlöffel servieren.

Rieslaner-Traube

Die Rieslaner-Traube, früher auch Mainriesling genannt, ist eine gelungene Kreuzung zwischen Silvaner-Traube und Riesling-Traube. Aus ihr wird einer der besten weißen Traubenweine gekeltert. Fachleute sagen, Rieslaner sei die Vollendung des Rieslings.

Riesling

Die Riesling-Traube, oft schwärmerisch als Königin der Trauben bezeichnet, zählt zusammen mit dem Silvaner zu den klassischen Rebsorten in Deutschland. Sie erbringt in guten Jahren die besten deutschen Weißweine, die sich durch eine besondere Eleganz, Rasse und Fruchtigkeit sowie eine feine Säure auszeichnen. Die Riesling-Traube ist es, die den deutschen Weißwein unbestreitbar zu den besten Weißweinen der Welt zählen läßt. Die kleinbeerige, spätreife Traube benötigt allerdings dazu eine lange Vegetationsperiode, liefert dann aber die ausdrucksvollsten Spät- und Auslesen und wenn noch der Einfluß der Edelfäule dazukommt, unvergleichliche Beeren- und Trockenbeerenauslesen, die eine der Spezialitäten darstellen, die den deutschen Weißwein bei Weintrinkern in aller Welt so begehrt machen.
Mit 18 841 Hektar, das sind ungefähr 30 Prozent der deutschen Gesamtrebfläche, steht der Riesling an zweiter Stelle unter den deutschen Rebsorten. Verbreitet ist er in allen elf Anbaugebieten, jedoch sind seine Domänen der Rheingau mit 79 Prozent und Mosel-Saar-Ruwer mit 70 Prozent Anteil der dort im Ertrag stehenden Rebfläche. Von allen Rebsorten, die im Weinbau Verwendung finden, stellt der Riesling die höchsten Ansprüche an Lage und Klima. Die Rieslingrebe liebt besonders die leicht erwärmbaren und wärmespeichernden Steinböden sowie Sand- und Kiesböden und bringt die besten Erträge in Südost- bis Südwestlagen. Die Trauben erreichen nur die volle Reife, wenn ausreichend Wärme vorhanden ist. Die Fachleute sind der Meinung, daß der Riesling durch seinen hohen Anbauwert auch in Zukunft die wichtigste Rebsorte für die deutschen Spitzenqualitäten bleibt.

Rioja

Zusammengezogen aus Rio Oja ist dieser Name des guten bis sehr guten spanischen Rotweins. Der Rio Oja fließt in den Ebro, unweit der Stadt Zaragoza. Französische Winzer waren es, die dem Weinbau dort in Nordspanien Mitte des 19. Jahrhunderts auf die Beine halfen und sich um Ausbau- und Lagermethoden verdient machten. Von zuhause durch die Reblaus-Katastrophe verdrängt, die auch den deutschen Weinbau hart traf, fanden sie ein neues Betätigungsfeld am Rio Oja. Die dort hergestellten Weißweine können den roten nicht das Wasser reichen, und die roten sind – für südeuropäische Verhältnisse ungewöhnlich vornehm – bis zum Etikett mit Jahreszahl emporstilisiert worden, das sie als lang gelagerte Gran Reserva oder Imperial auch verdienen. Lagerung muß beim Rioja übrigens unbedingt sein. Erst nach fünf und mehr Jahren, die diese Weine in Eichenholzfässern verbringen, haben sie einen Reifegrad erreicht, der sie aller Anerkennung wert macht.

Ritz Cocktail

2–3 Eiswürfel,
1,5 cl Orangensaft,
1 cl Cointreau,
2,5 cl Cognac,
gekühlter Champagner zum Auffüllen.

Dieser Cocktail trägt den Namen des schweizerischen Hoteliers Cäsar Ritz (1850 bis 1918), der 1898 sein erstes Luxushotel, das Hotel Ritz, am Place Vendôme in Paris erbaute.
Eiswürfel, Orangensaft, Cointreau und Cognac in einen Shaker geben. Kräftig schütteln. Inhalt in einen Sektkelch seihen. Mit Champagner auffüllen.

Ritz Macka

3–4 Eiswürfel,
2 cl französischer Vermouth dry,
1,5 cl Vermouth rosso,
1,5 cl Wodka,
1 dash Johannisbeerlikör,
1 dash Kirschlikör.

Die Eiswürfel sehr fein zerkleinern und ein kleines Becherglas zur Hälfte damit füllen. Vermouth dry, Vermouth rosso und Wodka über das Eis gießen. Dann jeweils einen dash Johannisbeer- und Kirschlikör dazugeben. Alles mit einem langen Barlöffel kurz verrühren. Einen Trinkhalm dazu reichen.

Der Ritz Cocktail enthält natürlich Cognac und Champagner.

Am Ebro liegt die stattliche Kathedrale von Zaragoza im Norden Spaniens.

Der Rocky Mountains Punsch mit Erdbeeren, Kirschen und Ananas eignet sich gut für eine Gartenparty.

276

Ein gelungener Cocktail mit berühmtem Namem: Rolls Royce.

Rocky Mountains Punsch

2–3 Eiswürfel, 2,5 cl Rum,
1,5 cl Zitronensaft,
1 cl Maraschino,
2–3 Ananaswürfel,
2–3 Erdbeeren,
1–2 Kirschen,
Sekt zum Auffüllen.

Punsche trinkt man selten allein. Auch dieser kalte Rocky Mountains Punsch schmeckt in Gesellschaft besser. Dazu müssen Sie nur alle Zutaten in unserem Für-eine-Person-Rezept entsprechend verlängern. So wie es auch unser Fotograf getan hat.
Eiswürfel, Rum, Zitronensaft und Maraschino in den Shaker geben. Kurz und kräftig schütteln und in ein Punschglas seihen. Mit Ananaswürfel, Erdbeeren und Kirschen garnieren. Mit Sekt auffüllen. Dazu Löffel und Trinkhalm reichen.

Rolls Royce

2–3 Eiswürfel,
2,5 cl Gin,
1,5 cl französischer
Vermouth dry,
1 cl Vermouth bianco,
1–2 dashes Bénédictine,
1 Cocktailkirsche.

Der Longdrink Rolls Royce hat die gleich hohe Qualität, die man den britischen Luxuslimousinen nachsagt. Der Drink eignet sich gut als Apéritif.
Alle Zutaten in der angegebenen Reihenfolge in ein Rührglas geben. Gut umrühren und in ein Cocktailglas seihen. Mit der Kirsche garnieren. Sie sollten ein Spießchen dazu reichen.

Mit dem Rose Cocktail kann man auch anspruchsvollen Gästen eine echte Überraschung bereiten.

Romanze in Milch

2 cl Weinbrand,
2 cl Curaçao weiß,
1 BL Grenadine,
4 cl Kondensmilch,
1 Eigelb,
1 gehäufter EL Vanilleeis.

Wie alle Cocktails, in denen Milch mit Alkohol gemischt wird, sollte auch dieser rasch serviert werden, damit die Milch nicht gerinnt.
Alle Zutaten in ein Mixgerät geben und gut vermischen. In ein kleines Becherglas gießen und mit einem Trinkhalm servieren.

Rosato

Italienische Rosé-Weine werden als Rosato, also als »Rosaroter« bezeichnet.

Aus Großmutters Rezept-Sammlung stammt diese Rosenbowle.

Rose Cocktail

Saft einer halben Zitrone,
2 EL Zucker, 3 Eiswürfel,
1 dash Grenadine,
1 dash durchgeseihter
Zitronensaft,
1 cl Apricot Brandy,
1 cl französischer
Vermouth dry,
3 cl Gin,
1 Cocktailkirsche.

Diesen Cocktail mit dem
attraktiven Namen können
Sie als Erfrischung zwischendurch
reichen. Zitronensaft
und Zucker in je
eine flache Untertasse geben.
Das Glas mit dem
Rand zuerst in den Saft
tauchen und kurz abtropfen
lassen. Dann den Glasrand
in den Zucker stellen.
Glas umdrehen und Crustarand
trocknen lassen.
Eiswürfel in ein Mischglas
geben. Grenadine, Zitronensaft,
Apricot Brandy,
Vermouth und Gin zufügen.
Mit einem Barlöffel
umrühren. In ein Cocktailglas
seihen. Mit einer Kirsche
garnieren. Ein Cocktailspießchen
für die Kirsche
dazu reichen.

Rosenbowle
Für 6–8 Personen

Blütenblätter von 5
Centifolien, 2 EL Zucker,
3 l Rhein- oder Moselwein,
1 l Sekt.

Diese Bowle hat ein besonders
starkes Aroma. Wir
haben die Zubereitung aus
Großmutters Rezeptsammlung
entnommen. Wenn Sie
keine Centifolien im Garten
haben, können Sie übrigens
auch Blätter einer anderen
– allerdings süß duftenden
– Rosensorte verwenden.
Rosenblätter und Zucker
mit einem Liter Rhein-
oder Moselwein ansetzen.
Zugedeckt für eine Stunde
in den Kühlschrank stellen.
Ansatz in ein Bowlengefäß
seihen. Den restlichen Wein
zugießen. Vor dem Servieren
mit Sekt auffüllen.
Sehr hübsch sieht es aus,
wenn Sie noch eine Rosenblüte
als Garnierung in das
Bowlengefäß legen.

Rosenlikör

Rosenöl ist nicht nur ein
beliebter Duftspender orientalischer
Haremsfrauen,
sondern auch die Basis für
manchen Trunk östlicher
und fernöstlicher Regionen.
In Italien gibt es den *Rosoglio*,
einen nach Rosenöl
duftenden Likör, der nicht
nur künstlich aussieht, sondern
es auch ist. Er wird
gern als eine Art Mundparfüm
benutzt, das nach
Knoblauchgenuß den Atem
lieblich macht. In Bulgarien
findet man »Rosenbrandy«,
einen seltenen Rosenschnaps.
Er ist in verschiedenen
Formen im ganzen
Vorderen Orient zu haben.
Der kostbarste Rosenlikör
heißt »Mai kwai Lo«
und wird in China hergestellt.

Rosen-
muskateller

In der Südtiroler Provinz
Bozen wächst ein Muskateller
»Moscato giallo«, der
wegen seines charakteristischen
Buketts Rosenmuskateller
genannt wird. Er
ist besonders harmonisch
und stark berauschend,
weil er es auf ansehnliche
16 Prozent Alkoholgehalt
bringt.

Roséweine

Gewissermaßen eine Zwischenform
von Rot- und
Weißwein stellt der Rosé
dar, der rosafarbene bis
rötliche Wein. Bei uns darf
Rosé als Weißherbst bezeichnet
werden, wenn er
aus einer einzigen Traubenernte
gekeltert wurde und
die Forderungen erfüllt, die
an einen Qualitätswein gestellt
werden.
Der Rosé entsteht auf folgende
einfache Art: Rote
Trauben werden zerquetscht
und samt Schalen
vergoren. Dabei nimmt der
ursprünglich weiße Saft der
Traube bald eine hellrosa
Farbe an, die er aus den
Schalen bekommt. Bevor
der Most jedoch tiefrot
werden kann, trennt man
ihn von den Schalen und
läßt ihn dann erst weitergären.
Roséweine sind also sehr
helle Rotweine und nicht
etwa eine Mischung aus
Rot- und Weißweinen wie
zum Beispiel der Schillerwein
aus Württemberg oder
der Schilcher, der in der
Steiermark viel getrunken
wird. Die besten Weine dieser
Art liefern die Rebsorten
Grenache und Gamay,
die in Frankreich, an der
Loire und im Beaujolais,
viel angebaut werden. Für
die guten deutschen Weißherbste
wird ausschließlich
die Spätburgunder Traube
verwendet.
Als einer der besten Roséweine
der Welt gilt der
Tavel von der Côte du
Rhône, der im Alter von
zwei Jahren am besten
schmeckt.
Roséweine, die in Öster-

reich als Gleichgepreßter,
in der Schweiz als Süßdruck
bezeichnet werden,
passen zu jedem Essen.
Sie werden auf etwa 10–12
Grad gekühlt getrunken.

Rosinenwein

Sich selbst einen Wein aus
Rosinen und Wasser herzustellen,
war früher ein gar
nicht selten ausgeübtes
Steckenpferd. Besonders erfolgreiche
Künstler dieser
Art verkauften ihre Erzeugnisse
sogar mit gutem
Gewinn. Heute gilt der Rosinenwein
als Kunstwein,
seine Herstellung ist damit
gesetzlich untersagt. Verschiedene
schwere Südweine
aber, zum Beispiel
der Samos, der Malaga oder
Madeira werden ebenfalls
als Rosinen- oder Likörweine
bezeichnet. Sie werden
aufgespritet, das heißt,
durch Zugabe von Weindestillat
auf Alkoholgehalte
von teilweise über 20 Prozent
gebracht.

Rosoglio
Siehe Rosenlikör.

Rosso Cònero

Der Rosso Cònero kommt
aus der Umgebung von
Ancona, er gedeiht also im
unmittelbaren Küstengebiet
der Adria. Obwohl dieser
Rotwein etwas weich
ist, hat er einen angenehmen
Körper. Seine günstigste
Ausschanktemperatur
liegt bei 18 Grad.

Rosso delle
Colline
Lucchesi

In der italienischen Provinz
Lucca, nördlich von Pisa,
wächst ein weicher, trokkener
Wein mit einem Alkoholgehalt
von 11,5 Prozent.
Der rubinrote Wein
wird vor allem gerne zu Bratengerichten
getrunken.

Rote Blume

Saft einer
halben Zitrone,

Für phantasievolle Mix-Getränke findet sich auch ein phantasievoller Name.

Rote Blume

Rote Perle

2 EL Zucker, 2–3 Eiswürfel,
1,5 cl Schwarzer Kater,
1,5 cl Rum,
1,5 cl Vermouth rosso,
1 dash Zitronensaft,
1 dash Vermouth dry,
1 Apfelsinenspalte.

In je eine flache Untertasse den Zitronensaft und den Zucker geben. Ein Cock-tailglas mit dem Rand zuerst in den Saft tauchen, kurz abtropfen lassen, dann den Glasrand in den Zukker stellen. Glas umdrehen und Crustarand trocknen. Alle Zutaten bis auf die Apfelsinenspalte in den Shaker geben. Kräftig schütteln und in das Crusta-Glas seihen. Mit der Apfelsinenspalte garnieren.

Rote Perle

2 cl Brombeerlikör,
eine halbe Ananasscheibe,
Sekt zum
Auffüllen.

Durch den Brombeerlikör färbt sich der perlende Sekt rot. Daher der Name Rote Perle.

Brombeerlikör in eine Sekt-schale geben. Die halbe Ananasscheibe dazugeben. Mit Sekt auffüllen.

Roter Busch Tee

Der Rote Busch Tee, auch Rovibostee oder Massaitee genannt, wird aus einem in

279

Afrika wachsenden Ginster-strauch bereitet. Er kommt im Geschmack dem Tee sehr nahe, enthält aber kein Coffein.

Roter Johannisbeersaft

Im Gegensatz zum Schwarzen Johannisbeersaft, der wegen seines eigenartig feinen Aromas für die Verwendung von Cassislikör (25 l Saft auf 100 l Cassislikör) verwendet wird, ist der Saft der fast aromalosen roten und weißen Johannisbeeren als Basis für Liköre usw. ziemlich uninteressant. Er wird in kleineren Mengen bei anderen Likören mitverwendet.

Rotspon

Rotspon ist die früher in Norddeutschland übliche Bezeichnung für *Rotwein.*

Rotwein

Rotwein entsteht aus dunklen Trauben, deren dunkelfarbige Schalen mitgekeltert und mitvergoren werden. Der alte Streit der Weinliebhaber, ob Weiß- oder Rotweine wertvoller und besser seien, wird immer unentschieden enden, weil die Wertschätzung eines Weines immer eine Geschmacksfrage bleibt.
Tatsache ist: Rotwein wird in West- und Südeuropa wesentlich mehr angebaut und getrunken als Weiß-

wein. Der Grund dafür ist einfach: Die Rotweintrauben liefern zum größten Teil größere Erträge, sie sind robuster und vertragen das wärmere Klima besser.
Von den im Süden ungeheuer verbreiteten Konsumrotweinen abgesehen, gibt es, vor allem in Frankreich, Rotweine der absoluten Spitzenklasse. Experten haben sogar eine Qualitätsrangliste für Rotweine aufgestellt, die etwa folgendes Aussehen hat: Angeführt wird sie von den Spitzenlagen von Médoc. Es folgen Spitzenlagen von Saint-Emilion, Pomerol und Graves, also durchweg Bordeaux-Lagen. Danach folgen die besten Burgunderlagen der Côte d'Or, denen die besten deutschen Rotweine von der Ahr und aus Assmannshausen nur in sehr guten Jahren Konkurrenz machen können. Es schließen sich an: Die guten Lagen des Beaujolais und des Chateauneuf-du-Pape und einige Rotweine der Côte du Rhône. Danach kommen der Barbaresco und der Barolo aus Italien, die als noch besser gelten als der Chianti classico.
Diese Rangliste ist gewiß nicht verbindlich, zumal sich einzelne Positionen von Jahr zu Jahr ändern können. Im großen und ganzen gilt aber, daß bei Rotweinen Bordeaux vor Burgund kommt, die Spitzenlagen der Ahr und von Assmannshausen vor den Beaujolais- und Rhône-Rotweinen und diese wiederum vor den Italienern.

Royal Bermuda

2–3 Eiswürfel,
3 cl weißer Rum,
2 cl Zitronensaft,
1 dash Cointreau,
1 dash Zuckersirup.

Diesen Drink können Sie auch als Erfrischung zwischen den Mahlzeiten anbieten.

Jeder dieser königlichen Drinks macht seinem Namen Ehre.

Eiswürfel und alle anderen Zutaten in den Shaker geben. Kurz und kräftig schütteln. In ein Cocktailglas seihen.

Royal Drink

1 EL Ananasstückchen aus der Dose,
1–2 EL zerkleinerte Eiswürfel,
1 BL Curaçao Orange,
1 BL Weißwein,
1 EL Erdbeeren,
Sekt zum Auffüllen.

Ein königliches Getränk, werden auch Sie sagen, wenn Sie den Royal Drink probiert haben. Als Auftakt eines festlichen Abends ist er gut geeignet.
Ananasstückchen in ein Glas geben. Eis, Curaçao

Orange und Weißwein drübergeben. Mit einem Barlöffel umrühren. Erdbeeren vorsichtig dazugeben. Mit Sekt auffüllen. Löffel und Trinkhalm dazu reichen.

Royal Fizz

2–3 Eiswürfel,
4 cl Dry Gin,
4 cl Framboise (Himbeerlikör),
Saft einer Orange,
Saft von zwei Limonen (Lumien),
Sodawasser zum Auffüllen.

Eiswürfel und alle anderen Zutaten bis auf das Sodawasser in den Shaker geben. Kurz und kräftig schütteln. Inhalt in ein großes Becherglas seihen. Mit Sodawasser auffüllen.

Ruby Fizz

2–3 Eiswürfel,
8 cl Sloe-Gin,
2 BL Himbeersirup,
1 Eiweiß,
Saft einer
halben Zitrone,
Sodawasser
zum Auffüllen.

Eiswürfel in haselnußgroße Stücke zerkleinern und in den Shaker geben. Alle anderen Zutaten, bis auf das Sodawasser, dazugeben. Den Shaker mit einer Serviette umwickeln und 1 bis 2 Minuten kräftig schütteln. Inhalt in ein hohes Kelch- oder Becherglas seihen und mit Sodawasser nach Belieben auffüllen.

Rüdesheim

Das Niederwalddenkmal, die »Drosselgass'« und natürlich der Wein, das sind die Attraktionen von Rüdesheim, dem berühmten Weinort am Rhein. In den bekannten Weinrestaurants der nur wenige Meter breiten Gasse, im »Drosselhof«, beim »Lindenwirt« oder im »Rüdesheimer Schloß« haben schon Schah Reza Pahlevi und viele andere Personen der Zeitgeschichte deutsche Weinseligkeit kennengelernt. In einer ständigen Volksfestatmosphäre wird hier hektoliterweise Wein getrunken. Unablässig steigen Ausflügler aus Zügen, Autos und Rheinschiffen, um einige

Frisch und fruchtig: Ruby Fizz.

Uralt-Rebe in Rüdesheim.

Basis für Rum: Zuckerrohr.

Stunden später fahr- oder gehuntauglich wieder Abschied von der Drosselgass' zu nehmen.

Die besten Rüdesheimer Weine kommen aus dem *Rüdesheimer Berg.*

Rüdesheimer Berg

Rund um die Ruine Ehrenfels im Rheingau wachsen Weine, die unter der gebräuchlichen Sammelbezeichnung Rüdesheimer Berg bekannt sind. Die besten Rüdesheimer Lagen sind Berg Roseneck, Berg Rottland und Berg Schloßburg.

Ruländer Traube

Ein Kaufmann namens Ruland soll diese Traube im Jahre 1711 nach Deutschland gebracht haben. Seither hat diese Traubensorte viele Namen bekommen: Roter Burgunder, grauer Burgunder oder Grauer Klevner in Deutschland, Pinot Gris in Frankreich und Tokajer in der Schweiz. Aus der Ruländer-Traube wird der Ruländer gekeltert, ein Weißwein, der in guten Jahren zu den deutschen Spitzengewächsen zählt.

Rum

Seinen Namen hat der Rum von der Wirkung, die er in seiner Heimat Jamaika offenbar häufig auslöste. Rumbullion, das heißt Krawall, gab es dort, wenn die Seefahrer zuviel von dem hochprozentigen Zucker-

rohrschnaps erwischt hatten. Das Kerngebiet der Rumproduktion ist auch heute noch Westindien, wo fast jede der kleinen und großen Antillen-Inseln stolz darauf ist, einen Rum mit einer besonderen Note zu produzieren. Aber auch auf Hawaii, in Indonesien und auf den Inseln im Indischen Ozean vor der Ostküste Afrikas wird Rum hergestellt. Rum ist ursprünglich wasserklar (weißer Rum), wird aber durch Zuckercouleur und durch die Lagerung in Holzfässern bis dunkelbraun eingefärbt. Einige Rumsorten sind durch Zusätze aromatisiert: Mit Ananasmaische in Jamaika, mit Pflaumenauszügen auf Barbados und mit Kleeblättern, Akazienrinden und duftenden Kräutern in anderen Rum-Regionen.

»Original-Rum« darf sich bei uns in Deutschland nur ein Rum nennen, der ohne jede Veränderung und ohne

Rum Cobbler
Rum Alexander
Rum Sour

Rum regt die Phantasie der Bar-Mixer immer von Neuem an.

Zusätze verkauft wird. »Echter Rum« dagegen ist ein auf Trinkstärke herabgesetzter Rum. »Rum-Verschnitte« werden mit neutralem Sprit und Wasser so verschnitten, daß sie nur mindestens fünf Prozent Original-Rum mit Herkunftsangabe enthalten.

Rum ist ein Getränk mit einer romantischen Geschichte. Es war und ist das Getränk der Seeleute, Abenteurer und Filibuster. Die Rumproduktion begann unmittelbar, nachdem die Spanier Westindien besetzt hatten. Die ausgebeuteten Negersklaven sollen die ersten gewesen sein, die sich aus Zuckerrohr ein höllisches Feuerwasser brannten, das sie vorübergehend ihr schweres Los vergessen ließ. Doch der Rum wurde ihnen zum Schicksal. Jahrhundertelang erwarben die Sklavenjäger bei afrikanischen Händlern und Häuptlingen ihr schwarzes Elfenbein gegen Rum.

Rum Alexander

2–3 Eiswürfel,
2 cl weißer Crème de Cacao,
1,5 cl weißer Rum,
1,5 cl Sahne.

Alle Zutaten in der angegebenen Reihenfolge in den Shaker geben. Gut schütteln und in ein Cocktailglas seihen. Sofort servieren.

Rumänische Weine

In Rumänien ist der Weinbau in den letzten fünfzehn Jahren stark gefördert worden. Die Rebfläche ist heute mit 325000 Hektar rund viermal so groß wie die der Bundesrepublik.

Pro Jahr werden in Rumänien etwa sechs Millionen Hektoliter Wein erzeugt. Hauptanbaugebiete sind

Eine ideale Geschenkidee: Ein schöner Topf zum Sammeln der köstlichsten Früchte des Jahres, geeignet für jeden Tisch.

Siebenbürgen, Banat, Moldau und die Gebiete südlich der Karparten und an der Schwarzmeerküste. Rumänische Weine kommen unter dem Namen der Rebsorte in den Handel. Staatliche Stellen besorgen den Export.

Rum Cobbler

3–4 Eiswürfel,
1 BL Maraschino,
1 BL Grenadine,
1 Orangenscheibe,
1 Limetten-
(Lumien-)scheibe,
2 Cocktailkirschen,
1 EL Ananasstücke,
1–2 Erdbeeren,
Rum.

Eiswürfel fein zerkleinern und ein hohes Kelchglas etwa zur Hälfte damit füllen. Maraschino und Grenadine drübergießen. Mit den Früchten garnieren und mit Rum auffüllen. Mit Löffel und Trinkhalm servieren.

Rum Flip

3–4 Eiswürfel,
2,5 cl Rum,
2,5 cl starker, kalter Tee,
2 BL Curaçao Orange,
2–3 BL Zuckersirup,
1 Eigelb.

Eiswürfel und alle anderen Zutaten in den Shaker geben. Kurz und kräftig schütteln und den Inhalt in einen Sektkelch oder ein kleines Becherglas seihen. Mit Trinkhalm servieren.

Rum Sour

2–3 Eiswürfel,
1 BL Zuckersirup,
Saft einer Zitrone,
4 cl Rum,
2 Cocktailkirschen
zum Garnieren.

Eiswürfel, Zuckersirup, Zitronensaft und Rum in den Shaker geben. Gut schütteln und den Inhalt in ein kleines Becherglas seihen. Mit

den Kirschen garnieren. Ein Cocktailspießchen für die Kirschen sollte man dazureichen.

Rumtopf

Seinen Namen verdankt der Rumtopf den großen Töpfen, in denen ein Querschnitt durch die Ernte des Obst- und Beerengartens eines Jahres zusammen mit möglichst hochprozentigem Rum und viel Zucker angesetzt wird. Bis der Rumtopf komplett ist, dauert es von Mai bis November, ehe die Ernte eines Jahres »alkoholisch eingeweckt« ist.

Die reifen Früchte werden sauber gewaschen, abgetrocknet und mit jeweils 250 g Zucker auf ein Pfund Obst vermischt, in den Rumtopf gegeben und mit mindestens 54prozentigem Rum übergossen. Bei schwächerem Rum ist die Haltbarkeit und Güte des Rumtopfs in Gefahr.

Vier Wochen, nachdem die

letzten Früchte in den Topf gegeben wurden, noch mal ½ l Rum drübergießen. Rumtopf noch 14 Tage stehen lassen.

Zum Genießen des begehrten Rumtopfs gibt es viele Möglichkeiten.

An kalten Winterabenden schmeckt er pur besonders gut. Dazu kann man auch ungesüßten Tee trinken.

Sehr erfrischend ist ein Rumtopf-Cocktail:

Pro Person rechnet man 2 Eßlöffel Rumtopf (Früchte und Flüssigkeit). In einen Sektkelch oder eine Sektschale geben und mit Sekt auffüllen. Schmeckt ausgezeichnet. Zu jedem Glas einen Löffel oder Fruchtpicker dazulegen.

Als Dessert serviert man z. B. Vanillepudding oder — besonders fein — Vanille-Eiscreme mit Rumtopf und einer Schlagsahnehaube.

Vorzüglich eignet sich der Rumtopf aber auch zum Abschmecken von Obst-Salaten oder süßen Soßen, ja sogar zu einem Gelee mit

Pfiff: Dazu Gelatine auflösen, unter die Rumfrüchte ziehen und über Nacht gut kalt stellen.

Wozu und wann immer Sie Rumtopf verwenden: Unter den Finessen der feinen Küche ist er — in hübschen Gläsern serviert — Augenweide und Gaumenfreude zugleich.

Russischer Tee

⅛ l heißer schwarzer Tee,
1 BL Kirsch- oder Himbeermarmelade.

Diesen Tee können Sie sich auch ohne Samowar auf russische Art zubereiten. Den Tee in ein Teeglas geben und nach Belieben mit Kirsch- oder Himbeermarmelade süßen. Eventuell mit in Zimt gewendeter Zitronenscheibe würzen.

Rust

Die österreichische Stadt Rust am Westufer des Neusiedler Sees ist einer der bekanntesten burgenländischen Weinorte. Aus Rust kommen vorwiegend Weißweine.

Ruwer

Siehe Mosel-Saar-Ruwer.

Rye Cocktail

2–3 Eiswürfel,
5 cl Rye-Whiskey,
2 dashes Angostura,
2–3 dashes Grenadine,
1 Cocktailkirsche.

Eiswürfel und alle anderen Zutaten bis auf die Kirsche in ein Mischglas geben. Mit einem Barlöffel sehr gut verrühren und in ein Cocktailglas seihen. Die Kirsche zufügen und mit Cocktailspießchen servieren.

Rye Daisy

3–4 Eiswürfel,
1 BL Zuckersirup,
1 cl Zitronensaft,
2 cl Chartreuse gelb,

Stilecht wird der »russische Tee« erst durch einen Samowar.

4 cl Rye-Whiskey,
Sodawasser zum Auffüllen,
1 EL Pfirsichstücke oder anderes Obst.

Wenn es die Jahreszeit erlaubt, sollte man immer möglichst frisches Obst zum Rye Daisy nehmen. Eiswürfel in den Shaker geben. Zuckersirup, Zitronensaft, Chartreuse gelb und Rye-Whiskey dazugeben und alles sehr gut schütteln. Shakerinhalt in ein Cocktailglas seihen und mit Sodawasser auffüllen. Mit Früchten garnieren. Dazu sollten Sie Löffel und Trinkhalm reichen.

Rye Punsch

4–5 Eiswürfel,
2 BL Zitronensaft,
4 BL Zucker,
8 cl Rye-Whiskey,
1 Orangenscheibe.

Rye Punsch muß nicht immer kalt sein. Sie können ihn auch mit etwas heißem Wasser zubereiten. Eiswürfel fein zerkleinern und in den Shaker geben. Alle anderen Zutaten bis auf die Orangenscheibe dazugeben. Gut schütteln und in ein hohes Becherglas gießen. Mit der Orangenscheibe garnieren. Einen Trinkhalm dazu reichen.

Rye-Whiskey

Rye ist neben dem Bourbon der zweite Vertreter amerikanischen Whiskeys. Er muß aus Rye, aus Roggen, gebrannt sein und zwar mindestens zu 51 Prozent; der andere – kleinere – Teil besteht aus Mais. Die US-Staaten Pennsylvania und Maryland sind die Haupterzeuger.

Rye hat im Gegensatz zu Bourbon eine rauhere, strengere Note, die dem Geschmack heutiger amerikanischer Zungen weniger entgegenzukommen scheint, denn mit nur vier Prozent Anteil an der Whiskey-Produktion der USA ist er offenbar nur ein Trunk für Liebhaber. Doch spielt der Rye im Alkohol-Sektor der US-Kulturgeschichte eine wichtige Rolle. 1770 aus europäischem Saatgut von Einwanderern gebrannt, ist er der älteste Whiskey auf amerikanischem Boden. Rye war der Whiskey der Pioniere, die den Wilden Westen eroberten, der Whiskey der Goldgräber, der Cowboys und der »Saloons«.

Saar

Siehe Mosel-Saar-Ruwer.

Sabra

»Außen stachlig, innen süß,« so sind angeblich die »Sabras«, Israels im Lande geborene Mädchen. Den Namen haben sie von den leuchtend gelben, feinstacheligen Früchten der wildwachsenden Kakteen. Diese Sabras – außen stachlig, innen süß – sind Grundlage des *Kakteenlikörs Sabra*. Würzkräuter und der Saft von Jaffa-Citrusfrüchten runden seinen Geschmack ab.

Sahne

Sahne, auch Rahm genannt, wird dadurch gewonnen, daß Magermilch aus der Milch ausgeschieden wird. Sahne muß dabei einen Mindestfettgehalt von 10

Rye Punsch

Rye Cocktail

Rye Daisy

*Rye-Whiskey gibt
– im Gegensatz zu Bourbon –
den Cocktails eine
herb-männliche Note.*

Prozent haben. Schlichtweg eingedickte Milch ist Dauer- oder *Kondensmilch*. Als saure Sahne bezeichnet man Sahne, bei der die Milchsäure einen Gärungsprozeß eingeleitet hat. Unter Schlagsahne versteht der Gesetzgeber in der Bundesrepublik eine Sahne mit mindestens 20 Prozent Fettgehalt, die flüssig und ungezuckert ist.

Sahnelikör

Sahne wird bei der Likörzubereitung dazu verwendet, Kaffeeliköre geschmacklich abzurunden. Auch beim *Eierlikör* spielt Sahne eine große Rolle. Die Schwierigkeit bei der Zubereitung von Sahnelikören ist, daß die Sahne auf die Dauer nur schwer zu einer haltbaren Emulsion verarbeitet werden kann.

Sake

Sake, der japanische Reiswein, fehlt bei keiner Begrüßung im Reich der aufgehenden Sonne und er begleitet das japanische Essen mit seinen vielen Gängen. In Japan und in China wird er schon seit zweieinhalb Jahrtausenden getrunken. Sake ist ein durch Gärung aus geschältem Reis bereitetes klares bis hellgelbes, schwachalkoholisches und sherryartig schmeckendes Getränk. So jedenfalls lautet die Definition. Kein Reisschnaps also, wie vielfach angenommen, sondern Reiswein. Der Einfachheit halber wird aber auch gebrannter Reiswein Sake genannt.

Man unterscheidet zwischen den weichen »amai« und den starken, herberen »Karai-Sake«. Viel gerühmt ist der harmonische »Gekkaikan«. Sake wird warm getrunken. Zunächst füllt man ihn in den »Choski«, eine Art Porzellankrug, der in kochendes Wasser gestellt wird, bis der Inhalt eine Temperatur von etwa 45 Grad Celsius erreicht. Man trinkt ihn aus »Saka-

Erst heiß serviert entfaltet Sake sein Aroma richtig.

zuki«, kleinen henkellosen Porzellantassen, solange er warm ist. Und zwar in vornehmen, kleinen Schlückchen, zumindest, wenn man bei Japanern zu Gast ist. Veredelter Sake dagegen wird auch kalt getrunken und eignet sich überdies für Cocktails.

Sake Special

2–3 Eiswürfel,
2 dashes Angostura,

2,5 cl Sake,
7,5 cl Gin.

Sake oder Saki sind zwei Bezeichnungen für dasselbe Getränk: Reiswein. Sake wird in Asien immer warm getrunken, aber für dieses Mixgetränk, das sich gut als Aperitif eignet, muß er gekühlt sein.

Zuerst ein großes Cocktailglas eisen. Dafür das Glas 5 Minuten in das Gefrierfach des Kühlschrankes stellen.

Eiswürfel in ein großes Becherglas geben. Die übrigen Zutaten dazugeben und alles mit einem Barlöffel gut verrühren. Dann in das geeiste Cocktailglas seihen.

Samba Egg-Nogg

2–3 Eiswürfel,
2 BL Zuckersirup,
2 Eigelb,
5 cl Portwein,

Der Sake Special ist ein exotischer, aber feiner Aperitif.

Etwas geriebene Muskatnuß rundet den Samba Egg-Nogg ab.

Sanddorn Flip heißt ein guter Tip für ein Kinderfest: Er ist nahrhaft und vitaminreich zugleich.

1,5 cl Rum,
1,5 cl Cherry Brandy,
5 cl Milch.

Wie alle Egg-Noggs kann auch dieser Drink seine Verwandtschaft zum Flip nicht leugnen. Sie sollten beim Mixen große Eiswürfel verwenden, damit der Egg-Nogg nicht verwässert. Auch hier gilt: Sofort servieren.
Alle Zutaten in der angegebenen Reihenfolge in den Shaker geben. Kurz und kräftig schütteln und in ein hohes Becher- oder Kelchglas seihen. Sie sollten einen Trinkhalm dazu reichen.

Sambuca

In dem herb-strengen italienischen Likör Sambuca dominieren Aroma und Geschmack des Anis, obgleich er seinen Namen von der Hollunderblüte hat, die ebenfalls dem Sambuca ihr Aroma gibt. Getrunken wird Sambuca meist mit gerösteten Kaffeebohnen zusammen, die vorher zerkaut werden. Der Likör wird in Italien gern nach dem Essen serviert.

Samogon

Der vor allem in der sowjetischen Literatur öfter auftauchende Trunk Samogon oder auch Samogonka ist keine spezielle Spirituose, sondern bezeichnet alles, was schwarz gebrannt wurde. Meist Wodka aus Kartoffeln oder Beerenbrännte.

Samowar

Der russische Samowar, das heißt übersetzt Selbstkocher, ist ein aufwendiger Messingbehälter, der mit Holzkohlen geheizt wird, um das Tee-Wasser heiß zu halten.

Samshu

Unter dem Namen Samshu, manchmal auch Santschoo oder Sam-Djiu genannt, ist in Asien ein Branntwein aus Reis oder Sorghum-Hirse weit verbreitet. Er hat einen ähnlichen Geschmack wie Whisky oder gelegentlich wie Arrak und wird mindestens dreimal destilliert.

Sanddorn Flip

2,5 cl Sanddornsirup,
$\frac{1}{4}$ l kalte Milch,
1 Eigelb.

Sanddornsirup, Milch und Eigelb im Mixgerät gut mischen. In ein hohes Becherglas füllen und mit Trinkhalm servieren.

Sanddornlikör

Die aus Asien stammende Sanddornbeere, die schon seit Jahrhunderten auch in Europa heimisch ist, wurde erst während des 2. Weltkrieges als überaus starker Träger des Vitamins C erkannt.
Die gelben und roten Beeren des Sanddorns, auch Seekreuzdorn und Weidendorn genannt, die säuerlich schmecken, werden zur Bereitung eines allerdings seltenen Fruchtsaftlikörs verwendet. Häufiger wird Sanddorn als Mark oder Sirup vor allem zu Milch- und Joghurt-Mixgetränken benützt.

Sangaree

Die Sangarees sind eine wenig populäre Gruppe der American Drinks. Diese Longdrinks, die heiß oder kalt serviert werden, enthalten neben der Spirituose – entweder Brandy, Whisky, Rum oder Arrak – nur Zucker, Wasser und eine Spur geriebene Muskatnuß.

Sangaree mit Brandy

5 cl Weinbrand,
2 cl Zuckersirup,
kalter Tee oder Sodawasser zum Auffüllen,
Muskatnuß.

Weinbrand und Zuckersirup im Shaker kräftig schütteln. In ein mittelgroßes Becherglas gießen. Mit Tee oder Sodawasser auffüllen. Etwas Muskatnuß drüberreiben.

Sangiovese-Traube

In Italien gehört die Sangiovese-Traube zu den führenden Sorten. So bekannte Rotweine wie der *Chianti* oder *Elba Rosso* werden vorwiegend aus der Sangiovese gekeltert. Der Sangiovese di Romagna der Region Emilia-Romagna besteht zu hundert Prozent aus diesen Trauben.

Sangria-Bowle

Für 4–6 Personen

3 Pfirsiche,
50 g Zucker,
5 cl Weinbrand,
1½ l Rotwein,
1 Zimtstange,
30 g Muskatblüte,
1 Zitronenschalenspirale.

Sangria gehört mittlerweile zu den bekanntesten Bowlen. Viele Spanien-Urlauber bringen sich ihr Spezial-Rezept mit nach Hause.

Mit der Sangria-Bowle lassen sich schöne Erinnerungen an einen Spanien-Urlaub wecken.

Pfirsiche schälen, halbieren, Kerne entfernen. Pfirsiche in dünne Scheiben schneiden. In einem Bowlen-Gefäß mit Zucker und Weinbrand ansetzen. Rotwein, Zimtstange, Muskatblüte und Zitronenschalenspirale in ein anderes Gefäß geben. Alles zugedeckt zwei Stunden ziehen lassen. Danach den Rotwein abseihen und zu den Pfirsichen geben. Gut gekühlt servieren. Dazu sollten Sie Löffel reichen.

Sangrita Sling

2–3 Eiswürfel,
2,5 cl Tequila,
1,5 cl Sangrita.

Dieser Drink wird im Glas zubereitet. Ebenso schnell wie er gemixt ist, muntert er auf.
Alle Zutaten in ein kleines Becherglas geben. Mit einem Barlöffel gut verrühren und sofort servieren.

Santa Maddalena

Aus der norditalienischen Region Alto Adige kommt der Santa Maddalena, den es als Rotwein und als Weißwein gibt. Er ist identisch mit dem Sankt Magdalener. Siehe auch Bozen.

Saratoga ist ein Cocktail, bei dem man unbedingt Champagner verwenden muß.

Santen

Santen ist ein erfrischendes, alkoholfreies Getränk aus der Südsee: Ein aus Kokosraspeln und Wasser hergestellter Ansatz von milchigem Aussehen. Santen ist jedoch nicht zu verwechseln mit der aus der Nuß. stammenden Kokosmilch.

Saratoga

2–3 Eiswürfel,
1 dash Maraschino,
1 dash Orange Bitter,
1 BL Ananassaft,
5 cl Cognac,
Champagner zum Auffüllen,
2–3 Erdbeeren.

Nach dem Genuß des Saratoga werden Sie wissen, warum die Sekt-Cocktails immer beliebter werden. Nehmen Sie ihn als Anregung für neue Sekt-Cocktail-Phantasien.
Eiswürfel in den Shaker geben. Alle anderen Zuta-

Statt Pfirsiche können Sie auch andere Früchte verwenden.

ten bis auf Champagner und Erdbeeren dazugeben und gut schütteln. In eine Sektschale seihen und mit Champagner auffüllen. Die Erdbeeren zufügen und mit einem Cocktailspieß servieren.

Saratoga Fizz

2–3 Eiswürfel,
1,5–2 cl durchgeseihter Zitronensaft,
2 BL Limettensaft,
2 BL Zucker,
5 cl Bourbon-Whiskey,
1 Eiweiß,
1 Cocktailkirsche,
Soda zum Auffüllen.

Eiswürfel in haselnußgroße Stücke zerkleinern und in den Shaker geben. Alle anderen Zutaten bis auf die Kirsche zufügen. Shaker mit einer Serviette umwickeln und 1 bis 2 Minuten kräftig schütteln. Inhalt in ein hohes Becherglas seihen Kirsche zufügen. Mit

Sodawasser auffüllen. Trinkhalm dazu reichen.

Satan's Whiskers-Straight

2–3 Eiswürfel,
1 BL Orangenlikör,
1 BL Orange Bitter,
1 cl Orangensaft,
1 cl französischer Vermouth dry,
1 cl Vermouth bianco,
1 cl Dry Gin.

Dieser Cocktail auf Gin-Basis wird Ihnen gefallen. Alle Zutaten in ein Mixglas geben. Mit einem langen Barlöffel gut verrühren und in ein Cocktailglas seihen.

Sauer-kirschensaft

Sauerkirschensaft wird aus den hell- oder dunkelro-

Beim Saratoga Fizz sollte man nicht mit dem Zucker sparen.

Satan's Whiskers-Straight ist ein Aperitif auf Gin-Basis.

ten »Baumweichseln« und »Strauchweichseln« gewonnen. Kurmäßig getrunken unterstützt Sauerkirschensaft die Arbeit der Leber und Nieren. Er enthält viel Phosphor und Eisen.

In der Spirituosenindustrie wird der Saft der Sauerkirsche zur Herstellung von Kirschlikör und von Cherry Brandy verwendet.

Säuerlinge

Wenn Mineralwässer mindestens 1000 Milligramm freie Kohlensäure pro Liter enthalten, spricht man von Säuerlingen. Neben der Kohlensäure enthalten die durstlöschenden Wässer noch viele Mineralien.

Sauermilch

Sauermilch, auch saure Milch, Setzmilch oder Dickmilch genannt, ist Vollmilch, die durch Selbstsäuerung oder durch künstlich zugesetzte Milchsäurebakterien gewonnen wird.

Säure

Spricht man von Säure im Wein, so handelt es sich um die Weinsäure. Daneben sind im Wein noch andere Säuren vorhanden, wie z. B. die Apfelsäure und die Bernsteinsäure. Der Gehalt an (Wein)-Säure wird in %00 angegeben. Die Säure ist einer der wichtigsten Bestandteile der Geschmackskomponenten, die dem Wein seine jeweils typische Art geben. Außerdem dient sie zur natürlichen Konservierung der Weine. So eignen sich säurereiche Weine besser zum Lagern als säurearme. Weine mit zuviel Säure – der Fachmann bezeichnet sie als grasig, hart oder spitz – werden während der Lagerzeit auf der Flasche durch natürlichen Säureabbau oft harmonisch und ausgeglichen. Sinkt der Säuregehalt der Trauben in sehr trockenen Jahren unter einen – von Rebsorte zu Rebsorte verschiedenen Wert – so

wirkt sich das, trotz voller Reife, negativ auf die Haltbarkeit eines Weines aus. Von reifer, harmonischer oder fruchtiger Säure spricht man, wenn die Säure nicht in den Vordergrund tritt, sondern zusammen mit Restzucker und Extraktstoffen einen idealen Dreiklang bildet.

Sauser

Siehe Federweißer.

Sauternes-Weine

Sauternes-Weine nennt man manchmal auch vielsagend »Milch der Gourmets.« Die russischen Großfürsten tranken einst mit Vorliebe Weißweine aus dem Weinbaugebiet gleichen Namens südlich von Bordeaux. Und zwar möglichst einen Sauternes Grand premier cru des Château d'Yquem, der in guten Jahren zu den besten Weißweinen der Welt zählt. Fachleute sind sich einig: Nur deutsche Weißweine von Qualitätslagen haben in guten Weinjahren eine vergleichbare Ausdrucksfülle, sind so fruchtig, blumig und körperreich. Allerdings erreichen nur die besten Sauternes-Weine renomierter Kellereien diese absolute Qualität. Der durchschnittliche Sauternes ist allenfalls ein guter, relativ süßer Wein. Insgesamt fünf Gemeinden dürfen ihren Wein Sauternes nennen:

Auf bayerischen Volksfesten wird Schankbier gern getrunken.

Sauternes, Barsac, Bommes, Farques und Preignac. Sie produzieren zusammen nur rund 30000 Hektoliter pro Jahr. Guter Sauternes hat mindestens 13 Vol.-% Alkoholgehalt und entspricht in der Qualität den deutschen *Auslesen* oder gar *Trockenbeerenauslesen*. Er wird zum Teil aus edelfaulen Weinbeeren gewonnen. Sauternes-Weine kann man dreißig, ja vierzig Jahre lagern, ohne daß man Qualitätseinbußen befürchten muß.

Sauvignon blanc

Die Sauvignon blanc gehört in Frankreich zu den am weitesten verbreiteten Traubensorten. Sie kommt allerdings auch in anderen europäischen Weinbau-Ländern vor. In Deutschland heißt die Sorte Muskat-Silvaner. Sauvignon-Reben brauchen viel Wärme, um gedeihen zu können. Aus Sauvignon werden volle, extraktreiche

Verführerischer Drink mit bekanntem Namen: Scarlett O'Hara.

Weißweine mit feinem Bukett hergestellt. Die bekanntesten französischen Sauvignon-Weine sind die Sauternes und Graves.

Scarlett O'Hara

4 cl Southern Comfort (Whiskey-Likör mit Pfirsicharoma),
4 cl Preiselbeersaft,
2–3 BL Limetten-(Lumien) Saft.

Erinnern Sie sich? Scarlett O'Hara ist die weibliche Hauptfigur in Margaret Mitchell's »Vom Winde verweht«. Der Cocktail Scarlett O'Hara wird sicher nicht so berühmt werden. Empfehlenswert ist er trotzdem.
Alle Zutaten in ein Mixglas geben. Mit einem langen Barlöffel gut verrühren. Inhalt in ein Cocktailglas seihen.

Schafgarben-tee

Bei Appetitlosigkeit, Magen- und Darmverstimmung, Gallestauung, inneren Blutungen verschiedener Art, aber auch bei krampfartigen Herzanfällen, bei Asthma, Steinleiden, Gicht und Rheuma schwören Kräuterliebhaber und -kenner auf zwei Tassen Schafgarbentee täglich. Diese rötlich oder gelblich blühende Heilpflanze wächst auf Wiesen, Äckern und an Berghängen. Von Juni bis Juli werden die Blüten und das Kraut gesammelt und getrocknet. Schafgarbe enthält ätherische Öle mit Lineol und Blauöl. Um einen kräftigen Tee zu bereiten, gießt man eine Tasse Wasser auf 1–2 Teelöffel Schafgarbe.

Schankbier

Nach dem Biersteuerrecht der Bundesrepublik ist Schankbier ein Bier mit 7 bis 8 Prozent Stammwürze. Damit liegt es zwischen Einfachbier (2,5 Prozent) und Vollbier (11 Prozent).

Schaumbier

Für 4–6 Personen

1 l helles Bier,
abgeriebene Schale einer halben Zitrone,
½ bis 1 Zimtstange,
1 EL Puderzucker,
4 Eigelb.

Bier, Zitronenschale und Zimtstange in einen Topf geben. Topf ins Wasserbad stellen und das Bier darin bis kurz vor dem Siedepunkt erhitzen. Inhalt in einen anderen Topf seihen. Diesen Topf wieder ins Wasserbad stellen.
Zucker und Eigelb schaumig schlagen. Diese Schaummasse unter ständigem Schlagen mit dem Schneebesen unter das Bier ziehen. Das schaumige Getränk in feuerfesten Gläsern sofort servieren.

Schaumwein

Der Weinfachmann unterscheidet grundsätzlich zwischen dem sogenannten Stillwein, der still ist, also nicht schäumt, und dem Schaumwein. Schaumweine müssen mindestens 3 Atmosphären Druck aufweisen. Die bekanntesten Schaumweine sind der französische Champagner, der deutsche Sekt und der italienische Spumante. Die Kohlensäure des Schaumweins entsteht durch zweite Gärung. Sie darf nicht künstlich zugesetzt werden.

Scheker

Scheker ist ein weißliches Getränk aus dem gegorenen Saft von Granatäpfeln, ein-

Manchmal ist es sehr beruhigend, einen wirksamen Schlaftrunk zu kennen: Schaumbier.

Wer den Schildbürger erfand, muß die Schildbürgerstreiche im Sinn gehabt haben. Verführerisch ist dieser Cocktail bestimmt.

geweichten Datteln und von Gerste. Seine Süße kommt von beigemischtem Honig.

Scherbet

Siehe Sorbet.

Scheu-Rebe

Bei der Scheu-Rebe handelt es sich um eine Neuzüchtung des bekannten Rebenzüchters Georg Scheu. Sie konnte sich im deutschen Weinbau relativ schnell durchsetzen, hauptsächlich in Rheinhessen; in den letzten Jahren aber auch in Franken und in der Pfalz.

Weine aus den Trauben der Scheu-Rebe sind körperreich und harmonisch. Sie haben feine Säure und ein ausgeprägtes Bukett.

Schildbürger

2–3 Eiswürfel,
1 cl Brombeerlikör,
1 cl Prünellenlikör,

1 cl Kirschwasser,
2 cl Aquavit.

Alle Zutaten in ein Mixglas geben. Die Zutaten mit einem langen Barlöffel gut verrühren und in ein großes Cocktailglas seihen.

Schillerwein

Der Schillerwein ist eine württembergische Spezialität. Er verdankt seinen Namen aber nicht dem Dichter Friedrich von Schiller. Der rosaschillernde Wein – daher der Name – wird aus roten und weißen Traubensorten gewonnen. Obwohl er für seine Spritzigkeit und Blume bekannt ist, verliert er in letzter Zeit an Bedeutung. Einst betrug sein Anteil an der württembergischen Weinproduktion fast 40 Prozent.

Schlehengeist

Schlehen sollen den ersten Frost hinter sich haben,

ehe sie gebrannt werden, dann verlieren sie einen Teil ihres Gerbstoffgehaltes. Die wie kleine Zwetschen aussehenden Früchte werden zu einem Steinobstbranntwein mit leichtem Bittermandelgeschmack destilliert, der an Kirschwasser erinnert.

Schlehenlikör

Aus den zuckerarmen (9 Prozent), sehr gerbsäurehaltigen wilden Schlehen wird der Schlehenlikör, ein Fruchtaromalikör, von 35 bis 38 Vol.-%, hergestellt. Er wird mit Johannisbrotauszug, Kardamom, Zimt und Nelken abgerundet. Schlehenlikör schmeckt süß-säuerlich und ist feinaromatisch.

Schlehen-punsch

Für 6–8 Personen

1 l starker schwarzer Tee,

Schlehen werden im Herbst nach dem Frost gesammelt.

½ l Schlehensaft,
4–6 cl durchgeseihter Zitronensaft,
100 g Zucker,
4–6 BL Sanddornsirup,
6–8 Zitronenscheiben.

Diesen herrlich wärmenden alkoholfreien Punsch kann man eigentlich immer trinken, gerade weil er keinen Alkohol enthält.

Tee und Schlehensaft in einem Topf mischen und bis kurz vor dem Siedepunkt erhitzen. Mit Zitronensaft und Zucker abschmecken und mit Sanddornsirup verfeinern. In feuerfeste Gläser seihen und in jedes Glas eine Zitronenscheibe legen.

Schloß Johannisberger

Alle Weine, die auf dem Hügel zu Füßen von Schloß Johannisberg im Rheingau wachsen und dort erzeugt und abgefüllt werden, heißen Schloß Johannisberger. Der Johannisberg ist nach dem Steinberg die größte zusammenhängende Weinberglage im Rheingau. Schon lange vor der Einteilung der Weine in Güteklassen und Prädikate pflegte man auf Schloß Johannisberg die Weine nach Qualitäten zu kennzeichnen, und zwar mit verschiedenen Kapsel- (Lack-) Farben. Auch heute noch werden beispielsweise Spätlesen als Grünlack und Auslesen als Rosalack bezeichnet. Die Johannisber-

ger Schloßweine sind auf den Karten renommierter Häuser der ganzen Welt zu finden; die Hälfte der jährlichen Erzeugung wird exportiert.

Von Schloß Johannisberg stammt auch die Bezeichnung Cabinett (Schreibweise nach dem neuen Weinrecht: Kabinett). Genau wie im Kloster Eberbach kamen die jeweils besten Weine eines Jahrgangs in den »Cabinett-Keller«. Sie wurden nur für besondere Anlässe geöffnet. Später wurde dieser Brauch auch von den anderen großen Weingütern des Rheingaus übernommen, und

heute findet man Kabinettweine, also Qualitätsweine mit Prädikat, in allen deutschen Anbaugebieten.

Schloß Ortenberg

Auf Schloß Ortenberg nahe der Stadt Offenburg in *Baden* unterhält die Kreisverwaltung Offenburg ein renommiertes Weinversuchsgut. Die Qualitätslage Ortenberger Schloßberg teilen sich der Freiherr von Neveu und die einheimische Winzergenossenschaft. Ausgedehnte Südlagen erbringen in guten Weinjahren ausgezeichnete Qualitätsweine mit Prädikat aus verschiedenen Traubensorten wie Riesling, Ruländer und Traminer.

Schloß Vollrads

Die Weine von Schloß Vollrads, seit 1860 Sitz der

Grafen Matuschka-Greiffenclau, gelten unter Kennern auf der ganzen Welt als die ganz großen unter den Rheingauern. Sie sind bekannt für ihre charakteristische Eleganz und Frucht und haben ein feines Rieslingbukett. In guten Weinjahren liefern die Rebstöcke rund um das östlich von Johannisberg gelegene, über 600 Jahre alte Schloß Auslesen, Beeren- und Trockenbeerenauslesen von seltener Ausgeglichenheit.

Schnaps

Die volkstümliche Bezeichnung für Trinkbranntweine aller Art ist Schnaps. Sie soll darauf zurückzuführen sein, daß man Spirituosen in einer Quantität zu sich nehmen sollte, die einem »Schnapper«, einem Schluck, einer einmaligen Mundfüllung entspricht.

Daher werden Spirituosen üblicherweise in Quantitäten von 2 cl ausgeschenkt.

Aromatischer Schlehenpunsch erinnert an Großmutters Zeiten.

Ein kühler Schokoladen Cocktail empfiehlt sich als Dessert.

Schokolade

Bei seinem Eintreffen in Mexiko wurde dem Eroberer Cortez anno 1519 ein Getränk serviert, das die Azteken »Xoxolate« nannten. Es wurde aus gemahlenen *Kakao*bohnen hergestellt. Cortez fand das süße, heiße Aufgußgetränk so gut, daß er das Rezept mit nach Europa brachte.

Bei den Mayas in Mittelamerika hatte die Kakaobohne schon vor der spanischen Eroberung als eine Art Tauschwährung große Bedeutung. Für vier Bohnen, sie ergaben ungefähr 25 Tassen des begehrten Getränks, bekam man schon einen Sklaven.

Unter Schokolade wird heute zumeist Tafelschokolade und erst in zweiter Linie das *Kakaogetränk* verstanden.

Schokoladen Cocktail

3 Eiswürfel,
3 cl Portwein,
1 cl Chartreuse gelb,
1 cl Crème de Cacao,
1 BL geriebene Schokolade.

Dieser After-Dinner-Drink eignet sich als Abschluß eines gelungenen Essens. Eiswürfel und die anderen Zutaten in einen Shaker geben. Kurz und kräftig schütteln. Inhalt in ein Cocktailglas seihen.

Schokoladenlikör

Schokoladenliköre gelten völlig zu Unrecht als harmlose Naschereien. Es sind Emulsionsliköre, die Schokolade – auch als Pulver – enthalten und einen Mindestalkoholgehalt von 20 Vol.-% haben.

Schönen

Unter Schönen versteht man heute die Klärung, Stabilisierung und Geschmacksverbesserung von Weinen mit Hilfe von Zusatzstoffen und Filterhilfsmitteln. Diese Zusatzstoffe oder besser gesagt Weinbehandlungsmittel sind durch das neue Weingesetz genau definiert und werden ohnehin beim Schönungsvorgang wieder ausgeschieden. Darüber wacht die chemische Analyse innerhalb des amtlichen Prüfungsverfahrens. Zum mechanischen Klären benutzt man heute Separatoren, für die Grobfilterung und Kieselgut sowie Asbestplattenfilter für die Feinfilterung. Trübstoffe, die die Klarheit des Weines beeinträchtigen und sich durch die Filterung nicht beseitigen lassen, werden durch die oben erwähnten unbedenklichen Behandlungsstoffe ausgeschieden. Dabei verbinden sich diese Stoffe mit den Fremdstoffen zu unlöslichen chemischen Verbindungen, sinken im Faß zu Boden und werden bei der letzten Filterung vom Wein getrennt. Ohne eine sinnvolle Schönung gäbe es keine klaren und haltbaren Weine – von Geschmacksfehlern einmal ganz abgesehen.

Schoppen

Ursprünglich war »Schoppen« ein süddeutsches und schweizerisches Flüssigkeitsmaß, das etwa ½ Liter faßte. Heute versteht man unter Schoppenwein glasweise oder in Viertelliter-Kännchen ausgeschenkten Wein.

Schorle-Morle

Schorle-Morle ist eine Mischung aus Weiß- oder Rotwein und kohlensäurehaltigem Mineralwasser zu gleichen Teilen. Das Getränk wird vor allem in allen deutschen Weingegenden zur Erfrischung getrunken. Süßer Schorle wird mit einer Limonade gemischt. Laut Gesetz* dürfen solche dem Wein zugesetzten Limonaden keine Farbstoffe enthalten, weil dadurch ein größerer Weingehalt vorgetäuscht werden könnte.

Schottentee

Für 4 Personen

20 cl Scotch Whisky,
½ l starker heißer Tee,
4–8 BL Zucker,
6 EL geschlagene Sahne,
1 Prise Muskatnuß.

So wie die Friesen ihren Tee mit Rum trinken, haben auch die Schotten ihr Tee-Spezialrezept. Natürlich mit echtem Scotch Whisky.

In vier große Tassen je 5 cl Whisky gießen. Mit heißem Tee auffüllen. In jede Tasse 1 bis 2 Barlöffel Zucker geben und umrühren. Die Sahne mit einer Prise geriebener Muskatnuß würzen. Jede Tasse mit einer Sahnehaube krönen.

Schottischer Whisky

Die Iren rühmen sich nicht nur, den Schotten das Evangelium beigebracht zu haben, nein, es soll auch noch der Whisky gewesen sein! Die Geschichte mag wahr sein. Denn die ersten Hinweise über das Brennen von Whisky in Schottland stammen aus dem 15. Jahrhundert, die irische Whiskyhistorie aber läßt sich bis auf das 12. Jahrhundert rückdatieren.

Zunächst war die Herstellung des Whisky in Schottland Sache von Destillateuren, die lediglich für ihren eigenen Bedarf sorgten. Zukunft und Schicksal des schottischen Whiskys wurden 1746 entschieden, als Schottland in der Schlacht von Culloden von den Engländern besiegt wurde.

Wie es Besiegten nun einmal ergeht, sahen sich die Whiskybrenner bald den Steuereintreibern der britischen Krone gegenüber. Man muß sich die Mentalität dieser Highländer vorstellen, für die es sozusagen die Freiheit bedeutete, wann und wo auch immer Whisky zu brennen.

Sie taten es denn auch nach Kräften. Da die Destillieranlagen einfach waren, konnten sie überall aufgebaut und beim Nahen der Zollfahnder wieder flugs demontiert oder getarnt werden. Zahlreich sind die Histörchen, auf welch raffinierte Weise die illegalen Brenner, von der Bevölkerung kräftig unterstützt, die englischen Zollfahnder auf falsche Fährten zu lenken wußten.

Erst 1823 schloß der Herzog von Gordon einen Vertrag mit der Regierung in London, der eine gerechtere Besteuerung des Whisky vorsah, verpflichtete sich aber gleichzeitig, gegen die illegale Whiskyproduktion vorzugehen. Der Vertrag wurde sogar eingehalten – der schottische Whisky erhielt seine Legitimität.

Doch er hatte es zunächst noch schwer, sich einen Markt außerhalb Schottlands zu erobern, denn es war der rauhe, nur auf schottische Kehlen geeichte

Rothenburg o. d. Tauber liegt an der schwäbischen Weinstraße.

Schweiz

»straight« oder Malzwhisky. Nach der Erfindung des Patentdestillierapparates und jahrelangem Streit zwischen den Malzbrennern, den Highländers und den Fürsprechern des blended Whisky aus den Lowlands war es möglich, einen Whisky herzustellen, der auch anderen Geschmäckern zusagte und sich dennoch Scotch nennen durfte.

Dieser blended Scotch stellt heute den größten Teil der schottischen Whiskyproduktion. Die Urform des schottischen Whiskys, der »Malt«, ist zwar noch als rarer Tropfen für echte Liebhaber geblieben. Die Scotchkenner unterscheiden auch heute noch zwischen den *Highlands* und den *Lowlands*.

Scotchwhisky ist übrigens eine geschützte Herkunftsbezeichnung. Nur ein Whisky, der vollkommen in Schottland hergestellt wurde, darf sich so nennen.

Schumadinski Tschai

In Polen und der Sowjetunion wird ein Zwetschen-branntwein auf ganz besondere Art genossen: Der Schumadinski Tschai wird heiß mit gebrannten Zuckertropfen getrunken, ähnlich wie der berühmte Krambambuli.

Schwäbische Weinstraße

Die Schwäbische Weinstraße heißt amtlich Bundesstraße 45 und führt von Rothenburg o. T. nach Bad Mergentheim. Ein weiteres Stück Weinstraße führt darüber hinaus das Taubertal entlang von Bad Mergentheim nach Tauberbischofsheim. Anders ausgedrückt: Die Schwäbische Weinstraße ist ein Teil der berühmten Romantischen Straße, die von Wertheim am Main im Norden bis nach Füssen im Süden führt.

Die Weine im Bereich der Schwäbischen Weinstraße werden zu den Mainweinen gerechnet, obwohl sie geschmacklich den Württembergern nahekommen.

In den teils zauberhaften Dörfern und Städten gibt es viele gemütliche Trink-stuben, die den Reisenden in Sachen Wein zum Probieren einladen.

Schwarzer Johannisbeersaft

Der Saft der schwarzen Johannisbeere hat einen sehr hohen Vitamin-C-Gehalt, so daß er als Fruchtsaftgetränk sehr beliebt ist.

Schwedenpunsch

Ein vor allem in Skandinavien weit verbreiteter Punschextrakt ist der Schwedenpunsch, der im wesentlichen aus Arrak, Zucker, Zitronensaft und verschiedenen Gewürzen zubereitet wird. Als Grundlage dienen auch Zusätze von Portweinen.

Hier ein bekanntes Rezept mit Schwedenpunsch:
5 cl Schwedenpunsch,
1,5 cl Zitronensaft,
1 Stück Zitronenschale,
kochendes Wasser zum Auffüllen.

Schwedenpunsch, Zitronensaft und -schale in ein Punschglas geben und mit kochendem Wasser auffüllen. Sofort servieren. Löffel dazu reichen.

Schweizer Weine

Die Schweiz als Weinland: Diese Vorstellung mag manchem schwerfallen. Aber der Wein nimmt in der Schweizer Wirtschaft einen bedeutenden Platz ein. Pro Jahr werden durchschnittlich rund 800000 Hektoliter Wein erzeugt. Etwa 11800 Hektar Land sind mit Rebstöcken bepflanzt.

Der Kanton Wallis im Südwesten des Landes steht in der Weinerzeugung an erster Stelle. Die bekanntesten Weine sind der trockene Fendant aus Chasselas-Trauben und der körperreiche, fruchtige Dole aus den Sorten Pinot Noir und Gamay. Im Wallis findet der Kenner außerdem noch viele interessante Spezialitäten.

Der Kanton Waadt steht mit seinen vorwiegend fruchtigen, leichten Weiß-

Aus Grandvaux am Genfer See kommen gute Schweizer Weine.

weinen aus den drei Anbaugebieten Chablais, Lavaux und La Cote auf Platz zwei.

Die mineralreichen Kalkböden des Kantons Neuenburg ergeben trockene, perlende Weißweine, leichte Rotweine mit feiner Blume und geschätzte Rosés.

Die Anbauflächen der Nord- und Ostschweiz sind relativ klein. Von Schaffhausen bis Chur wird in 300 Gemeinden Wein erzeugt. Dabei handelt es sich vorwiegend um Rotweine aus der Traubensorte Pinot Noir. Vom leichten frischen Wein bis zum edlen, vollblumigen Gewächs, wie beispielsweise dem feurigen Maienfelder aus Graubünden, reicht die Skala. Aus dem Tessin schließlich kommen aromatische Rotweine. Die Merlot-Rebe hat dort alle anderen Sorten fast ganz verdrängt.

Die Schweizer sind auf hohen Qualitätsstandard bedacht. Im Weingesetz sind die Rebsorten, die angebaut werden dürfen, genau vorgeschrieben. Strenge Vorschriften gibt es auch für Weinbereitung, Lagerung und Qualitätskontrollen.

Scotch Cooler

3–4 Eiswürfel,
2,5 cl Zitronensaft,
5 cl Scotch Whisky,
1 BL Zuckersirup oder Zucker,
eiskaltes Ginger-Ale.

Coolers müssen wie die Fizzes eiskalt serviert werden.

Die Eiswürfel grob zerkleinern und in den Shaker geben. Alle anderen Zutaten bis auf Ginger-Ale dazugeben. Shaker mit einer Serviette umwickeln und sehr gut schütteln. Inhalt in ein mittelgroßes Becherglas seihen. Mit Ginger-Ale auffüllen. Dazu einen Trinkhalm reichen.

Screw Driver

2–3 Eiswürfel,
2,5 cl Wodka,
7,5 cl Orangensaft.

Diesen Longdrink haben Sie sicher schon getrunken und wissen, wie gut er schmeckt.

Alle Zutaten in ein Rührglas geben. Mit einem langen Barlöffel sehr gut verrühren, denn das Getränk muß sehr kalt sein. Den Inhalt in ein mittelgroßes Becherglas seihen.

Seidel

Unter dem Seidel versteht der Bayer ein Bierglas mit Henkel (oft auch mit kunstvoll verziertem Deckel), in das »eine Halbe« paßt. In Norddeutschland war der Inhalt eines Seidel etwas weniger: 0,3 bis 0,4 Liter.

Sekt

Als Sekt dürfen seit dem neuen Weingesetz von 1971 nur Schaumweine aus Wein genannt werden, die in Deutschland hergestellt worden sind. Früher wur-

Der Scotch Cooler ist ein fast lieblicher Whisky-Longdrink.

Vorsicht mit dem Screw Driver: Der Wodka ist gefährlich!

296

Spießchen-Sekt

William's Favorit

Crustino

Die Zahl der Sektcocktails nimmt laufend zu. Wie verschieden die beliebten Longdrinks sein können, zeigt Ihnen diese Auswahl.

den mit Sekt süße spanische Weine bezeichnet, entstanden aus dem dafür gebräuchlichen englischen Wort »sack«. Die Verwendung des Ausdrucks Sekt für Schaumwein verdanken wir einer Begebenheit aus dem Jahre 1825 in der Weinstube von Lutter und Wegener am Gendarmenmarkt in Berlin. Dort trank der Schauspieler Ludwig Devrient, der an der dortigen Bühne den Falstaff spielte, Abend für Abend nach der Vorstellung seinen Champagner. Eines Abends kam Devrient in die Weinstube und wollte Sherry trinken und bestellte ihn beim Ober mit dem Zitat aus Shakespeares Heinrich IV.: »Bring mir Sekt (von »sack«), Bube – ist keine Tugend mehr auf Erden!« Der Piccolo brachte prompt natürlich das Getränk, das Devrient sonst nur trank: Champagner. Die neue Sitte, den schäu-

menden Wein Sekt zu nennen, bürgerte sich später in ganz Deutschland ein.
Je nachdem, ob die Zweitgärung des Sektgrundweines auf der Flasche oder in Tanks, also Großraumbehältern, erfolgt, kennt man die Flaschengärung (meist auf dem Etikett angegeben) oder die Tankgärung. Die Qualität eines Sektes wird bestimmt von der Qualität der Grundweine und nicht vom Herstellungsverfahren.
Man unterscheidet beim Sekt den Qualitätsschaumwein = Sekt und den Prädikatssekt. Ersterer muß nach dem Weingesetz durch eine Zweitgärung entstanden sein, einen Mindestalkoholgehalt von 10 Vol.-% aufweisen, neun Monate auf der Hefe gelagert haben und einen Kohlensäuredruck von mindestens 3 Atü (bei 20 Grad Celsius) aufweisen. Prädikatssekt muß zu mindestens 60 Pro-

zent aus deutschen Grundweinen bestehen, alle Anforderungen erfüllen, die auch an Qualitätsschaumwein gestellt werden und in der amtlichen Prüfung, der sich auch der Qualitätsschaumwein unterziehen muß, eine Mindestpunktzahl von 15 bis 20 möglichen Punkten erreichen. Die bestandene Prüfung erkennt der Verbraucher, an der amtlichen Prüfnummer.

Sektcocktails

Daß die Longdrinks den kürzeren und konzentrierteren traditionellen Cocktails den Rang abzulaufen drohen, macht sich vor allem auf dem Gebiet der Sektcocktails bemerkbar. Ihre Zahl nimmt immer mehr zu. Steht im Rezept für einen Sektcocktail als Zutat Sekt, können Sie natürlich unbesorgt Champagner verwenden. Ist al-

lerdings Champagner angegeben, dann sollte es auch dabei bleiben.

Crustino

Saft einer halben Zitrone,
2 EL Zucker,
2 BL Grenadine,
2 BL Zitronensaft,
6 cl Portwein,
Sekt zum Auffüllen,
1 Stück Zitronenschale.

Der Crustarand gab diesem Sekt-Cocktail den Namen. Zuerst den Crustarand vorbereiten: In je eine flache Untertasse den Zitronensaft und den Zucker füllen. Ein Cocktailglas mit dem Rand zunächst in den Zitronensaft tauchen, kurz abtropfen lassen, dann den Glasrand in den Zucker stellen. Das Glas umdrehen und den Crustarand dann kurze Zeit trocknen lassen. Grenadine, Zitronensaft und Portwein in das Crusta-glas geben. Mit Sekt auf-füllen und mit der Zitro-nenschale garnieren.

Spießchen-Sekt

4 grüne Weinbeeren,
3 blaue Weinbeeren,
Sekt zum Auffüllen.

So hübsch garniert wird das Glas Sekt verstärkt zum Genuß – auch für die Augen.
Weinbeeren waschen und trocknen. Die grünen und blauen Weinbeeren ab-wechselnd auf ein Holz-stäbchen spießen und in einen hohen Sektkelch stel-len. Mit Sekt auffüllen.

William's Favorit

2 cl Birnengeist,
2 cl französischer
Vermouth dry,
2 cl Johannisbeerlikör,
Sekt zum Auffüllen,
1 Stück Ananas,
1 Apfelsinenscheibe.

Auch wenn Sie diesen Sekt-cocktail nach dem ersten Schluck zu Ihrem neuen Favoriten auf dem Geträn-ke-Sektor machen, genie-ßen Sie ihn mit Maßen, denn der Spirituosenanteil ist recht hoch.
Birnengeist, Vermouth und Johannisbeerlikör in eine Sektschale gießen. Mit ge-kühltem Sekt auffüllen. Ein Ananasstück dazugeben und die Orangenscheibe als Garnierung an den Glas-rand stecken. Dazu einen Cocktailspieß oder einen Löffel reichen.

Sellerie-bowle
Für 8–10 Personen

2–3 Sellerieknollen,
100 g Zucker,
Saft von 2 Zitronen,
1/4 l Arrak,
2–2 1/2 l Weißwein,
3/4 l Sekt.

Eine so ausgefallene Ge-müse-Bowle muß man ein-mal probiert haben. Wer den Selleriegeschmack we-niger intensiv wünscht, sollte den Bowlen-Ansatz nur etwa zwei Stunden ziehen lassen.
Sellerieknollen schälen und in sehr dünne Scheibchen schneiden und in eine Schüssel geben. Zucker, Zi-tronensaft und Arrak dar-übergeben. Zugedeckt 4 bis 6 Stunden ziehen lassen. In ein Bowlengefäß seihen. Mit Weißwein und Sekt auffüllen und kalt ser-vieren.
Sie können statt Sekt auch Mineralwasser oder einen Roséwein nehmen.

Sellerielikör

Eine Rarität unter den Ge-würzlikören bildet der Sel-lerielikör, der aus den Knol-len und dem Samen des Sellerie gewonnen wird. Sel-lerielikör wird mit Oran-genblütenwasser aroma-tisch verfeinert.

Selterswasser

Ursprünglich war Selters eine Herkunftsbezeichnung für Mineralwasser aus der hessischen Gemeinde Nie-derselters in der Nähe von Limburg. Inzwischen ist daraus eine auch vom Ge-setzgeber anerkannte Gat-tungsbezeichnung für koh-lensäurehaltiges *Mineral-wasser* geworden.

Sendepause

2–3 Eiswürfel,
2 cl französischer

Aus Sellerieknollen wird eine Likör-Rarität zubereitet.

Vermouth dry,
2 cl Fernet Branca,
1 cl Dry Gin,
1 Cocktailkirsche.

Dieser Cocktail ist auch als Before-Dinner-Drink sehr zu empfehlen.
Eiswürfel mit Vermouth dry, Fernet Branca und Gin in den Shaker geben. Kurz und kräftig schütteln und in ein Cocktailglas seihen. Mit einer Kirsche garnieren. Dazu einen Cock-tailspieß reichen.

TIP

»Entschärft« eignet sich die Sellerie-Bowle für Autofahrer: Den Arrak läßt man weg, Wein wird durch Apfelsaft ersetzt und Sekt durch Selters.

Bowle muß nicht immer aus Früchten bereitet werden: Die Sellerie-Bowle ist dafür der beste Beweis.

Seng Rong Likör

Eine chinesische Speziali-tät, die aber in Europa auf Einfuhrschwierigkeiten stößt, sind die Seng Rong Liköre, in denen Auszüge aus Tierknochen und Tier-teile verwendet werden, die teilweise noch als Zierde in der Flasche schwimmen.

Shake mit Ingwer

2 cl Ingwersirup,
1 gehäufter EL Vanilleeis,
1/8 l kalte Milch.

Dieser Drink schmeckt auch Kindern, wenn Sie den Ingweranteil etwas mindern.
Alle Zutaten in einem Mix-gerät verarbeiten und kühl in einem Becherglas ser-vieren.

Sheepshead heißt ein mit Bénédictine veredelter Manhattan.

Shaker

Die »Berufssprache« der Barkeeper in aller Welt ist Englisch und daher haben auch die meisten Bargeräte englische Namen. Der Shaker, auf deutsch: Schüttler, ist der Mischbecher, in dem alle Mixzutaten einschließlich des Eises durch Schütteln vermischt werden. Der Shaker besteht entweder aus zwei Teilen: Becher und Deckel, oder – von Fachleuten allerdings aus praktischen Gründen nicht empfohlen – aus drei Teilen: Ein mittlerer Aufsatz mit eingebautem Sieb kommt hinzu.

Sheepshead Cocktail

3 Eiswürfel,
1 BL Bénédictine,
1,5 cl Vermouth rosso,
3,5 cl Bourbon Whiskey,
Zitronenschale,
1 Cocktailkirsche.

Dieser feine Before-Dinner-Cocktail ist vor allem Whiskey-Liebhabern zu empfehlen.
Die drei Eiswürfel in ein Mixglas geben. Bénédictine, Vermouth und Whiskey zugeben. Mit einem Barlöffel umrühren. Inhalt in ein Becherglas seihen. Den Cocktail mit Zitronenschale abspritzen. Mit einer Kirsche garniert servieren. Dazu sollten Sie Cocktailspieß und Trinkhalm reichen.

Sheraton Daiquiri

Saft einer halben Zitrone,
2 EL Zucker,
2–3 Eiswürfel,
5 cl Limonensaft (Lumiensaft),
3,5 cl weißer Rum,
1,5 cl Aprikosenlikör.

Zuerst den Crustarand vorbereiten: In je eine flache Untertasse den Zitronensaft und den Zucker geben. Ein großes Cocktailglas mit dem Rand zuerst in den Saft tauchen, kurz abtropfen lassen, dann in den Zucker stellen. Glas umdrehen und den Crustarand trocknen lassen.
Eiswürfel und die anderen Zutaten in den Shaker geben. Kurz und kräftig schütteln. In das Crusta-Glas seihen und kalt servieren.

Alle Sherry-Arten eignen sich sehr gut als Aperitifs.

Sherry

Der spanische Sherry kann, je nach seinem Süßegrad, Aperitif oder Dessertwein sein. Trocken, hell und fast herb sind der Fino und der Amontillado. Mittelsüß ist der Oloroso.
Den Engländern verdankt der Sherry seinen Namen. Sie hatten Schwierigkeiten mit der Aussprache des Jerez und machten daraus Sherry. Der Name ist übrigens nicht geschützt. Deshalb wird auch in anderen Weinländern Sherry hergestellt. Der echte aber kommt nur aus einem relativ kleinen Gebiet in Südspanien. Herstellungs- und zugleich Handelszentrum ist die Stadt Jerez de la Frontera nordöstlich von Cadiz. Echter Sherry wird vorwiegend aus den Traubensorten Palomino blanco und Pedro Ximenes gekeltert. Das komplizierte Herstellungsverfahren unterliegt strengen Kontrollen.

*Einen Drink wie
den Sherry Flip kann
man mit gutem
Gewissen auch schon
am Vormittag
servieren.*

Sherry Flip

2–3 Eiswürfel,
1 Eigelb,
2 BL Zuckersirup,
5 cl Sherry,
Muskatnuß.

Eiswürfel, Eigelb, Zuckersirup und Sherry in einen Shaker geben. Wenige Sekunden sehr schnell und kräftig schütteln. In einen Sektkelch seihen. Etwas Muskatnuß über den Flip reiben und sofort mit einem Trinkhalm servieren.
Wenn Ihnen der Sherry Flip so zu herb und zu trocken ist, dann können Sie auch 2,5 cl Sherry und 2,5 cl leichten Rotwein nehmen.

Sidecar

2–3 Eiswürfel,
1,5 cl Zitronensaft,
1 cl Cointreau,
2,5 cl Weinbrand,
1 Cocktailkirsche.

Eiswürfel, Zitronensaft, Cointreau und Weinbrand in den Shaker geben. Alles kurz und kräftig schütteln und in ein Cocktailglas seihen. Mit der Kirsche garnieren. Reichen Sie einen Cocktailspieß dazu.

Simsen-krebbsler

Wenn Württemberger oder Badener einen Wein als Simsenkrebbsler bezeichnen, dann ist das kein Kompliment. Weine, die an der Hauswand hochgezogen werden, also an den Fenstersimsen hochklettern (schwäbisch: krebbseln), sind meist von geringer Qualität und sehr sauer, weil sie in der Regel nicht viel Sonne mitbekommen haben. Trotzdem sind viele Hausbesitzer in Baden-Württemberg stolz auf den eigenen Wein, wenn es auch nur sehr wenige Liter sind. Bekommt man sie angeboten, ist das eine Ehre.

Sillabub

Für 4–6 Personen

¾ l herber Weißwein,
¼ l süße Sahne,
100 g Zucker,
1 EL Zitronensaft.

Sillabub schmeckt auch als Dessert.
Alle Zutaten verrühren und für eine Stunde in den Kühlschrank stellen. Danach in ein Mixgerät geben und mischen. In Kelchgläser gießen und kalt servieren.

Ein kräftiger Trunk aus Sahne und Wein: Sillabub.

Silvaner-Traube

Etwa 20 Prozent der deutschen Rebfläche nimmt der Silvaner ein. Zusammen mit dem Riesling zählt er zu den klassischen deutschen Rebsorten. Den höchsten Anteil hat die Silvaner-Rebe in Franken mit 40 Prozent der bestockten Rebfläche, sie geht aber auch hier, genau wie in den übrigen Anbaugebieten, zugunsten des früh reifenden und ertragreicheren Müller-Thurgau immer mehr zurück.
Die mittelgroße, mit grünen bis grüngelben Weinbeeren dicht besetzte Traube liefert Weine, bei denen man das hervorstechende Bukett anderer Traubensorten zwar vermißt, die aber je nach Boden von fruchtig bis wuchtig ausfallen. Die Silvaner-Weine haben meist weniger Säure als die der Riesling-Weine und sind daher etwas milder im Geschmack.

Siphon

Der Siphon ist ein Gefäß zum Ausschank von Bier oder Mineralwasser, das eine Kohlensäurepatrone enthält. Beim Öffnen eines Ventils wird die Flüssigkeit durch den Kohlensäuredruck in das Glas gedrückt.

Sizilianische Weine

Siehe Corvo, Etna, Marsala, Moscato.

Sling mit Brandy

3 Eiswürfel,
1 dash Angostura,
Saft einer halben Zitrone,
1 BL Zuckersirup,
8 cl Weinbrand,
klares, kaltes Wasser.

Die Eiswürfel in ein großes Becherglas geben. Alle anderen Zutaten bis auf das

Zitronensaft mit Cointreau und Weinbrand gibt den Sidecar.

Ein interessanter Punsch-Verwandter: Sling mit Brandy.

Nach dem Essen zu trinken: Sliwowitz-Cocktail mit Sahne.

Wasser zufügen. Alles kurz verrühren. Mit kaltem Wasser auffüllen, umrühren und servieren.

Slings

Die Slings sind eine Untergruppe der *American Drinks*, die dem Punsch sehr ähneln und ebenfalls kalt oder warm serviert werden. Das Grundrezept für den kalten Sling sieht vor, Zucker in kaltem Wasser unter Zusatz von Grenadine aufzulösen, Zitronensaft und die Spirituose hinzufügen. Beim warmen Sling entfällt der Grenadinesirup, dafür wird das Ge-

tränk mit etwas geriebener Muskatnuß veredelt. Slings sind durchweg *Longdrinks*.

Sliwowitz

Es gibt kaum einen Jugoslawienurlauber, der sich nicht eine der flachen, bauchigen Flaschen mit dem feurigen Zwetschenbrannt Sliwowitz ins Reisegepäck packt. Er ist indes nicht nur ein Produkt Jugoslawiens – im Serbischen heißt Sliva Pflaume–, unter ähnlichem Namen ist er auf dem ganzen Balkan zu finden, ebenso in Österreich, der Tschechoslowakei und auch in Deutschland. Denn der Na-

Aus saftigen, reifen Zwetschen wird Sliwowitz gebrannt.

me Sliwowitz (auch Slibowitz) ist nicht geschützt.
In seiner nobelsten Form stammt er allerdings aus der bosnischen Pocegarapflaume, die besonders fleischig, voller Saft und Aroma ist. Historiker glauben, daß zu Zeiten Maria Theresias nach Siebenbürgen eingewanderte Schwaben neben anderem Kulturgut auch ihre alten Brenntraditionen mitgebracht haben und die Kunst des Zwetschenbrennens den Slowenen, Kroaten, Bosniaken und Rumänen beigebracht haben. Mindestens 20 Jahre alt sollen die Bäume sein, ehe sie Früchte von entsprechender Qualität liefern. Drei Monate muß die Maische in Holzbottichen gären. Der zweimaligen Destillation folgt die Reifung in Eichenfässern, wo der Sliwowitz Stoffe des Holzes aufnimmt und seine strohgoldene Farbe erhält. Sliwowitz hat mindestens 40 Vol.-% Alkohol.

Sliwowitz Cocktail

2–3 Eiswürfel,
2 cl Sliwowitz,
1,5 cl starker, kalter Kaffee,
1,5 cl flüssige Sahne,
1 Prise Kaffeepulver.

Eiswürfel, Sliwowitz, Kaffee und Sahne in den Shaker geben. Kurz und kräftig schütteln und in ein Cocktailglas seihen. Mit Kaffeepulver bestreuen.

Smashes

Die Smashes sind eine Gruppe der *American Drinks*, die ähnlich wie die *Juleps* zubereitet werden: Pfefferminzzweige werden zusammen mit Zucker und Wasser im Barglas ausgedrückt, bevor die Spirituose und einige Ananasstücke hinzugefügt werden. Die Smashes sind stets Longdrinks.

Smiling Esther

2–3 Eiswürfel,
2,5 cl Orangensaft,
5 cl Sabra,
2,5 cl Weinbrand,
1–2 große Eiswürfel.

TIP

Obwohl Smashes zu den idealen sommerlichen Erfrischungsgetränken zählen, werden sie ohne Eis im Shaker geschüttelt. Mit fein zerkleinertem Eis kommen sie erst in Berührung, wenn sie ins Glas gegossen werden. Für Smashes nimmt man vor allem Weinbrand, Rum, Gin und Whisky.

Die wichtigste Zutat dieses Cocktails mit dem schönen jüdischen Namen Esther kommt aus Israel: Sabra. Das ist ein Likör mit Orangen- und Schokoladenaroma. Sein Alkoholgehalt liegt bei 30 Volumenprozent. Eiswürfel, Orangensaft, Sabra und Weinbrand in den Shaker geben. Kurz und kräftig schütteln. Shakerinhalt in ein kleines Becherglas seihen und ein oder zwei Eiswürfel dazugeben. Dazu einen Trinkhalm reichen.

Snowball

4 EL haselnußgroße Eiswürfel,
5 cl Zitronensaft,
2 BL Zucker,
5 cl Whisky,
Ginger Ale zum Auffüllen.

Eiswürfel mit Zitronensaft, Zucker und Whisky in einen Shaker geben. Kräftig schütteln. In ein großes Becherglas seihen. Mit Ginger Ale auffüllen. Dazu einen Trinkhalm reichen.

Soave

In der norditalienischen Provinz Verona liegt das Herstellungsgebiet des Soave, eines in Italien sehr geschätzten Weißweines. Laut Gesetz ist das Gebiet auf dreizehn Gemeinden beschränkt. Als Traubensorten sind Garganega (70 bis 90%) und Trebbiano di Soave (10–30%) vorgeschrieben. Soave aus dem ältesten, traditionsreichen Anbaugebiet darf sich Soave Classico nennen. Eine Sonderstellung nimmt der Recioto di Soave ein. Er wird aus geschrumpften Weinbeeren hergestellt und muß eine Mindestgradation von 12 Grad haben. Den trockenen harmonischen Soave trinkt man am besten bei einer Temperatur von 12 Grad Celsius zu Fisch und Meeresfrüchten. Sowohl der Soave als auch der Recioto di Soave dürfen zu Schaumwein verarbeitet werden.

Mixen Sie sich einen Smiling Esther, wenn Ihnen das Lächeln einmal vergangen sein sollte.

Dem Snowball sieht man förmlich an, daß er auch den Durstigsten auf der Stelle erfrischt.

Sodawasser

Sodawasser ist ein Mineralwasser mit hohem Natriumcarbonatgehalt, mit natürlicher oder künstlich »eingepreßter« gasförmiger Kohlensäure. Es wirkt verdauungsfördernd. Sodawasser wird gern zur Auffüllung von Longdrinks verwendet.

Sole

Sole ist ein natürliches, salzreiches Mineralwasser, das mindestens 14 Gramm gelöste Salze in einem Liter enthalten muß.

Solera

Auf den Flaschenetiketten mancher spanischer Sherry-Weine ist die Bezeichnung Solera in Verbindung mit einer Jahreszahl zu finden. Sherry wird aus vielen Weinen verschiedener Jahrgänge, die in großen Pyramiden von Holzfässern lagern, gemischt. Die Faßpyramide nennt man Solera, die Mischtechnik Solera-Verfahren. Ein Sherry Solera 1935 beispielsweise ist ein Wein, der einer Faßpyramide entstammt, die im Jahre 1935 zum erstenmal gefüllt wurde.

Sol y Sombra

3–4 Eiswürfel,
1,5 cl durchgeseihter Zitronensaft,
3,5 cl Anisette weiß,
etwa 5–10 cl Sodawasser.

Eiswürfel fein zerkleinern und in ein hohes Becherglas füllen. Zitronensaft und Anisette drübergießen. Alles mit einem langen Barlöffel gut verrühren. Mit Sodawasser auffüllen. Dazu einen Trinkhalm reichen.

Sommer-Milchmix

4 EL frische Johannisbeeren,
1–2 Eiswürfel,
¼ l kalte Milch,
1 Prise Zimt,
1 BL Puderzucker,
1 Zitronenscheibe.

Ein erfrischendes, alkoholfreies Milch-Mixgetränk, das sofort getrunken werden muß. Sonst wird es unansehnlich.
Ein hohes Becherglas mit den Johannisbeeren füllen, Eiswürfel drauflegen. Milch, Zimt und Puderzucker im Mixer mischen und drübergießen. Mit der Zitronen-

Für ein Gartenfest mit Kindern braucht man lustige Getränke. Getränke wie diesen Sommer-Milchmix.

Longdrink für alle Tage: Sol y Sombra (Sonne und Schatten).

Den Soul Kiss Cocktail können Sie vor und nach dem Essen servieren. Er regt nicht nur den Appetit an, er belebt auch.

scheibe garnieren. Dazu einen langen Löffel reichen.

Sorbets

Die Sorbets, auch als Scherbets bekannt, sind eine sehr nahrhafte Gruppe der *American Drinks*. Sie werden grundsätzlich mit Speiseeis zubereitet und mit Früchten – meist aus Konserven, wie Kirschen, Ananas, Bananen oder Pfirsich – garniert. Die Spirituosen oder Säfte werden anschließend über die Früchte und das Eis gegossen. Sorbets sind Getränke für nachmittags.

Soul Kiss Cocktail

2–3 Eiswürfel,
1 cl Orangensaft,
1 cl Dubonnet,
1 cl französischer
Vermouth dry,
2 cl Bourbon Whiskey,
1 Orangenscheibe,
1 Stück Orangenschale.

In diesem Cocktail sind 4 Zutaten erfolgreich vereint. Die Eiswürfel, Orangensaft, Dubonnet, Vermouth dry, Whiskey und die Orangenscheibe in den Shaker geben. Kurz und kräftig

schütteln. Inhalt in ein Cocktail- oder Becherglas seihen. Mit Orangenschale abspritzen und servieren.

Sours

Sours sind klassische Longdrinks unter den *American Drinks*. Sours ähneln dem Fizz, werden aber nicht mit Soda aufgefüllt, sondern erhalten bestenfalls einen Schuß Soda. Sour schmeckt – weil der Zitronensaft in ihm dominiert – sauer. Sours werden gern mit Stücken von Zitronen oder Orangen und Kirschen ohne Stiel garniert.

Sowjetische Biere

Wie die Tschechen, Slowaken und Polen sind auch die Russen große Biertrinker. Die bekanntesten Marken sind das »Shigulewskoje«, die dunklen »Barschartnoje« und »Karamalnoje« (aus dem das Wort »Karamalz« klingt), das »Leningradskoje« mit 6 Vol.-% Alkoholgehalt und Zusätzen von Reis. Reis ist auch im 3,5-prozentigen »Moskowskoje« enthalten. Ferner gibt es das dunkle »Urkrainskoje« und das »Martovskoje«. Die Russen haben mit dem

Bis zur Schwarzmeerküste reichen die ukrainischen Weinberge.

Frisch wie der junge Morgen: Special Fizz mit Zitronensaft.

Kwass, der aus vergorenem Schwarzbrot bereitet wird, an der Herstellung eines Urbieres festgehalten, wie es schon die »alten Germanen« brauten.

Sowjetische Weine

Im Jahr 1950 beschloß die Sowjetunion, das Monopol des Wodkas zu brechen und den Bedarf an Alkohol zunehmend mit Wein zu decken. Die rund 400 000 Hektar große Anbaufläche sollte im Laufe von drei Fünfjahresplänen um 1,8 Millionen Hektar vergrößert werden. Zwar konnte dieses Soll nicht erfüllt werden, immerhin aber kamen bis 1966 über eine Million Hektar hinzu.

Der sowjetische Wein kommt in der Hauptsache aus Gebieten des nördlichen Schwarzen Meeres zwischen Odessa im Westen, der Krim, der Gegend um Krasnodar und den Südhängen des Kaukasus, aus Grusinien, Aserbeidschan und Armenien an der türkischen und persischen Grenze.

Die Ergebnisse der sowjetischen Kolchose-Weingüter sind befriedigend. Man erreicht durchweg gute Tischwein-Qualitäten. Auch die umfangreiche Dessertwein-Produktion, vor allem die der Krim, Aserbeidschans und Armeniens, erreicht internationalen Durchschnitt. Heute kann man in der Bundesrepublik schon fünf bis acht verschiedene sowjetische Weine kaufen. Die Rotweine aus Cabernet-Trauben können es durchaus mit manchen französischen Roten aufnehmen.

Im Don-Becken um Rostow wird Schampansko (Sekt) hergestellt. Der Krimsekt, der in staatlichen Kolchosen produziert wird, ist süffig-aromatisch und wird in die ganze Welt exportiert. Der Aluschta von der Krim ist der beste sowjetische Rotwein. Auch ein Muskateller der Halbinsel, der Massandra, ist bemerkenswert.

Spätburgunder-Traube

Die würzigen, kleinbeerigen blauen Spätburgunder-Trauben reifen verhältnismäßig spät und bringen die besten deutschen Rotweine hervor. Die Spätburgunder-Weine sind rubinrot und von kräftigem Aroma und feurigem Geschmack. Man findet die Traube an der Ahr und in Baden, wo jeweils etwa ein Viertel der gesamten Anbaufläche mit Spätburgunder-Reben bepflanzt ist. Der Spätburgunder stellt auch die Basis für eine badische Spezialität dar: Den roséfarbenen Weißherbst. Spätburgunder-Weißherbst ist milder im Geschmack als Rotwein.

Spätlese

Auf dem kleinen Denkmal vor dem Eingang zur Schloßterrasse des bekannten Weingutes Schloß Johannisberg im Rheingau steht zu lesen: »Der Kurier des Klosters Johannisberg bringt den verzweifelt wartenden Mönchen verspätet die Lesegenehmigung des Fürstabtes von Fulda. So entdeckte man um 1775 den Wert der Edelfäule und der Spätlese.«

Die Geburtsstunde der Spätlese schlug also anno 1775. Bis zu diesem Jahr las man die Trauben, ehe sie durch irgendwelche Witterungseinflüsse oder sonstige Umstände bedingt, zu faulen begannen. Das Startzeichen zur Lese am Johannisberg gab alljährlich der Fürstabt von Fulda, dem eine ganze Reihe von Weingütern gehörte.

Aber im Jahr 1775 klappte es mit dem Startzeichen nicht, sein Kurier verspätete sich um viele Tage. Die Mönche des Klosters Johannesberg sahen voll Schrecken die Trauben am Stock verfaulen. Die Winzer der Gegend hatten den Most längst im Faß. Als dann aber der Saft der verfaulten Reben zu Wein vergoren war, staunte der Bruder Kellermeister: Die erste Spätlese war entstanden!

Das 1775 auf Schloß Johannisburg entdeckte neue Prinzip der Spätlese und Edelfäule, der Auslese und Trockenbeerenauslese hat sich seitdem sensationell qualitätsfördernd auf den Weinbau buchstäblich in aller Welt ausgewirkt.

Siehe auch Qualitätsweine mit Prädikat.

TIP

Spätlesen sind kostbare Weine, die Sie den Weinkennern unter Ihren Gästen vorbehalten sollten. Legen Sie sich einen Vorrat nur dann zu, wenn Sie einen Keller mit gleichbleibender Temperatur von etwa 12 Grad Celsius haben.

Special Fizz

Bild Seite 307.

3 Eiswürfel,
3 cl Whisky,
Saft einer halben Zitrone,
1 dash Angostura,
1 BL Zucker, Soda.

Dieser Fizz wird besonders nach einer durchzechten Nacht empfohlen.
Die Eiswürfel grob zerkleinern und in den Shaker geben. Whisky, Zitronensaft, Angostura und Zucker drüberschütten. Shaker mit einer Serviette umwickeln, sehr gut schütteln. Den Inhalt in ein großes Becherglas seihen. Nach Belieben mit Soda auffüllen.
Die Menge an Zitronensaft kann ganz nach persönlichem Geschmack verringert oder erhöht werden.

Spiced Cider

Für 4 Personen

1 l Apfelwein,
60–70 g Zucker,
1–2 Prisen Salz,
12 Gewürznelken,
8 Pimentkörner,
1 Zimtstange.

In der kühleren Jahreszeit ist ein Apfelweingetränk wie dieses stets willkommen.
Alle Zutaten in einen Topf geben. Bis kurz vor den Siedepunkt erhitzen und dann abkühlen lassen. Zugedeckt vier bis fünf Stunden ziehen lassen. In einen anderen Topf abseihen, noch mal erhitzen und in feuerfesten Punschgläsern servieren.

Spirituosen

Der Sammelbegriff für alle Trinkbranntweine und Liköre ist Spirituosen. Der Gesetzgeber versteht unter Spirituosen in seinem gespreizten Deutsch »zum menschlichen Genuß bestimmte Getränke, in denen aus vergorenen, zuckerhaltigen Stoffen oder in Zucker verwandelten und

Spiced Cider ist eine Spezialität aus Apfelwein, gewürzt mit Pimentkörnern, Zimt und Nelken.

vergorenen Stoffen durch Brennverfahren gewonnener Alkohol als wertbestimmender Anteil enthalten ist«. Es muß also Gebranntes in der Spirituose enthalten sein. Wein und Bier gelten somit nicht als Spirituosen.

Sprit

Der reine Äthylalkohol ohne jede Zusätze wird als Sprit bezeichnet. Aber auch er hat noch mindestens vier Volumenprozent Wasser.
Sprit wird aus Kohlenhydraten – früher oft aus Kartoffeln, heute zumeist aus *Melasse* – gewonnen, wobei nur der Mittellauf der Spritdestillation, der sogenannte Primasprit, zu Trinkbranntwein verarbeitet werden kann.
Relativ hochprozentigen Dessertweinen wie Madeira, Port, Sherry und vielen anderen wird während des Herstellungsprozesses Sprit zugesetzt, um die Gärung zu stoppen und dadurch eine bestimmte Süße der Weine zu erhalten. Fachleute nennen diesen Vorgang aufspriten. Er ist gesetzlich erlaubt.

Sprudel

Siehe Mineralwasser.

Spurt

2–3 Eiswürfel,
1,5 cl Weinbrand,
1,5 cl Rum,
1 cl Mokkalikör,
1 cl Eierlikör,
1 Prise geriebene
Muskatnuß.

Spurt, ein After-Dinner-Drink auf Weinbrand-Basis, ist der gelungene Abschluß eines festlichen Menüs.
Alle Zutaten, bis auf Muskatnuß, in den Shaker geben. Kurz und kräftig schütteln und in ein Cocktailglas seihen. Mit etwas geriebener Muskatnuß bestreuen.

Sputnik
Bild Seite 310

2–3 Eiswürfel,
1,5 cl Bourbon Whiskey,
1,5 cl Weinbrand,
2 cl Wodka,
Sangrita zum Auffüllen,
1 Prise Cayennepfeffer.

Sputnik können Sie auch als Kater-Drink servieren. Eiswürfel, Whiskey, Weinbrand und Wodka in den Shaker geben. Alles sehr gut schütteln und in ein mittelgroßes Becherglas seihen. Mit Sangrita auffüllen. Cayennepfeffer darüberstreuen und mit einem langen Barlöffel alles gut verrühren.

Sputnik Cocktail
Bild Seite 310

2–3 Eiswürfel,
7,5 cl Wodka,
2,5 cl Fernet Branca,
½ BL Zucker,
1 BL Zitronensaft,
eventuell 1–2 Eiswürfel.

Alle Zutaten in den Shaker geben und gut schütteln. In ein großes Cocktailglas seihen und nach Belieben Eiswürfel dazugeben.

Wie der Endspurt in einem Rennen setzt man auch den »Spurt« zum Ende eines guten Menüs an.

Squash

Squash kommt aus dem Englischen und bedeutet soviel wie Brei, aber auch zerdrücken. In der Barsprache versteht man unter Squash den ausgedrückten, puren Saft einer Frucht, etwa einer Zitrone oder Orange. Das klassische Lemon Squash-Rezept sieht vor, den Zitronensaft mit Zucker zu süßen und dann je nach Belieben mit mehr oder weniger Soda aufzufüllen.

S.S.P. Cocktail
(Susannes Super-Pflaume)

1 tiefgekühlte, entkernte Pflaume,
2 cl weißer Rum,
2 cl Chartreuse gelb,
1 cl Orangensaft.

Pflaume in Würfel schneiden und mit allen Zutaten in den Shaker geben. Gut und lange schütteln. In ein Cocktailglas seihen.

Stachelbeerbranntwein

Aus vollreifen, vermaischten Stachelbeeren wird als eine Rarität der Stachelbeerbranntwein destilliert, der mindestens 40 Vol.-% Alkohol hat. Das schwache Aroma der Stachelbeeren ist jedoch nicht besonders stark ausgeprägt.

Stachelbeerlikör

Der Stachelbeerlikör ist eine seltene Art von Fruchtaromalikör. Er muß mindestens 30 Vol.-% Alkohol enthalten.

Stahlwässer

Mineralwässer mit hohem Eisengehalt wurden früher als Stahlwässer bezeichnet. Der Eisengehalt wird durch »Belüften« ausgefällt, was aber meist auch zu einem Verlust an Kohlensäure führt.

Stammwürze

Dem Bier gibt die Stammwürze weniger die Würze als vielmehr den Alkoholgehalt. Denn Stammwürze ist der Anteil an Malzextrakt, den die Bierwürze hat, bevor man ihr Hefe zusetzt. 11 Prozent Stammwürze bedeuten 11 Hundertteile Malzextrakt auf 100 Kubikzentimeter Würze. Da aus dem Zucker des Malzextraktes der Alkohol im Bier durch die Gärung entsteht, bestimmt die Stammwürze den Alkoholgehalt. Als Faustregel kann

Nur vollreife Stachelbeeren werden zu Likör verwendet.

Sputnik Cocktail

Sputnik

Drinks mit russischen Namen sind natürlich auf Wodka-Basis aufgebaut. Rezepte Seite 309.

Star Cocktail

2–3 Eiswürfel,
3 cl Calvados,
2 cl französischer
Vermouth dry,
1 dash Angostura,
1 Stück Zitronenschale,
1 Olive.

Den Star Cocktail sollten Sie als Before-Dinner-Drink reichen. Eiswürfel, Calvados, Vermouth und Angostura in ein Mischglas geben. Alle Zutaten mit einem Barlöffel gut verrühren und in ein Cocktailglas seihen. Mit Zitronenschale abspritzen. Olive zugeben und einen Cocktailspieß dazu reichen.

Starkbier

Nicht jedes Starkbier ist ein Bock, aber jeder Bock ist ein Starkbier. Mit dieser Definition ist umschrieben, daß alle Biere mit mehr als 16 Prozent Stammwürzegehalt rechtlich als Starkbiere gelten, aber natürlich nicht Bock heißen müssen. Auch die Doppelböcke mit mindestens 18 Prozent Stammwürze sind Starkbiere. Auch ausländische Biersorten, wie etwa Stout, gehören dazu. Und die Münchner »Ator«-Biere, die schamhaft verschweigen, daß diese Art des Brauens – allerdings schon vor Jahrhunderten – aus Einbeck nach Bayern kam.

man annehmen, daß sich Stammwürze zu Alkohol wie 3:1 verhält, bei 11 Prozent Stammwürze (Vollbier) also knapp 4 Prozent Alkohol, bei 16 Prozent Stammwürze (Starkbier) gut 5 Prozent Alkohol. Die schwachen Einfachbiere haben einen Stammwürzegehalt von 2 bis 2,5 Prozent.

Stange

Besonders die nicht stark schäumenden obergärigen Biere wie Kölsch und Alt werden aus hohen Gläsern ohne Stiel, den Stangen, getrunken.

Die Mischung aus Calvados und Vermouth macht den Star Cocktail zu einem trockenen Aperitif.

Der Bock vom Münchner Hofbräuhaus probiert den Maibock, ein Starkbier.

Steinberger

Als Steinberger werden die Weine des Hessischen Staats-Weingutes Kloster Eberbach bezeichnet, die aus dem Steinberg kommen. Es sind ausschließlich Rieslingweine. Einst pflegte Fürst Bismarck sich regelmäßig einen großen Teil dieses Rheingauers zu sichern. Heute werden für manche Steinberger Trockenbeerenauslese dreistellige Summen bezahlt.

Steinhäger

»Steinhagen besteht aus zwei großen Brennereien, und ringsherum liegen ein paar Häuser«, definierte einmal ein Journalist die Wiege des weltberühmten Steinhägers. Sie liegt am Fuß des Teutoburger Waldes, nicht weit von Bielefeld und Gütersloh, im Ravensburger Land.
Unter den »Klaren« nimmt der Steinhäger wegen seines speziellen Herstellungsverfahrens eine Sonderstellung ein. Im Gegensatz zum Wacholder und Wacholdergeist wird nämlich zunächst ein Rauhbrand aus vergorenen Wacholderbeeren hergestellt, dann mit Korn- oder Primasprit und Wasser gemischt und erst dann destilliert. In den Handel kommt Steinhäger (mindestens 38 Vol.-%) in Tonkrügen oder Glaskruken. Man trinkt ihn eisgekühlt. Die Bezeichnung Steinhäger gilt als Gattungsbegriff, Steinhäger kann also

überall hergestellt werden. »Echter Steinhäger« darf allerdings nur aus Steinhagen kommen.

Steinwein

Im Ausland werden die Frankenweine oft auch generell Steinwein genannt. Die Bezeichnung stammt von der bekanntesten fränkischen Lage, vom Würzburger Stein. Dabei handelt es sich um eine genauso irreführende Verallgemeinerung wie bei dem englischen Namen Hock für alle Rheinweine.

Sterilmilch
Siehe Milch.

Stiefel

In fröhlichen Biertrinkerrunden kreisen gelegentlich Stiefel: Große Biergläser in Form eines Stiefels, die meist 2,5 Liter Bier fassen. Stiefel-Trinken erfordert eine gewisse Übung, vor allem, wenn der Inhalt zur Neige geht.

Stone Fence

2–3 Eiswürfel,
5 cl Whisky,
Apfelwein zum Auffüllen,
1 Apfelschalen-Spirale.

Eiswürfel in ein mittelhohes Becherglas geben. Whisky zugießen. Mit Apfelwein auffüllen. Eine Apfelschalen-Spirale einhängen.

Stonehammer Cocktail

2–3 Eiswürfel,
1 cl Weinbrand,
1 cl Zitronensaft,
1,5 cl Vermouth rosso,
1,5 cl Gin.

Beim Mixen des Stonehammer Cocktails sollte man vorsichtig mit dem Zitronen-

Stone Fence: Ein harter Longdrink auf der Basis von Whisky.

saft umgehen, denn der Drink wird leicht zu sauer. Nehmen Sie stattdessen lieber mehr Vermouth rosso. Eiswürfel mit Weinbrand, Zitronensaft, Vermouth und Gin in einen Shaker geben. Kräftig schütteln. In ein Cocktailglas seihen.

Stout

Unter den englischen Bieren ist Stout mit fast 25 Prozent Stammwürze das stärkste. Es ist ein dunkles, obergäriges Bier mit einem starken Hopfenzusatz. Stout schäumt ebenso wie die meisten britischen Biere

nur schwach und wird auch ohne Schaumkrone serviert. »Extra Stout« oder auch »Foreign Extra Stout« ist ein besonders starkes *Porter*, das lange Zeit in Fässern reift.

Straight

Auf den Etiketten amerikanischer Whiskeyflaschen steht fast immer die Bezeichnung »straight«, was soviel wie rein oder echt bedeutet. Straight Whiskey muß mindestens zwei Jahre in angekohlten Eichenfässern gelagert haben.

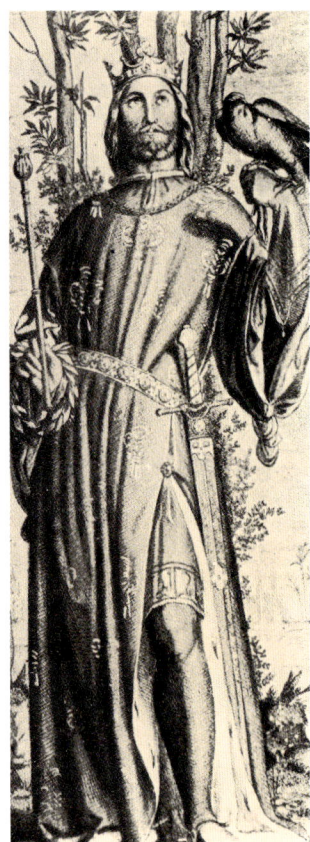

Schon Friedrich II. von Staufen soll der Macht der Strega erlegen sein.

Strainer

Der Strainer, das Barsieb, gehört zum Grundhandwerkszeug eines Barmixers. Er ist entweder im Mixbecher eingebaut oder separat im Barbesteck vorhanden, um die Eisstücke oder eventuell Fruchtschalen abzuseihen. Passionierte Mixer bevorzugen den separaten Strainer, denn er ist handlicher.

Strauß-wirtschaft

Straußwirtschaften spielen in allen deutschen Weinbaugebieten eine zwar nicht große, aber liebenswürdige Rolle: An Privathäusern befestigte »Sträuße«, meistens ein Baumzweig, zeigen dem Passanten an, daß hier ein Winzer seinen eigenen Wein ausschenken und dazu einen kleinen Imbiß anbieten darf. Straußwirtschaften gibt es in fast allen Weindörfern. In Österreich heißen sie Buschenschenken.

Strega

La Strega, »die Hexe«, ist einer der berühmtesten Liköre Italiens. Als Tränklein der Liebe sollte er ursprünglich zwei Menschen, die ahnungslos von ihm tranken, für immer vereinen. Der Legende nach soll vor 700 Jahren die schöne Bianca Lancia in großer Leidenschaft für den Stauferkaiser Friedrich II. entbrannt sein. Um die Gegenliebe des Staufers zu gewinnen, sammelte die schöne Bianca auf Geheiß einer Hexe bei Mondschein 70 Kräuter und Rinden und braute einen magischen Trank, den sie als Ehrenjungfrau dem Kaiser darbot. Das Tränklein verfehlte seine Wirkung nicht und Bianca bekam ihren Kaiser. Doch als Strafe für ihre Hexenkünste mußte der Sohn aus dieser Ehe sterben, das Geschlecht der Staufer ging unter.

Strohwein

Strohweine sind durch einen Trick veredelte Weine, die freilich nicht mit unseren Weinen aus edelfaulen Trauben, den Trockenbeerenauslesen (s. Qualitätswein mit Prädikat) zu vergleichen sind: Um qualitativ bessere Moste zu erzielen, läßt man die Trauben nach der Lese in bestimmten Gegenden wie im Elsaß, im französischen Jura oder auch in Italien auf Strohunterlagen eintrocknen. Diese Trauben werden aber nicht vom Edelfäule-Pilz (Botrytis cinerea) befallen. Das Verbesserungsverfahren wird auch in Spanien bei der Sherry-Herstellung angewendet.

Stromboli

3–4 Eiswürfel,
5 cl Bourbon Whiskey,
1 BL Zuckersirup,
3 dashes Angostura,
3 Cocktailkirschen,
1 dünne Orangenscheibe,
1 dünne Zitronenscheibe.

Whiskey und Früchte passen gut zusammen, der Stromboli beweist es. Eiswürfel, Whiskey, Zuckersirup und Angostura in ein kleines Becherglas geben. Alle Zutaten mit einem Barlöffel gut verrühren. Mit Kirschen, Orangen- und Zitronenscheiben garnieren. Dazu Löffel und Trinkhalm reichen.

Subrowka

Der polnische Wodka Subrowka, manchmal auch Zubrowka geschrieben, hat ein deutliches Waldmeisteraroma. Es wird erreicht durch einen Halm Büffelgras, der in die Wodkaflasche gesteckt wird und den Branntwein mit meist 45 Vol.-% Alkohol leicht grünlich färbt.

Südtirol

Der Wein spielte in Südtirol schon zu Zeiten der alten Römer nachweislich eine große Rolle. Und Anfang des 13. Jahrhunderts schrieb Wolfram von Eschenbach, die Nachtigall sänge nur deshalb so süß, weil sie Bozener Wein getrunken habe. Der Terlaner war zu jener Zeit schon berühmt. Im 16. Jahrhundert wurden in einem Gedicht sogar dreizehn Südtiroler Weine besungen. Heute ist der Weinbau für Südtirol bedeutender denn je. Rund 7500 Hektar Land sind mit Rebstöcken bepflanzt. Aus den geernteten Trauben werden alljährlich etwa 600000 Hektoliter Wein hergestellt. Unter den exportierenden Regionen Italiens steht Südtirol mit an der Spitze. Abnehmer sind vor allem Österreich, Deutschland und die Schweiz. Südtiroler Weine sind entweder nach Anbaugebiet und Lagen, wie beispielsweise Kalterer See oder St. Magdalener, benannt oder aber nach der Traubensorte. Etwa vier Fünftel der Weine sind Rotweine oder Rosés, die vorwiegend aus Schiava grossa, Spätburgunder und Lagrein hergestellt werden.

Südweine

Wenn von Südweinen die Rede ist, sind damit im allgemeinen schwere, süße Dessertweine aus südlichen Ländern gemeint. Sachlich ist das nicht richtig, denn unter den Südweinen wie beispielsweise *Sherry*, *Madeira*, *Marsala* oder *Malaga* gibt es natürlich sehr viele trockene, also ganz und gar nicht süße Weine.

In Bozen ist das Zentrum des Weinbaugebietes von Südtirol.

Sumele

Saft einer halben Zitrone,
2 EL Zucker,
2–3 Eiswürfel,
1 cl Bénédictine,
1,5 cl weißer Rum,
1 cl Crème de Cacao weiß,
1,5 cl Zitronensaft.

In je eine Untertasse Zitronensaft und Zucker geben. Ein Cocktailglas mit dem Rand zuerst in den Zitronensaft tauchen, kurz abtropfen lassen, dann in den Zucker stellen. Glas

TIP

Südweine wie Port, Marsala, Madeira, Tokajer, Moscato oder auch Malaga sind meist süß und schwer. Sie werden deshalb zum Dessert serviert. Man reicht etwa 5 cl mit einer Temperatur von etwa 10 Grad Celsius.

Früchte und Whiskey ergänzen sich im Stromboli ganz vorzüglich. Rezept Seite 312.

umdrehen und Crustarand trocknen lassen.
Eiswürfel und alle anderen Zutaten in den Shaker geben. Kurz und kräftig schütteln. Shakerinhalt in das Cocktailglas seihen.

Sunrise

3–4 Eiswürfel,
2,5 cl Limetten-(Lumien-)saft,
2,5 cl Grenadine,
5 cl Tequila,
eisgekühltes Sodawasser zum Auffüllen,
3 Eiswürfel,
1 Limettenscheibe.

Eiswürfel zerkleinern. Mit dem Limettensaft, Grenadine und Tequila in den Mixer geben. Zugedeckt 20 Sekunden mischen. In ein großes Becherglas abseihen. Mit Sodawasser auffüllen. 3 Eiswürfel zufügen und die Limettenscheibe als Garnierung an den Glasrand stecken. Dazu einen Trinkhalm reichen.

Suser
Siehe Federweißer

Süßbier
Siehe Malzbier.

Süßmost

Der Saft mancher Früchte ist nicht unmittelbar zum Verzehr geeignet, weil er viel zu konzentriert, zu säurehaltig oder auch zu süß ist. Diese »Muttersäfte« werden mit Zucker und Wasser trinkfertig gemacht und heißen dann Süßmost. Sie werden als »eingestellte« Fruchtsäfte bezeichnet und dürfen nach den gesetzlichen Bestimmungen in der Bundesrepublik nicht den Zusatz »Naturrein« führen.
Süßmoste können naturtrüb oder geklärt (blank) auf den Markt kommen. Sind sie trüb, so muß sich darüber ein Hinweis auf dem Etikett befinden.

Sunrise: Ein Drink mit Tequila und Grenadine.

Sweet Lady Cocktail:
Reichen Sie ihn Ihren
Gästen zum Kaffee.

Süßweine

Siehe Südweine.

Sweet Lady Cocktail

2–3 Eiswürfel,
1,5 cl Pfirsich Brandy,
2 cl Crème de Cacao,
1,5 cl Whisky.

Den Sweet Lady Cocktail können Sie als After-Dinner-Drink servieren. Eiswürfel, Pfirsich Brandy, Crème de Cacao und Whisky in einen Shaker geben. Kräftig schütteln. In ein Cocktailglas seihen.

Swiss Flip

2–3 Eiswürfel,
1 Eigelb,
2,5 cl Pflaumengeist,
2,5 cl Cheri Suisse,
2 BL Zucker,
½–1 BL Instant-Kaffeepulver,
5 cl Sahne,
1 Prise gemahlener Kaffee.

Swiss Flip wird in der Schweiz besonders gern getrunken. Der Cheri Suisse Likör gibt ihm sein zartes Schokoladen-Kirsch-Aroma.
Alle Zutaten, bis auf den gemahlenen Kaffee, in der angegebenen Reihenfolge in den Shaker geben. Kurz und kräftig schütteln und in ein hohes Kelch- oder Becherglas seihen. Mit einer Prise gemahlenem Kaffee überstäuben und sofort servieren.
Dazu einen Trinkhalm reichen.

Swiss Miss

2–3 Eiswürfel,
5 cl Sahne,
2,5 cl Cheri Suisse,
2,5 cl Eier-Kirsch-Likör.

Swiss Miss sollten Sie sich als After-Dinner-Drink mi-

Swiss Flip

Zwei recht kompakte Drinks mit Cheri Suisse Likör und süßer Sahne.

Swiss Miss

Sykes Grade

In England werden die Alkoholometer in Sykes Grade · eingeteilt, die angeben, um wieviel Prozent ein Branntwein den Alkoholgehalt des *Proofsprits* überschreitet oder auch unterschreitet, der 57,1 Vol.-% hat. 10 Grad over proof bedeutet also, daß eine Spirituose 10 Prozent mehr Alkohol enthält als der Proofsprit, also 57,1 + 5,7 = 62,8 Vol.-%. Under proof-Grade werden von 57,1 abgezogen.

TIP

Für den Cocktail Swiss Miss und den Swiss Flip brauchen Sie Cheri Suisse. Dieser Schweizer Likör hat ein so gutes Schokoladen-Kirsch-Aroma, daß Sie ihn auch eisgekühlt »pur« oder »on the rocks« servieren können. Cheri Suisse paßt auch gut zu Obstsalat.

Dieser Swizzles Cocktail stammt aus der Karibik.

xen, dann darf das Dessert fehlen, denn dieser Drink enthält genug Kalorien. Wie alle Mixgetränke aus Alkohol und Milchprodukten sollte man auch den Swiss Miss rasch servieren, da er sonst unansehnlich wird. Alle Zutaten in den Shaker geben. Kurz und kräftig schütteln. Shakerinhalt in einen Sektkelch oder ein großes Cocktailglas seihen. Dazu einen Trinkhalm reichen.

Swizzles Cocktail

Saft einer
Limette (Lumie),
2 BL Zucker,
1 dash Angostura,
8 cl Gin,
3 EL Cobblereis.

Dieser Longdrink wird auf den Karibischen Inseln ge-

mixt. Statt eines Barlöffels verwendet man zum Rühren besonders zugeschnittene lange Quirle, die man Swizzles nennt.
Limettensaft, Zucker, Angostura und Gin in ein mittelhohes Becherglas geben. Cobblereis auffüllen. Mit einem Barlöffel so lange rühren, bis das Becherglas vereist ist und sich auf dem Drink etwas Schaum gebildet hat. Einen Trinkhalm dazu reichen.

Tafelaquavit

Nach den bundesdeutschen gesetzlichen Bestimmungen muß der Tafelaquavit mindestens 38 Vol.-% Alkohol enthalten und unter Verwendung von Kümmeldestillat hergestellt werden. Aquavite gehören zu den aromatisierten Trinkbranntweinen, die auch gelegentlich durch den Zusatz von Zuckercouleur eine leicht gelbliche Farbe erhalten.

Tafelwasser

Unter Tafelwasser wird in der Bundesrepublik alles an Wasser verstanden, was Genußzwecken und nicht Heil- oder Kurzwecken dient. Charakteristisch für Tafelwasser ist ein erhöhter Anteil an gelösten Salzen oder an Kohlensäure. Die drei Gruppen von Tafelwasser sind die *Mineralwässer*, die mineralarmen Wässer und die *Solen*. Tafelwässer müssen am Ort der Gewinnung abgefüllt werden.

Tafelwein

Siehe Konsumwein.

Takara

Japaner reichen den Pflaumenwein Takara, der 12 Vol.-% Alkohol enthält, sowohl als Aperitif als auch zum Dessert. Auch in der Küche findet Takara gelegentlich als Würzzusatz – etwa bei Salaten – Verwendung.

Take Two

2–3 Eiswürfel,
2,5 cl Dry Gin,
1,5 cl Orangenlikör,
1 cl Campari.

Dieser Cocktail wird Ihnen als Before-Dinner-Drink gut schmecken.
Eiswürfel, Gin, Orangenlikör und Campari in ein Mixglas geben. Alle Zutaten mit einem langen Barlöffel gut verrühren. In ein Cocktailglas seihen und servieren.

Tamarinda

Tamarinda, ein sirupartiger Trank, wird aus den Früchten der Leguminose Tamarindus indica, einem im afrikanischen Tropengürtel heimischen Gewächs, gewonnen. Die aus dem Fruchtsaft durch Eindicken gewonnene Masse bildet ein braunrotes zähes Mus, das unter Zusatz von Zucker und Wasser zu Tamarinda vergoren wird. Das Getränk schmeckt säuerlich-fruchtig, besitzt ein an Johannisbrot erinnerndes Aroma und hat eine stark abführende Wirkung.

Tango Cocktail

2–3 Eiswürfel,
1 cl Orangensaft,
1 cl Curaçao Orange,
1,5 cl roter Vermouth,
1,5 cl Gin,
1 Stück Orangenschale.

Eiswürfel mit allen anderen Zutaten in einen Shaker geben. Kurz und kräftig schütteln. In ein Cocktailglas seihen. Mit Orangenschale abspritzen.

Tankgärung

Das moderne Verfahren der Schaumweinherstellung heißt allgemein Tankgärung. Der Fachmann aber spricht von Großraumgärung. Dieser Ausdruck weist darauf hin, daß es sich hier nicht um eine Flaschengärung handelt, wie sie beispielsweise bei der Champagnerherstellung üblich ist, sondern um eine Vergärung großer Gebinde von Wein.
Bei der Großraumgärung wird die Zweitvergärung des für die Schaumweinherstellung bestimmten Grundweines in druckfesten Großbehältern, den Tanks, vorgenommen, die meist aus Edelstahl gefertigt sind. Die Vorteile dieser Methode, der sich heute fast alle namhaften Sekthersteller bedienen, sind einmal die bessere Gärführung, zum anderen die größere Gleichmäßigkeit des Produktes. Von einem Markenprodukt wie Sekt oder Schaumwein erwartet der Verbraucher eine immer gleiche Qualität und gleichen Geschmack, von Jahrgangssekt abgesehen, was durch Vergären in Einzelflaschen aus verständlichem Grund nicht hundertprozentig gewährleistet werden kann. Das Tankgär-Verfahren ist außerdem rationeller und natürlich wesentlich billiger.

Take Two, »Nimm Zwei«, heißt der Drink. Dann reicht's auch.

Tantalus Cocktail

2–3 Eiswürfel,
1,5 cl Zitronensaft,
2 cl Forbidden-Fruit-Likör,
1,5 cl Cognac.

Forbidden-Fruit-Likör wird aus Orangen und Grapefruits hergestellt. Im Geschmack erinnert er an Curaçao, hat aber kein so feines Aroma.
Eiswürfel, Zitronensaft, Forbidden-Fruit-Likör und Cognac in einen Shaker geben. Kurz und kräftig schütteln. In ein Cocktailglas seihen. Dazu einen Trinkhalm reichen.

Der Tango Cocktail aus Gin und Vermouth bringt in Schwung.

Der Name täuscht: Tantalus Cocktail bereitet keine Qual.

Tarragona

Die spanische Provinz Tarragona ist vor allem bekannt für ihre aufgespriteten Dessertweine. Etwas abschätzig nennt man den süßen Tarragona auch den Portwein des kleinen Mannes. In der Provinz Tarragona werden auch gute trockene Rotweine hergestellt. Der Name Tarragona aber ist den Dessertweinen vorbehalten, die man mit einer Ausschanktemperatur von 10–12 Grad Celsius servieren sollte.

Taurasi

Trocken, robust und aromatisch ist der rubinrote Taurasi. Mit diesem Rotwein kann die süditalienische Region Kampanien aufwarten. Er wird ausschließlich in der Gegend von Avellino hergestellt. Drei Jahre Lagerzeit sind vorgeschrieben. Weinkenner trinken ihn bei einer

Nach zwei Taxi Cocktails bleibt Ihr Wagen stehen.

Aus der Gegend von Tarragona stammen bekannte Dessertweine.

Temperatur von 20 Grad Celsius zu gegrillten und gebratenen Steaks. Wer einen kulinarischen Höhepunkt erleben möchte, trinkt ihn zu Wildschweinbraten.

Taxi Cocktail

2–3 Eiswürfel,
2 BL Limetten-
(Lumien-)saft,

2 BL Pernod,
2,5 cl französischer
Vermouth dry,
2,5 cl Gin.

Alle Zutaten in ein Mixglas geben. Mit einem langen Barlöffel umrühren. Inhalt in ein Cocktail- oder Becherglas seihen.

T.E.E.

4–6 Eiswürfel,
1 cl Campari,
1,5 cl Cognac,
1,5 cl Pfirsichlikör,
1 cl Kirschwasser.

Die Hälfte der Eiswürfel in ein Cocktailglas geben. Die restlichen Eiswürfel mit allen anderen Zutaten in einen Shaker geben. Kräftig schütteln. Eiswürfel im Cocktailglas mit einem Barlöffel so lange rühren, bis das Glas beschlägt. Eiswürfel und Schmelzwasser ausgießen. Shakerinhalt in das geeiste Glas seihen.

Ein T.E.E. Cocktail wird Ihr Fernweh wecken. Rezept S. 317.

Tee

Tee, der Liebling der »Weisen und der Engländer«, ist gewissermaßen der Aristokrat unter den Getränken. »Tee weckt den guten Geist und die weisen Gedanken. Er erfrischt den Körper und beruhigt das Gemüt. Bist du niedergeschlagen, dann wird Tee dich ermutigen.« Diesen Lobgesang auf den Tee notierte vor über 4000 Jahren der weise chinesische Kaiser Tschingnung.

Ob China oder Indien die Heimat des Tees ist, darüber streiten sich die Gelehrten seit 3000 Jahren. So lange wird nämlich schon Tee getrunken. Nach Europa gelangte er erst im 17. Jahrhundert, als im Rokoko die »chinesische Krankheit« ausbrach und in Schloßparks ein chinesisches Teehaus gehörte.

Der Weg vom Teestrauch bis zur Teetasse ist lang und kompliziert: Gepflückt werden nur die Blattknospe und die ersten zwei bis drei Blätter der frischen Triebe. Im Welkhaus, auf Hürden ausgebreitet, welken die Blätter 12–18 Stunden lang. Dann werden sie unter starkem Druck gerollt, damit die Zellen aufbrechen und der Zellsaft sich mit dem Sauerstoff der Luft verbindet. Die Fermentation beginnt. Nach dem ersten Rollen werden die Knospen und kleinsten Blätter von den großen Blättern durch ein Schüttelsieb getrennt. Die großen Blätter werden ein zweites Mal gerollt und die Zellen unter Druck noch weiter aufgebrochen. Im Fermentationsraum bekommt der Tee durch Oxydation eine braunrote Farbe. Erst durch das anschließende Trocknen mit Heißluft wird er schwarz. Das Anbaugebiet, die Höhenlage der Teeplantagen und das Klima bestimmen den spezifischen Geschmack des Tees.

Den letzten Schliff erhält er dann vor allem in den großen europäischen Tee-Importhäfen Hamburg, Bremen, Rotterdam und London. Dort wird er nämlich gemischt. Alle Tee-Gebiete liegen in tropischen Breiten. Aus den bis zu 2500 m hohen Berglagen am Fuß des Himalaja kommt der *Darjeeling*. Wegen seines zarten, duftigen Aromas gilt er als der beste Tee der Welt. Herber ist der *Ceylontee*, besonders kräftig und würzig der *Assamtee*. Die noch nicht voll entwickelten Blattknospen ergeben den teuersten Tee, den Flowery Orange Pekoe. Die ersten Blätter ergeben die Sorte Orange Pekoe, die zweiten und dritten Blätter die Sorte Pekoe. Aus während des Herstellungsprozesses gebrochenen Blättern werden Broken Orange Pekoe und Broken Pekoe.

Geistig arbeitende Menschen schwören auf Tee als das Mittel, das die beste Inspiration vermittelt. Das liegt nicht nur am Coffein des Tees, das früher – und auch heute noch oft – fälschlich als Tein bezeichnet wurde, sondern an anderen Wirkstoffen, die auf das Zentralnervensystem einwirken und die Konzentrationsfähigkeit erhöhen. Gleichzeitig wirkt sich die

Mit Zunge, Auge, Nase und den Fingerspitzen arbeiten die Tee-Tester.

Gerbsäure des Tees beruhigend auf die Magenschleimhaut aus.

Wenn Sie dem Tee seine besten Seiten abgewinnen wollen, müssen Sie ein paar goldene Regeln beachten: Nehmen Sie nur reines, nicht zu kalkhaltiges, ungechlortes Wasser. Besser ist geschmacksfreies Mineralwasser. Die Teekanne soll vor dem Aufguß ganz heiß gemacht werden. Sobald das Wasser sprudelnd aufkocht, muß es in die Kanne. Zu lange gekochtes Wasser beeinträchtigt den Geschmack. Ebenso wichtig ist, daß Sie die Kanne nur für Tee verwenden und nach dem Gebrauch nur mit heißem Wasser ausspülen. Jedes Reinigungsmittel ist verpönt. Lassen Sie den Tee vier bis fünf Minuten ziehen und gießen Sie ihn dann in eine andere heiße Kanne ab. Wenn er länger zieht, wird er bitter. Die Menge an Teeblättern sollten Sie dem individuellen Geschmack oder der Zubereitungsart anpassen. So berühmte Teetrinker wie die Ostfriesen und die Engländer rechnen einen Teelöffel pro Tasse und einen Teelöffel extra für die Kanne. In Ostfriesland gibt man den fertigen Tee über weißen Kandis in die Tasse und ein Wölkchen Sahne obendrauf. Engländer bevorzugen ihn mit Streuzucker und frischer Vollmilch. Norddeutsche geben oft einen Schuß braunen Rum in ihren Tee.

TIP

In die Teekanne gehört nichts als Tee. Bildet sich in der Teekanne mit der Zeit tee-typische »Patina«, beweist dies lediglich, daß man zum Kreis der Eingeweihten gehört.

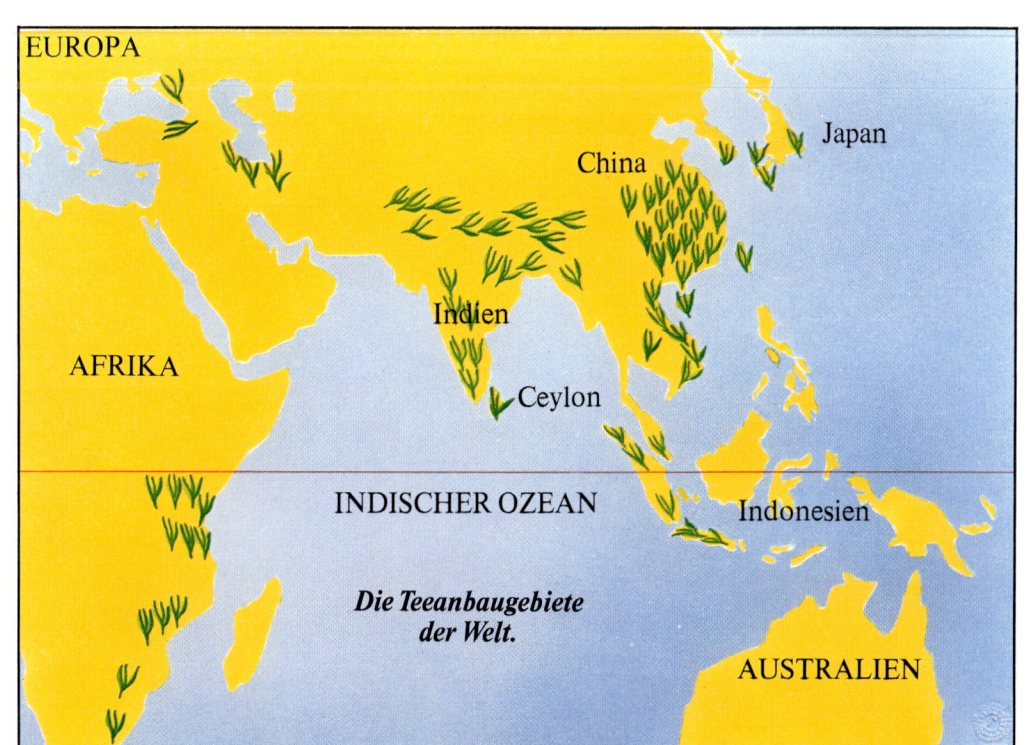

Die meisten Menschen auf der Welt trinken täglich Tee. Heiß oder kalt, mit Alkohol, Säften oder Früchten: Zahllos sind die Teerezepte.

EUROPA

Japan

China

Indien

AFRIKA

Ceylon

INDISCHER OZEAN

Indonesien

Die Teeanbaugebiete der Welt.

AUSTRALIEN

Tee-Getränke

Schwarzer Tee ist ein Getränk mit weltweiter Verbreitung. In alkoholischen Mixgetränken läßt Tee den Alkohol zurücktreten und nimmt ihm die Schärfe. Zum Mixen sollte man den Tee sehr stark aufbrühen und möglichst nur in Glasbehältern mixen.

Cuba-Eistee

1–2 EL Ananasstücke,
4 cl Rum,
eisgekühlter, schwarzer Tee
zum Auffüllen,
eventuell 1–2 Eiswürfel.

Ananasstücke in eine Schüssel geben. Rum drü-

319

*Und ist der Durst
auch noch so groß,
mit Cuba-Eistee können
Sie ihn löschen.*

Dieser Eistee schmeckt nach Minze, Ingwer, Zimt und Nelken.　　　*Ein Rotwein-Teepunsch sorgt für Stimmung und Wohlbehagen.*

bergießen und alles zugedeckt 30 Minuten ziehen lassen. Dann in ein hohes Becherglas geben und mit eisgekühltem schwarzen Tee auffüllen. Nach Belieben noch Eiswürfel dazugeben und mit Trinkhalm servieren.

Gewürzter Eistee
Für 4 Personen

2 BL Pfefferminztee,
2 EL schwarzer Tee,
2 BL Ingwerpulver,
1 Stange Zimt,
4 Gewürznelken,
1 l kochendes Wasser,
durchgeseihter Saft von
3 Zitronen,
8–12 Eiswürfel,
4–8 Zweige frische Minze.

Pfefferminztee, schwarzen Tee, Ingwerpulver, Zimt-

stange und Gewürznelken in eine Kanne oder Schüssel geben. Mit kochendem Wasser überbrühen und 5 bis 8 Minuten ziehen lassen. In einen feuerfesten Krug seihen und zugedeckt erkalten lassen. Den Zitronensaft dazugeben. Eiswürfel in hohe Bechergläser verteilen und mit der kalten Tee-Gewürzmischung übergießen. Als Garnierung in jedes Glas ein oder zwei Zweige frische Minze stecken. Trinkhalme dazu reichen.

Rotwein-Teepunsch
Für 4 Personen

½ l Rotwein, 70 g Zucker,
1 l heißer, schwarzer Tee,
¼ l weißer Rum,
1 Zitronenschalen-Spirale.

Rotwein und Zucker in einem Topf bis kurz vor den Siedepunkt erhitzen. Wenn der Zucker gelöst ist, heißen Tee, Rum und die Zitronenschalen-Spirale dazugeben. Vorsichtig umrühren und zweimal bis kurz vor den Siedepunkt erhitzen. In einen feuerfesten Krug seihen. In feuerfesten Bechergläsern so heiß wie möglich servieren.

Nach Belieben können Sie wie auf unserem Foto als Garnierung in jedes Glas eine Zitronenschalen-Spirale einhängen.

Teelikör

Da das feine und dezente Aroma des Tees sehr leicht überlagert wird, der Teegeschmack allein aber kaum geschmacklich dominiert,

sind Teeliköre sehr selten. Als Teelikör wird häufig ein Likör aus Pekkoblüten vertrieben, der 30 bis 32 Vol.-% Alkohol und rund 30 Prozent Zuckergehalt hat.

Teepunsch
Für 6–8 Personen

2 l starker, schwarzer Tee,
½ l brauner Rum,
½ l Weinbrand,
Zucker nach Geschmack,
6–8 Zitronenscheiben.

Fünf Zutaten hat auch dieser Teepunsch. Einziger Unterschied zum klassischen Punsch, der Rum oder Arrak, Tee, Wasser, Zitrone und Zucker enthält: Wasser ist hier durch Weinbrand ersetzt worden.

Tee, Rum und Weinbrand in einem Topf bis kurz vor den Siedepunkt erhitzen. Das Getränk nach Geschmack süßen und in feuerfeste Gläser gießen. Zitronenscheibe dazugeben.

Tequila

Mexikos Schnaps Nummer eins hat mit dem Cognac gemeinsam, daß der Herstellungsort den Namen für diesen Agavenbranntwein abgab. Tequila ist die Stadt mit den weitaus meisten Brennereien in dem mittelamerikanischen Land.

Genaugenommen ist Tequila ein Mezcal aus Tequila. Heute ist umgekehrt der Agavenschnaps *Mezcal* der untergeordnete Begriff, den auch die minderwertigen Produkte zu tragen pflegen. Aber auch unter den Tequilas gibt es große Qualitätsunterschiede, die durch die Vielzahl der Produkte bedingt sind.

Der meist etwas gelblich gefärbte, in seinem Geschmack unverwechselbare und rauhe Branntwein kommt gewöhnlich mit 45 Vol.-% Alkohol in den Handel.

Legenden sind um die Tequila-Trinksitten gewoben. Am bekanntesten ist das Salz-Limonen-Ritual. Es geht folgendermaßen: Salz auf die Hand – die Fläche zwischen Daumen und Zeigefinger –, Zitronenschnitz dazu, dann kippt man den Tequila, leckt am Salz und lutscht an der Zitrone. Andere Reihenfolgen sind durchaus gängig und verstoßen nicht gegen heilige Trinkregeln. Auch Tequila pur ist erlaubt.

Wer sich die ganze Zeremonie sparen will, bestellt in Mexiko eine Margarita: Das ist Tequila, Limonensaft und ein Salzrand im und am Glas vereint – leider meist mit zuviel Wasser und dem unvermeidlichen Eis. Tequila schafft mit wenigen Ausnahmen bemerkenswerte Kater. Mäßig genossen ist er dem tropischen Klima und den scharfen Speisen in Mexiko angemessen.

Ein heißer Tip für Parties aller Art: Feurige Drinks mit mexikanischem Tequila.

Tequila Fix

Tequila Caliente

Tequila Caliente

2–3 Eiswürfel,
4 cl Tequila,
1 cl Johannisbeerlikör,
1 cl Limetten- (Lumien-)saft,
2 dashes Grenadine,
1 Limettenschalen-Spirale,
5–10 cl eisgekühltes Sodawasser.

Alle Zutaten bis auf Sodawasser in ein hohes Becherglas geben. Mit einem langen Barlöffel gut verrühren und einen Schuß Sodawasser dazugeben. Dazu einen Trinkhalm reichen.

Tequila Cocktail

2–3 Eiswürfel,
3 cl Tequila,
2 cl Portwein,
2 dashes Angostura,
1 BL Limetten- (Lumien-)saft

Der Tequila Cocktail gehört zu den Medium-Drinks. Sie können ihn also als Erfrischung zwischen den Mahlzeiten reichen.

Alle Zutaten in den Shaker geben. Kurz und kräftig schütteln und in ein Cocktailglas seihen.

Tequila Fix

2 BL Honig, 1–2 cl Limetten- (Lumien-)saft,
5 cl Tequila,
2 dashes Curaçao Orange,
4–5 Eiswürfel,
1 Zitronenscheibe.

Honig und Limettensaft in ein hohes Becherglas geben und mit einem Barlöffel so lange verrühren, bis der Honig gelöst ist. Tequila und Curaçao dazugeben. Die Eiswürfel fein zerkleinern und auch zufügen. Alle Zutaten noch einmal gut verrühren. Mit einer Zitronenscheibe garnieren. Trinkhalm reichen.

**Tequila
Cocktail**

Aus dem Saft von Agavenblättern wird der Tequila gebrannt.

Terlaner

Zwischen Bozen und Meran liegt der Weinort Terlan, der dem trockenen, grünlich-golden im Glas stehenden Terlaner den Namen gab. Er wird aus den Traubensorten Riesling, Traminer, Weißburgunder und Sauvignon hergestellt. Terlaner ist kein *D.O.C.*-Wein.

The Blackest Russian

2,5 cl Kaffeelikör,
7,5 cl Wodka,
3 Eiswürfel.

Kaffeelikör und Wodka in ein kleines Becherglas geben. Eiswürfel vorsichtig dazugeben. Mit einem Barlöffel umrühren und servieren. Dazu einen Trinkhalm reichen.

The Melody Cocktail

2–3 Eiswürfel, 1, 5 cl Sahne,
2 cl Crème de Bananes,
1,5 cl Bourbon Whiskey.

The Melody Cocktail wird mit Bourbon gemixt, weil andere Whisky-Sorten nicht aromatisch genug sind.

The Melody Cocktail regt dazu an, ein Liedchen zu singen.

Ein Drink, der viel Wodka in sich hat: The Blackest Russian.

Eiswürfel, Sahne, Crème de Bananes und Bourbon Whiskey in einen Shaker geben. Kräftig schütteln. In ein Cocktailglas abseihen. Einen Trinkhalm dazu reichen.

Theriak

Theriak war ein berühmtes, den Bitterlikören ähnliches Arzneimittel des Mittelalters, dessen Geheimrezept angeblich schon auf den kleinasiatischen König Mi-

thridates (120–63 v. Chr.) zurückgehen soll.

Im Mittelalter wurde es in den Küchen der Alchemisten gebraut. Die Heilwirkung des Elixiers, das Angelika- und Schlangenwurzeln, Kardamom, Zimt, Baldrian und sogar Eisenvitriol enthielt, dürfte auch auf die Wirkung des starken Opiumanteils zurückgehen. Noch heute heißt im Iran das Opium Theriak. Südwein und viel Honig machten den geheimnisumwitterten Trank süß.

Tia Alexandra

2–3 Eiswürfel,
1,5 cl Sahne,
2 cl Tia Maria,
1,5 cl Gin.

Tia Maria, ein Likör, wird aus Zuckerrohrsaft, Kaffee und tropischen Kräutern in Jamaika hergestellt. Der Tia Alexandra ist sehr gut zur Kaffeestunde geeignet. Probieren Sie ihn mal:

Eiswürfel mit allen anderen Zutaten in den Shaker geben. Kräftig schütteln. In ein Cocktail- oder Weinglas seihen und servieren.

Tiger-knochenlikör

Der berühmte chinesische Likör Hu Ku, auch Tigerknochenlikör genannt, soll angeblich Männerstärke verleihen, was aber weniger auf die Anteile zerstoßener Knochen des sibirischen Tigers als vielmehr auf die Auszüge der Ginsengwurzel zurückzuführen ist, die gemahlen mit zur Mazeration verwendet wird.

Tiger's Milk

4 EL haselnußgroße Eiswürfel,
2 BL Grenadine,
5 cl Sahne,
5 cl Milch,
5 cl Weinbrand,
1 Messerspitze gemahlener Zimt.

Alle Zutaten in den Mixer geben und gut vermischen. In ein hohes Becherglas seihen. Dazu einen Trinkhalm reichen.

Toddies

Die Toddies sind eine Gruppe der American Drinks, die den *Slings* sehr ähnlich sind. Als Longdrinks werden sie vor allem in den Tropen viel· getrunken.

Das Grundrezept eines Toddy ist so primitiv, daß sich ein gelernter Barmixer fast weigert, es zu komponieren. In einem Ballonglas werden 2 bis 3 Barlöffel Zucker mit etwas kaltem Wasser aufgelöst, dann wird die entsprechende Spirituose – meist Rum, Arrak oder Whisky – dazugegossen. Legen Sie einen Eiswürfel ins Glas und füllen das Ganze mit frischem Wasser auf. – Heiße Toddies werden in Groggläsern mit etwas mehr Zucker zubereitet.

Der Cocktail Tia Alexandra wird mit dem feurigen Likör Tia Maria aus Jamaika gemixt.

324

Toison d'Or

2 Eiswürfel,
2,5 cl Chartreuse gelb,
2,5 cl Danziger Goldwasser.

Toison d'Or heißt goldenes Vlies. Den Goldeffekt bekommt unser Cobbler durch das Danziger Goldwasser. Eiswürfel fein zerkleinern und ein Südwein- oder Cocktailglas zur Hälfte damit füllen. Chartreuse und Goldwasser drübergießen. Alles mit einem Barlöffel umrühren. Dazu einen Trinkhalm reichen.

Tokajer

Günstiges Klima und vulkanischer Boden haben in der Gegend der ungarischen Stadt Tokaj die Voraussetzungen für einen fürstlichen Wein geschaffen. Die Karpaten schützen das Weinbaugebiet vor kalten Winden, der warme Herbst sorgt für genügend lange Reifezeit.
Schon im 15. und 16. Jahrhundert war der Tokajer, vor allem der Tokajer Ausbruch, weit über seine Grenzen hinaus berühmt. Wer beim Tokajer zielsicher zur richtigen Flasche greifen möchte, muß die Unterschiede zwischen den vier verschiedenen Sorten kennen.

Das Danziger Goldwasser zaubert einen zarten Goldschimmer auf den Cocktail »Toison d'Or«.

Der Tokajer Furmint ist ein grün-gelblicher, aromatischer Wein mit stark ausgeprägtem Charakter, der zu Vorspeisen und kaltem Fleisch schmeckt.
Beim Tokaji Szamorodni (Szaraz), dem trockenen Tokajer Szamorodni, kommen edelfaule, geschrumpfte Weinbeeren mit nicht geschrumpften zusammen in die Kelter. Das edle Bukett dieses Weines entwickelt sich während einer mehrjährigen Lagerzeit. Er hat eine goldgelbe Farbe und erinnert im lange anhaltenden Nachgeschmack an bittere Schokolade. Man trinkt ihn zu Fisch und mild gewürzten Gerichten.
Den Tokaji Szamorodni (Edes), den süßen Tokajer Szamorodni, trinkt man zum Dessert. Er wird aus vollreifen Trauben gekeltert, die mit geschrumpften Weinbeeren durchsetzt sind. Er entwickelt auch erst nach mehrjähriger Lagerung seine volle Reife.
»König der Weine, Wein der Könige«: Das ist der Tokaji Aszu, der Tokajer Ausbruch. Das besondere Herstellungsverfahren besteht darin, daß einem Göncer Faß (136 Liter) guten Tokajers eine bestimmte Menge Most aus edelfaulen, einzeln ausgebrochenen Weinbeeren zugesetzt wird. Er wird in Bütten von 28 Litern Inhalt gemessen. Je mehr Bütten ins Faß kommen, desto besser der Wein, der erst durch jahrelange Lagerung seine volle Harmonie erreicht. Die Zahl der Bütten (Puttonyos) wird immer auf dem Flaschenetikett angegeben. Der Tokajer Ausbruch sollte besonderen Anlässen vorbehalten und in kleinen Mengen serviert werden.

Tokajer-Traube

Tokajer-Trauben reifen im Nordosten Italiens. Ungeklärt ist, ob diese Trauben mit den gelben Formint-Trauben identisch sind, aus denen in Ungarn der bekannte Tokajer Wein hergestellt wird.

Tomaten Cocktail

2–3 Eiswürfel,
½ BL Worcestersoße,
1 BL Zitronensaft,
10 cl Tomatensaft,
je 1 Prise Salz, Paprika und schwarzer Pfeffer.

Tomaten Cocktail können Sie als Kater-Drink oder

Bunte Folklore und herrlichen Wein findet man bei Tokaj.

als Before-Dinner-Drink servieren. Wenn Sie ihn besonders scharf schätzen, dann sollten Sie statt des schwarzen Pfeffers gemahlene Chilischoten oder gar Tabasco verwenden.

Eiswürfel, Worcestersoße, Zitronensaft, Tomatensaft, Salz, Paprika und Pfeffer in ein Mixglas geben. Umrühren. In ein großes Becher- oder Cocktailglas gießen.

Tom and Jerry

Für 4 Personen

4 Eier,
4 EL Zucker,
20 cl Rum oder Weinbrand,
eisgekühlte Milch zum
Auffüllen.

Das Eiweiß vom Eigelb der Eier trennen. Eigelb und Zucker in einer Schüssel schaumig schlagen. Eiweiß in einer anderen Schüssel zu steifem Schnee schlagen. Eigelbmasse mit einem Schneebesen unter den Eischnee ziehen. Diese Schaummasse in vier hohe Bechergläser oder Steingutbecher verteilen. In jedes Glas 5 cl Rum oder Weinbrand gießen und mit eisgekühlter Milch auffüllen. Vorsichtig umrühren und servieren. Dazu Löffel und Trinkhalm reichen.

Dieses Rezept können Sie verändern, wenn Sie mit heißer Milch auffüllen und über jeden Drink etwas Muskatnuß reiben.

Tomaten- Milchshake

Für 4 Personen

¼ l Milch,
¼ l Tomatensaft,
½ TL scharfer Senf,
eine halbe zerdrückte
Knoblauchzehe,
Salz und Pfeffer nach
Geschmack.

Milchgetränke gibt es in vielen Variationen. Sie schmecken Kindern und Erwachsenen, ob nun mit

Macht Müde ganz schnell wieder munter: Tomaten-Milchshake.

Kilometerweit erstrecken sich in Italien die Tomatenfelder.

Früchten oder mit Gemüse zubereitet.

Milch, Tomatensaft, Senf und Knoblauchzehe in einen Mixer geben. Alles gut mischen. Nach Geschmack mit Salz und Pfeffer würzen. In 4 Gläser füllen und servieren.

Tomatensaft

Tomaten, die von den spanischen Eroberern aus der Neuen Welt nach Europa mitgebracht worden sind, galten bis ins 19. Jahrhundert nicht als Gemüse, sondern als »Dekoration«. Sie hatten symbolträchtige Namen wie Liebes-, Paradies-, Goldapfel, Paradeiser. Heute ist die Tomate aus keiner Küche wegzudenken. Sie wird roh gegessen, als Salat, oder verkocht. Der Tomatensaft aus ausgepreßten und pürierten Tomaten ist als Frühstücksgetränk, erfrischender Sommer-Drink (mit Eiswürfeln) und Bar-Mix-Saft überall sehr beliebt. Tomatensaft ist reich an Vitamin C und auch an Vitamin A.

In den Bars ist der Tomatensaft ein unentbehrlicher Rohstoff für viele Drinks. Er wird vor allem zu Katergetränken – mit und ohne Alkohol – verarbeitet.

Tom Collins

Saft einer Zitrone,
2 BL Zucker,
7,5 cl Dry Gin,
4 große Eiswürfel,
eisgekühltes Sodawasser
zum Auffüllen.

Dieser Longdrink ist zu Recht bekannt, denn er löscht den Durst mindestens ebenso gut wie ein Sour.

Zitronensaft, Zucker und Gin in einem hohen Becherglas gut verrühren. Eiswürfel dazugeben und mit eisgekühltem Sodawasser auffüllen. Noch einmal kurz umrühren und servieren. Dazu einen Trinkhalm reichen.

Comic-Figuren gaben dem Cocktail »Tom und Jerry« den Namen.

Der Tom Collins ist ein sehr populärer Longdrink mit Gin.

Tonic Jascha

3 Eiswürfel,
3 cl Wodka,
Tonicwater.

Wer Tonic Jascha kennt, weiß wie belebend er ist, besonders nach einem anstrengenden Tag.
Eiswürfel in ein Becherglas geben, mit Wodka übergießen und mit Tonicwater nach Belieben auffüllen. Dazu einen Trinkhalm reichen.
Aus dem Tonic Jascha wird der sicher noch bekanntere Gin Tonic, wenn Sie 3–4 Eiswürfel und 2–3 cl Gin in ein hohes Becherglas geben und mit eiskaltem Tonicwater auffüllen. Als Garnierung gehört eine Zitronenscheibe unbedingt dazu.

Tonicwater

Ein Tonikum ist ein stärkendes Mittel. Was das Tonicwater stärkt, ist der Zusatz von Chinin. Tonicwater hatte als Getränk für die in den Tropen eingesetzten Soldaten die Funktion, Fieber abzuwehren und Malariaanfälle zu mildern. Inzwischen ist Tonicwater weniger Medizin als vielmehr Basis von Longdrinks.

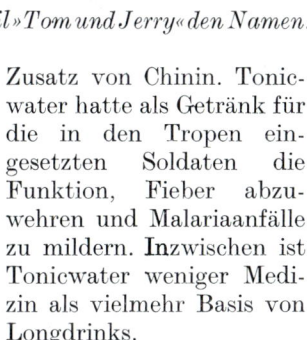

TIP

Auch mit Tonicwater kann man eine Art Pousse Cafe zaubern. Zum Tonic-Float einen Tumbler zu ³⁄₄ mit kaltem Tonic füllen. Vorsichtig 5 cl Whisky draufgießen, damit sich beides nicht vermischt.

Topinambur-branntwein

Die Grundlage des rustikalen Topinamburbranntweins ist die aus Mittelamerika stammende Topinambur- oder auch Erdschocke, auch Erdbirne, Roßkartoffel oder Weißwurzel genannt, eine Sonnenblumenart. Da die spindel- oder birnenförmige Knolle, die sowohl hell- als auch rotschalig sein kann, völlig winterfest ist, wird sie im Frühjahr geerntet, wo sie am ergiebigsten ist.
Die zerkleinerten und vermaischten Knollen oder deren Saft ergeben vergoren und destilliert einen ziemlich erdig schmeckenden Schnaps, der an Enzian erinnert, aber durch Aromazugaben von Zuckerrüben, Orangen- oder Zitronenschalen, Kümmel, Pfefferminz oder Wacholder bisweilen geschmacklich verbessert wird. Er wird dabei wie Obstbrände unter Luftabschluß destilliert.

Torres Special Sorbet

2–3 gehäufte EL Mango- oder Orangeneis,
1 EL geschnittene Mangofrüchte,
3 Cocktailkirschen,
2,5 cl Vanille- oder Orangenlikör,
2,5 cl Cognac, eisgekühlter Sekt zum Auffüllen.

Dieses Sorbet können Sie Ihren Gästen auch als Dessert anbieten.
Mango- oder Orangeneis in ein hohes Becherglas oder eine Sektschale geben. Mangofrüchte und Cocktailkirschen zugeben. Vanille- oder Orangenlikör und Cognac zugießen. Mit Sekt auffüllen. Dazu Löffel und Trinkhalm reichen.
Mangoeis können Sie herstellen, indem Sie Mangofruchtfleisch pürieren, mit Vanillinzucker, Zitronensaft und Cognac abschmecken, unter geschlagene Sahne heben. Gefrieren lassen.

Der Champagner-Drink Toscanini ist einfach Spitzenklasse.

Toscanini

3–4 Eiswürfel,
2 cl Cordial-Medoc,
1,5 cl Cointreau,
1,5 cl Cognac,
gekühlter Champagner
zum Auffüllen.

Der Drink erhielt den Namen des Dirigenten Arturo Toscanini (1867–1957). Eiswürfel mit allen anderen Zutaten, bis auf den Champagner, in einen Shaker geben. Kräftig schütteln oder eine Sektschale seihen. Mit gut gekühltem Champagner auffüllen.

Toskana

Hügel und Berge bestimmen das Bild der mittelitalienischen Region Toskana, ein Landstrich, der nicht nur Dichter und Kunstfreunde zu allen Zeiten begeistert hat, sondern auch Weinliebhaber. Rund vier Millionen Hektoliter Wein werden alljährlich in der Toskana gekeltert. Davon sind etwa achtzig Prozent Rotwein. Der bekannteste toskanische Rotwein und zugleich wohl bekannteste italienische Wein überhaupt ist der *Chianti* aus dem Gebiet zwischen Siena und Florenz. Rotweine wie der Brunello di Montalcino, der Vino nobile di Montepulciano und Rosso delle Colline Lucchesi können neben dem Chianti durchaus bestehen; desgleichen Weißweine wie der Vernaccia di San Gimignano, der Bianco di Ptigliano, der Montecarlo oder der Weißwein der Insel Elba, die zur Toskana gehört.

Weinlese in der Toskana, der Heimat des roten Chiantiweins.

328

Der süße Traubenflip
löst bei groß und
klein Begeisterung aus.

Tous les garçons

2–3 Eiswürfel,
1,5 cl französischer
Vermouth dry,
1,5 cl Weinbrand,
1,5 cl Crème de Cacao,
1 dash Orange Bitter.

Diesen Drink sollten Sie
nach einem Menü reichen.
Eiswürfel mit allen anderen
Zutaten in einen Shaker
geben. Gut schütteln. In
ein Cocktailglas seihen.

Tovarich

3–4 Eiswürfel,
2 cl Limetten-
(Lumien-)saft,
3 cl Kümmelschnaps,
5 cl Wodka,
3 EL Cobblereis.

Eiswürfel mit Limetten-
saft, Kümmelschnaps und
Wodka in einen Shaker ge-
ben. Kräftig schütteln.
Cobblereis in einen Sekt-
kelch geben. Shakerinhalt
drüberseihen. Dazu einen
Trinkhalm reichen.

Traminer-Traube

Ob der Name der Trauben-
sorte Traminer von dem
Ort Tramin in Südtirol herrührt, ist bis heute un-
geklärt. Ebenfalls ungeklärt
ist, ob Traminer und Ge-
würztraminer dasselbe sind.
Bekannt aber ist, daß der
Traminer, genauer gesagt
der rote Traminer, zu den
qualitativ besten Weiß-
wein-Trauben gehört. Ob-
wohl von der Gesamt-Reb-
fläche her gesehen ziemlich
unbedeutend, ist er über
alle deutschen Anbauge-
biete verteilt und liefert
würzige Weine, deren aus-
geprägtes Bukett an Ro-
senduft erinnert. Schwer-
punkte des deutschen Tra-
miner-Anbaus sind die Ge-
biete Baden, Rheinpfalz
und Rheinhessen.

Traubenflip

⅛ l kalte Milch,
⅛ l kalter Traubensaft,
1 Eigelb, 2 BL Zucker.

Dieses alkoholfreie Milch-Mixgetränk wird auch von Kindern gern getrunken. Alle Zutaten in den Mixer geben und gut mischen. In einem hohen Becherglas servieren.

Kinder werden den Traubenflip noch lieber trinken, wenn Sie den Zucker durch Grenadinesirup ersetzen.

Traubenkur

Da Weintrauben zwar reich an Fruchtzucker, Obstsäuren, Vitaminen und Mineralstoffen sind, aber über keinerlei Eiweiß verfügen, wird als Abmagerungs- und »Entschlackungskur« während der Zeit der Weinlese im Herbst, vor allem in Südtirol, eine Traubenkur gemacht.

Frisch gepreßter *Traubenmost* und von allen Spritzmitteln gründlich befreite Trauben werden – unter ärztlicher Aufsicht – einige Tage die ausschließliche Nahrung der »Kurgäste«.

Traubenmost

Der beim Keltern aus den Weintrauben gepreßte Saft der Weintrauben, der gleich in die Vergärung übertritt, wird als Traubenmost bezeichnet. Im Gegensatz zum *Traubensaft* ist er ein Zwischenprodukt der Weinherstellung. Als *Federweißer* wird er besonders in Süddeutschland und im Elsaß zu noch warmem Zwiebelkuchen getrunken.

Traubensaft

Der natürliche Saft der Traube ist reich an Traubenzucker und hat hohen Nährwert: Ein Liter Traubensaft nährt im gleichen Maß wie ein Liter Vollmilch oder 350 Gramm Brot oder 600 Gramm Fleisch, acht Eier oder 190 Gramm Zucker.

Da im Traubensaft außer Zucker Weinsäure, Traubensäure, Apfelsäure, Dextrin, Pektin, ätherische Öle und andere Stoffe enthalten sind, wirkt er in vielerlei Hinsicht auf den Organismus. Die Weinsäure zum Beispiel regt die Darmtätigkeit an, und das Dextrin unterstützt den Bauchspeicheldrüsensaft in seiner eiweißlösenden Wirkung.

Wer, etwa bei einer Traubenkur, sehr viel Traubensaft trinkt, ohne zusätzliche Nahrung zu sich zu nehmen, magert ab, obwohl er nicht hungert. Zur normalen Nahrung genossen wirkt Traubensaft wegen seines hohen Nährwertes aber fettbildend.

Im Gegensatz zu anderen Fruchtsäften sind beim Traubensaft Kellerbehandlungsverfahren zugelassen, die bei anderen Säften den Zusatz »Naturrein« ausschließen würden. Hat der Traubensaft eine Herkunftsbezeichnung, so darf er nur aus Trauben dieser Herkunft gepreßt sein. Kurtraubensaft darf nur aus ausgesuchten, ausgereiften, von Spritzmittelresten freien Trauben gewonnen werden.

Aus diesen reifen Trauben wird Saft oder Wein hergestellt.

Der Traum von Marasca ist ein traumhafter Buttermilchdrink.

Diese Trimmspirale mit Sekt macht Sie schnell wieder fit.

Traum von Marasca

20 cl kalte Buttermilch,
4 BL Instant Kakaopulver,
4 cl Maraschino.

Buttermilchgetränke haben viele Liebhaber. Ihre Zahl nimmt besonders im Sommer ständig zu.
Alle Zutaten in den Mixer geben und gut mischen. In einem hohen Kelch- oder Becherglas servieren. Einen Trinkhalm dazu reichen.

Trebbiano-Traube

Die grünen Trebbiano-Trauben sind für Italien typisch. Sie kommen in acht Spielarten in etwa dreißig italienischen Provinzen vor. Die Reben wurden schon zu Zeiten der alten Römer angebaut. Plinius beschrieb sie in seiner Naturgeschichte. Anbauschwerpunkte sind heute die mittelitalienischen Regionen Romagna, Toskana und Abruzzen. Aus Trebbiano-Trauben werden vorwiegend frische, trockene Weißweine mit feinem Bukett hergestellt, die besonders gut zu Fisch und Meeresfrüchten passen.

Trester

Die in der Weinpresse zurückbleibenden Reste der ausgepreßten Weintrauben – Schalen und Stiele – werden als Trester bezeichnet, der auch in einigen Regionen als Treber bezeichnet wird. Trester enthält noch erhebliche Mengen an Obstsäuren und Zucker, der zur Herstellung von *Tresterbranntwein* verwendet wird. Trester wird gelegentlich auch als Mastmittel für Schweine verwendet.

Tropical Itch mit Wodka und weißem Rum. Rezept S. 332.

Trester-branntwein

Die bei der Weinkelterei in der Presse zurückbleibenden Trester – Stiele, Schalen, Kerne – enthalten sehr viel Zucker, der seit alters her als Rohstoff für einen deftigen Branntwein, den Tresterbranntwein, benützt wird.
Jedes Weinland kennt verschiedene Tresterbranntweine. Der bekannteste dürfte der italienische *Grappa* sein. In diese Familie gehören auch der französische *Marc*, der Schweizer Dole – nicht zu verwechseln mit dem gleichnamigen Wein – und der *Bagaceira* aus den portugiesischen Sherrytrauben.

Trimmspirale

2–3 Eiswürfel,
5 cl Maracuja-Saft,
5 cl gekühlter Sekt.

Dieser Sekt-Cocktail mit dem sportlichen Namen spornt zu neuen Leistungen an.
Eiswürfel in eine Sektschale geben. Maracuja-Saft drübergießen und mit Sekt auffüllen.

Trink-branntwein

Unter Trinkbranntwein versteht der deutsche Gesetzgeber seit dem Branntweinmonopolgesetz aus dem Jahre 1922 zum menschlichen Genuß bestimmte Branntweine.
Trinkbranntwein darf nur in den Handel gebracht werden, wenn der Behälter genau ausweist, wie hoch der Weingeistgehalt des Getränkes ist und ob er im Inland – »Deutsches Erzeugnis« – oder im Ausland – »Ausländisches Erzeugnis« – hergestellt worden ist.
Das Branntweinmonopolgesetz bestimmt ferner, daß Arrak, Rum und Obst-branntwein sowie Verschnitte davon und Steinhäger mindestens 38 Volumenprozent Alkohol enthalten müssen.

Trinkmilch

Siehe Milch.

Trinkwasser

Das verbreitetste Getränk auf der Welt, das Wasser, kommt durchaus nicht so, wie wir es trinken oder zum Kochen verwenden, aus der Erde. Es ist auch nicht einfach nur eine nach nichts schmeckende Flüssigkeit, sondern ein Grundlebensmittel, in dem viele Mineralien und Spurenelemente enthalten sind. Nicht von ungefähr ist die Lebensmittelgesetzgebung dafür zuständig.
Alle Trinkwasserhersteller, vor allem kommunale Wasserwerke, werden genau überwacht, ob sie die bakteriellen und chemischen Voraussetzungen erfüllen. Trinkwasser muß klar, farblos, frisch und ohne Geschmack sein. Es darf keine Krankheitserreger enthalten.
Zur Abtötung von Keimen darf Trinkwasser durch Chlor gereinigt werden.
Wasser, das bei der Herstellung von Lebensmitteln, etwa in Molkereien oder Konservenfabriken, Verwendung findet, muß ebenfalls Trinkwasserqualität haben. Obwohl man mittels perfekter technisch-chemischer Einrichtungen selbst Wasser aus Flüssen und Seen so reinigen kann, daß es ohne die geringsten Bedenken für die Gesundheit genossen werden kann, hat der enorm gestiegene Bedarf an Trinkwasser eine allmählich zunehmende Verknappung dieses Grundlebensmittels zur Folge. Das hat inzwischen auch der Gesetzgeber berücksichtigt. Nach neuester Rechtsprechung muß Wasser, das als Brauchwasser, zum Beispiel als Kühlwasser, in der Industrie verwendet wird, kein Trinkwasser mehr sein.

Triple sec

Die zu den Fruchtaromalikören zählenden Citrusliköre dürfen nach den gesetzlichen Bestimmungen den Zusatz »Triple« oder »Triple sec« tragen, wenn sie mehr als 38 Vol.-% Alkohol enthalten.

Trocken

Als trocken wird ein Wein bezeichnet, der nicht mehr als 4 Gramm vergärbaren Restzucker pro Liter aufweist. Trockene Weine haben nichts mit sauer zu tun, wie von Laien oft behauptet wird, sondern sind im Geschmack herbkräftig. Diese Weine sind ideale Zechweine; auch in größeren Mengen genossen sind sie leicht bekömmlich und anregend. Neben der Bezeichnung »trocken« ist das gelbe Weinsiegel der Deutschen Landwirtschaftsgesellschaft erlaubt.

Trockene Weine sind auch für Diabetiker geeignet, soweit sie den dafür zusätzlich geschaffenen Beschränkungen in Alkohol und Schwefel entsprechen.

Trocken beim Schaumwein ist etwas anderes. Trockene Schaumweine sind wesentlich süßer, denn die EWG bestimmt für Schaumweine mit der Bezeichnung trocken einen Gehalt an unvergorenem Zucker von mindestens 17 Gramm/Liter bis höchstens 35 Gramm/Liter. Sucht man einen wirklich trockenen Schaumwein oder Sekt, soll man auf die Bezeichnung »extra dry« oder »brut« achten.

Trockenbeerenauslese

Siehe Qualitätswein mit Prädikat.

Trockenmilch

In frischem Zustand ist die Trockenmilch ein weiches weißes Pulver. Ist es dabei Trockenmilch aus Vollmilch, so hat es einen leichten Gelbstich. Magermilchpulver ist schneeweiß.

Tulip heißt diese gefährliche Mischung aus Genever und Bier.

Trockenmilch ist eingedickte Milch, die höchstens 4 Prozent Wasser enthält. Wird Trockenmilch durch den Zusatz von Wasser wieder aufgelöst, so muß dies kenntlich gemacht werden. Das aufgelöste Produkt darf nach dem Gesetz nicht als »Milch« bezeichnet werden.

TIP

Wenn in einem Mixrezept die Angabe »mit Sekt auffüllen« steht, dann nehmen Sie am besten trockenen Sekt oder auch Champagner, weil diese in aller Regel geschmacklich viel neutraler sind. Beide nur gut gekühlt verwenden.

Trollinger-Traube

In Deutschland reifen Trollinger-Trauben fast ausschließlich in Württemberg. Daraus werden besonders kernige Rotweine hergestellt. Trollinger-Trauben nehmen etwa ein Viertel der württembergischen Weinanbaufläche ein. Auch als Tafeltraube ist der Trollinger ideal und wird deshalb in Holland, Belgien und England in Gewächshäusern gezogen. Diese heißen auch »Black Hamburg« und kommen im Winter und im Frühling auf den Markt.

Experten vertreten die Ansicht, daß der Trollinger seine Heimat in Südtirol hat. Dort ist er auch heute noch weit verbreitet, allerdings unter dem Namen Groß-Vernatsch.

Tropical Itch

5 cl weißer Rum,
5 cl Wodka,
5 cl Mango-Saft,
2,5 cl Zuckersirup,
3–4 EL haselnußgroße Eiswürfel,
2 Zweige frische Minze,
1 Orangenscheibe,
3 Cocktailkirschen mit Stiel.

Der Tropical Itch gehört zu den fruchtigen Rumdrinks, die auf den Antillen erfunden worden sind und meist unter dem Namen Planter's Punch gemixt werden, wobei es dabei kein ganz feststehendes Rezept gibt. Statt Mango-Saft können Sie auch andere Fruchtsäfte für diesen Drink nehmen.

Rum, Wodka, Mango-Saft, Zuckersirup und die haselnußgroßen Eiswürfel in ein hohes Becherglas geben. Alles mit einem langen Barlöffel gut verrühren. Mit Minze, Orangenscheibe und Kirschen garnieren. Dazu Löffel und Trinkhalm reichen.

Tulip

2,5 cl Genever,
helles Bier zum Auffüllen.

Sicher kennen Sie zahlreiche Bier-Mixgetränke, aber vielleicht finden Sie mit diesem Rezept eine weitere Anregung, mit Bier zu mixen.

Genever in ein Bierglas gießen. Mit hellem Bier auffüllen.

Türkenblut

Unter Türkenblut versteht man ein Mixgetränk aus Rotwein und Sekt. Aber auch der Amselfelder Rotwein aus der jugoslawischen Provinz Kosovo wird oft Türkenblut genannt. In der Schlacht auf dem Amselfeld im Jahre 1389, in der die Türken die Serben besiegten, floß viel Türkenblut. Siehe Amselfeld.

Türkischer Kaffee muß heiß, schwarz, süß und schaumig sein.

Türkischer Kaffee

Für 6 Personen

6 EL fein gemahlener, scharf gebrannter Kaffee, etwa 3 EL Zucker, ⅜ l kaltes Wasser, pro Tasse eine Prise Kardamom oder Nelkenpulver.

Stilecht bereiten Sie den Türkischen Mokka in einer Stielkanne zu, welche die Türken »jezve« nennen. Die Schaumbildung, beim türkischen Kaffee erwünscht, wird durch die Form der Kanne unterstützt. Sie verjüngt sich nach oben, bevor sie sich zum Rand hin wieder etwas verbreitert. Kaffeemehl, Zucker und das Wasser, bis auf 3 Eßlöffel, in die Kanne geben. Alles gut verrühren und bei mittlerer Hitze zum Kochen bringen. »Jezve« von der Flamme ziehen und den Schaum, der sich auf der Oberfläche gebildet hat, in vier Tassen verteilen. 1½ EL Wasser in die Kanne füllen, wieder erhitzen. Schaum in die Tassen verteilen. Restliches Wasser zufügen, alles erhitzen und gleichmäßig in die Tassen verteilen. Mit Kardamom- oder Nelkenpulver würzen.

Uncle Henning

2 Eiswürfel,
1 cl Dry Gin,
2 cl französischer Vermouth extra dry,
2 cl Vermouth bianco,
1 dash Sambuca,
1 BL Zitronensaft,
5 cl Ginger Ale,
2 Cocktailkirschen.

Alle Zutaten, bis auf Ginger Ale und die Cocktailkirschen, in den Shaker geben. Kurz und kräftig schütteln und den Inhalt in ein Becherglas seihen. Mit Ginger Ale auffüllen. Die Kirschen an einem Cocktailspieß ins Glas geben.

Union Jack

2 cl Grenadine,

2 cl Maraschino,
2 cl Chartreuse grün.

Grenadine in ein schmales, hohes Glas gießen. Über den Rücken eines Barlöffels vorsichtig den Maraschino drüberlaufen lassen. Mit dem Chartreuse grün ebenso verfahren. Dazu einen Trinkhalm reichen.

Universal Cocktail

3 Eiswürfel,
1 cl Cynar,
1 cl französischer Vermouth dry,
3 cl Wodka,
1 Olive.

Als Before-Dinner-Drink ist der Universal Cocktail ganz besonders zu empfehlen.
Eiswürfel in ein Mixglas geben. Cynar, Vermouth und Wodka zugeben. Mit einem Barlöffel umrühren

und in ein Cocktailglas seihen. Eine Olive ins Glas geben.
Einen Cocktailspieß dazu reichen.

Untergärig

Die Hefe ist es, die aus dem Bier ein unter- oder obergäriges macht. Die Hefe setzt sich nach der acht bis zwölf Tage dauernden Hauptgärung des Sudes am Boden der Gärbottiche ab. Untergärige Biere gären bei niedrigen Temperaturen (8 bis 10° C, in der Nachgärung sogar bis 0° C), obergärige aber bei höheren (15 bis 20° C). Deshalb dauert die untergärige Brauweise etwas länger.

Up-To-Date

2–3 Eiswürfel,
2,5 cl Sherry,
2,5 cl Rye-Whiskey,
2 dashes Grand Marnier,

2 dashes Angostura, eventuell ein Stück Zitronenschale.

Up-To-Date, auf Whiskey-Basis gemixt, sollten Sie vor dem Essen reichen.
Die Zutaten in der angegebenen Reihenfolge in ein Mischglas geben. Mit einem langen Barlöffel gut verrühren und in ein Cocktailglas seihen. Nach Belieben mit einem Stück Zitronenschale abspritzen oder garnieren.

Upton Cocktail

1 Eigelb,
1 BL Zucker,
5 cl Weinbrand.

Das Eigelb vorsichtig in ein Cocktailglas gleiten lassen und mit Zucker überstreuen. Weinbrand drübergießen und servieren.

Valencia Cocktail

2–3 Eiswürfel,
1,5 cl Apricot Brandy,
1,5 cl Orange Bitter,
2 cl Orangensaft,
1 Stück Orangenschale.

Valencia können Sie als Medium-Drink servieren. Eiswürfel, Apricot Brandy, Orange Bitter und Orangensaft in den Shaker geben. Kurz und kräftig schütteln. In ein Cocktailglas seihen und mit der Orangenschale abspritzen.

Universal Cocktail: Ein herber Drink mit Wodka und Cynar.

Vanillelikör können Sie sich zu Hause auch selbst zubereiten.

*Upton Cocktail –
eine Oyster
mal ganz anders:
Mit Zucker
und Weinbrand.*

Valtellina Superiore tragen. Das Prädikat »Riserva« ist nur erlaubt, wenn der Wein mindestens vier Jahre gelagert wurde.

Vanilla Dream

2 gehäufte EL Vanilleeis,
2,5 cl Crème de Vanille,
2,5 cl Crème de Cacao,
gut gekühlte Milch zum Auffüllen.

Vanilleeis in einen Sektkelch geben. Crème de Vanille und Crème de Cacao zugeben. Mit einem Barlöffel verrühren und mit kalter Milch auffüllen. Dazu Löffel und Trinkhalm reichen.

Vanillelikör

125 g Zucker,
$\frac{1}{3}$ l Wasser,
1 Vanillestange,
$\frac{1}{4}$ l Weingeist von 90 Vol.-% Alkohol,
4 EL Rum (40 Vol.-%).

*Vanilleschoten
sind die Früchte einer
Tropen-Orchidee.*

Valpolicella

Den rubinroten Valpolicella kennen nicht nur Touristen, die an den Gardasee oder zu den Opernfestspielen nach Verona reisen; er kommt auch in großen Mengen auf den deutschen Markt. Valpolicella wird in der ganzen Provinz Verona hergestellt, aber nur die Weine aus der ältesten Zone, das heißt aus den fünf Gemeinden Negrar, Marano, Fumane, S. Ambrogio und San Pietro dürfen als Classico bezeichnet werden. Valpolicella ist ein *Verschnitt*-Wein aus den gebietstypischen Traubensor-

ten Corvina Veronese, Rondinella und Molinara. Er schmeckt am besten, wenn er zwei bis drei Jahre gelagert worden ist. Er ist trocken oder leicht süßlich und hat viel Körper.

Valtellina

Das Valtellina, ein besonders reizvolles Alpental im Norden der Lombardei, ist ein beliebtes Wochenendziel großstadtmüder Mailänder. Sie finden dort nicht nur Ruhe und frische Luft, sondern auch ausgezeichnete Weine. Und darauf legen Italiener Wert. Bei den

Valtellina-Weinen, die in Deutschland auch als Veltliner Weine bezeichnet werden, handelt es sich vor allem um Rotweine aus *Nebbiolo*-Trauben. Das Weinbaugebiet Valtellina umfaßt neunzehn Gemeinden der Provinz Sondrio. Der kräftig rote, trockene, tanninhaltige Valtellina muß, so ist es Vorschrift, mindestens ein Jahr lagern. Für den Valtellina Superiore dagegen sind mindestens zwei Jahre Lagerzeit vorgeschrieben. Nur Wein aus den amtlich festgelegten Zonen Sassella, Grumello, Inferno und Valgella darf die Bezeichnung

*Veilchenlikör:
Ein Tip aus Oma's
Rezeptbuch.*

Unter Frankreichs Weinkenner haben sich zwei Parteien gebildet: Die eine schwört auf V. D. Q. S., die andere auf A. O. C. Qualitätsweine trinken beide.

Veilchenlikör

200 g frische, gepflückte Veilchen,
½ l kochendes Wasser zum Übergießen,
100–150 g Zucker,
¼ l Weingeist (aus der Apotheke),
5 cl Cognac.

Dieses Rezept aus Urgroßmutters handgeschriebenem Rezeptbuch sollten Sie ausprobieren, wenn Sie das Besondere lieben.
Von den frischen Veilchen die Stiele entfernen. Die Blüten in eine Porzellan- oder Edelstahlschale legen und mit dem kochenden Wasser übergießen. Die Blüten müssen knapp bedeckt sein. Zugedeckt 12 Stunden ziehen lassen. Das Veilchenwasser in einen Topf seihen und den Zukker zufügen. Unter ständigem Rühren bis kurz vor den Siedepunkt erhitzen. Topf von der Platte nehmen und erkalten lassen. Weingeist und Cognac unterrühren. Veilchenlikör in saubere, heiß ausgespülte und abgetropfte Flaschen füllen. Flaschen verschließen und den Likör kühl und trocken lagern.

Veltliner-Traube

Veltliner-Trauben spielen vor allem in Österreich eine große Rolle. Etwa 24 Prozent der gesamten Rebfläche sind mit Rebstöcken der Sorte Grüner Veltliner bepflanzt. Daneben haben die beiden anderen Sorten Rot-weißer Veltliner und Früh-roter Veltliner nur geringe Bedeutung. Veltliner-Weine sind frisch und bekömmlich; sie haben ein angenehmes *Bukett*, aber wenig *Extrakt*.

Zu manchen Mixdrinks braucht man Vanillelikör. Und der ist im Handel kaum zu haben. Als passionierter Mixer sollten Sie sich darum Ihren Likör selber brauen. Das ist gar nicht schwierig. Sie müssen nur noch wissen, daß Vanillelikör sein volles Bouquet erst nach einer mindestens mehrere Wochen dauernden Lagerzeit entfaltet.
Zucker, Wasser und die aufgeschnittene Vanillestange in einen Topf geben. Aufkochen und 10 Minuten kochen lassen. Vanillestange entfernen. Zuckerwasser durch ein Sieb gießen und abkühlen lassen. Anschließend mit Weingeist und Rum mischen. In eine heiß ausgespülte, abgetropfte

Flasche füllen und verkorken. Kühl lagern.
Wenn Sie roten Vanillelikör herstellen möchten, sollten Sie roten Einmachzucker verwenden oder dem Likör einige Tropfen rote Lebensmittelfarbe zufügen.

Varna

In Bulgarien werden die Weine meistens nach dem Anbaugebiet benannt. Der Varna, ein recht guter Weißwein mit charakteristischem Bukett wird in der Umgebung der Stadt Varna an der Schwarzmeerküste aus Dimiat-Trauben gekeltert.
Siehe auch Bulgarische Weine.

V.D.Q.S.

Die Abkürzung V.D.Q.S. steht für die französische Bezeichnung »Vins délimités de qualité supérieure«. Etwa zwölf Prozent aller französischen Weine sind V.D.Q.S.-Weine; das heißt, sie stammen aus sechzig genau festgelegten Weinanbaugebieten, die strengen Vorschriften und Kontrollen – sowohl der französischen Winzer als auch der Regierung – unterliegen. Die Rebsorten sind ebenso vorgeschrieben wie die Anbaumethoden, die Zubereitung oder der Mindestalkoholgehalt. Zwischen V.D. Q.S.- und *A.O.C.*-Weinen gibt es kein Qualitätsgefälle.

Velvet Hammer

2–3 Eiswürfel,
3,5 cl französischer
Vermouth dry,
3,5 cl Gin,
3 cl Apricot Brandy,
5 cl Maraschino,
1 dash Orange Bitter,
1 Cocktailkirsche
zum Garnieren.

Alle Zutaten bis auf die Cocktailkirsche in der angegebenen Reihenfolge in ein Mixglas geben. Mit einem langen Barlöffel sehr gut verrühren. In ein großes Cocktailglas oder eine Sektschale abseihen, denn die Gesamtmenge dieses Cocktails entspricht der von drei Shortdrinks. Mit der Kirsche garnieren. Einen Cocktailspieß dazu reichen.

Verbessern von Weinen

Unter Verbessern oder Anreichern von Weinen versteht der Fachmann das Zufügen von Zucker zum Most nach genau vorgeschriebenen Richtlinien *vor* der Vergärung. Dieses erlaubte Verfahren hat nichts mit der Süße des fertigen Weines zu tun. Das Anreichern mit Zucker ist notwendig, wenn der Traubenmost zu wenig natürlichen Zuckergehalt hat. Der zugefügte Zucker vergärt zusammen mit dem natürlichen. Die sachgemäße Verbesserung ergibt abgerundete und harmonische Weine, die in ihrer Qualität den meisten unverbesserten nicht nachstehen. *Qualitätsweine mit Prädikat*, wie beispielsweise Kabinett oder Spätlese, dürfen nicht verbessert werden; sie müssen ausschließlich aus voll ausgereiften Trauben hergestellt werden.

Verdicchio

Der Verdicchio ist ein Weißwein aus der mittelitalienischen Region Marken. Er gilt als der beste Tischwein des Landes. Im Geschmack ist er trocken, harmonisch und leicht bitter. Es gibt zwei verschiedene Verdicchio-Sorten: Einmal den Verdicchio di Castelli di Jesi und zum anderen den Verdicchio di Matelica. Der erste wird nur in der Provinz Ancona und zu hundert Prozent aus Verdicchio-Trauben hergestellt. Der zweite kommt aus den Provinzen Ancona und Marcerata. Diesem dürfen bei der Kelterung maximal 20 Prozent *Trebbiano-* und *Malvasier-Trauben* zugesetzt werden. Beide Weine sind *D.O.C.*-Weine. Den Verdicchio di Matelica gibt es auch als Schaumwein. Die Verdicchio-Weine werden vor allem zu Fisch und Meeresfrüchten gereicht.

Verjuice

Der Saft von unreifen Weintrauben wird Verjuice (englisch) oder auch Verjus (französisch) genannt.

Vermouth

Der Vermouth, oder auch Wermut, ist ein ausgespriteter Wein mit Zusatz von Auszügen des Wermutkrautes, der ihm einen leicht bitteren Geschmack verleiht. Er wird als Aperitif vor dem Essen getrunken und sehr viel zum Mixen verwendet. Die piemontesische Hauptstadt Turin ist für die Herstellung von weißem, rotem und trockenem Vermouth bekannt. Auch in Frankreich wird viel Vermouth-Wein hergestellt, der aber im allgemeinen trockener ist als die italienischen Qualitäten.

Eines gilt für alle: Je besser der verwendete Grundwein, desto besser der Vermouth. Der hochprozentige Wein (15,5 bis 18 Vol.-%) sollte nur eisgekühlt getrunken werden.

Vermouth Addington

2–3 Eiswürfel,
2,5 cl Vermouth bianco,
2,5 cl französischer
Vermouth dry,
kaltes Sodawasser zum
Auffüllen,
1 Zitronenschalen-Spirale.

Velvet Hammer heißt Samthammer. Er ist einer.

Vermouth Cassis mit Farbe und Aroma vom Johannisbeerlikör.

Vermouth Addington ist Longdrink und Aperitif zugleich.

Diesen Drink haben Sie vielleicht schon einmal als »Vermouth Half and Half« getrunken, denn er ist auch unter diesem Namen bekannt.

Eiswürfel, Vermouth bianco und Vermouth dry in den Shaker geben. Kurz und kräftig schütteln. Shakerinhalt in ein großes Cocktail- oder Weinglas seihen. Mit Sodawasser auffüllen und als Garnierung die Zitronenschalen-Spirale einhängen.

Vermouth Cassis

8 cl französischer Vermouth dry,
3,5 cl Crème de Cassis,
2–3 Eiswürfel,
1 Stück Zitronenschale,
kaltes Sodawasser zum Auffüllen.

Diesen Longdrink können Sie als Aperitif anbieten. Vermouth, Crème de Cassis, Eiswürfel und Zitronen-

schale in ein mittelgroßes Becherglas geben. Mit Sodawasser auffüllen. Trinkhalm dazu reichen.

Vermouth-Flip

2–3 große Eiswürfel,
1 Eigelb,
2 BL Zuckersirup,
5 cl Vermouth rosso,
1 Prise geriebene Muskatnuß.

Eiswürfel, Eigelb, Zuckersirup und Vermouth in einen Shaker geben. Kurz und kräftig schütteln. In ein Flipglas seihen. Etwas Muskatnuß drüberstreuen. Dazu einen Trinkhalm reichen.

Im Gegensatz zu anderen Vermouth-Getränken sollte man den Flip nicht vor einer Mahlzeit reichen. Er ist zu kompakt.

Vernaccia di Oristano

Der Vernaccia di Oristano steht unter den Weinen

Sardiniens an der Spitze. Dieser strohgelbe Weißwein benötigt eine Lagerung von mindestens drei Jahren, bis er richtig ausgebaut ist und alle seine Vorzüge entfaltet. Nach dreijähriger Reifezeit darf er das Prädikat Superiore führen.

Sein Bukett erinnert an Mandelblüten. Er ist trocken und fruchtig. Ein idealer Fischwein, den man bei einer Temperatur von 8 Grad Celsius trinkt.

TIP

Bei einer Hausbar kann man an vielen Dingen sparen, aber nicht beim Vermouth. Drei Sorten – bianco, rosso und dry – sind nötig, wenn Sie rezepttreu mixen wollen.

Verschnitt

Verschnitte nennt man alle Spirituosen, die mit Alkohol anderer Art, also Sprit, versetzt sind. Die Menge an Alkohol, nach dem die Spirituose benannt ist, muß so groß sein, daß sie den Verschnitt geschmacklich und geruchlich bestimmt. Bei der Kennzeichnung muß das Wort »Verschnitt« in gleicher Schriftgröße, Farbe und Art mit dem Namen oder der Bezeichnung des Getränks verbunden sein. Das Verfahren kommt heute meist bei Rum oder Arrak zur Anwendung, seltener noch bei Weinbrand. Es ist verboten, Verschnitte unter Namen, die auf eine Echtheit des Produkts schließen lassen könnten, auf den Markt zu bringen.

Unter Verschnitt versteht man beim Wein die Mischung von Weinen verschiedener Rebsorten mit dem Ziel der geschmacklichen Verbesserung. Obwohl der Verschnitt bei anderen Genußmitteln wie

338

Der Vermouth-Flip hat die Kalorien einer kleinen Mahlzeit.

neutraler spanischer Rotwein, ist erlaubt, um dem oft hellen deutschen Rotwein mehr Farbe zu geben. Am Geschmack des Weines ändert sich dadurch kaum etwas.

Verschnitten werden auch Markenweine, bei denen der Verbraucher Jahr für Jahr den gleichen Geschmack erwartet.

Victoria Highball

2–3 Eiswürfel,
2 cl Pernod, 2 cl Grenadine,
2–3 große Eiswürfel,
kaltes Sodawasser zum Auffüllen.

Eiswürfel, Pernod und Grenadine in den Shaker geben. Kurz und kräftig schütteln. Shakerinhalt in ein hohes Becherglas seihen. Eiswürfel zufügen und mit kaltem Sodawasser auffüllen. Löffel und Trinkhalm dazu reichen.

Vie-en-rose Cocktail

2–3 Eiswürfel,
1 BL Zwetschenwasser,
1 BL Himbeersirup,
1 BL Cherry Brandy,
gekühlter Sekt zum Auffüllen.

Dieser Cocktail eignet sich als Begrüßungstrunk bei einer Party. Zum Auffüllen nehmen Sie am besten einen sehr trockenen Sekt. Eiswürfel, Zwetschenwasser, Himbeersirup und Cherry Brandy in den Shaker geben. Sehr gut schütteln und in eine Sektschale seihen. Mit Sekt nach Belieben auffüllen.

Wenn Ihnen Pernod pur zu intensiv nach Anis schmeckt, dann mixen Sie sich einen Victoria Highball. Grenadine veredelt diesen Drink.

Kaffee, Tabak und Whisky selbstverständlich ist, erscheint er manchen Verbrauchern beim Wein suspekt. Einen triftigen Grund gibt es dafür nicht. Die größten Burgunder- und Bordeaux-Weine sind Verschnitte aus meist zwei bis vier Traubensorten. Durch gekonnten Verschnitt mit einer Bukettsorte erreicht beispielsweise ein Riesling mit schwachem Bukett erst die vollkommene Abrundung. Das neue Weingesetz läßt bei Angabe einer Traubensorte einen Verschnittanteil von 25 Prozent zu. Bei Verschnitten aus mehreren Traubensorten dürfen diese in der Reihenfolge ihrer Anteile auf dem Etikett angegeben werden. Ein Verschnitt von Weinen verschiedener Anbaugebiete dagegen ist, vom Tafelwein abgesehen, verboten. Mit ausländischem Wein darf nur Rotwein verschnitten werden. Ein Zusatz von höchstens 25 Prozent Deckrotwein, das ist meistens ein tiefroter, geschmacks-

Vie-en-rose: Ein Sektcocktail mit Fruchtaroma. Rezept S. 339.

Violetta Cocktail

2–3 Eiswürfel,
2,5 cl Crème de Cassis,
2,5 cl Sahne,
5 cl Eiercognac.

Dieser Cocktail ist sehr gut als After-Dinner-Drink geeignet.
Eiswürfel und Cassis zusammen mit Sahne und Eiercognac in einen Shaker geben. Sehr gut schütteln. In ein großes Cocktailglas seihen.

Violette

Crème de Violette heißt eine französische Spezialität: Ein Likör mit einem ausgeprägten Veilchen-Geschmack. Das Aroma stammt aus den Wurzeln der Schwertlilien, die dem Likör auch noch einen leichten Geschmack nach Zedernholz gibt. Destillate aus diesen Lilienwurzeln sind in der Medizin schon seit Jahrhunderten als schweißtreibende Mittel gegen Katarrhe aller Art bekannt.

Violett Fizz

2–3 Eiswürfel,
4 cl Dry Gin,
2 BL Himbeersirup,
2 BL Sahne,
Saft einer halben Zitrone,
kaltes Sodawasser zum Auffüllen.

Vinho Verde

Vinho Verde heißt wörtlich grüner Wein und ist eine Spezialität Portugals. Dabei handelt es sich um einen leicht moussierenden, jungen Wein, der vor Beendigung der Gärung auf Flaschen gefüllt wird. Vinho Verde kannte man schon zu Zeiten der Römer. Heute unterliegt die Herstellung strengen Vorschriften. Nur aus genau abgegrenzter Region (zwischen Minho- und Dourofluß) darf er kommen; an Pergolen oder Bäumen hochgezogen müssen die Reben wachsen. Nur wenn alle Vorschriften eingehalten sind, erhält er von einer Behörde, der »Commissao de Viticultura da Regiao dos vinhos verdes« in Porto, die Erlaubnis, sich »grüner Wein« zu nennen.

Vino

Wein heißt in der italienischen und in der spanischen Sprache Vino. Für Weißwein steht im Italienischen Vino Bianco, im Spanischen Vino Blanco. Wer Rotwein kaufen möchte, verlangt in Italien Vino Rosso, in Spanien Vino Tinto.

Nach dem Essen oder zum Kaffee werden Sie mit einem Violetta Cocktail immer gut ankommen.

Violett Fizz: Ein Gin-Drink, der mit Sahne verfeinert ist.

Eiswürfel in etwa haselnußgroße Stücke zerkleinern und in den Shaker geben. Alle anderen Zutaten, bis auf Sodawasser, dazugeben. Shaker mit einer Serviette umwickeln und 1–2 Minuten kräftig schütteln. In ein mittelhohes Becherglas seihen. Mit Sodawasser auffüllen.

Virgin Cocktail

2–3 Eiswürfel,
2 cl Gin,
2 cl Forbidden-Fruit-Likör,
1 cl Crème de Menthe weiß.

Dieser Cocktail bekommt sein besonderes Aroma durch den Forbidden-Fruit-Likör, der aus Grapefruit und Orangen hergestellt wird und im Geschmack an Curaçao erinnert.
Alle Zutaten in den Shaker geben. Kurz und kräftig schütteln. In ein Cocktail- oder Weinglas seihen.

Vita Soy

In Vita Soy steckt die Kraft der Sojabohne, Asiens Eiweißspender ersten Ranges. Das Erfrischungsgetränk wurde in den USA entwickelt und sollte als Krafttrank in Entwicklungsländer geliefert werden, hat

Der Virgin Cocktail ist etwas für Freunde süßer Drinks.

sich aber rasch einen Markt in den USA erobert.
Der kräftige Trank enthält pro 0,2-l-Flasche 3,2 g Eiweiß, 2,9 g Fett, 12,5 g Kohlehydraten und die Vitamine A_1, B_1, B_2, B_6, B_{12} und Niacin.

Vogelbeer- branntwein

Unter den Obstgeisten ist der Vogelbeerbranntwein mit mindestens 40 Vol.-% eine Rarität. Da in den Vogelbeeren einmal wenig Kohlenhydrate und zum anderen gärungshemmende Stoffe enthalten sind, ist das Brennen von Vogelbeeren schwierig.
Die klare Spirituose gilt bei Kennern als ein vorzüglicher Schnaps, besonders wenn die vermaischten Vogelbeeren den ersten Frost hinter sich haben. Außer den Früchten der wilden Eberesche werden auch die Mehlbeeren und Elsbeeren, vor allem im mährischen Raum, gebrannt.
Der bekannteste Vogelbeerbranntwein ist der Jarcebiak aus Polen. Auch Likör wird aus Vogelbeeren zubereitet. Siehe *Ebereschenlikör* und *Jarcebinka*.

Vollbier

Nach dem Biersteuerrecht werden alle Biersorten mit einem Gehalt an Stammwürze zwischen 11 und 14 Prozent als Vollbier bezeichnet. Zu den Vollbieren zählen demnach das Lagerbier und das Export, das Märzen und das Pils.
Dabei wird kein Unterschied gemacht zwischen einem *obergärigen* und einem *untergärigen* Bier.

Vollmilch

Siehe Milch.

Vorzugsmilch

Siehe Milch.

V. S. O. P.

Siehe Cognac.

Vulcano

2 cl Chartreuse grün,
2 cl Kirschwasser,
1 dash Curaçao blau,
1 dash Curaçao weiß,
eiskalter Sekt zum Auffüllen.

341

Vulcano ist ein Sektcocktail, der auch das Auge erfreut.

Beim Zubereiten dieses Sektcocktails brauchen Sie keine Angst zu haben, daß Ihnen die Sektschale wegen der Hitze springt. Stellen Sie aber das Glas auf eine feuerfeste Unterlage. Chartreuse, Kirschwasser und Curaçao in eine Sektschale geben und umrühren. Anzünden und mit eiskaltem Sekt löschen.

TIP

Ist im Rezept Wacholderbranntwein angegeben, dann sollten Sie am besten Dry Gin nehmen.

Wacholder

Die blauschwarzen Beeren der in vielen Arten auftretenden Wacholderbäumen oder -büschen wurden schon in alten Zeiten als Gewürz, harntreibende Medizin, Badezusatz und Räucherwerk verwendet.
Nach der Entwicklung der Brennkunst wurden nicht nur die ätherischen Öle, sondern auch die bis zu 30 Prozent Zucker in den Beeren als Rohstoff für die Gewinnung zahlreicher Branntweinarten benützt.
Die bekanntesten Wacholderbranntweine sind *Gin*, *Genever* und *Steinhäger*, die alle einen stark ausgeprägten Wacholdergeschmack haben. Daneben gibt es noch eine Vielzahl von Branntweinen auf Wacholderbasis, die nicht so stark nach Wacholder schmekken: Der Tiroler Kranawitter, der Borowicka der Karpaten und der ostpreußische Machandel zum Beispiel. Die Alkoholgehalte der Wacholderbranntweine bewegen sich zwischen 32 Vol.-% für den einfachen Wacholder und 40 Vol.-% für den *Dry Gin*.
Meist wird Wacholderbranntwein aus Kornsprit mit Wacholderdestillat zubereitet. Eine Ausnahme ist der Wacholdergeist, der 38 Vol.-% Alkohol hat und ausschließlich aus Wacholderdestillat aus der vollen Beere gewonnen wird.
Um den strengen Wacholdergeschmack zu mildern, wird Wacholderbranntweinen häufig Zitronenschale, Koriander, Hopfenblüte oder Kümmel beigegeben.
Wacholderbranntweine gehören nicht zu den Beerenbranntweinen, denn die Wacholderfrüchte gelten in der Botanik als »Scheinbeeren«.

Waldzauber

2–3 Eiswürfel,
1,5 cl Himbeergeist,
1 cl Gin,
2,5 cl Brombeerlikör.

Eiswürfel, Himbeergeist, Gin und Brombeerlikör in ein mittelhohes Becherglas geben. Mit einem Barlöffel umrühren.

Walporzheimer Kräuterberg

Walporzheim ist einer der Hauptweinorte der *Ahr*, Europas nördlichstem und Deutschlands kleinstem Weinbaugebiet zwischen Remagen am Rhein und Altenahr in der Eifel. Der Walporzheimer Kräuterberg, der aus Spätburgunder-Trauben gekeltert wird, kann es mit seinem rassigen, vollmundigen Bukett in guten Jahren mit französischem Burgunder aufnehmen.

Warmer Korn

In Schlesien war früher der warme Korn eine Spezialität besonderer Art. Dabei wurde *Korn* in Gallonenflaschen, das waren flaschenförmige Gläser mit langem Hals, angewärmt zum Verzehr gereicht.

Washington Cocktail

2–3 Eiswürfel,
1,5 cl französischer Vermouth dry,
3,5 cl Weinbrand,
½ BL Zuckersirup oder Grenadine,
2 dashes Angostura.

Eiswürfel und alle anderen Zutaten in ein Mixglas geben und mit einem Barlöffel gut verrühren. In ein Cocktailglas seihen.

Wasser

Das noch immer mit Abstand wichtigste Getränk auf der Erde ist das Wasser. Als Trinkwasser muß es farblos, geruchlos und geschmacklos sein; vor allem darf es keine Keime und Bakterien enthalten, die Krankheiten auslösen können.

Natürliches Quellwasser enthält meist – in gelöster Form – verschiedene Salze und Elemente, die für den Körperhaushalt des Menschen unentbehrlich sind. Dazu gehören in erster Linie Calcium- und Kaliumverbindungen, aber auch Zink, Kupfer, Eisen, Kobalt und Mangan.

Die Härte des Wassers wird durch den Gehalt an Magnesium- und Calciumoxyd bestimmt. Ein Liter Wasser, der 10 Milligramm Calciumoxyd oder 7,14 Milligramm Magnesiumoxyd enthält, hat eine Härte von 1 Grad. Bis 8 Grad Härte gilt Wasser als weich, ab 18 Grad als hart. Der Härtegrad des Wassers ist ent-

Die Mosel trennt Wehlen von der Lage Sonnenuhr.

scheidend für die Qualität des Bieres. Für die Herstellung von Pilsbier ist weiches Wasser notwendig. Besonders hartes Wasser wird für Dortmunder und Münchner Bier verwendet. Wasser läßt sich auf verschiedene Methoden enthärten. Die für den Hausgebrauch üblichste ist das Abkochen und dann eventuell Filtern des Wassers.

Wehlener Sonnenuhr

Der Weinort Wehlen liegt am linken Ufer der Mosel zwischen Bernkastel und Traben-Trarbach. Seine bekannteste Lage ist die Wehlener Sonnenuhr. Die allerdings liegt dem Ort gegenüber am rechten Ufer der Mosel. Sie hat sich auch im Ausland einen Namen gemacht. Experten halten den Teil der Lage, der unterhalb der in einen steilen Felsen gemeißelten Sonnenuhr liegt, für den besten.

Weichsel-Bowle

Für 6 Personen

200 g entsteinte Sauerkirschen,
3 EL Zucker, 1 l Sekt,
5 cl Maraschino,
5 cl Weinbrand,
2 l roter Burgunder.

Für diese Bowle sollten Sie unbedingt Weichseln, also

Sauerkirschen, verwenden. Sie sind in der Bowle aromatischer als Süßkirschen. Besonders zu empfehlen sind: »Schattenmorellen«, die dunkelrote Sorte »May Duke«, die »Ostheiner-Weichseln« oder »Maraschka«-Kirschen.

Sauerkirschen in einer Schüssel mit Zucker, Maraschino und Weinbrand ansetzen. Im Kühlschrank zugedeckt 1 bis 2 Stunden ziehen lassen. Danach in ein Bowlen-Gefäß geben und den Rotwein darübergießen. Kurz vor dem Servieren mit Sekt auffüllen.

Weihenstephan

Auf den bayerischen Ort Weihenstephan bei Freising blicken die Bierbrauer der Welt. Die bayerische Staatsbrauerei Weihenstephan, in der die Studenten der »Fakultät für Brauwesen der technischen Hochschule München« das Brauen erlernen, ist die älteste noch existierende Brauerei der Welt.

Das Aroma des Himbeergeistes tritt im Waldzauber hervor.

Der Washington Cocktail ist ein reichlich süßer Aperitif.

Viele Weine aus bekannten Anbaugebieten sind auch ohne Etikett an Form und Farbe der Flasche zu erkennen. Im Bild sehen Sie von links nach rechts die gedrungene, olivfarbene Burgunderflasche, die grüne, sehr schlanke und hohe elsässische Flute und die beiden typischen Flaschen für weißen und roten Bordeaux. Daneben die Flaschen für Franken-, Mosel- und Rheinwein.

Weinbereitung

»Nun hebt sich auch das Herbsten an, die Kelter harrt des Weines – der Winzer Schutzherr Kilian beschert uns etwas Feines«, so heißt es in einem bekannten Wanderlied. Doch das Geschenk von St. Kilian, andernorts heißt er St. Urban, bedarf noch einer langen und sorgfältigen Behandlung durch den Kellermeister, bis Wein daraus wird.

Die Weinlese bestimmt schon die Qualitätsstufe des Weins. Die Skala der Lesearten reicht von der Frühlese bei feuchtigkeitsbedingter Fäulnisgefahr oder Frost über die Normal- und Spätlese bis hin zu den Auslesen der reifsten Trauben.

Bevor die geernteten Trauben in die Kelter kommen, werden sie zunächst von den Stielen befreit. Der Fachmann nennt das entrappen. Dadurch wird verhindert, daß der Gerbstoff der Stiele in den Wein gelangt. Die entrappten und zerquetschten Trauben bilden die Maische, die in einer Kelter unter hohem Druck gepreßt wird.

Das Abpressen des Mostes geschieht bei den Weißweintrauben möglichst rasch nach der Ernte, um schädliche Wirkungen des Luftsauerstoffs zu vermeiden. Bei der Rotweinherstellung läßt man jedoch die Maische vor dem Abpressen gären (Maischegärung), damit der so entstehende Alkohol den roten Farbstoff aus der Beerenhaut lösen kann. Der Traubenmost wird dann in einer Zentrifuge, dem Separator, von den Verunreinigungen und Trubstoffen befreit und kommt in das Gärfaß.

Die Gärung beginnt nach einiger Zeit von selbst. Sporen der Weinhefe-Pilze, die an den Trauben haften, sorgen dafür. Die Hefepilze spalten den im Most vorhandenen Zucker in Alkohol und Kohlensäure. Die Kohlensäure entweicht durch den Gärspund, einen ventilartigen Aufsatz, der zugleich das Eindringen schädlicher Organismen von außen verhindert.

Verläuft die Gärung zu schnell, entweichen die Bukett- und Geschmacksstoffe des Weines mit der Kohlensäure. Dagegen hilft nur eines: Kühlung des Fasses von außen. Dies geschieht durch Berieselung des Gärbehälters mit kaltem Wasser. Die Gärung ist beendet, wenn der vorhandene Zucker in Alkohol und Kohlensäure umgewandelt worden ist. Der Wein ist

Die Güte des Weins hängt in hohem Maße vom Können des Kellermeisters ab.

durchgegoren. Bei Most aus Trauben mit sehr hohem Zuckergehalt vergärt der Zucker zum Teil. Hat nämlich der Wein einen Alkoholgehalt von etwa 14 Prozent erreicht, hört die Gärung von selbst auf. Der restliche unvergorene Zucker bildet die vom Weinfreund so geschätzte natürliche Restsüße.

Nachdem die Gärung beendet ist, erfolgt der sogenannte erste Abstich: Der während der Gärung entstandene Hefeschlamm wird vom Jungwein getrennt, indem man den Wein vorsichtig aus dem Gärfaß in einen anderen Behälter umpumpt; der Hefesatz bleibt zurück. Den Jungwein läßt man einige Zeit ruhen, damit sich die Trubstoffe absetzen können, die dann beim zweiten Abstich ausgesondert werden. Die Zeit der Klärung dauerte früher oft ein Jahr und länger. Heute leitet man den Jungwein bei jedem Abstich durch feine Filter oder zentrifugiert ihn, um Trubstoffe zu entfernen.

*Riesling-Trauben nehmen
bei deutschen Weißweinen den
allerersten Platz ein.*

*Der Müller-Thurgau
hat sich im deutschen Weinbau einen
bedeutenden Platz erobert.*

*Der Silvaner war früher die
wichtigste deutsche Rebsorte in vielen
Anbaugebieten.*

*Weißburgunder-Trauben sind schon
seit dem 14. Jahrhundert in Frankreich
in allen Regionen bekannt.*

*Die Trauben der Neuzüchtung
Scheu-Rebe ergeben Weine mit
besonders edlem Bukett.*

*Aus Spätburgunder-Trauben
wird vor allem in Frankreich Rotwein
hergestellt.*

*Trollinger-Trauben sind als
Kur- und Tafeltrauben in vielen
Ländern beliebt.*

*Der rote Gewürztraminer liefert
Weißweine von besonderer Fülle und
aromatischer Würze.*

*Weißweine aus roten Ruländer-
Trauben sind wuchtig und haben
volles Bukett.*

Der Weinbrand ist in zahllosen Cocktails die vorherrschende Spirituose.

Peter Tower

Sir Ridgeway Knight

Sleepy Head

Sink Or Swim

Neben dieser »mechanischen Klärung« wendet man noch das Verfahren des *Schönens* an, um den Wein von Stoffen zu befreien, die durch Filterung und Separieren nicht entfernt worden sind.

Hygienische Sterilabfüllgeräte verhindern, daß bei der Abfüllung Stoffe in den Wein geraten, die zum frühzeitigen Verderb führen. Sogar die Korken sind steril, die Flaschen selbstverständlich auch. Frisch abgefüllte Weine sind unruhig und schmecken unharmonisch. Deshalb gönnt man ihnen noch eine Ruhezeit im Flaschenlager, bevor sie in den Handel kommen.

Weinbrand

Der Gesetzgeber hat es einfach. Für ihn ist Weinbrand »Branntwein, dessen Alkohol ausschließlich aus Wein gewonnen und der nach Art des Kognaks (siehe: *Cognac*) hergestellt ist, darf als Weinbrand bezeichnet werden.« Damit hat das Kind zwar einen Namen, aber es ist noch längst nicht dargelegt, was dieser klassische Branntwein, der die größte Verbreitung aller Spirituosen in zahllosen Abwandlungen und Brennverfahren hat, für die Getränkeindustrie und die Getränkeliebhaber in aller Welt bedeutet.

Weinbrand, auch wenn es kein Cognac ist, hat mindestens 38 Vol.-% Alkohol. Sein Geschmack ist, je nach den Trauben, die zu dem Rohstoff Wein vergoren wurden und je nach den Zusätzen, die mit vermaischt wurden, mal lieblich, mal hart, mal seifig, mal körnig. Es gibt kaum ein schmückendes Eigenschaftswort aus der Weinsprache, das nicht auch für den Weinbrand verwendet wird.

Wie für den Cognac ist auch für den Weinbrand die Lagerung von großer Bedeutung. Je länger Weinbrand in Eichenfässern gelagert hat, um so kräftiger wird sein Aroma und um so dunkler seine Farbe.

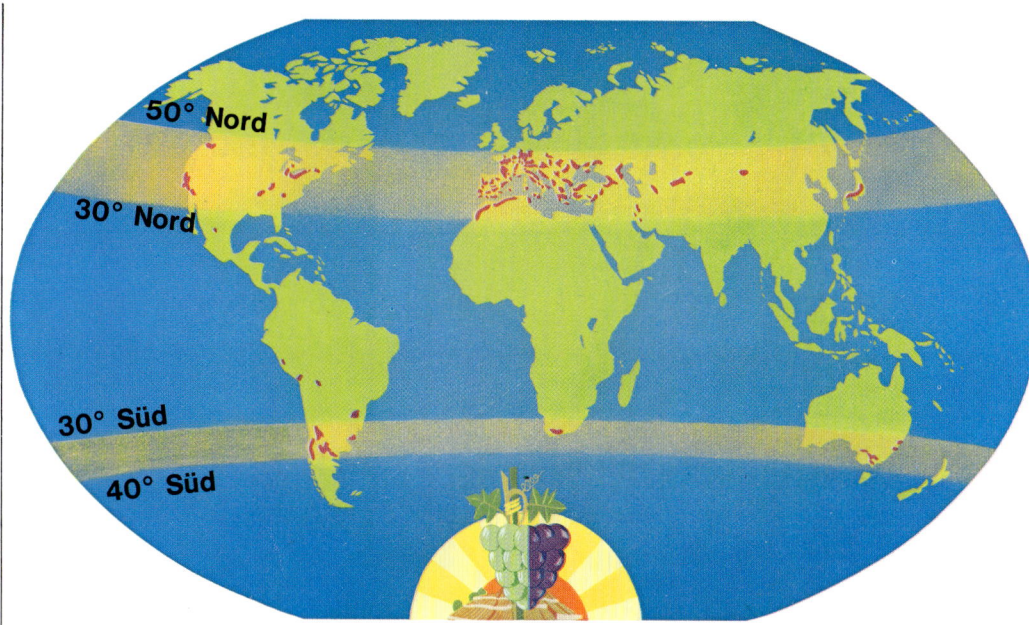

Wie zwei Gürtel erstrecken sich die Weinanbaugebiete auf beiden Hälften der Erde rund um den Globus. Außerhalb dieser Zonen gibt es Weinanbau nur in höheren Lagen von Südamerika.

Weinbrand-Cocktails

Nur wenige Weinbrand-Cocktails enthalten viel von dieser Spirituose, denn in falsch berechneten Mischmengen könnte ihr Aroma die anderen Zutaten »erschlagen«.

Hier vier Cocktails auf Weinbrand-Basis. Weitere Drinks finden Sie unter dem Stichwort *Brandy*.

Peter Tower

2–3 Eiswürfel,
3,5 cl Weinbrand,
1,5 cl weißer Rum,
2 BL Grenadine,
2 BL Curaçao,
2 BL Zitronensaft.

Alle Zutaten in ein Mixglas geben. Mit einem langen Barlöffel gut umrühren und in ein Cocktailglas seihen.

Sink Or Swim

2–3 Eiswürfel,
4 cl Weinbrand,
1 cl Vermouth bianco,
1 dash Angostura.

Eiswürfel, Weinbrand, Vermouth und Angostura in ein Mixglas geben. Mit einem langen Barlöffel sehr gut umrühren und in ein Cocktailglas seihen.

Sir Ridgeway Knight

2–3 Eiswürfel,
3 cl Weinbrand,
3 cl Curaçao Triple,
3 cl Chartreuse gelb,
2 dash Angostura.

Alle Zutaten in den Shaker geben. Seht gut schütteln und in ein großes Cocktail- oder Ballonglas seihen.

Sleepy Head

---

4 cl Weinbrand,
1 Orangenschalen-Spirale oder 1 BL geriebene Orangenschale,
1–2 Eiswürfel,
1 Zweig frische Minze,
kaltes Ginger Ale zum Auffüllen.

Weinbrand in ein hohes Becher- oder Kelchglas geben. Orangenschalen-Spirale oder geriebene Orangenschale und Eiswürfel zufügen. Vier Minzeblätter leicht zerreiben und den Minzezweig als Garnierung in das Glas stecken. Mit Ginger Ale auffüllen. Löffel und Trinkhalm reichen.

Weinsiegel

Siehe Gütesiegel.

Weinstraße

Die bekannteste Weinstraße Deutschlands führt am Osthang des Haardt-Gebirges mitten durch die Pfalz, das größte deutsche Weinbaugebiet. An der 80 Kilometer langen Straße reihen sich die bekannten Weinorte wie Perlen an einer Schnur auf: Bockenheim, Grünstadt, Bad Dürkheim, Wachenheim, Forst, Deidesheim, Neustadt, Edenkoben bis hin nach Bergzabern und Schweigen im Süden, wo das 20 Meter hohe Weintor Anfang oder Ende der Deutschen Weinstraße bildet.

Die Weine der Gegend sind oft stark und verlangen eine gute Unterlage. Man ißt deshalb viel Schweinefleisch und ziemlich fette, hausgemachte Würste. Eine Spezialität der Gegend sind Nüsse und Edelkastanien zum neuen Wein. Bekannte Weinlokale sind das Käsbüro in Bad Dürkheim-Seebach, die Kanne in Deidesheim und die Eselsburg in Musbach.

Weißbier

Siehe Weizenbier.

Weißburgunder-Traube

Siehe Pinot blanc.

Weißer Rum

Siehe Rum.

Weißherbst

Weißherbst ist ein Rosé-wein. Die klassischen Weiß-herbstgebiete sind Württemberg und Baden. Aber auch in den Anbaugebieten Ahr, Rheingau, Rheinhessen, Rheinpfalz und Franken wird Weißherbst hergestellt. Er paßt zu vielen verschiedenen Speisen und sollte mit 12 Grad Celsius getrunken werden.

Weißwein-Erdbeeren

Für 2 Personen

125 g reife Erdbeeren,
2 BL Zitronensaft,
2 BL Puderzucker,
weißer Bordeaux zum Auffüllen.

Erdbeeren waschen, abtropfen lassen und die Stengel abzupfen. In Sektschalen verteilen, mit Zitronensaft beträufeln und mit Puderzucker bestäuben. Mit weißem Bordeaux auffüllen. Löffel dazu reichen.

Weißwein-Erdbeeren sind sehr schnell zubereitet.

Whisky Cocktail

Verschiedene Whisky-Sorten sind in der Ausstattung einer Bar unentbehrlich.

Whisky Soda

Weizenbier

Das Weizenbier, in Bayern als Weißbier und in Berlin als Berliner Weiße bekannt, ist der Geheimtip der Biertrinker an heißen Tagen. Weizenbiere sind durchweg obergärige Biere, die aus Weizenmalz gebraut werden. Der Stammwürzegehalt der Weizenbiere ist sehr unterschiedlich. Die Leipziger Gose, ein Weizenbier, bei dem auch Gerstenmalz mit vermaischt wird, hat 6 Prozent Stammwürze, die Berliner Weiße 7 bis 8 Prozent Stammwürze und das bayerische Weißbier zwischen 11 und 12,5 Prozent Stammwürze.
Beim Weizenbier wird unterschieden zwischen Hefeweizen, was Flaschengärung und ein leicht trübes Weizenbier bedeutet, und dem sogenannten Champagnerweizen, der filtriertes Weizenbier ist.
Weizenbier muß bei Temperaturen zwischen 4 und 6 Grad Celsius gelagert werden. Ist Weizenbier wärmer, so schäumt es so stark, daß man es nicht einschenken kann. Ist es kälter, wird es trüb und unansehnlich.
Weizenbierflaschen soll man nicht knallen lassen, und die Hefe soll beim Einschenken am Boden der Flasche bleiben.

Welschriesling-Traube

Welschriesling-Trauben findet man vor allem in Österreich und in den Weinländern Süd- und Osteuropas, wie Ungarn, Jugoslawien und Oberitalien. Die Sorte

Wenn Sie Whisky Punsch mit einer aromatischen Note mögen, sollten Sie statt Scotch Whisky lieber Irish Whiskey nehmen.

Whisky Sour

hat aber mit dem deutschen Riesling nur geringe Ähnlichkeit. Weine aus Welschriesling sind mild, neutral und werden oft mit schwereren Weinen verschnitten.

Wermutwein

Siehe Vermouth.

Wette's Wunsch

2 Eiswürfel,
2,5 cl Wodka,
2,5 cl Calvados,
1 dash Apricot Brandy,
5 cl Rotwein,
1 Knoblauchzehe,
1 grüne Olive.

Eiswürfel, Wodka, Calvados, Rotwein und Apricot in den Shaker geben und kräftig schütteln. Ein Weinglas mit der Knoblauchzehe ausreiben und den Shakerinhalt in das Glas abseihen. Mit der grünen Olive garnieren. Mit Cocktailspießchen servieren.

Whisky

Whisky, um dessen Erfindung und Entwicklung Iren und Schotten Urheberrechtsstreite führen – das Lebenswasser »uisge beatha« – ist zum Inbegriff der deftigen und statusträchtigen Spirituose für angeblich harte Männer in aller Welt geworden.

Daß es so kam, verdankt der goldgelbe Trank wohl einerseits der Erfindung des Patent-Destillierapparates (der erst die Herstellung verschnittener Whiskysorten ermöglichte), andererseits wohl auch einer britischen Parlamentsentscheidung des frühen 19. Jahrhunderts, die den Whiskybrennern der schottischen *Lowlands* erst gestattete, ihren *blended Whisky*, der nichtschottischen Gemütern eher entsprach, ebenfalls Scotch zu nennen.

Man unterscheidet heute zwischen Irish, Scotch, Canadian, Bourbon und dem ursprünglichen Malt-

Whisky der schottischen *Highlands*. Alle haben in etwa das gleiche Produktionsverfahren, nicht aber die gleichen Zutaten.

Die Herstellung des Whisky ist eine Kunst: Zunächst wird die Gerste gemälzt, das heißt durch Zusatz von Wasser zum Keimen gebracht, dann über Torffeuer gedarrt, was dem Whisky seinen typisch rauchigen Geschmack verleiht, schließlich geschrotet und eingemaischt.

Die vergorene Würze (wash) wird nun im doppelten Destillationsprozeß in einfachen Blasenapparaten abgebrannt. Wie bei der Cognacbrennerei zieht man dabei das offene (naked) Feuer vor. Der erhaltene Rauchbrand (Low wine) mit einem Alkoholgehalt von etwa 20 Vol.-% wird nun in einer zweiten, kleineren Brennblase nochmals destilliert. Dann erfolgt die Reife in Eichenfässern (nicht selten in solchen, in denen vorher Sherry gelagert hatte) – und zwar mindestens drei Jahre. Erst dann erfolgt je nach Typ das sorgfältige »blending«.

Bei den Scotchs unterscheidet man vor allem zwischen *Malzwhisky* und Getreide-(grain)Whisky. Irish Whiskey präsentiert sich mild, mit viel Körper und einem malzigen Aroma. Amerikanischer *Bourbon* muß mindestens zu 51 Prozent aus Weizen hergestellt sein. Rye Whiskey mindestens zu 51 Prozent aus Roggen und Corn Whiskey mindestens zu 80 Prozent aus Mais.

Whisky oder Whiskey, wie er sich in Irland und Amerika nennt, wird indessen nicht nur in angelsächsischen Ländern hergestellt. Deutschland und jüngst auch Japan brennen kräftig mit und bieten heute »Lebenswässer« an, die denen Schottlands in punkto Qualität kaum nachstehen. Es müssen nicht unbedingt die Quellen Schottlands und das Torf der schottischen Hochmoore sein, um guten Whisky abzugeben.

Whisky Cocktail

2–3 Eiswürfel,
5 cl Whisky,
2 dashes Angostura,
½ BL Zuckersirup,
1 Cocktailkirsche mit Stiel.

Den Whisky Cocktail sollten Sie vor dem Essen reichen.

Alle Zutaten bis auf die Cocktailkirsche in den Shaker geben. Kurz und kräftig schütteln und in ein Cocktailglas seihen. Mit der Kirsche garnieren.

Whisky Cooler

2–3 Eiswürfel,
2,5 cl Zitronensaft,
1 BL Zucker,
5 cl Whisky,
gekühltes Ginger-Ale zum Auffüllen,
eventuell 1–2 Eiswürfel.

Dieser erfrischende Cooler gehört zu den Longdrinks und wird, wie alle Getränke dieser Gruppe, mit Zitronensaft zubereitet.

Eiswürfel zusammen mit Zitronensaft, Zucker und Whisky in den Shaker geben. Kurz und kräftig schütteln. In ein hohes Becherglas seihen. Mit Ginger Ale auffüllen. Nach Belieben ein oder zwei Eiswürfel dazugeben.

Whisky Julep

2 EL kaltes Wasser,
2 BL Zucker,
2 frische Minzezweige,
2–3 Eiswürfel,
5 cl Whisky,
1 frischer Minzezweig,
3–4 Weinbeeren,
2–3 Kirschen.

Auch der Whisky Julep wird wie alle Getränke dieser Gruppe im Glas zubereitet. Juleps sind erfrischende Mixgetränke, die mit Minze aromatisiert und mit Früchten garniert werden.

Wasser in ein mittelgroßes Becherglas geben. Zucker darin auflösen. Zerpflückte Minzezweige darin mit dem Barlöffel gut ausdrücken. Zweige wieder entfernen. Eiswürfel zerkleinern. In das Glas geben. Whisky zugießen. Mit dem Barlöffel so lange rühren, bis das Glas beschlagen ist. In die Mitte einen Minzezweig stecken. Mit Weinbeeren und Kirschen garnieren. Dazu Trinkhalm und Löffel reichen.

Whisky Punsch
Für 4 Personen

Schale von 2 Zitronen,
10 Stück Würfelzucker,
Saft von 2 Zitronen,
250–275 g Zucker,
½ l Wasser,
½ l Schottischer Whisky.

Zitronenschale mit dem Würfelzucker abreiben und zusammen mit allen anderen Zutaten in einen Topf geben. Unter Rühren bis kurz vor den Siedepunkt erhitzen. In feuerfeste Gläser seihen und sofort servieren.

Whisky Soda
Bild Seiten 348/349

5 cl Whisky,
1–2 große Eiswürfel,
1 Zitronenschalen-Spirale,
kaltes Sodawasser zum Auffüllen.

Sodas und Highballs gehören zu den erfrischenden und schnell zubereiteten Longdrinks. Wenn Sie Sodawasser durch Ginger Ale ersetzen, haben Sie einen Whisky Highball.
Whisky in ein hohes Becherglas gießen. Eiswürfel und Zitronenschalen-Spirale zufügen und mit Sodawasser auffüllen.

White Rose
White Lady
White Fire

Gin ist eine vielseitige Spirituose. Man kann mit ihr die unterschiedlichsten Drinks mixen.

Whisky Sour
Bild Seiten 348/349

2–3 EL haselnußgroße Eiswürfel,
Saft einer halben Zitrone,
1,5 cl Orangensaft,
2 BL Zucker,
5 cl Bourbon Whiskey,
1 Zitronenachtel,
1 Orangenachtel,
3 Cocktailkirschen,
Sodawasser zum Abspritzen.

Sours gehören zu den Longdrinks. Sie unterscheiden sich von den Fizzes nur durch eine geringere Sodawasserbeigabe. Dadurch sind Sours konzentrierter, also auch saurer.
Eiswürfel, Zitronen- und Orangensaft, Zucker und Whiskey in den Shaker geben. Shaker mit einer Serviette umwickeln und 1 bis 2 Minuten sehr gut schütteln. In ein mittelhohes Becherglas seihen. Zitronen-, Orangenachtel und Kirschen ins Glas geben. Nach Wunsch mit Sodawasser abspritzen.
Den Sour können Sie zusätzlich mit vier Orangenachteln oder einer Orangenscheibe garnieren, die Sie an den Glasrand stecken.

White Fire

2 grüne Oliven ohne Steine,
4 cl eisgekühlter Dry Gin.

Diesen Cocktail sollten Sie sich als Before-Dinner-Drink mixen.
Oliven in ein Cocktailglas legen. Mit dem eisgekühlten Gin übergießen. Einen Cocktailspieß dazu reichen.

White Lady

2–3 Eiswürfel,
3 cl Gin,
1 cl Cointreau,
1 cl Zitronensaft,
1 Cocktailkirsche mit Stiel.

Eiswürfel mit Gin, Cointreau und Zitronensaft in einen Shaker geben. Kräftig schütteln. In ein Cocktailglas seihen. Eventuell einen Cocktailspieß dazureichen.
Wenn Sie diesen Cocktail etwas mildern möchten, können Sie noch ½ bis 1 Eiweiß in den Shaker geben.

White Rose

2–3 Eiswürfel,
4 cl Dry Gin,
Saft einer Limette (Lumie),
2,5 cl Orangensaft,
2 cl Maraschino,
1 Eiweiß.

Alle Zutaten in der angegebenen Reihenfolge in den Shaker geben. Sehr gut schütteln und in ein großes Cocktail- oder Weinglas seihen.

Williams-birnenbrannt

Beim Blick auf die Flasche erhebt sich zunächst die Frage: Wie kommt die Birne da hinein? Ganz einfach: Man stülpt die Flasche über die befruchtete Blüte und wartet bis zur Reife der Frucht.
Eigentlich ist die Birne im Birnenbrannt, obwohl ein hübscher Anblick, nicht jedermanns Sache, da sie bei der ohnehin nicht billigen Spirituose von mindestens 38 Vol.-% Alkohol nur Volumen wegnimmt.
Ob mit oder ohne – der Williamsbirnenbrannt gehört zur Elite unter den zahlreichen Schnäpsen. Grundlage ist die Williamsbirne, die heute vor allem im Schweizer Rhônetal und in Südtirol angebaut wird und die, soll sie einen guten Brannt abgeben, schon ein

Zum Brennen müssen Williamsbirnen möglichst vollreif sein.

fortgeschrittenes Stadium der Reife erreicht haben muß. Denn nur so bleibt das Aroma über die Destillation hinweg erhalten.
In seiner feinsten Form kommt er heute als »Williamine« aus dem Schweizer Kanton Wallis. Die Birnen werden hierzu so lange gelagert, bis sie ganz teigig geworden sind. Die zermahlenen Früchte werden dann mehrfach destilliert. In diesen klaren Brannt wird ein Teil der Birnenmasse eingelegt, um zu mazerieren.

Winzergenossenschaften

In allen deutschen Weinanbaugebieten findet man heute Winzergenossenschaften. Viele kleine Weinbaubetriebe, die allein nicht in der Lage wären, modernste, aber kostspielige Geräte wie Pressen, Lagertanks und Abfüllanlagen anzuschaffen, haben sich darin zusammengeschlossen. Die Genossenschaften bieten ihren Mitgliedern die Vorteile modernster Produktionstechnik und sorgen darüber hinaus für den Absatz der Weine, beispielsweise an Großabnehmer wie Handelsketten, Kaufhäuser und Supermärkte.
Das finanzielle Risiko der Mitglieder wird von der Genossenschaft – also von al-

len Mitgliedern – getragen. Modernste Anlagen und perfekte Kellereitechnik haben dazu geführt, daß die Winzergenossenschafts-Weine heute, trotz überwiegendem Massenabsatz, oft hervorragend sind. Das beweist nicht zuletzt das gute Abschneiden von Genossenschaften bei Weinprämierungen.

Witwenwein

Das Jahr 1921 erbrachte einen Jahrhundertwein. Da er eine solche Fülle und Stärke hatte, soll er das Herz manches Trinkers überfordert haben. Man nannte ihn deshalb Witwenmacher oder Witwenwein. Und so nennt man scherzhaft heute noch sehr zum Trinken verführende Weine.

TIP

Ganz geeichte Wodkatrinker behaupten, man sollte das »russische« Wässerchen nicht nur eiskalt trinken, sondern auch mit einigen Körnchen Salz vorher ganz leicht würzen.

Wodka

Wodka heißt auf Russisch soviel wie »Wässerchen«, und er ist in seiner Urform nichts anderes als möglichst reiner Sprit, der auf Trinkstärke herabgesetzt wurde. Sein Alkoholgehalt liegt zwischen 40 und 50 Vol.-%. Entgegen landläufigen Ansichten muß Wodka nicht unbedingt aus Kartoffelsprit gemischt werden. Viele Brennereien schwören auf Getreidewodka aus Roggen oder Gerste, und manchmal verwendet man auch noch einen Anteil Weizen.
»Wodka ist ein Branntwein, der aus feinfiltriertem Alkohol oder nach besonderem Verfahren behandeltem Primasprit bzw. Kornfeinsprit hergestellt wird«, sagen die deutschen Begriffsbestimmungen. »Durch die besonderen Verfahren müssen die charakteristischen Merkmale des Wodka, die Reinheit und Weichheit des Geschmacks, erreicht werden.« Diese »besonderen Verfahren«, womit die Techniken der Spiritusreinigung gemeint sind, lassen viele Möglichkeiten offen. Man kann den Sprit zum Beispiel über Aktivkohle destillieren, kann ihm Kaliumpermanganat zusetzen, das nach kurzer Einwirkungszeit nebst allen Unreinheiten auf chemischem Wege wieder entfernt wird.
Wodka ist in der Regel weder aromatisiert noch braucht er gelagert zu werden. Es gibt keine Alterungsprobleme, und wenn er sorgfältig destilliert und gereinigt wurde, kommt es eigentlich nur noch auf zwei Dinge an: daß bei der Herabsetzung auf Trinkstärke möglichst gutes und gut geeignetes Wasser benutzt wird und daß man ihn so kalt wie möglich trinkt. Für die Kühlung genügt der Kühlschrank, aber wer russische Sitten nachahmen will, kann sich auch den Spaß erlauben, die Wodka-Flasche in einen schönen, kristallklaren Eisblock einfrieren zu lassen und so auf den Tisch zu bringen.

Wodka Crusta

2 EL Orangensirup,
2 EL Puderzucker,
4–5 Eiswürfel,
1 cl Weinbrand,
3 cl Wodka,
1 cl Vermouth rosso,
1 dash Orange Bitter,
1 dash Angostura,
2 BL Zucker,
1 Zitronenschalen-Spirale
zum Garnieren.

In je eine flache Untertasse den Orangensirup und den Puderzucker geben. Eine Sektschale oder ein Cocktailglas mit dem Rand zuerst in den Sirup tauchen und kurz abtropfen lassen. Dann den Glasrand in den Zucker stellen. Glas umdrehen und Crustarand trocknen lassen.

Alle anderen Zutaten, mit Ausnahme der Zitronenschalen-Spirale, in den Shaker geben. Sehr gut schütteln und den Shakerinhalt in das Crusta-Glas seihen. Die Zitronenschalen-Spirale einhängen. Mit Trinkhalm servieren.

Wodka Daisy

3–4 Eiswürfel,
4–6 Ananasstücke,
2–3 EL haselnußgroße
Eisstücke, 5 cl Wodka,
2 BL Zuckersirup,
1 BL Bénédictine,
1 dash Maraschino,
1 dash Calvados,
5–10 cl Sodawasser zum
Abspritzen.

Eine kleine Sektschale mit den Eiswürfeln ausschwenken, Ananasstückchen hineinlegen. Die haselnußgroßen Eisstücke zerkleinern, mit Wodka, Sirup, Bénédictine, Maraschino und Calvados in den Shaker geben. Den Shaker mit einer Serviette umwickeln und mindestens eine Minute kräftig schütteln. Shakerinhalt in die geeiste Schale seihen und mit Sodawasser abspritzen. Dazu Trinkhalm und Barlöffel reichen.

Wodka Fizz

2–3 EL haselnußgroße
Eiswürfel,

Wodka Fizz

Wodka
Gibson

Wodkatini heißt dieser Aperitif aus Wodka und Vermouth.

Weil der Wodka im Geschmack neutral ist, eignet er sich sehr gut zum Mixen.

Wodka Crusta

5 cl Ananassaft,
1 BL Zitronensaft,
1 BL Zuckersirup,
3 cl Wodka,
eiskaltes Sodawasser,
1 Eiswürfel.

Wie alle Getränke dieser Gruppe schmeckt auch der Wodka Fizz nur dann, wenn er eiskalt und gut geschüttelt serviert wird.
Alle Zutaten, mit Ausnahme des Sodawassers und eines Eiswürfels, in den Shaker geben. Shaker mit einer Serviette umwickeln und mindestens 1 bis 2 Minuten kräftig schütteln. In ein hohes Becherglas seihen und mit Sodawasser auffüllen. Eiswürfel zugeben.

Wodka Gibson

2–3 Eiswürfel,
4 cl Wodka,
1 cl französischer
Vermouth dry,
2–3 Perlzwiebeln.

Eiswürfel, Wodka und Vermouth in ein Mixglas geben. Mit einem langen Barlöffel gut verrühren und in ein Cocktailglas abseihen. Perlzwiebeln zufügen. Cocktailspieß dazu reichen.

Wodkatini

2–3 Eiswürfel,
4 cl Wodka,
1 cl französischer
Vermouth dry,
2 dashes Angostura,

1 Cocktailzwiebel,
1 Stück Zitronenschale.

Eiswürfel in ein Mixglas geben. Wodka, Vermouth und Angostura dazu gießen. Mit einem Barlöffel umrühren. In ein Cocktailglas seihen. Mit einer Cocktailzwiebel garniert und mit Zitronenschale abgespritzt servieren. Trinkhalm und Cocktailspieß dazu reichen.

Wolgaschiffer

2–3 Eiswürfel, 2 cl Wodka,
2 cl Cherry Brandy,
2 cl Orangensaft,
1 Orangenscheibe.

Eiswürfel, Wodka, Cherry Brandy und Orangensaft in den Shaker geben. Kräftig schütteln. In ein großes Cocktailglas seihen. Eine Orangenscheibe bis zur

Mitte einschneiden und an den Glasrand stecken. Dazu einen Trinkhalm reichen.

Wolga Wolga

2–3 Eiswürfel,
4 cl Wodka,
1 cl Curaçao blau,
1 dash Pernod.

Eiswürfel, Wodka, Curaçao und Pernod in ein Mixglas geben. Mit einem langen Barlöffel gut verrühren. In ein Cocktailglas seihen.

Württemberg

Warum ist es so schwer, in Hamburg oder Berlin einen Württemberger Wein zu kaufen? Ganz einfach, weil er offenbar so gut ist, daß ihn die Schwaben selber »schlotzen« und zwar in erheblichen Mengen. Genau gesagt trinken sie bei einer durchschnittlichen jährlichen Weinerzeugung von über einer halben Million Hektoliter fast doppelt soviel wie sie erzeugen: Das »Ländle« hat mit fast 40 Liter den höchsten Pro-Kopf-Verbrauch in der Bundesrepublik. »Schlotzen« ist übrigens der schwäbische Ausdruck für das genußvolle Schlürfen von Wein – von mehr als einem Glas pro Abend, versteht sich! Das württembergische Weinland ist keine geschlossene Rebfläche, wie beispielsweise Rheinhessen

Wolga Wolga

Wolgaschiffer

Drinks auf Wodka-Basis brauchen starke Aromaspender.

353

Weinanbaugebiet
WÜRTTEMBERG

Bad Mergentheim

Weikersheim

TAUBER

NECKAR

JAGST

BEREICH KOCHER-JAGST-TAUBER

Gundelsheim

KOCHER

Künzelsau

Brackenheim

Bönnigheim

Weinsberg

Heilbronn

Pfedelbach

Maulbronn

Besigheim

Grossbottwar

ENZ

MURR

BEREICH WÜRTTEMBERGISCH UNTERLAND

Strümpfelbach

REMS

Esslingen

Stuttgart

BEREICH REMSTAL-STUTTGART

NECKAR

Metzingen

Tübingen

oder die Pfalz. Die Weinberge sind über das ganze Gebiet verstreut, vornehmlich aber in den Tälern des Neckars und seiner Nebenflüsse. Die Weingärten reichen sogar bis in die großen Städte Stuttgart und Heilbronn hinein.

Unter den Rebsorten Württembergs ist der *Trollinger* mit über 25 Prozent Anteil an der Gesamtrebfläche die bedeutendste. Der in Deutschland nur in Württemberg heimische Trollinger ergibt kernige, wegen ihrer frischen Säure rassige Rotweine, die besonders gut aus dem schwäbischen »Viertelesglas«, einem bauchigen, farblosen Glas mit

Henkel schmecken sollen. Keltert man rote und weiße Trauben zusammen, entsteht eine württembergische Spezialität, der Schillerwein. Dieser rosafarben im Glas schillernde (daher sein Name) Wein paßt trotz seiner charaktervollen Eigenart zu fast jedem Gericht. Neben dem Trollinger

bietet Württemberg noch die roten Rebsorten Lemberger, Schwarzriesling, Spätburgunder und Portugieser. Lemberger findet man oft als Verschnittwein mit Schwarzriesling.

Doch nicht zuletzt die weißen Sorten sind es, die das Typische der Württemberger Weine prägen: Kernige, bodenständige Weine von ehrlicher Art, die besonders der fortgeschrittene Weinkenner zu schätzen weiß. Allen voran der Riesling, der auf den schweren Keuperböden ausgeprägte, dabei aber nervige, elegante Weine von durchweg vorzüglicher Qualität ergibt. Etwas milder präsentiert sich der auf Muschelkalk und Sandsteinböden angebaute Silvaner, in Württemberg auch »Österreicher« genannt.

Neben diesen klassischen Weißweinsorten findet man Müller-Thurgau, Ruländer, Traminer, sowie vereinzelt auch den wuchtigen Muskateller.

Bekannte Lagenamen sind: Cannstatter Zuckerle, Fleiner Eselsberg, Stettener Pulvermächer, Heilbronner Stiftsberg, Mundelsheimer Käsberg, Schnaiter Sonnenberg und Endersbacher Hintere Klinge.

Übrigens – die »süße Welle«, die man in manchen Gebieten beobachten konnte, ist an Württemberg fast spurlos vorbeigegangen. Das liegt sicher daran, daß die Schwaben auch beim Wein ihre eigene Art verteidigen und nicht jede Mode um jeden Preis mitmachen. Wie schon angedeutet, spielt der Wein im Leben der Schwaben eine große Rolle. Das hat schon ein großer Sohn des Landes, Friedrich Schiller, erkannt: »Der Name Wirtemberg schreibt sich vom Wirt am Berg – Ein Wirtemberger ohne Wein, kann der ein Wirtemberger sein?«

Würzburger Innere Leiste

Die Weine der Würzburger Lage Innere Leiste werden von manchen Kennern als die besten, wenn auch nicht typischsten unter den Frankenweinen bezeichnet. Die Reben wachsen auf einem langgezogenen Südhang mit Muschelkalkverwiterungsböden. Aus den Riesling-Trauben werden leichte, liebliche und duftige Weine gekeltert.

Weinberge am Hang der Festung Marienberg in Würzburg.

Würzburger Stein

Die Weine der Lage Würzburger Stein waren die ersten, deren erdiger, wuchtiger Charakter bereits zur Rokoko-Zeit etikettiert wurde. Daraus entstand die Sitte, Lagennamen auf dem Etikett auszuweisen. Der Würzburger Stein gilt mit seinen 110 Hektar Rebfläche als größte zusammenhängende deutsche Weinlage. Der gesamte Weingarten ist ein nach Süden gerichteter Muschelkalkhang und bietet ideale Voraussetzungen für den Anbau von Riesling-Reben. Schon 1806 schrieb Goethe aus Jena an seine Frau: »Sende mir noch einige Würzburger, denn kein anderer Wein will mir so schmecken, und ich bin verdrießlich, wenn mir mein gewohnter Lieblingstrank abgeht.«

TIP

Wer Württemberger Weine richtig kennenlernen möchte, sollte eine Weinreise durch möglichst viele Weinorte Württembergs machen und nach der Weinprobe die gewünschte Menge für den Keller zu Hause einkaufen.

Wurzelbier

In den USA ist das Wurzelbier, dort rootbeer genannt, ein beliebtes alkoholfreies Aufgußgetränk. Es wird aus der Sassafraswurzel gewonnen, wobei das Getränk durch Süßholz verfeinert wird.

Xalapa Punch

Für 6–8 Personen

Abgeriebene Schale von 2 Zitronen,
2 l starker, heißer Tee,
200–250 g Zucker,
$\frac{3}{4}$ l Calvados,
$\frac{3}{4}$ l Cuba Rum,
$\frac{3}{4}$ l Rotwein,
1 Zitrone,
1 Eisblock (von $\frac{1}{2}$ l Wasser).

Xalapa Punch: Wenn Sie dem köstlichen Trank kräftig zusprechen, könnte es Ihnen schwerfallen, seinen Namen auszusprechen.

Diese drei Yellow Drinks haben nur eins gemeinsam: Sie haben alle einen Gelbstich. Im Geschmack aber ist einer interessanter als der andere.

Yellow Submarine

Yellow Parrot

Yellow Daisy

Abgeriebene Zitronenschale in eine große Schüssel geben. Mit dem heißen Tee übergießen und zugedeckt 10 bis 15 Minuten ziehen lassen. In ein großes Bowlen-Gefäß seihen. Zucker zufügen und unter Rühren auflösen. Zugedeckt erkalten lassen. Calvados, Rum und Rotwein zugießen. Zitrone in dünne Scheiben schneiden und zusammen mit dem Eisblock dazu-geben. Alles vorsichtig umrühren. In Punschgläsern servieren. Trinkhalme dazureichen.

Xérès

Das Zentrum des südspanischen Sherry-Gebietes Jerez (de la Frontera) hieß früher Xérès; die Weine hießen ebenso. Xérès-Wein ist also nichts anderes als *Sherry*.

Xtabenum

Xtabenum heißt eine in Mexiko sehr beliebte Spirituose, die aus Anis und Honig hergestellt wird.

X.Y.Z. Cocktail

2–3 Eiswürfel,
2,5 cl brauner Rum,
1,5 cl Orangenlikör,
1 cl Zitronensaft.

Alle Zutaten in den Shaker geben. Kurz und kräftig schütteln und in ein Cocktail- oder Kelchglas seihen. Für den X.Y.Z. Cocktail nehmen Sie am besten den aromatischen Jamaika-Rum. Mit dem Zitronensaft sollte man sparsam umgehen.

Y

Yellow Daisy

2–3 EL haselnußgroße
Eiswürfel,
4 cl französischer
Vermouth dry,
4 cl Dry Gin,
1 cl Grand Marnier,
1 Cocktailkirsche
mit Stiel.

Eiswürfel, Vermouth, Gin
und Grand Marnier in den
Shaker geben. Shaker mit
einer Serviette umwickeln
und sehr gut schütteln.
Inhalt in ein großes Cock-
tail- oder Weinglas seihen.
Mit der Cocktail-Kirsche
garnieren.

Yellow Parrot

2–3 Eiswürfel,
1,5 cl Bénédictine,
2 cl Chartreuse gelb,
1,5 cl Gin,
1 Cocktailkirsche
zum Garnieren.

Der Yellow Parrot Cocktail
ist als After-Dinner-Drink
sehr zu empfehlen. Er wird
auf Likör-Basis gemixt.
Alle Zutaten mit Ausnahme
der Cocktailkirsche in den
Shaker geben. Kurz und
kräftig schütteln. In ein
Cocktail- oder Weinglas
seihen. Die Kirsche zu-
fügen. Dazu einen Cocktailspieß reichen.

Yellow Submarine

2–3 Eiswürfel,
1 dash Angostura,

*Den X.Y.Z. mixen Sie mit
Rum, Orangenlikör und Saft.*

1,5 cl Dubonnet,
1,5 cl französischer
Vermouth dry,
2 cl Gin.

Der Name dieses guten
Before-Dinner-Drinks wird
manchen an die Beatles
erinnern.
Eiswürfel, Angostura, Du-
bonnet, Vermouth und Gin
in ein Mixglas geben. Alles
mit einem langen Barlöffel
sehr gut verrühren. In ein
Cocktailglas seihen.

Yellow Wine

Siehe Gelber Wein.

Yomeishu

Yomeishu ist ein japa-
nischer »gekräuterter Me-
dizinalreiswein« mit 14
Vol.-% Alkohol. Er wurde
vor 360 Jahren aus Kräu-
tern und süßem japanischen
Reiswein erstmals kompo-
niert. Die Ginsengwurzel,
der man aphrodisische Wirkung nachsagt, ist neben
13 anderen Kräutern in Yomeishu enthalten, das ge-
rade kein Medikament, sondern bestenfalls ein »Stärkungsmittel« ist.

York Cocktail

2–3 Eiswürfel,
4 cl Whisky,
1 cl Vermouth rosso,
2–3 dashes Angostura,
1 Stück Zitronenschale.

Den York Cocktail können
Sie als Before-Dinner-
Drink servieren.
Eiswürfel, Whisky, Ver-
mouth und Angostura in
ein Mixglas geben. Alles
mit einem langen Barlöffel
sehr gut verrühren. In ein
Cocktailglas seihen. Mit Zitronenschale abspritzen.

Z

Zahme Birgitt

2–3 Eiswürfel,
2 cl Mokkalikör,
2 cl Sahne,
1 cl Apricot Brandy.

Diesen Cocktail sollten Sie
sich als After-Dinner-Drink
mixen. Alle Zutaten in den
Shaker geben. Kurz und
kräftig schütteln. In ein
Cocktailglas seihen.

Zazarac-Cocktail

2–3 Eiswürfel,
1 dash Orange Bitter,
1 dash Angostura,
1 dash Grenadine,
1,5 cl Whisky,
1,5 cl Anisette,
2 cl weißer Rum,
1 Stück Zitronenschale.

Alle Zutaten, mit Aus-
nahme der Zitronenschale,
in den Shaker geben. Kurz

*Der Dash Angostura im York
Cocktail regt den Appetit an.*

*Ein Zungenbrecher, der die
Zunge löst, ist der Zazarac.*

und kräftig schütteln. Shakerinhalt in ein Cocktail- oder Weinglas seihen. Mit Zitronenschale abspritzen und servieren.

Zeller Schwarze Katz

Seit der Reform des Deutschen Weingesetzes ist Zeller Schwarze Katz eine *Großlage*. Gute Lagen des Weinortes Zell an der Mosel sind Burglay-Felsen, Domherrenberg, Nußberg und Petersborn-Kabertchen.

Zeltinger Himmelreich

Die Lage Zeltinger Himmelreich im Mittelabschnitt der Mosel hat sich im In- und Ausland einen Namen gemacht. Über tausend Jahre lang kämpften die Erzbischöfe von Köln und Trier um den Besitz dieser und der angrenzenden Lagen Deutschherrenberg und Sonnenuhr. Die Säkularisierung Anfang des 19. Jahrhunderts bereitete dem Streit der Geistlichen ein Ende.

Zenith

3–4 Eiswürfel,
2 BL Ananassaft,
5–7,5 cl Dry Gin,
eisgekühltes Sodawasser zum Auffüllen,
5 Ananasstücke.

Zenith ist ein erfrischender Longdrink auf Gin-Basis. Eiswürfel in ein breites Becherglas geben. Ananassaft und Gin drübergießen. Mit Sodawasser auffüllen. und die Ananasstücke zugeben. Löffel und Trinkhalm dazu reichen.

Ziegeltee

Völlig zu Unrecht wird der Ziegeltee oft als ein minderwertiger Tee bezeichnet. Beim Ziegeltee handelt es

Am besten schmeckt der Zenith mit frischen Ananasstücken.

sich vielmehr um eine Art Verpackung, in dem die Blätter (und auch die Stengel) des Tees, meist schwarzer, aber gelegentlich auch grüner Tee, zu Platten gepreßt werden, sogenannten Ziegeln. Sie sind oft mit kunstvollen Reliefs versehen.
Der Ziegeltee wird zubereitet, indem mit dem Messer Krümel von Tee abgeschabt und dann im üblichen Verfahren mit heißem Wasser aufgegossen werden.

Ziegenmilch

Die Hausziege, auch »Kuh des kleinen Mannes« genannt, liefert eine würzige Milch, die besonders als Kindernahrung und zur Bereitung von Käse und Butter sehr geeignet ist.

Kunstvolle Reliefs schmücken die Platten des Ziegeltees aus China.

Zierfandler-Traube

In Niederösterreich, Ungarn und Jugoslawien reifen die roten Zierfandler-Trauben. Die Skala der daraus gekelterten Weine reicht vom einfachen Konsumwein bis zur Trockenbeerenauslese. Sie sind feurig, würzig und extraktreich. Der österreichische Weinort Gumpoldskirchen ist für seine Zierfandler-Weine bekannt.

Zilavka

Jugoslawien-Urlauber kennen den Zilavka, einen trockenen, körperreichen Wein, der in der Gegend zwischen Dubrovnik und Mostar hergestellt wird. Siehe auch Jugoslawische Weine.

Zimtlikör

Er gehört wie Nelken- oder Muskatlikör zu einer heute selten gewordenen Gattung ausgesprochener *Gewürzliköre*. Er wird aus feinstem gemahlenem Ceylonzimt oder Zimtblüte gewonnen, wobei das feine Zimtaroma in reiner Form vorliegt und direkt verwertet werden kann. Obwohl das Aroma des Gewürzes, das dem Likör den Namen gibt, vorherrschen soll, wird dem Zimtlikör Orangenblütenwasser und

Vanilletinktur beigegeben. Der Alkoholgehalt dieses Liköres liegt bei 35 bis 38 Vol.-%. Der Zuckergehalt bleibt relativ gering.

Zinfandel

Zinfandel heißt eine rote kalifornische Traubensorte, aus der Weine gekeltert werden, die viel Ähnlichkeit mit dem Beaujolais aufweisen.

Zitronenbowle

Für 4 Personen

2 Zitronenschalen-Spiralen,
½ l gekühlter Weißwein,
durchgeseihter Saft von 2–3 Zitronen,
4–5 BL Zucker,
1 l gekühlter Weißwein,
¾ l gekühlter Sekt,
dünne Scheiben von einer Zitrone.

Zitronenschalen-Spirale und ½ l Weißwein in ein Bowlen-Gefäß geben. Zugedeckt

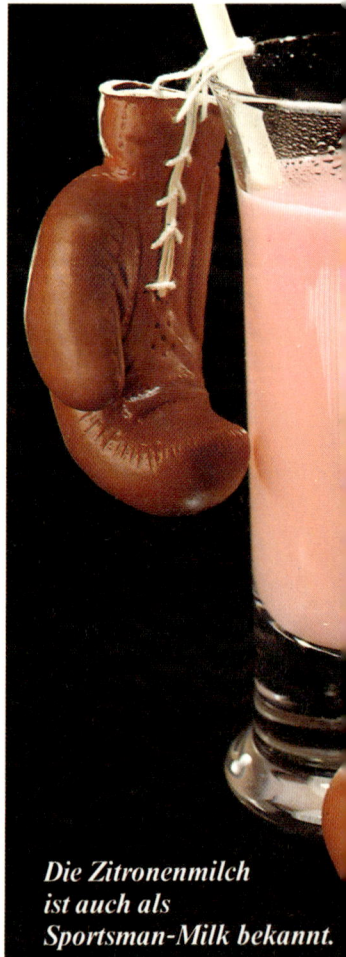

Die Zitronenmilch ist auch als Sportsman-Milk bekannt.

30 Minuten ziehen lassen. Dann den durchgeseihten Zitronensaft, Zucker und restlichen Weißwein zugeben. Alles verrühren, bis der Zucker gelöst ist. Mit Sekt auffüllen und die Zitronenscheiben zufügen. In Bowlengläsern servieren.

Zitronen-Cooler

3–4 Eiswürfel,
2 BL Zuckersirup,
durchgeseihter Saft einer Zitrone,
kaltes Ginger Ale,
1 Zitronenscheibe.

Diesen alkoholfreien Cooler sollten Sie Ihren autofahrenden Gästen mixen. Eiswürfel in ein mittelgroßes Becherglas geben. Zuckersirup und Zitronensaft drübergießen. Mit kaltem Ginger Ale auffüllen. Zitronenscheibe bis zur Mitte einschneiden und an den Glasrand stecken.

Zitronensaft macht alle Drinks frisch und fruchtig.

Zitronen-bowle

Zitronen-Cooler

Zitronen-punsch

Zitronenlikör

Zitronenlikör zählt zur Gattung der *Fruchtaromaliköre*. Er wird durch *Mazeration* der Schalen, deren ätherische Öle die wertvollsten Bestandteile und vor allem das Aroma enthalten, hergestellt. Zitronenliköre vertragen ihrer höheren Fruchtsäure wegen Zuckerbeigaben bis zu 35 Prozent. Die pikante Säure darf jedoch nicht verloren gehen, da sie dem Likör die prickelnde Frische verleiht. Sie wird entweder durch Beigabe von Zitronensaft oder kristalli-sierter Zitronensäure erreicht. Gelegentlich kommt er als »Zitronen-Eislikör« in den Handel.

Zitronenmilch

2–3 Eiswürfel,
2,5 cl Grenadine,
15 cl kalte Milch,
2,5 cl Zitronensaft.

Alle Zutaten in ein Mixglas geben. Mit einem langen Barlöffel gut verrühren. In ein hohes Becherglas seihen. Trinkhalm dazureichen.

Zitronenmilch mit Schuß

Für 4 Personen
Bild Seite 360

4–6 Eiswürfel,
½ l Milch, ⅛ l Sahne,
abgeriebene Schale und Saft von 3 Zitronen,
4 cl Curaçao weiß.

Eiswürfel und alle anderen Zutaten in ein Mixglas geben und mit einem langen Barlöffel sehr gut verrühren. In vier Kelchgläser seihen. Dazu einen Trinkhalm reichen.

Etwas weißer Curaçao ist der »Schuß« in dieser Zitronenmilch.

Zitronen-punsch

Für 4–6 Personen
Bild Seite 359

1 l Wasser,
300 g Zucker,
abgeriebene Schale von
5 Zitronen,
¾ l Rotwein,
durchgeseihten Saft von
6 Zitronen,
¼ l Rum.

Wasser, Zucker und Zitronenschale in einen Topf geben. Alles unter ständigem Rühren zum Kochen bringen. In einen anderen Topf seihen, wenn der Zucker gelöst ist. Rotwein und Zitronensaft zugießen, bis kurz vor den Siedepunkt erhitzen. Rum zugeben. In feuerfesten Gläsern servieren.

Zitronensaft

Die Zitrone gehört zusammen mit der Orange zu der am weitesten verbreiteten Zitrusfrucht. Aus dem Fruchtfleisch der Zitrone wird ein an Vitamin C, Zucker- und Zitronensäure reicher Saft gepreßt, der als Würzmittel und Aromaträger gebraucht wird.
Zitronensaft wird als Erfrischungsgetränk und als Säurespender für Mixgetränke viel verwendet. In der Medizin wird Zitronensaft wegen des hohen Anteils an Zitronensäure als Mittel zur Verdauungsverbesserung gereicht.
Aus den Schalen der Zitrone wird Zitronenöl gewonnen, ein hocharomatischer Bitterstoff, der als Würzstoff dient. Frisches Zitronenöl gibt so manchem Drink das vollkommene Aroma.

Zitrusliköre

Zur Gruppe der Zitrusliköre (oft auch als Citrusliköre bezeichnet) gehören alle Liköre, die aus den aromatischen Schalen der verschiedenen Zitrusarten wie Zitrone, Orange, bittere Pomeranze, Curaçao-Frucht und anderen hergestellt werden. Es sind vor allem die ätherischen Öle, die – in Alkohol mazeriert – wertvolle Bestandteile und das dominierende Aroma liefern, während der Saft der Früchte keine große Rolle spielt.
Beim *Blutorangenlikör*, der zu den Fruchtsaftlikören zählt, ist die Verwendung des Saftes jedoch vorgeschrieben.
Die Säfte vermögen den Likören zumindest mehr Fruchtigkeit zu verleihen. Gelegentliche Färbung mit Zuckercouleur wie beim Curaçao sind von Fall zu Fall gestattet.
Die Alkoholgehalte bewegen sich bei den Zitruslikören zwischen 30 und 40 Vol.-%. Zuckergehalte können beim Zitronenlikör bis zu 35 Prozent ausmachen.

Zölsens Zauber-Zombi

3 EL haselnußgroße Eiswürfel,
2,5 cl Limetten-(Lumien-)saft,
2,5 cl Orangensaft,
2,5–5 cl Kokosmilch,
2 BL Grenadine,
2 BL Zucker,
2–3 dashes Angostura,
5–7,5 cl weißer Rum,
2 EL Cobblereis,
2–3 Minzezweige,
1 Orangenscheibe,
1 Limetten-(Lumien-)scheibe,
2 Cocktailkirschen.

Eiswürfel, Limetten- und Orangensaft, Kokosmilch, Grenadine, Zucker, Angostura und Rum in den Shaker geben. Shaker mit einer Serviette umwickeln und 1 bis 2 Minuten sehr gut schütteln. Inhalt in ein hohes Becherglas seihen. Cobblereis zugeben und mit Minzezweigen und Früchten garnieren. Löffel und Trinkhalm dazu reichen.

Zoom

2–3 Eiswürfel,
4 cl Weinbrand,
1,5 cl Honig,
2 cl Sahne.

Alle Zutaten in den Shaker geben. Kurz und kräftig schütteln. Shakerinhalt in ein großes Cocktail- oder Weinglas seihen.

Zubrowka

Siehe Subrowka.

Zubrowkatini

2–3 Eiswürfel,
4 cl Zubrowka Wodka,
6 cl Crème de Menthe weiß,
4 cl Zitronensaft,
1 grüne Cocktailkirsche.

Die Eiswürfel mit Wodka, Crème de Menthe und Zitronensaft in einen Shaker geben. Kräftig schütteln. In ein großes Cocktailglas seihen. Mit einer Cocktailkirsche garniert servieren. Trinkhalm und Cocktailspieß dazu reichen.

Zuckerrohr-branntwein

Siehe Rum.

Zuger Kirschwasser

Ein Schweizer Kirschenbrannt, der eine große Rolle für ein erstklassiges Käsefondue und die berühmte Zuger Kirschtorte spielt, ist nach dem Kanton Zug genannt: Das Zuger Kirschwasser.

Zuika

Was bei den Jugoslawen der *Sliwowitz*, ist bei den Rumänen der Zuika (auch Tuika): Ein kräftiger aromatischer Pflaumenbrannt-

wein mit mindestens 40 Vol.-% Alkohol.
Er wird in Rumänien seit alten Zeiten aus »toui«, karaffenähnlichen, langhalsigen Gläsern geschlürft, die das Feuer des Hochprozentigen gefangen halten, bis es wie ein Fackelzug die Kehle hinabgleitet.
Streng sind die Vorschriften für die Herstellung. Da ist der Maischbottich aus Eichenholz, in dem nur Pflaumen für den Zuika und nichts anderes hinein darf. Unter dem Kupferkessel der Brennblase flackert ein Feuer aus Akazienholz. Für das Mengenverhältnis zwischen dem Ausgangsstoff und dem Endprodukt gilt: »Eine Zuika ist nur dann gut, wenn man aus einem knappen halben Zentner nicht mehr als einen Liter Schnaps gewinnen will.« Schwarzmeer-Fahrer finden diesen noblen Tropfen, wenn sie sich ein paar Kilometer vom Strand ins Landesinnere bewegen, in alten Dorfkneipen oder bei bäuerlichen Brennern.

Zwetschenwasser

Der bekannteste Obstbranntwein, der in der Bundesrepublik übrigens

Zum Zwetschenwasser-Cocktail gehört unbedingt eine eingeweichte Backpflaume.

Ganz stilecht ist der Zubrowkatini erst dann, wenn Sie eine grüne Cocktailkirsche dazugeben.

mindestens 40 Vol.-% Alkohol enthalten muß, ist das Zwetschenwasser. Es wird aus den sehr süßen und aromatischen Herbstzwetschen ohne Zusatz von Zucker oder anderem Alkohol gebrannt.
Zwetschenwasser wird in vielen Ländern Europas gewonnen und ist unter den verschiedensten Namen auf dem Markt: *Quetschewasser* in Baden und Württemberg, Quetsch im Elsaß, *Sliwowitz* in der CSSR,

Österreich und Jugoslawien, *Zuika* in Rumänien und *Prepetschenitza*, wie in Osteuropa ein doppelt rektifizierter Pflaumenbranntwein genannt wird.

Zwetschenwasser-Cocktail

2–3 Eiswürfel,
1,5 cl Aquavit,

2 cl Zwetschenwasser,
1,5 cl Pflaumenlikör,
1 Backpflaume.

Eiswürfel, Aquavit, Zwetschenwasser und Pflaumenlikör in den Shaker geben. Kurz und kräftig schütteln. Den Inhalt in ein Cocktailglas seihen. Backpflaume zufügen. Dazu einen Cocktailspieß reichen.

Zwicker

Siehe Elsässer Weine.

MENÜ

MENÜ-Getränke von A bis Z ist fortlaufend numeriert. In dieser Inhaltsübersicht finden Sie die nach Sachgruppen geordneten Getränke-Rezepte.

Wenn nicht anders angegeben, sind alle Getränke-Rezepte für eine Person berechnet.

Wenn in Rezepten Früchteschalen angegeben werden, sind damit immer die Schalen von ungespritzten Früchten gemeint.

Mit Tee ist immer schwarzer Tee gemeint. Andere Tee-Sorten werden in den Rezeptzutaten ausdrücklich genannt. Abkürzungen und Erklärungen: BL = Barlöffel (Teelöffel), EL = Eßlöffel, cl = Zentiliter (1 cl = 10 ccm = 10 Gramm), Dash = Spritzer (1 dash = 1 Gramm Flüssigkeit).

Alle *kursiv* gesetzten Wörter in den allgemeinen Texten sind Hinweise auf weitere Stichwörter.

MENÜ

Milchgetränke

Shortdrinks